保育士国家試験科目　俯瞰図

「保育所保育指針」「児童福祉施設の設備及び運営に関する基準」など各科目との関連性を図で示しました。出題の傾向や関連科目など全体像を理解しておきましょう。

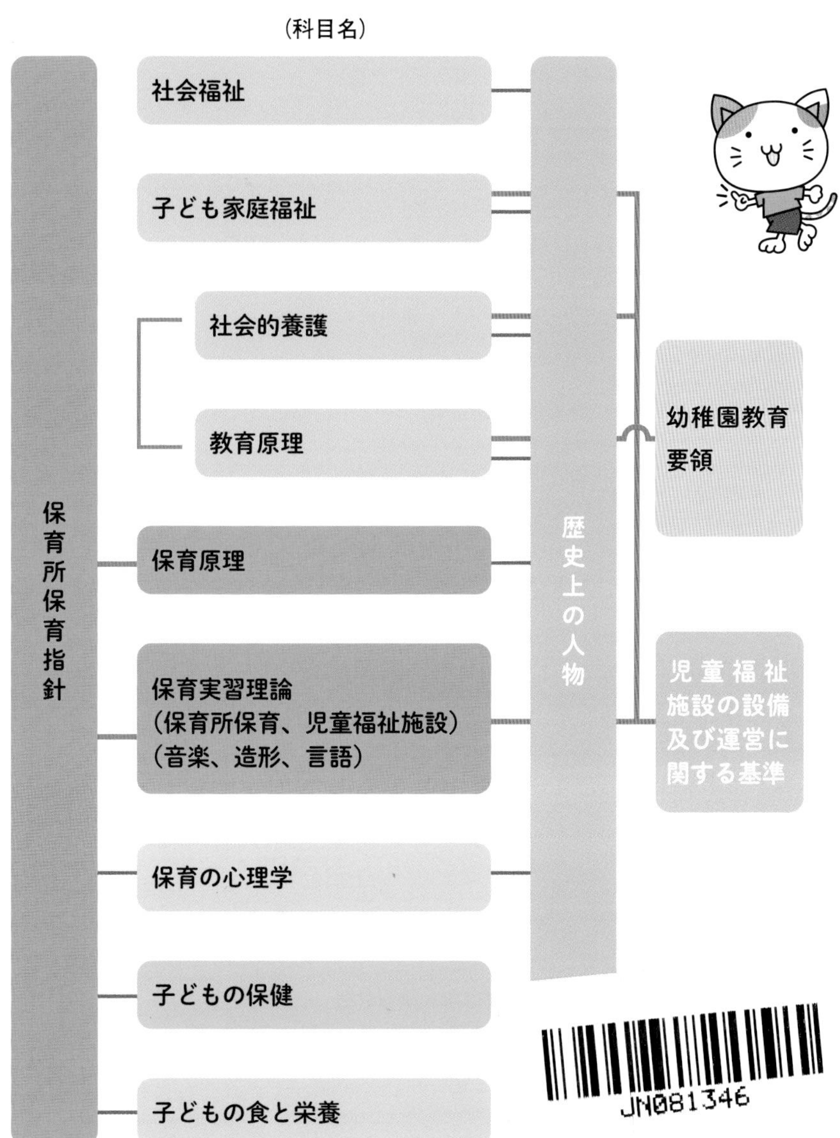

保育・福祉の主な関連年表

「保育・福祉の動向」と「関係法令」を年表にまとめました。各科目の解説内容と合わせて、時代背景や年代順を確認しましょう。

元号	年	西暦	保育・福祉の動向	関係法令
明治	9	1876	「東京女子師範学校附属幼稚園」開設	
	20	1887	石井十次「岡山孤児院」	
	22	1889		「大日本帝國憲法」制定
	23	1890	赤沢鍾美「新潟静修学校」	「教育勅語」発布
			筧雄平が農繁期託児所開設	「小学校令」改正
	24	1891	石井亮一「滝乃川学園」	
	30	1897	片山潜「キングスレー館」(日本初のセツルメント幼稚園)	
	32	1899	留岡幸助「家庭学校」	文部省「幼稚園保育及設備規程」
	33	1900	野口幽香「二葉幼稚園」	「感化法」制定
大正	3	1914	留岡幸助「北海道家庭学校」	
	6	1917	倉橋惣三が東京女子師範学校附属幼稚園主事に就任	
	15	1926		「幼稚園令」制定
昭和	4	1929		「救護法」制定
	7	1932		「救護法」施行
	8	1933		「少年教護法」制定
				「児童虐待防止法」制定
	16	1941		「国民学校令」制定
	17	1942	高木憲次「整肢療護園」	
	21	1946	糸賀一雄「近江学園」	「日本国憲法」制定
	22	1947		「児童福祉法」制定
				「教育基本法」制定
				「学校教育法」制定
	23	1948	「保育要領～幼児教育の手引き」刊行	
	24	1949	ＧＨＱ社会福祉行政６原則を指示	「社会教育法」制定
				「身体障害者福祉法」制定
	25	1950		「生活保護法」制定
				「精神衛生法」制定
	26	1951		「児童憲章」制定
				「社会福祉事業法」制定

元号	年	西暦	保育・福祉の動向	関係法令
昭和	27	1952	中央教育審議会が発足	
	30	1955	「社会保障５カ年計画」	
	31	1956	「幼稚園教育要領」刊行	
	33	1958		「国民健康保険法」制定
	34	1959		「国民年金法」制定
	35	1960		「精神薄弱者福祉法」制定
	36	1961		「児童扶養手当法」制定
	38	1963		「老人福祉法」制定
	39	1964		「母子福祉法」制定
				「重度精神薄弱児扶養手当法」(現「特別児童扶養手当等の支給に関する法律」)制定
	40	1965	**「保育所保育指針」策定**	「母子保健法」制定
	45	1970		「障害者基本法」制定
	46	1971		「児童手当法」制定
	56	1981	国際障害者年	「母子福祉法」を「母子及び寡婦福祉法」に題名改正
	61	1986	「長寿社会対策大綱」策定	
	62	1987		「精神衛生法」が「精神保健法」に題名改正
平成	1	1989	「ゴールドプラン」策定	
			「児童の権利に関する条約」採択	
	2	1990	福祉関係八法改正	
	6	1994	「新ゴールドプラン」策定	「児童の権利に関する条約」の批准
			「21世紀福祉ビジョン」発表	
			「エンゼルプラン」策定	
			主任児童委員の設置	
	7	1995	「障害者プラン」策定	「高齢社会対策基本法」制定
				「精神保健法」を「精神保健及び精神障害者福祉に関する法律」に題名改正
	8	1996	「高齢社会対策大綱」策定	
	10	1998		「精神薄弱者福祉法」を「知的障害者福祉法」に題名改正
	11	1999	「新エンゼルプラン」策定	「児童買春防止法」(略称)制定
			「ゴールドプラン21」策定	
			「保育士」へ改称	

元号	年	西暦	保育・福祉の動向	関係法令
平成	12	2000	社会福祉基礎構造改革	「児童虐待の防止等に関する法律」制定
				「社会福祉事業法」を「社会福祉法」に題名改定
				「介護保険法」施行
				「公益質屋法」廃止
	13	2001		「DV防止法」(略称)制定
	14	2002	「障害者基本計画(第２次)」策定	
			「新障害者プラン」策定	
			「少子化対策プラスワン」発表	
	15	2003	**「保育士」国家資格に**	「少子化社会対策基本法」制定
			「支援費制度」施行	「次世代育成支援対策推進法」制定
	16	2004	「少子化社会対策大綱」発表	「発達障害者支援法」制定
			「子ども・子育て応援プラン」策定	
	17	2005		「障害者自立支援法」制定
	18	2006		新しい「教育基本法」制定
	20	2008	**「保育所保育指針」改定(告示)**	
	22	2010	「子ども・子育てビジョン」策定	
	24	2012	「子ども・子育て関連３法」制定	「障害者自立支援法」を「障害者総合支援法」(略称)に題名改正
	26	2014		「母子及び寡婦福祉法」を「母子及び父子並びに寡婦福祉法」に題名改正
	27	2015	「子ども・子育て支援新制度」導入	
			「児童福祉法」改正	
	29	2017	**「保育所保育指針」改正(告示)**	
			「子育て安心プラン」策定	
令和	1	2019	幼児教育・保育無償化	
	2	2020	「新子育て安心プラン」策定	
	3	2021	「子供・若者育成支援推進大綱」策定	
	4	2022		「こども基本法」制定
	5	2023	こども家庭庁が発足	
			「こども大綱」策定	

食事バランスガイド

「子どもの食と栄養」に関する食や栄養の知識を理解しましょう。

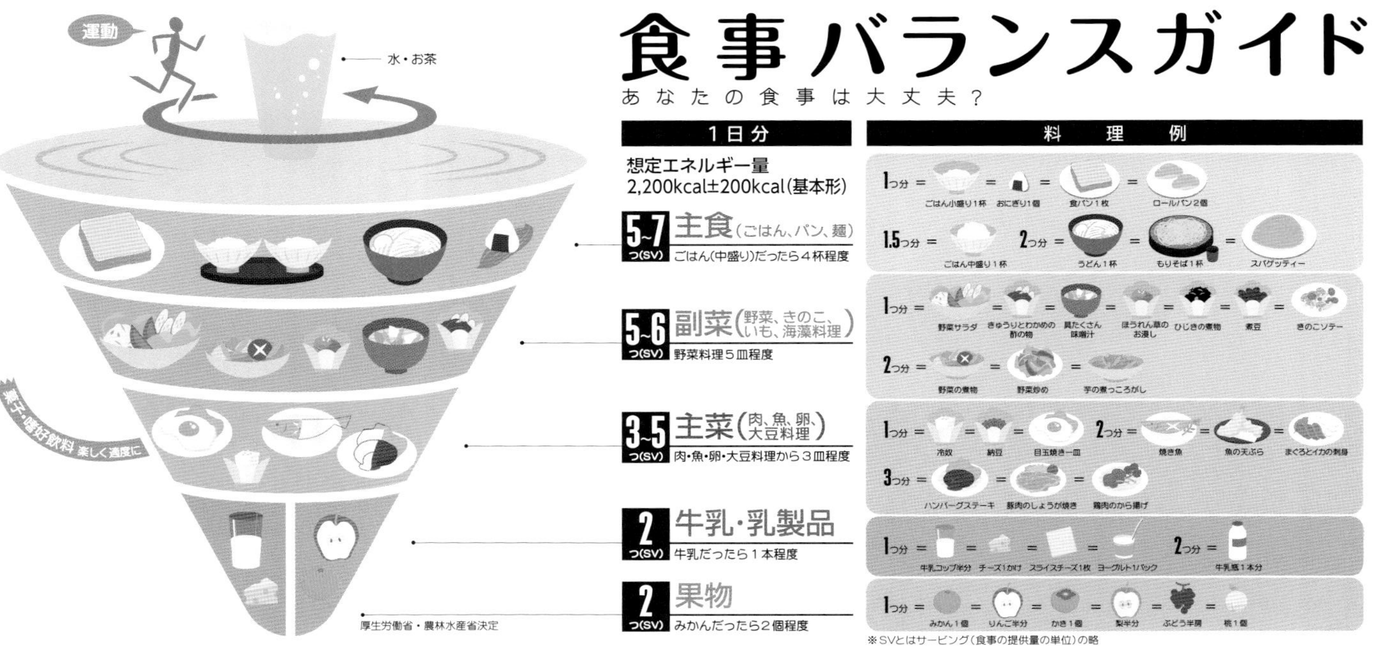
運動
水・お茶
菓子・嗜好飲料 楽しく適度に
厚生労働省・農林水産省決定
食事バランスガイド
あなたの食事は大丈夫？
1日分
料理例
想定エネルギー量
2,200kcal±200kcal(基本形)
5~7つ(SV) 主食(ごはん、パン、麺)
ごはん(中盛り)だったら4杯程度
1つ分 = ごはん小盛り1杯 = おにぎり1個 = 食パン1枚 = ロールパン2個
1.5つ分 = ごはん中盛り1杯
2つ分 = うどん1杯 = もりそば1杯 = スパゲッティー
5~6つ(SV) 副菜(野菜、きのこ、いも、海藻料理)
野菜料理5皿程度
1つ分 = 野菜サラダ = きゅうりとわかめの酢の物 = 具たくさん味噌汁 = ほうれん草のお浸し = ひじきの煮物 = 煮豆 = きのこソテー
2つ分 = 野菜の煮物 = 野菜炒め = 芋の煮っころがし
3~5つ(SV) 主菜(肉、魚、卵、大豆料理)
肉・魚・卵・大豆料理から3皿程度
1つ分 = 冷奴 = 納豆 = 目玉焼き一皿
2つ分 = 焼き魚 = 魚の天ぷら = まぐろとイカの刺身
3つ分 = ハンバーグステーキ = 豚肉のしょうが焼き = 鶏肉のから揚げ
2つ(SV) 牛乳・乳製品
牛乳だったら1本程度
1つ分 = 牛乳コップ半分 = チーズ1かけ = スライスチーズ1枚 = ヨーグルト1パック
2つ分 = 牛乳瓶1本分
2つ(SV) 果物
みかんだったら2個程度
1つ分 = みかん1個 = りんご半分 = かき1個 = 梨半分 = ぶどう半房 = 桃1個
※SVとはサービング(食事の提供量の単位)の略

色彩の基礎知識

「保育実習理論・造形」に関連する色彩の知識を確認しましょう。

1　混色

色料の３原色

赤、青、黄の３色。
３色を混合すると黒になる。
混色により明るさが減るため、減法混色（減算混合）という。
色彩理論では色の３原色は赤：赤紫（M: マゼンタ）、青：青緑（C: シアン）、黄（Y: イエロー）となる。

色光の３原色

赤、緑、青の３色。
３色を混合すると白になる。
混色により明るさが増すため、加法混色（加算混合）という。
※赤 :R　緑 :G　青 :B

2　色相環

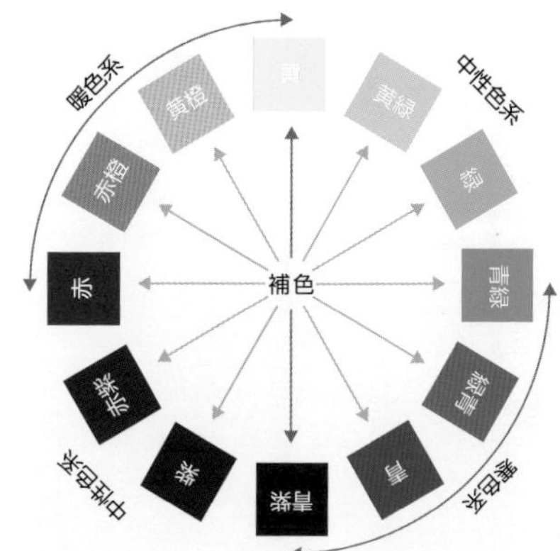

12 色相環

12 色の純色を段階的に円形に並べたもの。

3　色の対比

明度対比

背景の明度が高いと暗く、明度が低いと明るく見える

中央の灰色はすべて同じ明度

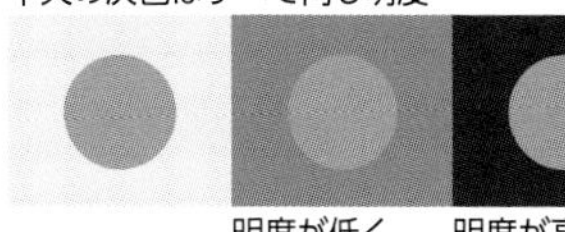

明度が低く見える　明度が高く見える

彩度対比

背景色の彩度が低いと鮮やかに、彩度が高いとくすんで見える

中央はすべて同じ色相

鮮やかに見える　くすんで見える

色相対比

背景色の色相により色みが異なって見える

中央の青はすべて同じ色相

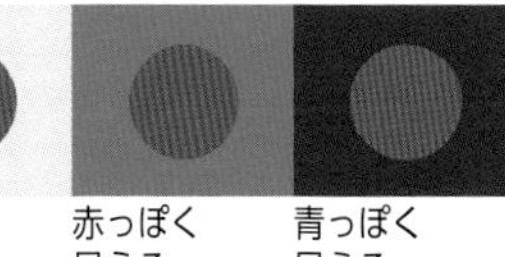

赤っぽく見える　青っぽく見える

補色対比

補色どうしの配色ではもとの色よりも鮮やかに見える

中央はすべて同じ色相

補色ではより鮮やかに　類似した色相どうしは色がなじむ

4　色立体

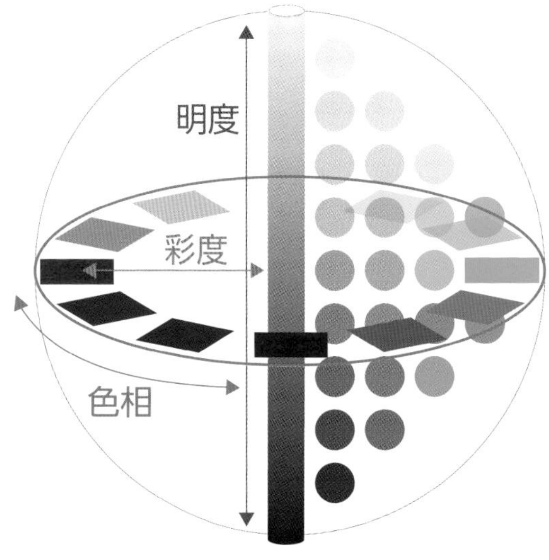

中心軸の上が白、下が黒になるように無彩色を配置。赤道面に当たる部分に色相環を配置、各色相は上に行くほど明度が高く、下に行くほど明度が低く、中心に行くほど彩度が低くなる。

※青緑の明度と彩度の変化を図示

合格力アップ！　オススメ勉強法

中央法規の保育士受験対策シリーズでは、様々な学習段階や学習シーンに合ったラインナップを揃えています。

本書を中心に、自分のスタイルに合わせてシリーズを活用すれば、さらに合格へと近づきます。

わかる！受かる！
保育士試験合格テキスト 2025

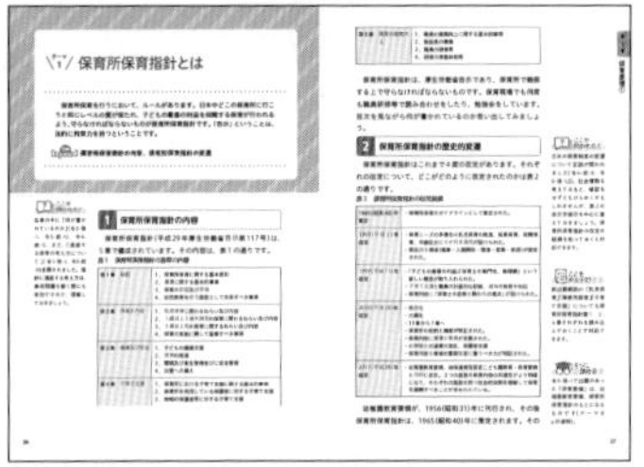

まずは、頻出テーマの内容をインプット！
→ ○×チェック問題で理解度を確認！

できる！受かる！
保育士試験合格問題集 2025

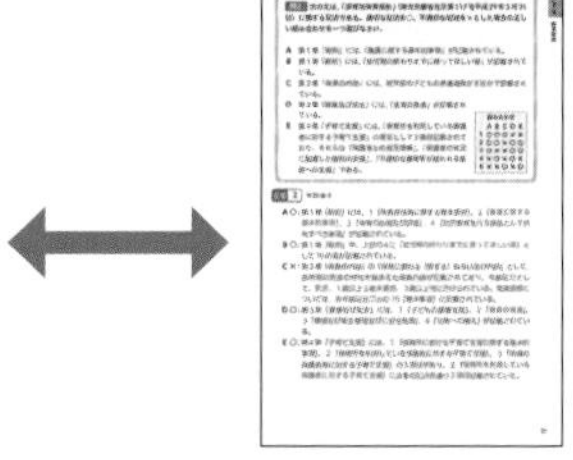

実際の出題形式で
問題にチャレンジ！

苦手分野が
見えてきたら…

見て覚える！
保育士試験攻略ブック 2025

苦手分野をオールカラーの図表で理解！　科目横断で効率アップ！

スキマ時間には…

よく出る！ **保育士試験〈過去問〉一問一答 2025**

過去問をサクサク解いて、「想起力」のトレーニング！

介護・福祉の応援サイト けあサポ

「受験対策講座」「月イチテスト」「穴埋め問題」などで、幅広い知識を楽しく学ぶ！

わかる! 受かる!

保育士試験

合格テキスト 2025

中央法規保育士受験対策研究会 編集

中央法規

はじめに

保育士国家試験が開始されてから、20年近くが経ちました。その間に科目の改正もあり、より充実したものになっています。保育士国家試験の特徴は、保育現場に直結する知識が問われることです。国家試験の中には一見、現場の仕事とは乖離がある内容が問われるものもありますが、保育士国家試験の問題は、知らないと現場で困るくらいの内容です。

しかし、試験の合格率については、6割以上の得点が合格基準であるにもかかわらず、30%程度です。合格が難しい背景には、科目数の多さと内容の深さがあります。すべてマークシート方式ではありますが、勉強せずにカンで解いても通用しません。

本書は、試験に正答するうえで本当に必要な知識を凝縮して、掲載しています。国家試験問題の出題傾向を分析し、頻出テーマを中心に学習できるよう、ここ数年科目が横断的に出題されていることを踏まえて、全9科目を1冊にまとめました。教材選びはとても重要です。効率よく学習ができるよう、受験者の気持ちになってつくりました。姉妹書の『できる！受かる！保育士試験合格問題集』『よく出る！保育士試験〈過去問〉一問一答』と併せて学習すると、合格へより近づきます。

このテキストが皆さんを合格に導きますよう、執筆者一同心からお祈り申し上げます。

2024年5月

執筆代表　橋本圭介

contents

第3章　社会的養護

第4章　子ども家庭福祉

第5章　社会福祉

第6章　保育の心理学

第7章　子どもの保健

第8章　子どもの食と栄養

第9章　保育実習理論

本書の使い方

頻出テーマ

出題実績を中心に最重要テーマをまとめています。各テーマの令和4年保育士試験(前期)以降の出題実績を記載しています(例：令6-前-1は、令和6年保育士試験(前期)保育原理　問1で出題されたことを表しています)。

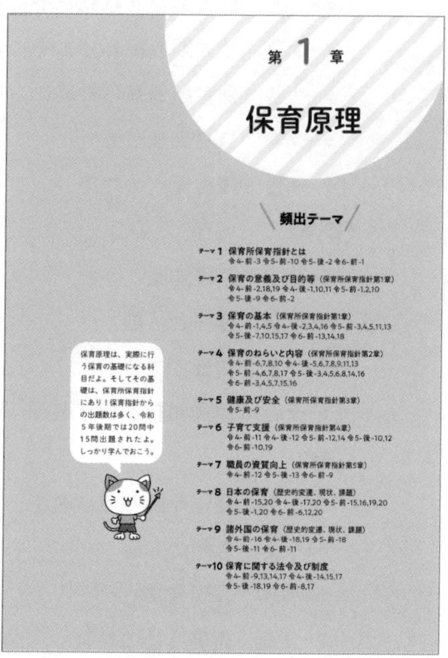
第1章

保育原理

頻出テーマ

テーマ1 保育所保育指針とは
令4-前-3 令5-前-10 令5-後-2 令6-前-1

テーマ2 保育の意義及び目的等（保育所保育指針第1章）
令4-前-2,18,19 令4-後-1,10,11 令5-前-1,2,10
令5-後-9 令6-前-2

テーマ3 保育の基本（保育所保育指針第1章）
令4-前-1,4,5 令4-後-2,3,4,16 令5-前-3,4,5,11,13
令5-後-7,10,15,17 令6-前-13,14,18

テーマ4 保育のねらいと内容（保育所保育指針第2章）
令4-前-6,7,8,10 令4-後-5,6,7,8,9,11,13
令5-前-4,6,7,8,17 令5-後-3,4,5,6,8,14,16
令6-前-3,4,5,7,15,16

テーマ5 健康及び安全（保育所保育指針第3章）
令5-前-9

テーマ6 子育て支援（保育所保育指針第4章）
令4-前-11 令4-後-12 令5-前-12,14 令5-後-10,12
令6-前-10,19

テーマ7 職員の資質向上（保育所保育指針第5章）
令4-前-12 令5-後-13 令6-前-9

テーマ8 日本の保育（歴史的変遷、現状、課題）
令4-前-15,20 令4-後-17,20 令5-前-15,16,19,20
令5-後-1,20 令6-前-6,12,20

テーマ9 諸外国の保育（歴史的変遷、現状、課題）
令4-前-16 令4-後-18,19 令5-前-18
令5-後-11 令6-前-11

テーマ10 保育に関する法令及び制度
令4-前-9,13,14,17 令4-後-14,15,17
令5-後-18,19 令6-前-8,17

内容現在について

本書の記載内容は、2024(令和6)年4月現在の法令等に基づいています。

側注のアイコン

過去問の出題実績や問われ方などを示しています。

今後の試験に向けて押さえておきたい項目です。

用語解説

本文中の用語解説や補足説明をしています。

関連事項や理解を深める内容を取り上げます。

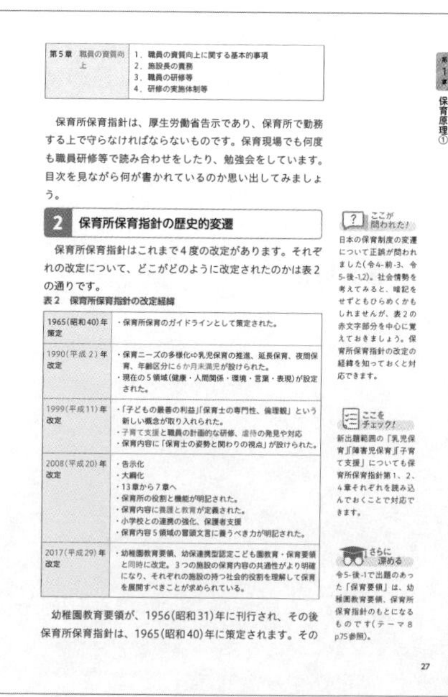

第5章　職員の資質向上	1．職員の資質向上に関する基本的事項 2．施設長の責務 3．職員の研修等 4．研修の実施体制等

保育所保育指針は、厚生労働省告示であり、保育所で勤務する上で守らなければならないものです。保育現場でも何度も職員研修等で読み合わせをしたり、勉強会をしています。目次を見ながら何が書かれているのか思い出してみましょう。

2 保育所保育指針の歴史的変遷

保育所保育指針はこれまで4度の改定があります。それぞれの改定について、どこがどのように改定されたのかは表2の通りです。

表2　保育所保育指針の改定経緯

1965(昭和40)年策定	・保育所保育のガイドラインとして策定された。
1990(平成2)年改定	・保育ニーズの多様化⇨乳児保育の推進、延長保育、夜間保育、年齢区分に6か月未満児が設けられた。 ・現在の5領域(健康・人間関係・環境・言葉・表現)が設定された。
1999(平成11)年改定	・「子どもの最善の利益」「保育士の専門性、倫理観」という新しい概念が取り入れられた。 ・子育て支援と職員の計画的な研修、虐待の発見や対応 ・保育内容に「保育士の姿勢と関わりの視点」が設けられた。
2008(平成20)年改定	・告示化 ・大綱化 ・13章から7章へ ・保育所の役割と機能が明記された。 ・保育内容に養護と教育が定義された。 ・小学校との連携の強化、保護者支援 ・保育内容5領域の冒頭文言に養うべき力が明記された。
2017(平成29)年改定	・幼稚園教育要領、幼保連携型認定こども園教育・保育要領と同時に改定。3つの施設の保育内容の共通性がより明確になり、それぞれの施設の持つ社会的役割を理解して保育を展開すべきことが求められている。

幼稚園教育要領が、1956(昭和31)年に刊行され、その後保育所保育指針は、1965(昭和40)年に策定されます。その

ここが問われた！
日本の保育制度の変遷について正誤が問われました(令4-前-3、令5-後-1,2)。社会情勢を考えてみると、暗記をせずともひらめくかもしれませんが、表2の赤文字部分を中心に覚えておきましょう。保育所保育指針の改定の経緯を知っておくと対応できます。

ここをチェック！
新出題範囲の「乳児保育」「障害児保育」「子育て支援」についても保育所保育指針第1、2、4章それぞれを読み込んでおくことで対応できます。

さらに深める
令5-後-1で出題のあった「保育要領」は、幼稚園教育要領、保育所保育指針のもとになるものです(テーマ8 p.75参照)。

第1章 保育原理①

27

テーマ1 保育所保育指針とは

保育所保育を行うにおいて、ルールがあります。日本中どこの保育所に行こうと同じレベルの質が保たれ、子どもの最善の利益を保障する保育が行われるよう、守らなければならないものが保育所保育指針です。「告示」ということは、法的に拘束力を持つということです。

keyword 保育所保育指針の内容、保育所保育指針の変遷

ここが問われた！
各章の中に「何が書かれているのか」(令2-後-1、令5-前-10、令6-前-1)、また、「通底する保育の考え方について」(令1-後-1、令3-前-9)出題されました。指針に通底する考え方は、事例問題を解く際にも有効ですので、理解しておきましょう。

1 保育所保育指針の内容

保育所保育指針(平成29年厚生労働省告示第117号)は、5章で構成されています。その内容は、表1の通りです。

表1 保育所保育指針の各章の内容

章	内容
第1章 総則	1．保育所保育に関する基本原則 2．養護に関する基本的事項 3．保育の計画及び評価 4．幼児教育を行う施設として共有すべき事項
第2章 保育の内容	1．乳児保育に関わるねらい及び内容 2．1歳以上3歳未満児の保育に関わるねらい及び内容 3．3歳以上児の保育に関するねらい及び内容 4．保育の実施に関して留意すべき事項
第3章 健康及び安全	1．子どもの健康支援 2．食育の推進 3．環境及び衛生管理並びに安全管理 4．災害への備え
第4章 子育て支援	1．保育所における子育て支援に関する基本的事項 2．保育所を利用している保護者に対する子育て支援 3．地域の保護者等に対する子育て支援

26

キーワード

学習時に大切なキーワードを挙げています。

赤シート

付録の赤シートも活用して、効率的に学習を進めましょう。

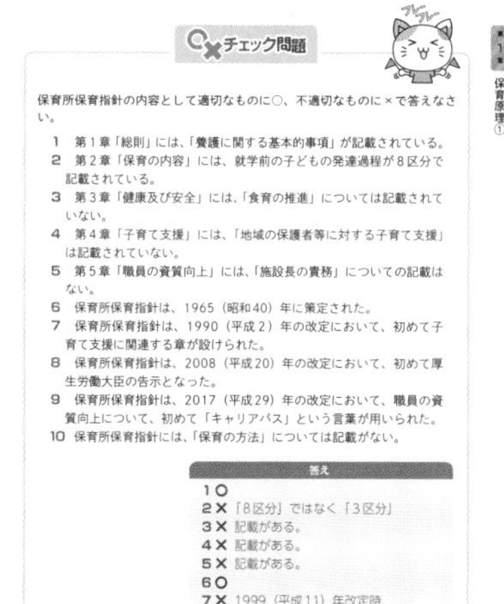

○×チェック問題

第1章 保育原理①

保育所保育指針の内容として適切なものに○、不適切なものに×で答えなさい。

1 第1章「総則」には、「養護に関する基本的事項」が記載されている。
2 第2章「保育の内容」には、就学前の子どもの発達過程が8区分で記載されている。
3 第3章「健康及び安全」には、「食育の推進」については記載されていない。
4 第4章「子育て支援」には、「地域の保護者等に対する子育て支援」は記載されていない。
5 第5章「職員の資質向上」には、「施設長の責務」についての記載はない。
6 保育所保育指針は、1965（昭和40）年に策定された。
7 保育所保育指針は、1990（平成2）年の改定において、初めて子育て支援に関連する章が設けられた。
8 保育所保育指針は、2008（平成20）年の改定において、初めて厚生労働大臣の告示となった。
9 保育所保育指針は、2017（平成29）年の改定において、職員の資質向上について、初めて「キャリアパス」という言葉が用いられた。
10 保育所保育指針には、「保育の方法」については記載がない。

答え

1○
2× 「8区分」ではなく「3区分」
3× 記載がある。
4× 記載がある。
5× 記載がある。
6○
7× 1999（平成11）年改定時
8○
9○
10× 第1章「総則」1(3)に記載がある。

29

学習を応援するキャラクター

つぶらな瞳で学習をサポートします。

○×チェック問題

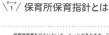

○×チェック問題を解いて、実際の問われ方や正誤のポイントを学びます。本文で学んだ内容をしっかり定着させるためにも、ぜひチャレンジしましょう。

資格及び試験の概要

資格取得について

保育士国家資格を取得するには２つのルートがあります。

①厚生労働大臣の指定する保育士を養成する学校その他の施設で所定の課程・科目を履修し卒業する。

②保育士試験に合格する。

上記のいずれかを経て、保育士の登録を受け、保育士証の交付をもって保育士として働くことができます。

受験資格については学校教育法による区分によって細かく規定されています。詳細は一般社団法人全国保育士養成協議会ホームページ（https://www.hoyokyo.or.jp/）をご参照ください。

試験の概要

※詳細は全国保育士養成協議会「保育士試験を受ける方へ」「受験申請の手引き」をご覧ください。

受験の主な流れ（前期試験の場合）

受験申請書の受付　1月頃
筆記試験受験票の受領　4月上旬頃
筆記試験の実施　4月下旬頃
筆記試験の合格通知　6月上旬頃
全科目合格者…実技試験の実施　7月上旬頃
合格または一部科目合格の通知　8月上旬頃

試験会場

全国47都道府県で受験することができます。

出題形式

筆記試験はマークシート方式です。穴埋めにあてはまる語句や各選択肢の適切・不適切な記述の「正しい組み合わせ」などについて問われます。

✓ 試験科目・時間等（前期試験の場合）

筆記試験

試験日	試験科目	問題数	試験時間
4月下旬 1日目	① 保育の心理学	20問	60分
	② 保育原理	20問	60分
	③ 子ども家庭福祉	20問	60分
	④ 社会福祉	20問	60分
2日目	⑤ 教育原理	10問	30分
	⑥ 社会的養護	10問	30分
	⑦ 子どもの保健	20問	60分
	⑧ 子どもの食と栄養	20問	60分
	⑨ 保育実習理論	20問	60分

実技試験

<table>
<tr><td rowspan="3">7月上旬の
1日間</td><td>❶ 音楽に関する技術</td><td rowspan="3">幼稚園教諭免許状所有者等の実技試験免除者以外は、左記❶～❸の中から必ず2分野を選択する</td></tr>
<tr><td>❷ 造形に関する技術</td></tr>
<tr><td>❸ 言語に関する技術</td></tr>
</table>

筆記試験の当日の持ち物（試験中机上に置けるもの）

◎受験票

◎HB～Bの鉛筆またはシャープペンシル、消しゴム

・鉛筆またはシャープペンシル以外での記入は0点になる場合があります。

・机の上に筆箱等を置くことは禁止。

◎腕時計（試験室に時計がない場合がある）

・アラーム等の音が鳴らないもの。計算機、電話等の機能のついていないもの。置き時計は不可。

※音（アラーム等）を発するものの試験室への持ち込み・使用は禁止。

筆記試験の合格基準

各科目において、満点の6割以上を得点すれば合格となります。「教育原理」および「社会的養護」は、両科目とも満点の6割以上を得点する必要があります。

過去の受験者数・合格者数（全科目免除者を除く）

	平成30(2018)年	平成31(2019)年	令和2(2020)年	令和3(2021)年	令和4(2022)年
受験者数	68,388名	77,076名	44,914名	83,175名	79,378名
合格者数	13,500名	18,330名	10,890名	16,600名	23,758名
合格率	19.7%	23.8%	24.2%	19.9%	29.9%

※令和2(2020)年前期の筆記試験は、新型コロナウイルス感染症の状況を踏まえ中止された。

＜各科目の出題範囲＞

「指定保育士養成施設の指定及び運営の基準について」(平成15年12月９日雇児発第1209001号厚生労働省雇用均等・児童家庭局長通知)別紙３に定める「教科目の教授内容」が出題範囲とされています。

(出題範囲となる教科目の教授内容)

保育士国家試験の科目	教科目の教授内容
■ 保育原理	「保育原理」 １．保育の意義及び目的 ２．保育に関する法令及び制度 ３．保育所保育指針における保育の基本 ４．保育の思想と歴史的変遷 ５．保育の現状と課題 「乳児保育Ⅰ」 １．乳児保育の意義・目的と役割 ２．乳児保育の現状と課題 ３．３歳未満児の発育・発達を踏まえた保育 ４．乳児保育における連携・協働 「乳児保育Ⅱ」 １．乳児保育の基本 ２．乳児保育における子どもの発育・発達を踏まえた生活と遊びの実際 ３．乳児保育における配慮の実際 ４．乳児保育における計画の実際 「障害児保育」 １．障害児保育を支える理念 ２．障害児等の理解と保育における発達の援助 ３．障害児その他の特別な配慮を要する子どもの保育の実際 ４．家庭及び自治体・関係機関との連携 ５．障害児その他の特別な配慮を要する子どもの保育に関わる現状と課題 「子育て支援」 １．保育士の行う子育て支援の特性 ２．保育士の行う子育て支援の展開 ３．保育士の行う子育て支援とその実際(内容・方法・技術)

保育士国家試験の科目	教科目の教授内容
■ 教育原理	「教育原理」 1．教育の意義、目的及び子ども家庭福祉等との関連性 2．教育の思想と歴史的変遷 3．教育の制度 4．教育の実践 5．生涯学習社会における教育の現状と課題
■ 社会的養護	「社会的養護Ⅰ」 1．現代社会における社会的養護の意義と歴史的変遷 2．社会的養護の基本 3．社会的養護の制度と実施体系 4．社会的養護の対象・形態・専門職 5．社会的養護の現状と課題 「社会的養護Ⅱ」 1．社会的養護の内容 2．社会的養護の実際 3．社会的養護における支援の計画と記録及び自己評価 4．社会的養護に関わる専門的技術 5．今後の課題と展望
■ 子ども家庭福祉	「子ども家庭福祉」 1．現代社会における子ども家庭福祉の意義と歴史的変遷 2．子どもの人権擁護 3．子ども家庭福祉の制度と実施体系 4．子ども家庭福祉の現状と課題 5．子ども家庭福祉の動向と展望 「子ども家庭支援論」 1．子ども家庭支援の意義と役割 2．保育士による子ども家庭支援の意義と基本 3．子育て家庭に対する支援の体制 4．多様な支援の展開と関係機関との連携
■ 社会福祉	「社会福祉」 1．現代社会における社会福祉の意義と歴史的変遷 2．社会福祉の制度と実施体系 3．社会福祉における相談援助 4．社会福祉における利用者の保護に関わる仕組み 5．社会福祉の動向と課題

保育士国家試験の科目	教科目の教授内容
■ 保育の心理学	「保育の心理学」 1．発達を捉える視点 2．子どもの発達過程 3．子どもの学びと保育 「子ども家庭支援の心理学」 1．生涯発達 2．家族・家庭の理解 3．子育て家庭に関する現状と課題 4．子どもの精神保健とその課題 「子どもの理解と援助」 1．子どもの実態に応じた発達や学びの把握 2．子どもを理解する視点 3．子どもを理解する方法 4．子どもの理解に基づく発達援助
■ 子どもの保健	「子どもの保健」 1．子どもの心身の健康と保健の意義 2．子どもの身体的発育・発達と保健 3．子どもの心身の健康状態とその把握 4．子どもの疾病の予防及び適切な対応 「子どもの健康と安全」 1．保健的観点を踏まえた保育環境及び援助 2．保育における健康及び安全の管理 3．子どもの体調不良等に対する適切な対応 4．感染症対策 5．保育における保健的対応 6．健康及び安全の管理の実施体制
■ 子どもの食と栄養	「子どもの食と栄養」 1．子どもの健康と食生活の意義 2．栄養に関する基本的知識 3．子どもの発育・発達と食生活 4．食育の基本と内容 5．家庭や児童福祉施設における食事と栄養 6．特別な配慮を要する子どもの食と栄養

保育士国家試験の科目	教科目の教授内容
■ 保育実習	A　保育実習理論 「保育内容の理解と方法」「保育内容総論」「保育内容演習」「保育実習Ⅰ」「保育実習指導Ⅰ」「保育実践演習」「保育者論」「保育の計画と評価」科目の内容 B　保育実習実技 1．音楽に関する技術 課題に対する器楽・声楽等 2．造形に関する技術 課題に対する絵画・制作等 3．言語に関する技術 課題に対する言葉に関する遊びや表現等

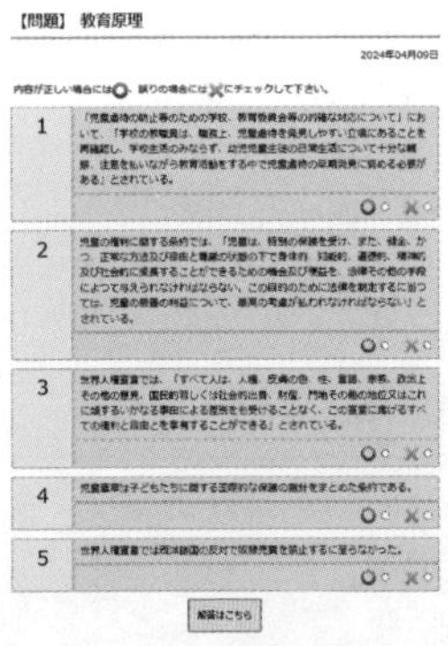

第1章

保育原理

頻出テーマ

テーマ1 保育所保育指針とは
令4-前-3 令5-前-10 令5-後-2 令6-前-1

テーマ2 保育の意義及び目的等（保育所保育指針第1章）
令4-前-2,18,19 令4-後-1,10,11 令5-前-1,2,10
令5-後-9 令6-前-2

テーマ3 保育の基本（保育所保育指針第1章）
令4-前-1,4,5 令4-後-2,3,4,16 令5-前-3,4,5,11,13
令5-後-7,10,15,17 令6-前-13,14,18

テーマ4 保育のねらいと内容（保育所保育指針第2章）
令4-前-6,7,8,10 令4-後-5,6,7,8,9,11,13
令5-前-4,6,7,8,17 令5-後-3,4,5,6,8,14,16
令6-前-3,4,5,7,15,16

テーマ5 健康及び安全（保育所保育指針第3章）
令5-前-9

テーマ6 子育て支援（保育所保育指針第4章）
令4-前-11 令4-後-12 令5-前-12,14 令5-後-10,12
令6-前-10,19

テーマ7 職員の資質向上（保育所保育指針第5章）
令4-前-12 令5-後-13 令6-前-9

テーマ8 日本の保育（歴史的変遷、現状、課題）
令4-前-15,20 令4-後-17,20 令5-前-15,16,19,20
令5-後-1,20 令6-前-6,12,20

テーマ9 諸外国の保育（歴史的変遷、現状、課題）
令4-前-16 令4-後-18,19 令5-前-18
令5-後-11 令6-前-11

テーマ10 保育に関する法令及び制度
令4-前-9,13,14,17 令4-後-14,15,17
令5-後-18,19 令6-前-8,17

保育原理は、実際に行う保育の基礎になる科目だよ。そしてその基礎は、保育所保育指針にあり！保育指針からの出題数は多く、令和5年後期では20問中15問出題されたよ。しっかり学んでおこう。

テーマ1 保育所保育指針とは

保育所保育を行うにおいて、ルールがあります。日本中どこの保育所に行こうと同じレベルの質が保たれ、子どもの最善の利益を保障する保育が行われるよう、守らなければならないものが保育所保育指針です。「告示」ということは、法的に拘束力を持つということです。

保育所保育指針の内容、保育所保育指針の変遷

ここが問われた！
各章の中に「何が書かれているのか」(令2-後-1、令5-前-10、令6-前-1)、また、「通底する保育の考え方について」(令1-後-1、令3-前-9)出題されました。指針に通底する考え方は、事例問題を解く際にも有効ですので、理解しておきましょう。

1 保育所保育指針の内容

保育所保育指針(平成29年厚生労働省告示第117号)は、5章で構成されています。その内容は、表1の通りです。

表1　保育所保育指針の各章の内容

第1章　総則	1．保育所保育に関する基本原則 2．養護に関する基本的事項 3．保育の計画及び評価 4．幼児教育を行う施設として共有すべき事項
第2章　保育の内容	1．乳児保育に関わるねらい及び内容 2．１歳以上３歳未満児の保育に関わるねらい及び内容 3．３歳以上児の保育に関するねらい及び内容 4．保育の実施に関して留意すべき事項
第3章　健康及び安全	1．子どもの健康支援 2．食育の推進 3．環境及び衛生管理並びに安全管理 4．災害への備え
第4章　子育て支援	1．保育所における子育て支援に関する基本的事項 2．保育所を利用している保護者に対する子育て支援 3．地域の保護者等に対する子育て支援

第5章　職員の資質向上	1．職員の資質向上に関する基本的事項 2．施設長の責務 3．職員の研修等 4．研修の実施体制等

保育所保育指針は、厚生労働省告示であり、保育所で勤務する上で守らなければならないものです。保育現場でも何度も職員研修等で読み合わせをしたり、勉強会をしています。目次を見ながら何が書かれているのか思い出してみましょう。

2 保育所保育指針の歴史的変遷

保育所保育指針はこれまで4度の改定があります。それぞれの改定について、どこがどのように改定されたのかは表2の通りです。

表2　保育所保育指針の改定経緯

1965(昭和40)年策定	・保育所保育のガイドラインとして策定された。
1990(平成2)年改定	・保育ニーズの多様化⇨乳児保育の推進、延長保育、夜間保育、年齢区分に6か月未満児が設けられた。 ・現在の5領域(健康・人間関係・環境・言葉・表現)が設定された。
1999(平成11)年改定	・「子どもの最善の利益」「保育士の専門性、倫理観」という新しい概念が取り入れられた。 ・子育て支援と職員の計画的な研修、虐待の発見や対応 ・保育内容に「保育士の姿勢と関わりの視点」が設けられた。
2008(平成20)年改定	・告示化 ・大綱化 ・13章から7章へ ・保育所の役割と機能が明記された。 ・保育内容に養護と教育が定義された。 ・小学校との連携の強化、保護者支援 ・保育内容5領域の冒頭文言に養うべき力が明記された。
2017(平成29)年改定	・幼稚園教育要領、幼保連携型認定こども園教育・保育要領と同時に改定。3つの施設の保育内容の共通性がより明確になり、それぞれの施設の持つ社会的役割を理解して保育を展開すべきことが求められている。

幼稚園教育要領が、1956(昭和31)年に刊行され、その後保育所保育指針は、1965(昭和40)年に策定されます。その

ここが問われた!

日本の保育制度の変遷について正誤が問われました(令4-前-3、令5-後-1,2)。社会情勢を考えてみると、暗記をせずともひらめくかもしれませんが、表2の赤文字部分を中心に覚えておきましょう。保育所保育指針の改定の経緯を知っておくと対応できます。

ここをチェック!

新出題範囲の「乳児保育」「障害児保育」「子育て支援」についても保育所保育指針第1、2、4章それぞれを読み込んでおくことで対応できます。

さらに深める

令5-後-1で出題のあった「保育要領」は、幼稚園教育要領、保育所保育指針のもとになるものです(テーマ8 p.75参照)。

間の1963(昭和38)年に通知「幼稚園と保育所との関係について」が発出されています。これは、文部省と厚生省の共同通知で、幼稚園と保育所、それぞれの機能の独自性を明示するとともに、「保育所のもつ機能のうち、教育に関するものは、幼稚園教育要領に準ずることが望ましい」と示し、保育内容の統一化が図られました。そこで、幼稚園教育要領の改訂・告示を受けて厚生省は1965(昭和40)年に保育所保育指針を策定しました。

2017(平成29)年、改訂・改定の幼稚園教育要領、保育所保育指針、幼保連携型認定こども園教育・保育要領には、新たに「幼児期の終わりまでに育ってほしい姿」という、育ちの視点や目標像が示されています。この「10の姿」は、幼児期の終わりまでに育ってほしい、つまり小学校入学時期の姿として、小学校教諭にも共通認識してもらうことが想定されています(テーマ3 5参照)。

3 保育所保育指針解説

「保育所保育指針解説」は、2018(平成30)年4月より適用された保育所保育指針の記載事項の解説や補足説明、保育を行う上での留意点、取り組みの参考となる関連事項等を示したもので、厚生労働省による公式解説書です。

序章に、「保育所保育指針とは何か」「保育所保育指針の基本的考え方」が記されています。本書p.26表1には、保育所保育指針の内容を把握できるよう、各章の内容(目次)を記載しました。しかし本来は、全文を通して通底する考え方を理解しておかなければならないものです。近年、保育所保育指針の特徴や内容に関する出題が多く、その際の選択肢の文言はこの解説書からのものが見受けられます。

ここが問われた!

令3-前-9では、保育所における苦情解決に関する記述として、保育所保育指針に照らして正しい組み合わせを選ぶ出題がありました。第1章1(5)保育所の社会的責任のウに「保護者の苦情などに対し、その解決を図るよう努めなければならない」とあります。地域型保育事業でも保育所保育指針の内容に準じて保育を行うことに関し出題されました(令5-前-10)。通底する考えは「保育所保育指針解説」を読むことによって得られます。

保育所保育指針の内容は、テーマ2から説明するよ

○×チェック問題

保育所保育指針の内容として適切なものに○、不適切なものに×で答えなさい。

1 第１章「総則」には、「養護に関する基本的事項」が記載されている。
2 第２章「保育の内容」には、就学前の子どもの発達過程が８区分で記載されている。
3 第３章「健康及び安全」には、「食育の推進」については記載されていない。
4 第４章「子育て支援」には、「地域の保護者等に対する子育て支援」は記載されていない。
5 第５章「職員の資質向上」には、「施設長の責務」についての記載はない。
6 保育所保育指針は、1965（昭和40）年に策定された。
7 保育所保育指針は、1990（平成２）年の改定において、初めて子育て支援に関連する章が設けられた。
8 保育所保育指針は、2008（平成20）年の改定において、初めて厚生労働大臣の告示となった。
9 保育所保育指針は、2017（平成29）年の改定において、職員の資質向上について、初めて「キャリアパス」という言葉が用いられた。
10 保育所保育指針には、「保育の方法」については記載がない。

答え

1 ○
2 ×「８区分」ではなく「３区分」
3 × 記載がある。
4 × 記載がある。
5 × 記載がある。
6 ○
7 × 1999（平成11）年改定時
8 ○
9 ○
10 × 第１章「総則」１(3)に記載がある。

テーマ2 保育の意義及び目的等（保育所保育指針第1章）

保育の意義及び目的は、保育所保育指針の第１章に書かれています。第１章には、保育所保育において大事なことがすべて書かれています。保育の意義、目的がよく出題されるほか、最近では保育内容について出題されることが増えています。第１章からは、毎回多数の出題がありますので、丸暗記するくらい覚えておくべきところです。

保育所保育に関する基本原則、保育所の役割、保育の目標、保育の方法、保育の社会的責任

1 保育所保育に関する基本原則

保育所保育指針では、保育所保育に関する基本原則として、「第１章　総則」の１に以下の５点をあげています。

⑴保育所の役割、⑵保育の目標、⑶保育の方法、⑷保育の環境、⑸保育所の社会的責任。

■保育所の役割

保育所保育指針「第１章１　保育所保育に関する基本原則」では、保育所の役割について表１のことが書かれています。

表１　保育所の役割

ア　意義	保育所は、児童福祉法（昭和22年法律第164号）第39条の規定に基づき、保育を必要とする子どもの保育を行い、その健全な心身の発達を図ることを目的とする児童福祉施設であり、入所する子どもの最善の利益を考慮し、その福祉を積極的に増進することに最もふさわしい生活の場でなければならない。

ここが問われた！

保育所保育指針の記述として適切なものを選択する問いや穴埋めが出題されています。令1-後-1では通底する考え方、令1-後-2、令5-前-1,10では「保育所の役割」について出題されています。

ここをチェック！

保育所の意義

・児童福祉法第39条に基づく、「保育を必要とする」子どもの保育を行う。

・児童福祉施設

・子どもの最善の利益を考慮する生活の場

イ　特性	保育所はその目的を達成するために、保育に関する専門性を有する職員が、家庭との緊密な連携の下に、子どもの状況や発達過程を踏まえ、保育所における環境を通して、養護及び教育を一体的に行うことを特性としている。
ウ　役割	保育所は、入所する子どもを保育するとともに、家庭や地域の様々な社会資源との連携を図りながら、入所する子どもの保護者に対する支援及び地域の子育て家庭に対する支援等を行う役割を担うものである。
エ　保育士の役割	保育所における保育士は、児童福祉法第18条の4の規定を踏まえ、保育所の役割及び機能が適切に発揮されるように、倫理観に裏付けられた専門的知識、技術及び判断をもって、子どもを保育するとともに、子どもの保護者に対する保育に関する指導を行うものであり、その職責を遂行するための専門性の向上に絶えず努めなければならない。

■保育の目標

保育所保育指針「第１章１　保育所保育に関する基本原則」では、保育の目標を表２のように記述しています。

表２　保育の目標

ポイント	保育所保育指針
子どもに対しての目標	ア　保育所は、子どもが生涯にわたる人間形成にとって極めて重要な時期に、その生活時間の大半を過ごす場である。このため、保育所の保育は、子どもが現在を最も良く生き、望ましい未来をつくり出す力の基礎を培うために、次の目標を目指して行わなければならない。
養護の目標	(ア)　十分に養護の行き届いた環境の下に、くつろいだ雰囲気の中で子どもの様々な欲求を満たし、生命の保持及び情緒の安定を図ること。
５領域・健康の目標	(イ)　健康、安全など生活に必要な基本的な習慣や態度を養い、心身の健康の基礎を培うこと。
５領域・人間関係の目標	(ウ)　人との関わりの中で、人に対する愛情と信頼感、そして人権を大切にする心を育てるとともに、自主、自立及び協調の態度を養い、道徳性の芽生えを培うこと。
５領域・環境の目標	(エ)　生命、自然及び社会の事象についての興味や関心を育て、それらに対する豊かな心情や思考力の芽生えを培うこと。
５領域・言葉の目標	(オ)　生活の中で、言葉への興味や関心を育て、話したり、聞いたり、相手の話を理解しようとするなど、言葉の豊かさを養うこと。
５領域・表現の目標	(カ)　様々な体験を通して、豊かな感性や表現力を育み、創造性の芽生えを培うこと。
保護者に対しての目標	イ　保育所は、入所する子どもの保護者に対し、その意向を受け止め、子どもと保護者の安定した関係に配慮し、保育所の特性や保育士等の専門性を生かして、その援助に当たらなければならない。

保育所の特性
・専門性を有する職員が、家庭との緊密な連携の下に、「環境を通して」「養護と教育を一体的に行う」
保育所の役割
①子どもの保育
②入所する子どもの保護者支援
③地域の子育て家庭への支援
保育士の役割
・倫理観に裏付けられた専門的知識、技術及び判断を持って保育する。
・子どもの保護者に対して保育に関する指導を行う。
・そのための専門性の向上に絶えず努めなければならない。

ここが問われた！

「保育の目標」の穴埋めや正誤が問われます（31-前-2、令3-後-14、令6-前-2）。原文が頭に入っていなくても、意味を理解しておくと推測ができます。表２の赤文字部分が過去に出題された箇所です。「保育の目標」を知っておくことで保育所保育指針第２章及び全体を理解しやすくなります。

ここをチェック！

表２のアの（ア）は養護の目標、（イ）（ウ）（エ）（オ）（カ）は教育（５領域）の目標です。保育所保育の特色は「養護と教育を一体的に」「総合的に」行うことです。

ここが問われた！

「保育の方法」について出題がありました(31-前-9、令1-後-8, 9、令3-前-15, 16、令4-前-18, 19、令4-後-10, 11)。

ここをチェック！

子どもの状況把握、主体性の尊重、安定した生活、発達の理解・個人差、個と集団、生活・遊び・環境を通した総合的な保育、保護者理解が保育の方法の基本です。これらの理解が、事例問題の正解につながります。

■保育の方法

保育所保育指針「第１章１　保育所保育に関する基本原則」では、引き続き保育の目標を達成するために、保育士等は、次の事項に留意して保育をしなければならないとすることが６点書かれています。

表３　保育の方法

ア　一人一人の子どもの状況や家庭及び地域社会での生活の実態を把握するとともに、子どもが安心感と信頼感をもって活動できるよう、子どもの主体としての思いや願いを受け止めること。

イ　子どもの生活のリズムを大切にし、健康、安全で情緒の安定した生活ができる環境や、自己を十分に発揮できる環境を整えること。

ウ　子どもの発達について理解し、一人一人の発達過程に応じて保育すること。その際、子どもの個人差に十分配慮すること。

エ　子ども相互の関係づくりや互いに尊重する心を大切にし、集団における活動を効果あるものにするよう援助すること。

オ　子どもが自発的・意欲的に関われるような環境を構成し、子どもの主体的な活動や子ども相互の関わりを大切にすること。特に、乳幼児期にふさわしい体験が得られるように、生活や遊びを通して総合的に保育すること。

カ　一人一人の保護者の状況やその意向を理解、受容し、それぞれの親子関係や家庭生活等に配慮しながら、様々な機会をとらえ、適切に援助すること。

ここが問われた！

日本の幼児教育の理念は「環境を通した保育」であり、環境についての理解ははずせません。令4-前-2、令5-前-2、令5-後-9で保育の環境に関する文章の正誤を問う出題がありました。

■保育の環境

子どもを取り巻く環境には表４の４つがあります(保育所保育指針「第１章１(4)」)。

表４　子どもを取り巻く環境

人的環境	保育士等、友だち等、子どもを取り巻くすべての人々
物的環境	施設や遊具等、子どもを取り巻くすべてのもの
自然	子どもを取り巻くすべての自然物(地球、天体、山、川、花、虫等)
社会事象	子どもを取り巻くすべての社会事象(時間、空間、仲間等)

さらに、環境構成の留意点として表５の４点が記されています。

表5　環境構成の留意点

ア　子ども自らが環境に関わり、自発的に活動し、様々な経験を積んでいくことができるよう配慮すること。

イ　子どもの活動が豊かに展開されるよう、保育所の設備や環境を整え、保育所の保健的環境や安全の確保などに努めること。

ウ　保育所は、温かな親しみとくつろぎの場となるとともに、生き生きと活動できる場となるよう配慮すること。

エ　子どもが人と関わる力を育てていくため、子ども自らが周囲の子どもや大人と関わっていくことができる環境を整えること。

■保育所の社会的責任

保育所保育指針「第１章１　保育所保育に関する基本原則」には、保育所の社会的責任として表６のことが書かれています。

表6　保育所の社会的責任

ア　保育所は、子どもの人権に十分配慮するとともに、子ども一人一人の人格を尊重して保育を行わなければならない。

イ　保育所は、地域社会との交流や連携を図り、保護者や地域社会に、当該保育所が行う保育の内容を適切に説明するよう努めなければならない。

ウ　保育所は、入所する子ども等の個人情報を適切に取り扱うとともに、保護者の苦情などに対し、その解決を図るよう努めなければならない。

「第１章　総則」の内容を整理しておこう

ここが問われた！

苦情解決について通底する考え方に関する出題がありました（令3-前-9、本書p.28参照）。保育所の社会的責任に関し記述の正誤を問う出題がありました（令3-後-1、令4-後-1）。

ここをチェック！

ア　子どもの人権に十分に配慮します。

イ　保育所の門や玄関前に掲示板があるのは、ここが根拠になっています。

ウ　個人情報の適切な取り扱い…保育士にも守秘義務があります。

○×チェック問題

保育所保育指針の内容として適切なものに○、不適切なものに×で答えなさい。

1　保育所は、保育を必要とする子どもの保育を通して、子どもの身体の発達を図ることを目標とした児童自立支援施設である。

2　保育所は、入所する子どもの保護者に対する支援や地域の子育て家庭に対する支援を行う役割を担っている。

3　子どもの生活リズムを大切にし、健康、安全で情緒の安定した生活の援助や、意欲を十分に発揮できる環境を整える。

4　一人一人の子どもの状況や家庭及び地域社会での生活の実態を把握しなければならない。

5　子どもが安心感と信頼感をもって活動できるよう、子どもの主体としての思いや願いを受け止める。

6　子ども相互の関係づくりや互いに尊重する心を大切にし、集団における活動を規律あるものにするよう援助する。

7　子どもの発達について理解し、一人一人の発達過程に応じて保育する。その際、子どもの個人差に十分配慮する。

8　保育所は、子どもが生涯にわたる人間形成にとって極めて重要な時期に、その生活時間の大半を過ごす場である。

9　子どもが自発的・意欲的に関われるような教室を構成し、子どもの主体的な活動や子ども相互の関わりを大切にする。

答え

1 ×「児童自立支援施設」ではなく「児童福祉施設」

2 ○

3 ×「生活の援助」ではなく「生活ができる環境」、「意欲」ではなく「自己」

4 ○

5 ○

6 ×「規律」ではなく「効果」

7 ○

8 ○

9 ×「教室」ではなく「環境」

テーマ3

保育の基本(保育所保育指針第1章)

保育所保育の特性は、テーマ2にもあるように「養護と教育を一体的に行う」、そして日本の幼児教育の理念は「環境を通して行う保育」です。この点からも毎回、複数出題されています。また、「指導計画及び評価」についても適切な記述を選択する問題が出ています。解答のポイントは、保育所保育指針第1章及び第2章です。

keyword 養護と教育、保育の環境、保育の計画及び評価

1 養護と教育

「保育における「養護」とは、子どもの生命の保持及び情緒の安定を図るために保育士等が行う援助や関わりであり、「教育」とは、子どもが健やかに成長し、その活動がより豊かに展開されるための発達の援助である」と、保育所保育指針第2章の前文にあります。

■ 養護

養護の理念とねらい及び内容については、「第1章　総則」の2に記されています。表の赤字部分は穴埋めなど過去に出題され、覚えておきたい箇所です。

表1　養護の理念

保育における養護とは、子どもの生命の保持及び情緒の安定を図るために保育士等が行う援助や関わりであり、保育所における保育は、養護及び教育を一体的に行うことをその特性とするものである。保育所における保育全体を通じて、養護に関するねらい及び内容を踏まえた保育が展開されなければならない。

ここが問われた！

「生命の保持」「情緒の安定」の内容について問われました(令2-後-2、令4-前-1)。令3-前-1では表2「養護に関するねらい及び内容」を踏まえた保育について問われました。令3-後-2では「養護の理念とねらい」について問われました。令4-後-2では養護と教育の定義等について問われました。令5-前-3では表1「養護の理念」について出題されました。

表2　養護に関するねらい及び内容

養護	
生命の保持	情緒の安定
（ねらい） ①　一人一人の子どもが、快適に生活できるようにする。 ②　一人一人の子どもが、健康で安全に過ごせるようにする。 ③　一人一人の子どもの生理的欲求が、十分に満たされるようにする。 ④　一人一人の子どもの健康増進が、積極的に図られるようにする。	（ねらい） ①　一人一人の子どもが、安定感をもって過ごせるようにする。 ②　一人一人の子どもが、自分の気持ちを安心して表すことができるようにする。 ③　一人一人の子どもが、周囲から主体として受け止められ、主体として育ち、自分を肯定する気持ちが育まれていくようにする。 ④　一人一人の子どもがくつろいで共に過ごし、心身の疲れが癒されるようにする。
（内容） ①　一人一人の子どもの平常の健康状態や発育及び発達状態を的確に把握し、異常を感じる場合は、速やかに適切に対応する。 ②　家庭との連携を密にし、嘱託医等との連携を図りながら、子どもの疾病や事故防止に関する認識を深め、保健的で安全な保育環境の維持及び向上に努める。 ③　清潔で安全な環境を整え、適切な援助や応答的な関わりを通して子どもの生理的欲求を満たしていく。また、家庭と協力しながら、子どもの発達過程等に応じた適切な生活のリズムがつくられていくようにする。 ④　子どもの発達過程等に応じて、適度な運動と休息を取ることができるようにする。また、食事、排泄、衣類の着脱、身の回りを清潔にすることなどについて、子どもが意欲的に生活できるよう適切に援助する。	（内容） ①　一人一人の子どもの置かれている状態や発達過程などを的確に把握し、子どもの欲求を適切に満たしながら、応答的な触れ合いや言葉かけを行う。 ②　一人一人の子どもの気持ちを受容し、共感しながら、子どもとの継続的な信頼関係を築いていく。 ③　保育士等との信頼関係を基盤に、一人一人の子どもが主体的に活動し、自発性や探索意欲などを高めるとともに、自分への自信をもつことができるよう成長の過程を見守り、適切に働きかける。 ④　一人一人の子どもの生活リズム、発達過程、保育時間などに応じて、活動内容のバランスや調和を図りながら、適切な食事や休息が取れるようにする。

ここが問われた！

養護のねらいについて、令1-後-12では、生命の保持のねらいを○×で正しいものの組み合わせを選ぶ問題が出題されています。

■教育

教育については、保育所保育指針第2章で年齢区分を3つに分けて、教育のねらい及び内容を表3のように記述しています。

1歳以上3歳未満児の5領域と3歳以上児の5領域はその内容は全く同じではありません。ねらいは5領域それぞれ3つ(①心情、②意欲、③態度)あります。保育所保育指針第2章を確認しましょう。

表3　教育のねらい及び内容

年齢区分	ねらい及び内容	
乳児保育	ア　健やかに伸び伸びと育つ イ　身近な人と気持ちが通じ合う ウ　身近なものと関わり感性が育つ	3つの視点
1歳以上3歳未満児の保育	ア　健康 イ　人間関係 ウ　環境 エ　言葉 オ　表現	5領域の基礎
3歳以上児の保育	ア　健康 イ　人間関係 ウ　環境 エ　言葉 オ　表現	5領域 （保育所・幼稚園・認定こども園共通）

2　保育の計画及び評価

保育所は、入所する子どもの最善の利益を考慮し、子どもの生活や発達に見通しをもって行うため計画を立てなければなりません。

「全体的な計画の作成」について、保育所保育指針「第1章3　保育の計画及び評価」の(1)に記されています。

表4　全体的な計画の作成

ア　保育所は、1の(2)に示した保育の目標を達成するために、各保育所の保育の方針や目標に基づき、子どもの発達過程を踏まえて、保育の内容が組織的・計画的に構成され、保育所の生活の全体を通して、総合的に展開されるよう、全体的な計画を作成しなければならない。

イ　全体的な計画は、子どもや家庭の状況、地域の実態、保育時間などを考慮し、子どもの育ちに関する長期的見通しをもって適切に作成されなければならない。

ウ　全体的な計画は、保育所保育の全体像を包括的に示すものとし、これに基づく指導計画、保健計画、食育計画等を通じて、各保育所が創意工夫して保育できるよう、作成されなければならない。

保育の計画は全体的な計画をもとに図1の流れになります。

保育は計画を立てたところから始まります。保育者が保育計画に基づいて保育実践を行い、子どもの実態からその保育

ここが問われた！

令2-後-2で、養護の「内容」の記載から出題がありました。今までは、「ねらい」についての出題ばかりでしたが、今回は、より深く「内容」についての穴埋め問題でした。

ここをチェック！

「養護と教育を一体的に行う」これが保育所保育の特性です。さらに教育については、保育所保育指針「第1章4　幼児教育を行う施設として共有すべき事項」に(1)育みたい資質・能力、(2)幼児期の終わりまでに育ってほしい姿として10の姿があげられています(p.42参照)。

ここが問われた！

保育所保育指針「第1章　総則」の「3　保育の計画及び評価」に関する出題がありました(令2-後-13,14、令3-前-7、令5-後-15)。記述の正誤を問う問題がありました(令3-後-4,5,9,18、令4-前-4、令6-前-14)。全体的な計画の「作成」の本文の穴埋め問題が出題されました(令4-後-3、令5-前-5)。

を振り返ることによって次の保育を考えていく過程を「ＰＤＣＡサイクル」といいます(図２参照)。

保育の実践にかかわるところだよ

令3-後-4で、全体的な計画について問われました。令6-前-14で、全体的な計画から始まる計画全体についての記述が○×で問われました。全体的な計画は、児童福祉法および関係法令、保育所保育指針、児童の権利に関する条約等と各保育所の方針を踏まえ、保育の目標を達成するために、どのような道筋をたどり、養護と教育が一体となった保育を進めていくのかを示すものです。そして、この全体的な計画に基づき、その時々の実際の子どもの発達や生活の状況に応じた具体的な指導計画やその他の計画を作成します。全体的な計画は、指導計画やその他の計画の上位に位置づけられます。

ここが
問われた！

令5-後-15では、全体的な計画の作成に続く保育の計画および評価の過程の手順について問われました(図２参照)。

図１　保育の計画の流れ

全体的な計画

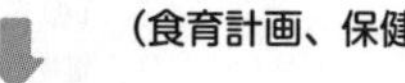

＊＊＊＊＊＊＊＊＊＊＊＊＊＊＊＊＊　以下を指導計画と呼びます。

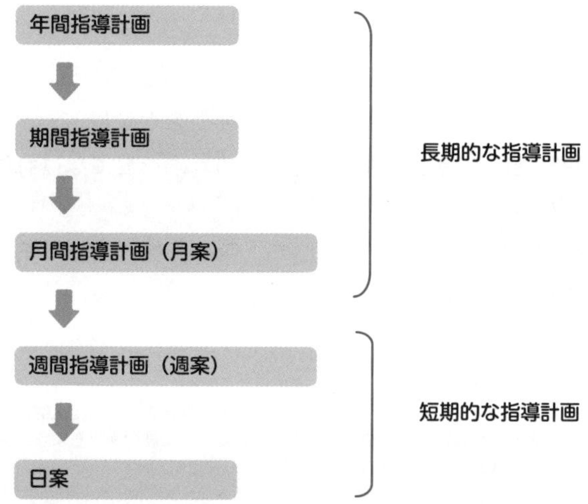

図２　PDCAサイクル

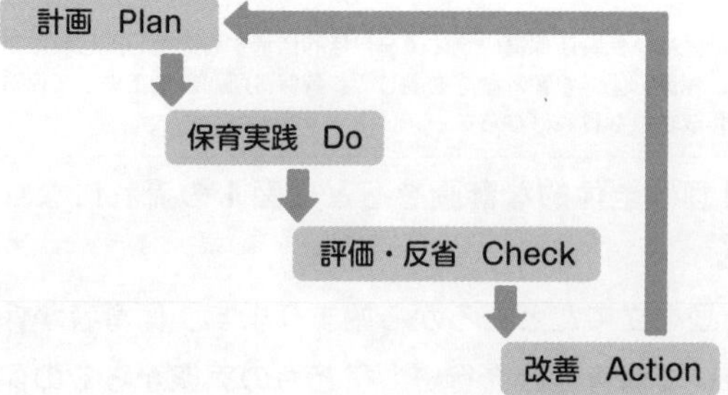

3 指導計画作成時の留意事項

指導計画作成時には、子ども一人一人の発達過程や状況を十分踏まえるとともに、表5の事項に留意しなければならないとされています（保育所保育指針「第1章3(2)イ」）。

表5 指導計画作成時の留意事項①

(ア) 3歳未満児については、一人一人の子どもの生育歴、心身の発達、活動の実態等に即して、個別的な計画を作成すること。

(イ) 3歳以上児については、個の成長と、子ども相互の関係や協同的な活動が促されるよう配慮すること。

(ウ) 異年齢で構成される組やグループでの保育においては、一人一人の子どもの生活や経験、発達過程などを把握し、適切な援助や環境構成ができるよう配慮すること。

さらに保育所保育指針「第1章3(2)」のウ、エ、オ、カ、キも留意事項です。エ以降も、過去によく出題されています。

表6 指導計画作成時の留意事項②

ウ 指導計画においては、保育所の生活における子どもの発達過程を見通し、生活の連続性、季節の変化などを考慮し、子どもの実態に即した具体的なねらい及び内容を設定すること。また、具体的なねらいが達成されるよう、子どもの生活する姿や発想を大切にして適切な環境を構成し、子どもが主体的に活動できるようにすること。

エ 一日の生活のリズムや在園時間が異なる子どもが共に過ごすことを踏まえ、活動と休息、緊張感と解放感等の調和を図るよう配慮すること。

オ 午睡は生活のリズムを構成する重要な要素であり、安心して眠ることのできる安全な睡眠環境を確保するとともに、在園時間が異なることや、睡眠時間は子どもの発達の状況や個人によって差があることから、一律とならないよう配慮すること。

カ 長時間にわたる保育については、子どもの発達過程、生活のリズム及び心身の状態に十分配慮して、保育の内容や方法、職員の協力体制、家庭との連携などを指導計画に位置付けること。

キ 障害のある子どもの保育については、一人一人の子どもの発達過程や障害の状態を把握し、適切な環境の下で、障害のある子どもが他の子どもとの生活を通して共に成長できるよう、指導計画の中に位置付けること。また、子どもの状況に応じた保育を実施する観点から、家庭や関係機関と連携した支援のための計画を個別に作成するなど適切な対応を図ること。

上記による指導計画を作成後、それに基づき保育を実施しますが、その際は以下の留意事項があります（保育所保育指針「第1章3(3) 指導計画の展開」）。

ここが問われた！
令4-後-4、令5-前-4では、指導計画作成時の留意事項①の(ア)の背景が○×で問われました。

ここが問われた！
令2-後-3では、「第1章3 保育の計画及び評価」の「指導計画の作成」の内容について、○×の出題がありました。今回は原文ではなく、その内容に鑑み○×を問う問題で、原文を暗記するというより内容の理解に重点をおいています。

ここが問われた！
令3-前-13、令4-前-5、令5-前-13、令6-前-18では表6のキの内容について○×の出題がありました。令3-後-18、令5-後-17でもキの本文が出題され文中語句について問われました。令5-後-10の事例問題では表6のキの内容に照らした保育士の対応が○×で問われました。

表7　指導計画の展開

ア　施設長、保育士など、全職員による適切な役割分担と協力体制を整えること。
イ　子どもが行う具体的な活動は、生活の中で様々に変化することに留意して、子どもが望ましい方向に向かって自ら活動を展開できるよう必要な援助を行うこと。
ウ　子どもの主体的な活動を促すためには、保育士等が多様な関わりをもつことが重要であることを踏まえ、子どもの情緒の安定や発達に必要な豊かな体験が得られるよう援助すること。
エ　保育士等は、子どもの実態や子どもを取り巻く状況の変化などに即して保育の過程を記録するとともに、これらを踏まえ、指導計画に基づく保育の内容の見直しを行い、改善を図ること。(←PDCAサイクル)

ここが問われた!

表7のイの文の穴埋め問題が出題されました(令3-前-3)。

ここが問われた!

令1-後-3,13では「全体的な計画の作成」「指導計画の作成」に関する記述の○×の組み合わせを選ぶ問題、令1-後-14では穴埋め問題の組み合わせ、31-前-3では評価についての○×の組み合わせ等、毎年のように出題されています。

4　保育内容等の評価

保育は、PDCAサイクル(p.38　図2)で日々改善していきます。

「改善」の前に「評価・反省」をします(保育所保育指針「第1章3(4)　保育内容等の評価」)。

保育の評価は、2通りです。保育士等の自己評価と保育所の自己評価です。

表8　保育の評価

ア　保育士等の自己評価
(ア)　保育士等は、保育の計画や保育の記録を通して、自らの保育実践を振り返り、自己評価することを通して、その専門性の向上や保育実践の改善に努めなければならない。
(イ)　保育士等による自己評価に当たっては、子どもの活動内容やその結果だけでなく、子どもの心の育ちや意欲、取り組む過程などにも十分配慮するよう留意すること。
(ウ)　保育士等は、自己評価における自らの保育実践の振り返りや職員相互の話し合い等を通じて、専門性の向上及び保育の質の向上のための課題を明確にするとともに、保育所全体の保育の内容に関する認識を深めること。
イ　保育所の自己評価
(ア)　保育所は、保育の質の向上を図るため、保育の計画の展開や保育士等の自己評価を踏まえ、当該保育所の保育の内容等について、自ら評価を行い、その結果を公表するよう努めなければならない。
(イ)　保育所が自己評価を行うに当たっては、地域の実情や保育所の実態に即して、適切に評価の観点や項目等を設定し、全職員による共通理解をもって取り組むように留意すること。
(ウ)　設備運営基準第36条の趣旨を踏まえ、保育の内容等の評価に関し、保護者及び地域住民等の意見を聴くことが望ましいこと。

以上のような自己評価の結果を踏まえ、これに基づく「改善」を「全職員が共通理解」をもって取り組まなければなりません。

5 幼児教育を行う施設として共有すべき事項

2017(平成29)年告示の保育所保育指針、幼稚園教育要領、幼保連携型認定こども園教育・保育要領により、これらの場所は共通して「幼児教育」を行う場所とされ、共通して「育みたい資質・能力」及び「幼児期の終わりまでに育ってほしい姿」が記されました(保育所保育指針では「第１章４」)。

保育所が「教育」の場と記されたことは、とても大きな意味を持つとともに、そこで働く人々は教育の場に携わるものとしての責任を持たなければなりません。

「育みたい資質・能力」として、次の３つの資質・能力があります(保育所保育指針「第１章４(1)」)。

表９　育みたい資質・能力

(ア)　豊かな体験を通じて、感じたり、気付いたり、分かったり、できるようになったりする「知識及び技能の基礎」
(イ)　気付いたことや、できるようになったことなどを使い、考えたり、試したり、工夫したり、表現したりする「思考力、判断力、表現力等の基礎」
(ウ)　心情、意欲、態度が育つ中で、よりよい生活を営もうとする「学びに向かう力、人間性等」

生涯にわたる生きる力の基礎を培うために、この資質・能力を一体的に育むように努めるものとするとの記載があります。

また、「幼児期の終わりまでに育ってほしい姿」として10の姿があります(保育所保育指針「第１章４(2)」)。

ここが問われた！

「幼児教育を行う施設として共有すべき事項」の記述に関して、内容の○×を問う出題がありました(令3-後-3)。

ここが問われた！

表９「育みたい資質・能力」の記述文を結びつけるという出題がありました(令2-後-12、令5-前-11、令5-後-7)。

ここが問われた！

- 「幼児期の終わりまでに育ってほしい姿」を表した図中の空欄を埋める出題(令3-前-2)
- 「幼児期の終わりまでに育ってほしい姿」について不適切なものの組み合わせを選ぶ出題(令4-後-16)
- 「幼児期の終わりまでに育ってほしい姿」に関する記述として適切なものを選ぶ出題(令6-前-13)

表10　幼児期の終わりまでに育ってほしい姿

10の姿	
ア　健康な心と体	保育所の生活の中で、充実感をもって自分のやりたいことに向かって心と体を十分に働かせ、見通しをもって行動し、自ら健康で安全な生活をつくり出すようになる。
イ　自立心	身近な環境に主体的に関わり様々な活動を楽しむ中で、しなければならないことを自覚し、自分の力で行うために考えたり、工夫したりしながら、諦めずにやり遂げることで達成感を味わい、自信をもって行動するようになる。
ウ　協同性	友達と関わる中で、互いの思いや考えなどを共有し、共通の目的の実現に向けて、考えたり、工夫したり、協力したりし、充実感をもってやり遂げるようになる。
エ　道徳性・規範意識の芽生え	友達と様々な体験を重ねる中で、してよいことや悪いことが分かり、自分の行動を振り返ったり、友達の気持ちに共感したりし、相手の立場に立って行動するようになる。また、きまりを守る必要性が分かり、自分の気持ちを調整し、友達と折り合いを付けながら、きまりをつくったり、守ったりするようになる。
オ　社会生活との関わり	家族を大切にしようとする気持ちをもつとともに、地域の身近な人と触れ合う中で、人との様々な関わり方に気付き、相手の気持ちを考えて関わり、自分が役に立つ喜びを感じ、地域に親しみをもつようになる。また、保育所内外の様々な環境に関わる中で、遊びや生活に必要な情報を取り入れ、情報に基づき判断したり、情報を伝え合ったり、活用したりするなど、情報を役立てながら活動するようになるとともに、公共の施設を大切に利用するなどして、社会とのつながりなどを意識するようになる。
カ　思考力の芽生え	身近な事象に積極的に関わる中で、物の性質や仕組みなどを感じ取ったり、気付いたりし、考えたり、予想したり、工夫したりするなど、多様な関わりを楽しむようになる。また、友達の様々な考えに触れる中で、自分と異なる考えがあることに気付き、自ら判断したり、考え直したりするなど、新しい考えを生み出す喜びを味わいながら、自分の考えをよりよいものにするようになる。
キ　自然との関わり・生命尊重	自然に触れて感動する体験を通して、自然の変化などを感じ取り、好奇心や探究心をもって考え言葉などで表現しながら、身近な事象への関心が高まるとともに、自然への愛情や畏敬の念をもつようになる。また、身近な動植物に心を動かされる中で、生命の不思議さや尊さに気付き、身近な動植物への接し方を考え、命あるものとしていたわり、大切にする気持ちをもって関わるようになる。
ク　数量や図形、標識や文字などへの関心・感覚	遊びや生活の中で、数量や図形、標識や文字などに親しむ体験を重ねたり、標識や文字の役割に気付いたりし、自らの必要感に基づきこれらを活用し、興味や関心、感覚をもつようになる。
ケ　言葉による伝え合い	保育士等や友達と心を通わせる中で、絵本や物語などに親しみながら、豊かな言葉や表現を身に付け、経験したことや考えたことなどを言葉で伝えたり、相手の話を注意して聞いたりし、言葉による伝え合いを楽しむようになる。
コ　豊かな感性と表現	心を動かす出来事などに触れ感性を働かせる中で、様々な素材の特徴や表現の仕方などに気付き、感じたことや考えたことを自分で表現したり、友達同士で表現する過程を楽しんだりし、表現する喜びを味わい、意欲をもつようになる。

10の姿は、「育ってほしい姿」であり、「育てるべき姿」ではありません。それは、到達すべき目標ではなく、「育ってほしい」という保育者側の願い(方向目標)だと理解しておかなければなりません。それぞれの項目に書かれていることは、「５領域」のねらいや内容に書かれていることであり、突然、全く新しい目標が現れたわけではありません。保育所保育指針第２章の保育のねらいと内容と併せて理解を深めていきましょう。

これからを生きる子どもたちに、どんな未来が訪れるのか誰にもわからないのですが、どんな未来が来ようとも、強くたくましく幸せに生きていける力が身につくようにと考えられたものです。

「保育所保育指針解説」によると、保育士はこの10の姿を念頭に一人一人の発達に必要な体験が得られるような状況をつくったり必要な援助を行ったりするなど、指導を行う際には考慮することが求められています。さらに、小学校教諭とこの10の姿を手がかりに子どもの姿を共有するなど、保育所保育と小学校教育の円滑な接続を図ることが大切である旨の記載があります。保育所と小学校では子どもの生活や教育の方法が異なっています。保育士と小学校教諭が話し合いながら、子どもの姿を共有することが大切です(第２章4(2)小学校との連携を参照)。

○×チェック問題

保育所保育指針の内容として適切なものに○、不適切なものに×で答えなさい。

1　保育所保育指針には、養護に関するねらいは記載されていない。
2　保育における養護とは、子どもの生命の保持及び情緒の安定を図るために保育士等が行う指導や関わりである。
3　情緒の安定のねらいには、「一人一人の子どもが安定感をもって過ごせるようにする」という記述がある。
4　全体的な計画は、子どもや家庭の状況、地域の実態、保育時間などを考慮し、子どもの育ちに関する長期的見通しをもって適切に作成されなければならない。
5　保育所は、全体的な計画に基づき、長期的な指導計画と短期的な指導計画を作成しなければならない。
6　指導計画を作成するにあたっては、一人一人の子どもの生育歴、心身の発達、活動の実態等に即して、３歳以上児は個別的な計画を作成することが必要である。
7　長時間にわたる保育については、子どもの発達過程、午睡時間及び心身の状態に十分配慮しなければならない。
8　指導計画を作成した際に予想した子どもの姿とは異なる姿が見られたときは、必ずしも計画通りの展開に戻すことを優先するのではなく豊かな体験を得られるよう援助することが重要である。
9　「幼児期の終わりまでに育ってほしい姿」は、特に卒園を迎える年度の後半に見られるようになることから５歳児クラスの保育の到達目標として掲げ、指導する内容である。

答え

1 ×　第１章２⑵に記載がある。
2 ×　「指導」ではなく「援助」
3 ○
4 ○
5 ○
6 ×　「３歳以上児」ではなく「３歳未満児」
7 ×　「午睡時間」ではなく「生活のリズム」
8 ○
9 ×　「到達目標」ではなく「方向目標」

テーマ4

保育のねらいと内容(保育所保育指針第2章)

保育所保育指針第２章に示された「ねらい」は、第１章に示された保育の目標をより具体化したものであり、子どもが保育所において、安定した生活を送り、充実した活動ができるように、保育を通じて育みたい資質・能力を、子どもの生活する姿から捉えたものとして書かれています。「こんな子どもに育ってほしい」「こんな子どもに育てたい」という先生や大人の「願い」といえます。「ねらい」は、５領域(乳児保育は３つの視点)に対し、３つずつあり、育つことが期待される生きる力の基礎となる心情・意欲・態度の側面から設定されています。そのためねらいの順番も①心情、②意欲、③態度となっています。また、「内容」は、「ねらい」を達成するために、子どもの生活やその状況に応じて保育士等が適切に行う事項と、保育士等が援助して子どもが環境に関わって経験する事項を示しています。

乳児保育に関わるねらい及び内容、１歳以上３歳未満児の保育に関わるねらい及び内容、３歳以上児の保育に関するねらい及び内容

ここが問われた！

令4-前-6、令5-後-4では、第2章の前文より「ねらい」「内容」「教育」「養護」の定義が問われました。前文にも目を通しておきましょう。

1 乳児保育に関わるねらい及び内容

乳児とは、児童福祉法によると「満１歳に満たないもの」、保育所ではおおむね０歳児クラスにあたります。保育所保育指針「第２章１(1)　基本的事項」のアにその発達の様子が示されています。

表１　基本的事項

ア　乳児期の発達については、視覚、聴覚などの感覚や、座る、はう、歩くなどの運動機能が著しく発達し、特定の大人との応答的な関わりを通じて、情緒的な絆(きずな)が形成されるといった特徴がある。これらの発達の特徴を踏まえて、乳児保育は、愛情豊かに、応答的に行われることが特に必要である。

ここが問われた！

令4-後-6では、乳児保育の3つの視点とねらいの組み合わせが問われました。令6-前-15では、「第２章1(1)基本的事項ア」の穴埋めの出題がされました。

「3つの視点」は、最終的には5領域につながりますが、乳児保育のねらい及び内容は5領域に分けられていません。

テーマ3保育の基本（保育所保育指針第1章）の表3(p.37)にあるように、乳児保育は、3つの視点に基づいて日々の保育を行います。3つの視点の「ねらい」「内容」「内容の取扱い」について表2にまとめました。内容の取扱いは保育をしていく上での保育者の配慮になります。

表2　3つの視点とねらい、内容、内容の取扱い

3つの視点	ア　健やかに伸び伸びと育つ	イ　身近な人と気持ちが通じ合う	ウ　身近なものと関わり感性が育つ
ねらい	①　身体感覚が育ち、快適な環境に心地よさを感じる。 ②　伸び伸びと体を動かし、はう、歩くなどの運動をしようとする。 ③　食事、睡眠等の生活のリズムの感覚が芽生える。	①　安心できる関係の下で、身近な人と共に過ごす喜びを感じる。 ②　体の動きや表情、発声等により、保育士等と気持ちを通わせようとする。 ③　身近な人と親しみ、関わりを深め、愛情や信頼感が芽生える。	①　身の回りのものに親しみ、様々なものに興味や関心をもつ。 ②　見る、触れる、探索するなど、身近な環境に自分から関わろうとする。 ③　身体の諸感覚による認識が豊かになり、表情や手足、体の動き等で表現する。
内容	①　保育士等の愛情豊かな受容の下で、生理的・心理的欲求を満たし、心地よく生活をする。 ②　一人一人の発育に応じて、はう、立つ、歩くなど、十分に体を動かす。 ③　個人差に応じて授乳を行い、離乳を進めていく中で、様々な食品に少しずつ慣れ、食べることを楽しむ。 ④　一人一人の生活のリズムに応じて、安全な環境の下で十分に午睡をする。 ⑤　おむつ交換や衣服の着脱などを通じて、清潔になることの心地よさを感じる。	①　子どもからの働きかけを踏まえた、応答的な触れ合いや言葉がけによって、欲求が満たされ、安定感をもって過ごす。 ②　体の動きや表情、発声、喃語等を優しく受け止めてもらい、保育士等とのやり取りを楽しむ。 ③　生活や遊びの中で、自分の身近な人の存在に気付き、親しみの気持ちを表す。 ④　保育士等による語りかけや歌いかけ、発声や喃語等への応答を通じて、言葉の理解や発語の意欲が育つ。 ⑤　温かく、受容的な関わりを通じて、自分を肯定する気持ちが芽生える。	①　身近な生活用具、玩具や絵本などが用意された中で、身の回りのものに対する興味や好奇心をもつ。 ②　生活や遊びの中で様々なものに触れ、音、形、色、手触りなどに気付き、感覚の働きを豊かにする。 ③　保育士等と一緒に様々な色彩や形のものや絵本などを見る。 ④　玩具や身の回りのものを、つまむ、つかむ、たたく、引っ張るなど、手や指を使って遊ぶ。 ⑤　保育士等のあやし遊びに機嫌よく応じたり、歌やリズムに合わせて手足や体を動かして楽しんだりする。
内容の取扱い	①　心と体の健康は、相互に密接な関連があるものであることを踏まえ、温かい触れ合いの中で、心と体の発達を促すこと。特に、寝返り、お座り、はいはい、つかまり立ち、伝い歩きなど、発育に応じて、遊びの中で体を動かす機会を十分に確保し、自ら体を動かそうとする意欲が育つようにすること。	①　保育士等との信頼関係に支えられて生活を確立していくことが人と関わる基盤となることを考慮して、子どもの多様な感情を受け止め、温かく受容的・応答的に関わり、一人一人に応じた適切な援助を行うようにすること。 ②　身近な人に親しみをもって接し、自分の感情などを	①　玩具などは、音質、形、色、大きさなど子どもの発達状態に応じて適切なものを選び、その時々の子どもの興味や関心を踏まえるなど、遊びを通して感覚の発達が促されるものとなるように工夫すること。なお、安全な環境の下で、子どもが探索意欲を満たして自由に遊べるよう、身の回りのもの

	② 健康な心と体を育てるためには望ましい食習慣の形成が重要であることを踏まえ、離乳食が完了期へと徐々に移行する中で、様々な食品に慣れるようにするとともに、和やかな雰囲気の中で食べる喜びや楽しさを味わい、進んで食べようとする気持ちが育つようにすること。なお、食物アレルギーのある子どもへの対応については、嘱託医等の指示や協力の下に適切に対応すること。	表し、それに相手が応答する言葉を聞くことを通して、次第に言葉が獲得されていくことを考慮して、楽しい雰囲気の中での保育士等との関わり合いを大切にし、ゆっくりと優しく話しかけるなど、積極的に言葉のやり取りを楽しむことができるようにすること。	については、常に十分な点検を行うこと。 ② 乳児期においては、表情、発声、体の動きなどで、感情を表現することが多いことから、これらの表現しようとする意欲を積極的に受け止めて、子どもが様々な活動を楽しむことを通して表現が豊かになるようにすること。

ねらいの順番は、①心情、②意欲、③態度だよ

ここが問われた!

令1-後-4では、3つの視点の「ねらい」の穴埋め問題が出題され、令2-後-17では、その記述について正しい組み合わせを選ぶ出題がありました。令1-後-8、令4-後-7は事例問題で、乳児保育に照らした保育士の対応についての出題がありました。「内容の取扱い」に関する記述について令4-後-5で○×、令5-後-3で穴埋めで問われました。令5-後-5では、指針に通底する考え方や保育の内容に照らし、保育士の子どもへの対応について○×が問われました。

表3は乳児期の保育において配慮すべき事項です。近年の試験で頻繁に出題されています。

表3 保育の実施に関わる配慮事項（保育所保育指針「第2章1⑶」）

ア 乳児は疾病への抵抗力が弱く、心身の機能の未熟さに伴う疾病の発生が多いことから、一人一人の発育及び発達状態や健康状態についての適切な判断に基づく保健的な対応を行うこと。
イ 一人一人の子どもの生育歴の違いに留意しつつ、欲求を適切に満たし、特定の保育士が応答的に関わるように努めること。
ウ 乳児保育に関わる職員間の連携や嘱託医との連携を図り、第3章に示す事項を踏まえ、適切に対応すること。栄養士及び看護師等が配置されている場合は、その専門性を生かした対応を図ること。
エ 保護者との信頼関係を築きながら保育を進めるとともに、保護者からの相談に応じ、保護者への支援に努めていくこと。
オ 担当の保育士が替わる場合には、子どものそれまでの生育歴や発達過程に留意し、職員間で協力して対応すること。

ここが問われた!

令2-後-15で表3の原文の穴埋めが出題されました。令3-前-11、令3-後-15、令5-前-6では、乳児保育に関する記述について出題がありました。

2　1歳以上3歳未満児の保育に関わるねらい及び内容

1歳以上3歳未満児の発達の様子は、保育所保育指針「第2章2(1)　基本的事項」のアに示されています。

表4　基本的事項

ア　この時期においては、歩き始めから、歩く、走る、跳ぶなどへと、基本的な運動機能が次第に発達し、排泄(せつ)の自立のための身体的機能も整うようになる。つまむ、めくるなどの指先の機能も発達し、食事、衣類の着脱なども、保育士等の援助の下で自分で行うようになる。発声も明瞭になり、語彙も増加し、自分の意思や欲求を言葉で表出できるようになる。このように自分でできることが増えてくる時期であることから、保育士等は、子どもの生活の安定を図りながら、自分でしようとする気持ちを尊重し、温かく見守るとともに、愛情豊かに、応答的に関わることが必要である。

ここが問われた！

「1歳以上3歳未満児の保育に関わるねらい及び内容」について問われました（令3-後-16、令4-前-7、令5-前-4、令6-前-5）。

1歳以上3歳未満児の5領域と3歳以上児の5領域とは内容が少し異なります。1歳以上3歳未満児の5領域は3歳以上児の5領域の基礎となるものです。

1歳以上3歳未満児の保育に関わるねらい及び内容は表5の5領域としてまとめ、示されています。

表5　5領域

ア　心身の健康に関する領域「健康」
イ　人との関わりに関する領域「人間関係」
ウ　身近な環境との関わりに関する領域「環境」
エ　言葉の獲得に関する領域「言葉」
オ　感性と表現に関する領域「表現」

各領域には、p.46に前述したように、ねらいはそれぞれ3つずつあります。育つことが期待される生きる力の基礎となる心情・意欲・態度の側面から設定されています。p.50の表10に3歳以上児のねらいとともに記載しています。

表6　保育の実施に関わる配慮事項（保育所保育指針「第2章2(3)」）

ア　特に感染症にかかりやすい時期であるので、体の状態、機嫌、食欲などの日常の状態の観察を十分に行うとともに、適切な判断に基づく保健的な対応を心がけること。
イ　探索活動が十分できるように、事故防止に努めながら活動しやすい環境を整え、全身を使う遊びなど様々な遊びを取り入れること。
ウ　自我が形成され、子どもが自分の感情や気持ちに気付くようになる重要な時期であることに鑑み、情緒の安定を図りながら、子どもの自発的な活動を尊重するとともに促していくこと。
エ　担当の保育士が替わる場合には、子どものそれまでの経験や発達過程に留意し、職員間で協力して対応すること。

3 3歳以上児の保育に関するねらい及び内容

3歳以上児の発達の様子は、保育所保育指針「第2章3(1)基本的事項」のアに示されています。

?ここが問われた!
令4-前-8では「基本的事項」(表7)について穴埋め問題が出題されました。令5-後-14の事例問題で3歳以上児の保育について〇×で答える出題がありました。

表7　基本的事項

ア　この時期においては、運動機能の発達により、基本的な動作が一通りできるようになるとともに、基本的な生活習慣もほぼ自立できるようになる。理解する語彙数が急激に増加し、知的興味や関心も高まってくる。仲間と遊び、仲間の中の一人という自覚が生じ、集団的な遊びや協同的な活動も見られるようになる。これらの発達の特徴を踏まえて、この時期の保育においては、個の成長と集団としての活動の充実が図られるようにしなければならない。

3歳以上児の保育に関するねらい及び内容は表8の5領域としてまとめ、示されています。

表8　5領域

ア　心身の健康に関する領域「健康」
イ　人との関わりに関する領域「人間関係」
ウ　身近な環境との関わりに関する領域「環境」
エ　言葉の獲得に関する領域「言葉」
オ　感性と表現に関する「表現」

?ここが問われた!
- 5領域のねらいについての出題(31-前-4, 13)
- 事例問題で、「3歳以上児の保育に関するねらい及び内容」の記述に照らして保育士の対応について〇×で答える出題(令1-後-9、令6-前-7)

表9　保育の実施に関わる配慮事項(保育所保育指針「第2章3(3)」)

ア　第1章の4の(2)に示す「幼児期の終わりまでに育ってほしい姿」が、ねらい及び内容に基づく活動全体を通して資質・能力が育まれている子どもの小学校就学時の具体的な姿であることを踏まえ、指導を行う際には適宜考慮すること。
イ　子どもの発達や成長の援助をねらいとした活動の時間については、意識的に保育の計画等において位置付けて、実施することが重要であること。なお、そのような活動の時間については、保護者の就労状況等に応じて子どもが保育所で過ごす時間がそれぞれ異なることに留意して設定すること。
ウ　特に必要な場合には、各領域に示すねらいの趣旨に基づいて、具体的な内容を工夫し、それを加えても差し支えないが、その場合には、それが第1章の1に示す保育所保育に関する基本原則を逸脱しないよう慎重に配慮する必要があること。

ここが問われた！

令2-後-4で「1歳以上3歳未満児の保育に関わるねらい及び内容」の一部である、健康、人間関係、環境のねらいの文章選択問題が出題、令3-前-6では「環境」の3歳以上児のねらいと1歳以上3歳未満児のねらいを分ける出題、令5-前-7では3歳以上児の「健康」「人間関係」「環境」のねらいを選ぶ出題がありました。

ここが問われた！

令3-前-12、令5-後-16では1歳以上3歳未満児の5領域の「内容」についての出題、令3-後-13では3歳以上児の「人間関係」の「内容」の○×を問う出題、令4-後-8では3歳以上児の「環境」の内容について○×を問う出題がありました。

ここが問われた！

令3-前-14、令3-後-7、令5-後-6では3歳以上児の5領域の「内容の取扱い」に関する記述についての出題、令5-前-17では1歳以上3歳未満児の「ねらい及び内容」に照らした実習生の対応についての出題、令6-前-3では3歳以上児の「ねらい及び内容」に照らした戸外の活動について出題がありました。

表10　「1歳以上3歳未満児」と「3歳以上児」の5領域のねらいの比較

5領域	1歳以上3歳未満児	3歳以上児
健康	①　明るく伸び伸びと生活し、自分から体を動かすことを楽しむ。 ②　自分の体を十分に動かし、様々な動きをしようとする。 ③　健康、安全な生活に必要な習慣に気付き、自分でしてみようとする気持ちが育つ。	①　明るく伸び伸びと行動し、充実感を味わう。 ②　自分の体を十分に動かし、進んで運動しようとする。 ③　健康、安全な生活に必要な習慣や態度を身に付け、見通しをもって行動する。
人間関係	①　保育所での生活を楽しみ、身近な人と関わる心地よさを感じる。 ②　周囲の子ども等への興味や関心が高まり、関わりをもとうとする。 ③　保育所の生活の仕方に慣れ、きまりの大切さに気付く。	①　保育所の生活を楽しみ、自分の力で行動することの充実感を味わう。 ②　身近な人と親しみ、関わりを深め、工夫したり、協力したりして一緒に活動する楽しさを味わい、愛情や信頼感をもつ。 ③　社会生活における望ましい習慣や態度を身に付ける。
環境	①　身近な環境に親しみ、触れ合う中で、様々なものに興味や関心をもつ。 ②　様々なものに関わる中で、発見を楽しんだり、考えたりしようとする。 ③　見る、聞く、触るなどの経験を通して、感覚の働きを豊かにする。	①　身近な環境に親しみ、自然と触れ合う中で様々な事象に興味や関心をもつ。 ②　身近な環境に自分から関わり、発見を楽しんだり、考えたりし、それを生活に取り入れようとする。 ③　身近な事象を見たり、考えたり、扱ったりする中で、物の性質や数量、文字などに対する感覚を豊かにする。
言葉	①　言葉遊びや言葉で表現する楽しさを感じる。 ②　人の言葉や話などを聞き、自分でも思ったことを伝えようとする。 ③　絵本や物語等に親しむとともに、言葉のやり取りを通じて身近な人と気持ちを通わせる。	①　自分の気持ちを言葉で表現する楽しさを味わう。 ②　人の言葉や話などをよく聞き、自分の経験したことや考えたことを話し、伝え合う喜びを味わう。 ③　日常生活に必要な言葉が分かるようになるとともに、絵本や物語などに親しみ、言葉に対する感覚を豊かにし、保育士等や友達と心を通わせる。
表現	①　身体の諸感覚の経験を豊かにし、様々な感覚を味わう。 ②　感じたことや考えたことなどを自分なりに表現しようとする。 ③　生活や遊びの様々な体験を通して、イメージや感性が豊かになる。	①　いろいろなものの美しさなどに対する豊かな感性をもつ。 ②　感じたことや考えたことを自分なりに表現して楽しむ。 ③　生活の中でイメージを豊かにし、様々な表現を楽しむ。

以前は「内容」についての出題はありませんでしたが、令和３年前期試験より「内容」を問う出題がみられるようになりました。表11の赤字部分が出題されたところです。

表11　「１歳以上３歳未満児」と「３歳以上児」の５領域の内容の比較

５領域	１歳以上３歳未満児	３歳以上児
健康	①　保育士等の愛情豊かな受容の下で、安定感をもって生活をする。 ②　食事や午睡、遊びと休息など、保育所における生活のリズムが形成される。 ③　走る、跳ぶ、登る、押す、引っ張るなど全身を使う遊びを楽しむ。 ④　様々な食品や調理形態に慣れ、ゆったりとした雰囲気の中で食事や間食を楽しむ。 ⑤　身の回りを清潔に保つ心地よさを感じ、その習慣が少しずつ身に付く。 ⑥　保育士等の助けを借りながら、衣類の着脱を自分でしようとする。 ⑦　便器での排泄に慣れ、自分で排泄ができるようになる。	①　保育士等や友達と触れ合い、安定感をもって行動する。 ②　いろいろな遊びの中で十分に体を動かす。 ③　進んで戸外で遊ぶ。 ④　様々な活動に親しみ、楽しんで取り組む。 ⑤　保育士等や友達と食べることを楽しみ、食べ物への興味や関心をもつ。 ⑥　健康な生活のリズムを身に付ける。 ⑦　身の回りを清潔にし、衣服の着脱、食事、排泄などの生活に必要な活動を自分でする。 ⑧　保育所における生活の仕方を知り、自分たちで生活の場を整えながら見通しをもって行動する。 ⑨　自分の健康に関心をもち、病気の予防などに必要な活動を進んで行う。 ⑩　危険な場所、危険な遊び方、災害時などの行動の仕方が分かり、安全に気を付けて行動する。
人間関係	①　保育士等や周囲の子ども等との安定した関係の中で、共に過ごす心地よさを感じる。 ②　保育士等の受容的・応答的な関わりの中で、欲求を適切に満たし、安定感をもって過ごす。 ③　身の回りに様々な人がいることに気付き、徐々に他の子どもと関わりをもって遊ぶ。 ④　保育士等の仲立ちにより、他の子どもとの関わり方を少しずつ身につける。 ⑤　保育所の生活の仕方に慣れ、きまりがあることや、その大切さに気付く。 ⑥　生活や遊びの中で、年長児や保育士等の真似をしたり、ごっこ遊びを楽しんだりする。	①　保育士等や友達と共に過ごすことの喜びを味わう。 ②　自分で考え、自分で行動する。 ③　自分でできることは自分でする。 ④　いろいろな遊びを楽しみながら物事をやり遂げようとする気持ちをもつ。 ⑤　友達と積極的に関わりながら喜びや悲しみを共感し合う。 ⑥　自分の思ったことを相手に伝え、相手の思っていることに気付く。 ⑦　友達のよさに気付き、一緒に活動する楽しさを味わう。 ⑧　友達と楽しく活動する中で、共通の目的を見いだし、工夫したり、協力したりなどする。 ⑨　よいことや悪いことがあることに気付き、考えながら行動する。 ⑩　友達との関わりを深め、思いやりをもつ。 ⑪　友達と楽しく生活する中できまりの大切さに気付き、守ろうとする。 ⑫　共同の遊具や用具を大切にし、皆で使う。 ⑬　高齢者をはじめ地域の人々などの自分の生活に関係の深いいろいろな人に親しみをもつ。
環境	①　安全で活動しやすい環境での探索活動等を通して、見る、聞く、触れる、嗅ぐ、味わうなどの感覚の働きを豊かにする。 ②　玩具、絵本、遊具などに興味をもち、それら	①　自然に触れて生活し、その大きさ、美しさ、不思議さなどに気付く。 ②　生活の中で、様々な物に触れ、その性質や仕組みに興味や関心をもつ。

	を使った遊びを楽しむ。 ③ 身の回りの物に触れる中で、形、色、大きさ、量などの物の性質や仕組みに気付く。 ④ 自分の物と人の物の区別や、場所的感覚など、環境を捉える感覚が育つ。 ⑤ 身近な生き物に気付き、親しみをもつ。 ⑥ 近隣の生活や季節の行事などに興味や関心をもつ。	③ 季節により自然や人間の生活に変化のあることに気付く。 ④ 自然などの身近な事象に関心をもち、取り入れて遊ぶ。 ⑤ 身近な動植物に親しみをもって接し、生命の尊さに気付き、いたわったり、大切にしたりする。 ⑥ 日常生活の中で、我が国や地域社会における様々な文化や伝統に親しむ。 ⑦ 身近な物を大切にする。 ⑧ 身近な物や遊具に興味をもって関わり、自分なりに比べたり、関連付けたりしながら考えたり、試したりして工夫して遊ぶ。 ⑨ 日常生活の中で数量や図形などに関心をもつ。 ⑩ 日常生活の中で簡単な標識や文字などに関心をもつ。 ⑪ 生活に関係の深い情報や施設などに興味や関心をもつ。 ⑫ 保育所内外の行事において国旗に親しむ。
言葉	① 保育士等の応答的な関わりや話しかけにより、自ら言葉を使おうとする。 ② 生活に必要な簡単な言葉に気付き、聞き分ける。 ③ 親しみをもって日常の挨拶に応じる。 ④ 絵本や紙芝居を楽しみ、簡単な言葉を繰り返したり、模倣をしたりして遊ぶ。 ⑤ 保育士等とごっこ遊びをする中で、言葉のやり取りを楽しむ。 ⑥ 保育士等を仲立ちとして、生活や遊びの中で友達との言葉のやり取りを楽しむ。 ⑦ 保育士等や友達の言葉や話に興味や関心をもって、聞いたり、話したりする。	① 保育士等や友達の言葉や話に興味や関心をもち、親しみをもって聞いたり、話したりする。 ② したり、見たり、聞いたり、感じたり、考えたりなどしたことを自分なりに言葉で表現する。 ③ したいこと、してほしいことを言葉で表現したり、分からないことを尋ねたりする。 ④ 人の話を注意して聞き、相手に分かるように話す。 ⑤ 生活の中で必要な言葉が分かり、使う。 ⑥ 親しみをもって日常の挨拶をする。 ⑦ 生活の中で言葉の楽しさや美しさに気付く。 ⑧ いろいろな体験を通じてイメージや言葉を豊かにする。 ⑨ 絵本や物語などに親しみ、興味をもって聞き、想像をする楽しさを味わう。 ⑩ 日常生活の中で、文字などで伝える楽しさを味わう。
表現	① 水、砂、土、紙、粘土など様々な素材に触れて楽しむ。 ② 音楽、リズムやそれに合わせた体の動きを楽しむ。 ③ 生活の中で様々な音、形、色、手触り、動き、味、香りなどに気付いたり、感じたりして楽しむ。 ④ 歌を歌ったり、簡単な手遊びや全身を使う遊びを楽しんだりする。 ⑤ 保育士等からの話や、生活や遊びの中での出来事を通して、イメージを豊かにする。 ⑥ 生活や遊びの中で、興味のあることや経験し	① 生活の中で様々な音、形、色、手触り、動きなどに気付いたり、感じたりするなどして楽しむ。 ② 生活の中で美しいものや心を動かす出来事に触れ、イメージを豊かにする。 ③ 様々な出来事の中で、感動したことを伝え合う楽しさを味わう。 ④ 感じたこと、考えたことなどを音や動きなどで表現したり、自由にかいたり、つくったりなどする。 ⑤ いろいろな素材に親しみ、工夫して遊ぶ。 ⑥ 音楽に親しみ、歌を歌ったり、簡単なリズム

	たことなどを自分なりに表現する。	楽器を使ったりなどする楽しさを味わう。 ⑦　かいたり、つくったりすることを楽しみ、遊びに使ったり、飾ったりなどする。 ⑧　自分のイメージを動きや言葉などで表現したり、演じて遊んだりするなどの楽しさを味わう。

内容の取扱いは、保育をしていく上での保育者の配慮点になります。表12の赤字の部分が出題されたところです。

表12　「1歳以上3歳未満児」と「3歳以上児」の5領域の内容の取扱いの比較

5領域	1歳以上3歳未満児	3歳以上児
健康	①　心と体の健康は、相互に密接な関連があるものであることを踏まえ、子どもの気持ちに配慮した温かい触れ合いの中で、心と体の発達を促すこと。特に、一人一人の発育に応じて、体を動かす機会を十分に確保し、自ら体を動かそうとする意欲が育つようにすること。 ②　健康な心と体を育てるためには望ましい食習慣の形成が重要であることを踏まえ、ゆったりとした雰囲気の中で食べる喜びや楽しさを味わい、進んで食べようとする気持ちが育つようにすること。なお、食物アレルギーのある子どもへの対応については、嘱託医等の指示や協力の下に適切に対応すること。 ③　排泄の習慣については、一人一人の排尿間隔等を踏まえ、おむつが汚れていないときに便器に座らせるなどにより、少しずつ慣れさせるようにすること。 ④　食事、排泄、睡眠、衣類の着脱、身の回りを清潔にすることなど、生活に必要な基本的な習慣については、一人一人の状態に応じ、落ち着いた雰囲気の中で行うようにし、子どもが自分でしようとする気持ちを尊重すること。また、基本的な生活習慣の形成に当たっては、家庭での生活経験に配慮し、家庭との適切な連携の下で行うようにすること。	①　心と体の健康は、相互に密接な関連があるものであることを踏まえ、子どもが保育士等や他の子どもとの温かい触れ合いの中で自己の存在感や充実感を味わうことなどを基盤として、しなやかな心と体の発達を促すこと。特に、十分に体を動かす気持ちよさを体験し、自ら体を動かそうとする意欲が育つようにすること。 ②　様々な遊びの中で、子どもが興味や関心、能力に応じて全身を使って活動することにより、体を動かす楽しさを味わい、自分の体を大切にしようとする気持ちが育つようにすること。その際、多様な動きを経験する中で、体の動きを調整するようにすること。 ③　自然の中で伸び伸びと体を動かして遊ぶことにより、体の諸機能の発達が促されることに留意し、子どもの興味や関心が戸外にも向くようにすること。その際、子どもの動線に配慮した園庭や遊具の配置などを工夫すること。 ④　健康な心と体を育てるためには食育を通じた望ましい食習慣の形成が大切であることを踏まえ、子どもの食生活の実情に配慮し、和やかな雰囲気の中で保育士等や他の子どもと食べる喜びや楽しさを味わったり、様々な食べ物への興味や関心をもったりするなどし、食の大切さに気付き、進んで食べようとする気持ちが育つようにすること。 ⑤　基本的な生活習慣の形成に当たっては、家庭での生活経験に配慮し、子どもの自立心を育て、子どもが他の子どもと関わりながら主体的な活動を展開する中で、生活に必要な習慣を身に付け、次第に見通しをもって行動できるようにすること。 ⑥　安全に関する指導に当たっては、情緒の安定を図り、遊びを通して安全についての構えを身に付け、危険な場所や事物などが分かり、安全についての理解を深めるようにすること。また、交通安全の習慣を身に付けるようにするとともに、避難訓練などを通して、災害などの緊急時に適切な行動がとれるようにすること。

人間関係	① 保育士等との信頼関係に支えられて生活を確立するとともに、自分で何かをしようとする気持ちが旺盛になる時期であることに鑑み、そのような子どもの気持ちを尊重し、温かく見守るとともに、愛情豊かに、応答的に関わり、適切な援助を行うようにすること。 ② 思い通りにいかない場合等の子どもの不安定な感情の表出については、保育士等が受容的に受け止めるとともに、そうした気持ちから立ち直る経験や感情をコントロールすることへの気付き等につなげていけるように援助すること。 ③ この時期は自己と他者との違いの認識がまだ十分ではないことから、子どもの自我の育ちを見守るとともに、保育士等が仲立ちとなって、自分の気持ちを相手に伝えることや相手の気持ちに気付くことの大切さなど、友達の気持ちや友達との関わり方を丁寧に伝えていくこと。	① 保育士等との信頼関係に支えられて自分自身の生活を確立していくことが人と関わる基盤となることを考慮し、子どもが自ら周囲に働き掛けることにより多様な感情を体験し、試行錯誤しながら諦めずにやり遂げることの達成感や、前向きな見通しをもって自分の力で行うことの充実感を味わうことができるよう、子どもの行動を見守りながら適切な援助を行うようにすること。 ② 一人一人を生かした集団を形成しながら人と関わる力を育てていくようにすること。その際、集団の生活の中で、子どもが自己を発揮し、保育士等や他の子どもに認められる体験をし、自分のよさや特徴に気付き、自信をもって行動できるようにすること。 ③ 子どもが互いに関わりを深め、協同して遊ぶようになるため、自ら行動する力を育てるとともに、他の子どもと試行錯誤しながら活動を展開する楽しさや共通の目的が実現する喜びを味わうことができるようにすること。 ④ 道徳性の芽生えを培うに当たっては、基本的な生活習慣の形成を図るとともに、子どもが他の子どもとの関わりの中で他人の存在に気付き、相手を尊重する気持ちをもって行動できるようにし、また、自然や身近な動植物に親しむことなどを通して豊かな心情が育つようにすること。特に、人に対する信頼感や思いやりの気持ちは、葛藤やつまずきをも体験し、それらを乗り越えることにより次第に芽生えてくることに配慮すること。 ⑤ 集団の生活を通して、子どもが人との関わりを深め、規範意識の芽生えが培われることを考慮し、子どもが保育士等との信頼関係に支えられて自己を発揮する中で、互いに思いを主張し、折り合いを付ける体験をし、きまりの必要性などに気付き、自分の気持ちを調整する力が育つようにすること。 ⑥ 高齢者をはじめ地域の人々などの自分の生活に関係の深いいろいろな人と触れ合い、自分の感情や意志を表現しながら共に楽しみ、共感し合う体験を通して、これらの人々などに親しみをもち、人と関わることの楽しさや人の役に立つ喜びを味わうことができるようにすること。また、生活を通して親や祖父母などの家族の愛情に気付き、家族を大切にしようとする気持ちが育つようにすること。
環境	① 玩具などは、音質、形、色、大きさなど子どもの発達状態に応じて適切なものを選び、遊びを通して感覚の発達が促されるように工夫すること。 ② 身近な生き物との関わりについては、子ども	① 子どもが、遊びの中で周囲の環境と関わり、次第に周囲の世界に好奇心を抱き、その意味や操作の仕方に関心をもち、物事の法則性に気付き、自分なりに考えることができるようになる過程を大切にすること。また、他の子どもの考

	が命を感じ、生命の尊さに気付く経験へとつながるものであることから、そうした気付きを促すような関わりとなるようにすること。 ③ 地域の生活や季節の行事などに触れる際には、社会とのつながりや地域社会の文化への気付きにつながるものとなることが望ましいこと。その際、保育所内外の行事や地域の人々との触れ合いなどを通して行うこと等も考慮すること。	えなどに触れて新しい考えを生み出す喜びや楽しさを味わい、自分の考えをよりよいものにしようとする気持ちが育つようにすること。 ② 幼児期において自然のもつ意味は大きく、自然の大きさ、美しさ、不思議さなどに直接触れる体験を通して、子どもの心が安らぎ、豊かな感情、好奇心、思考力、表現力の基礎が培われることを踏まえ、子どもが自然との関わりを深めることができるよう工夫すること。 ③ 身近な事象や動植物に対する感動を伝え合い、共感し合うことなどを通して自分から関わろうとする意欲を育てるとともに、様々な関わり方を通してそれらに対する親しみや畏敬の念、生命を大切にする気持ち、公共心、探究心などが養われるようにすること。 ④ 文化や伝統に親しむ際には、正月や節句など我が国の伝統的な行事、国歌、唱歌、わらべうたや我が国の伝統的な遊びに親しんだり、異なる文化に触れる活動に親しんだりすることを通じて、社会とのつながりの意識や国際理解の意識の芽生えなどが養われるようにすること。 ⑤ 数量や文字などに関しては、日常生活の中で子ども自身の必要感に基づく体験を大切にし、数量や文字などに関する興味や関心、感覚が養われるようにすること。
言葉	① 身近な人に親しみをもって接し、自分の感情などを伝え、それに相手が応答し、その言葉を聞くことを通して、次第に言葉が獲得されていくものであることを考慮して、楽しい雰囲気の中で保育士等との言葉のやり取りができるようにすること。 ② 子どもが自分の思いを言葉で伝えるとともに、他の子どもの話などを聞くことを通して、次第に話を理解し、言葉による伝え合いができるようになるよう、気持ちや経験等の言語化を行うことを援助するなど、子ども同士の関わりの仲立ちを行うようにすること。 ③ この時期は、片言から、二語文、ごっこ遊びでのやり取りができる程度へと、大きく言葉の習得が進む時期であることから、それぞれの子どもの発達の状況に応じて、遊びや関わりの工夫など、保育の内容を適切に展開することが必要であること。	① 言葉は、身近な人に親しみをもって接し、自分の感情や意志などを伝え、それに相手が応答し、その言葉を聞くことを通して次第に獲得されていくものであることを考慮して、子どもが保育士等や他の子どもと関わることにより心を動かされるような体験をし、言葉を交わす喜びを味わえるようにすること。 ② 子どもが自分の思いを言葉で伝えるとともに、保育士等や他の子どもなどの話を興味をもって注意して聞くことを通して次第に話を理解するようになっていき、言葉による伝え合いができるようにすること。 ③ 絵本や物語などで、その内容と自分の経験とを結び付けたり、想像を巡らせたりするなど、楽しみを十分に味わうことによって、次第に豊かなイメージをもち、言葉に対する感覚が養われるようにすること。 ④ 子どもが生活の中で、言葉の響きやリズム、新しい言葉や表現などに触れ、これらを使う楽しさを味わえるようにすること。その際、絵本や物語に親しんだり、言葉遊びなどをしたりすることを通して、言葉が豊かになるようにすること。 ⑤ 子どもが日常生活の中で、文字などを使いながら思ったことや考えたことを伝える喜びや楽しさを味わい、文字に対する興味や関心をもつようにすること。

表現	① 子どもの表現は、遊びや生活の様々な場面で表出されているものであることから、それらを積極的に受け止め、様々な表現の仕方や感性を豊かにする経験となるようにすること。 ② 子どもが試行錯誤しながら様々な表現を楽しむことや、自分の力でやり遂げる充実感などに気付くよう、温かく見守るとともに、適切に援助を行うようにすること。 ③ 様々な感情の表現等を通じて、子どもが自分の感情や気持ちに気付くようになる時期であることに鑑み、受容的な関わりの中で自信をもって表現をすることや、諦めずに続けた後の達成感等を感じられるような経験が蓄積されるようにすること。 ④ 身近な自然や身の回りの事物に関わる中で、発見や心が動く経験が得られるよう、諸感覚を働かせることを楽しむ遊びや素材を用意するなど保育の環境を整えること。	① 豊かな感性は、身近な環境と十分に関わる中で美しいもの、優れたもの、心を動かす出来事などに出会い、そこから得た感動を他の子どもや保育士等と共有し、様々に表現することなどを通して養われるようにすること。その際、風の音や雨の音、身近にある草や花の形や色など自然の中にある音、形、色などに気付くようにすること。 ② 子どもの自己表現は素朴な形で行われることが多いので、保育士等はそのような表現を受容し、子ども自身の表現しようとする意欲を受け止めて、子どもが生活の中で子どもらしい様々な表現を楽しむことができるようにすること。 ③ 生活経験や発達に応じ、自ら様々な表現を楽しみ、表現する意欲を十分に発揮させることができるように、遊具や用具などを整えたり、様々な素材や表現の仕方に親しんだり、他の子どもの表現に触れられるよう配慮したりし、表現する過程を大切にして自己表現を楽しめるように工夫すること。

ここが問われた！

令1-後-15では、保育所保育指針「第2章4 (2) 小学校との連携」について穴埋め及び○×での出題が、令4-前-10、令5-後-8、令6-前-4では、「保育全般に関わる配慮事項」(表13)についての正誤が問われました。赤字部分が出題されたところです。

ここが問われた！

令5-前-8では保育所保育指針第1章及び第2章に照らした保育士の子どもへの対応について問われました。

4 保育の実施に関して留意すべき事項

保育所保育指針「第2章　保育の内容」の4に、「保育全般に関わる配慮事項」「小学校との連携」「家庭及び地域社会との連携」について示されています。

実際の保育の実施において、表13は大切なことですので、過去の出題回数も多いところです。最近は表14の小学校との連携について、頻繁に出題されています。

表13　保育全般に関わる配慮事項

ア　子どもの心身の発達及び活動の実態などの個人差を踏まえるとともに、一人一人の子どもの気持ちを受け止め、援助すること。
イ　子どもの健康は、生理的・身体的な育ちとともに、自主性や社会性、豊かな感性の育ちとがあいまってもたらされることに留意すること。
ウ　子どもが自ら周囲に働きかけ、試行錯誤しつつ自分の力で行う活動を見守りながら、適切に援助すること。
エ　子どもの入所時の保育に当たっては、できるだけ個別的に対応し、子どもが安定感を得て、次第に保育所の生活になじんでいくようにするとともに、既に入所している子どもに不安や動揺を与えないようにすること。
オ　子どもの国籍や文化の違いを認め、互いに尊重する心を育てるようにすること。

カ　子どもの性差や個人差にも留意しつつ、性別などによる固定的な意識を植え付けることがないようにすること。

保育所では、保育所保育指針第1章1(2)に示す「保育の目標」に基づいて幼児期にふさわしい保育を行います。それは小学校以降の生活や学習の基盤となります。そして保育所から小学校への移行が円滑に行われる必要があります。それは小学校教育を先取りすることではなく、就学まで「幼児期にふさわしい保育」を行うことが大切だということです。つまり、子どもの遊びや生活が充実し発展することを援助していくことが大切なのです。

ここが問われた!
「小学校との連携」について、原文の○×を問う出題(令3-前-18)、穴埋めの出題(令6-前-16)がありました。

表14　小学校との連携

ア　保育所においては、保育所保育が、小学校以降の生活や学習の基盤の育成につながることに配慮し、幼児期にふさわしい生活を通じて、創造的な思考や主体的な生活態度などの基礎を培うようにすること。

イ　保育所保育において育まれた資質・能力を踏まえ、小学校教育が円滑に行われるよう、小学校教師との意見交換や合同の研究の機会などを設け、第1章の4の(2)に示す「幼児期の終わりまでに育って欲しい姿」を共有するなど連携を図り、保育所保育と小学校教育との円滑な接続を図るよう努めること。

ウ　子どもに関する情報共有に関して、保育所に入所している子どもの就学に際し、市町村の支援の下に、子どもの育ちを支えるための資料が保育所から小学校へ送付されるようにすること。

都市化や核家族化などが進む中で、日常生活において地域の自然に接したり、幅広い世代の人々と交流したり、社会の様々な文化や伝統に触れたりする直接的な体験が不足している子どもが多くなっています。

保育所は、これらのことを十分に踏まえて、保育所内外において子どもが豊かな体験を得る機会を積極的に設けていくことが求められています。

ここが問われた!
令3-前-17では、原文(表15)に下線がありその○×を問う出題がありました。令4-後-13では、表15の穴埋め問題が出題されました。赤字部分が出題されたところです。

表15　家庭及び地域社会との連携

子どもの生活の連続性を踏まえ、家庭及び地域社会と連携して保育が展開されるよう配慮すること。その際、家庭や地域の機関及び団体の協力を得て、地域の自然、高齢者や異年齢の子ども等を含む人材、行事、施設等の地域の資源を積極的に活用し、豊かな生活体験をはじめ保育内容の充実が図られるよう配慮すること。

○×チェック問題

保育所保育指針の内容として適切なものに○、不適切なものに×で答えなさい。

1 「乳児保育に関わるねらい及び内容」は、５領域ではなく、２つの視点で示されている。

2 「１歳以上３歳未満児の保育に関わるねらい及び内容」は、５領域で示されている。

3 「１歳以上３歳未満児の保育に関わるねらい及び内容」における「ねらい」「内容」の記載は、「３歳以上児の保育に関するねらい及び内容」における「ねらい」「内容」と同一である。

4 乳児保育の実施に関わる配慮事項として、「一人一人の子どもの家庭の違いに留意しつつ、欲求を適切に満たし、特定の保育士が応答的に関わるように努めること」とある。

5 １歳以上３歳未満児の保育の実施に関わる配慮事項として、「特に感染症にかかりやすい時期であるので、体の状態、機嫌、食欲などの日常の状態の観察を十分に行うとともに、適切な判断に基づく保健的な対応を心がけること」とある。

6 １歳以上３歳未満児の５領域「健康」のねらいとして、「自分の体を十分に動かし、それを楽しもうとする」とある。

7 １歳以上３歳未満児の５領域「人間関係」のねらいとして、「保育所での生活を楽しみ、身近な人と関わる心地よさを感じる」とある。

8 保育全般に関わる配慮事項として、「子どものそれぞれの家庭や文化の違いを認め、互いに尊重する心を育てるようにすること」とある。

答え

1 × 「２つ」ではなく「３つ」
2 ○
3 × 同一ではない。
4 × 「家庭」ではなく「生育歴」
5 ○
6 × 「それを楽しもうとする」ではなく「様々な動きをしようとする」
7 ○
8 × 「それぞれの家庭」ではなく「国籍」

テーマ5

健康及び安全(保育所保育指針第3章)

保育所保育において、子どもの健康及び安全の確保は、子どもの生命の保持と健やかな生活の基本です。保育所は子どもが集団で生活する場であるため、保育所における健康と安全は一人一人の子どもに加えて、集団の子どもの健康と安全から成り立ちます。そのため子どもの健康と安全は、大人の責任において守られなければなりませんが、同時に子ども自らが健康と安全に関する力を身につけていくことも重要です。

子どもの健康支援、食育の推進、環境及び衛生管理並びに安全管理、災害への備え

1 子どもの健康支援(第3章1)

■子どもの健康状態並びに発育及び発達状態の把握

・子どもの健康状態並びに発育及び発達状態について、定期的・継続的、また必要に応じて随時把握すること。

・何らかの疾病が疑われる状態や傷害が認められた場合には、保護者に連絡するとともに、嘱託医と相談するなど適切な対応を図ること。

・不適切な養育の兆候が見られる場合には、市町村や関係機関と連携し、適切な対応を図ること。児童相談所に通告すること。

■健康増進

・子どもの健康に関する保健計画を全体的な計画に基づいて作成すること。

・嘱託医等による定期的な健康診断を行い、その結果を記録し、保育に活用するとともに、保護者が子どもの状態を理

用語解説

保健計画
「保健計画」は年間を通して、子どもが健やかに生活できるよう、季節に応じて流行する疾病の予防や対策計画です。たとえば、インフルエンザが流行る時期が来る前に手洗い・うがい週間を設定し、子どもたちに注意を呼び掛ける期間を設ける等、年次初めに看護師等がリーダーとなり作成します。

解し、日常生活に活用できるようにすること。

■ 疾病等への対応

・保育中に体調不良や傷害が発生した場合には、状態に応じて、保護者に連絡するとともに嘱託医や子どものかかりつけ医等と相談し、適切な処置を行うこと。

・感染症やその他の疾病の発生予防に努め、発生や疑いがある場合には、嘱託医、市町村、保健所等に連絡し、指示に従うとともに、保護者や全職員に連絡し、予防等について協力を求めること。

・アレルギー疾患を有する子どもの保育については、保護者と連携し、医師の診断及び指示に基づき、適切な対応を行うこと。また、食物アレルギーに関して、関連機関と連携して、当該保育所の体制構築など、安全な環境の整備を行うこと。

・医務室等の環境を整え、救急用の薬品、材料等を適切な管理の下に常備し全職員が対応できるようにしておくこと。

ここが問われた！

31-前-10は、事例問題ですが、保育所保育指針「第３章２　食育の推進」に照らして、○×問題が出題されています。令2-後-7も同様です。

2 食育の推進（第３章２）

■ 保育所の特性を生かした食育

・保育所における食育は、健康な生活の基本としての「食を営む力」の育成に向け、その基礎を培うことを目標とすること。

・子どもが生活と遊びの中で、意欲を持って食に関わる体験を積み重ね、食べることを楽しみ、食事を楽しみ合う子どもに成長していくことを期待するものであること。

・乳幼児期にふさわしい食生活が展開され、適切な援助が行われるよう、食事の提供を含む食育計画を全体的な計画に基づいて作成し、その評価及び改善に努めること。

食育計画

「食育計画」は保育所保育指針「第３章２」のもとに、保育所の特性を生かし、環境の整備を考慮しながら計画します。「子どもが生活と遊びの中で、意欲をもって食に関わる体験」というのは、自分たちで野菜を育て収穫し、洗ったり、切ったりという体験も含まれます。

■ 食育の環境の整備等

保護者にも子どもにも、保育所の給食を通して、食事の大切さを伝えるために「環境の整備等」という言葉を通して表１が書かれています。

表1　食育の環境の整備等

ア　子どもが自らの感覚や体験を通して、自然の恵みとしての食材や食の循環・環境への意識、調理する人への感謝の気持ちが育つように、子どもと調理員等との関わりや、調理室など食に関わる保育環境に配慮すること。

イ　保護者や地域の多様な関係者との連携及び協働の下で、食に関する取組が進められること。また、市町村の支援の下に、地域の関係機関等との日常的な連携を図り、必要な協力が得られるよう努めること。

ウ　体調不良、食物アレルギー、障害のある子どもなど、一人一人の子どもの心身の状態等に応じ、嘱託医、かかりつけ医等の指示や協力の下に適切に対応すること。栄養士が配置されている場合は、専門性を生かした対応を図ること。

3　環境及び衛生管理並びに安全管理(第３章３)

■環境及び衛生管理

・施設内の温度、湿度、換気、採光、音などの環境を常に適切な状態に保持すること。

・施設内外において、子ども及び全職員が清潔を保つようにすること。職員は衛生知識の向上に努めること。

■事故防止及び安全対策

当たり前のことですが、朝、保護者からお預かりした元気な子どもの姿のままで保育を行うのが保育所の原則です。事故防止のため最善の注意を図ります。

表2　事故防止及び安全対策

ア　保育中の事故防止のために、子どもの心身の状態等を踏まえつつ、施設内外の安全点検に努め、安全対策のために全職員の共通理解や体制づくりを図るとともに、家庭や地域の関係機関の協力の下に安全指導を行うこと。

イ　事故防止の取組を行う際には、特に、睡眠中、プール活動・水遊び中、食事中等の場面では重大事故が発生しやすいことを踏まえ、子どもの主体的な活動を大切にしつつ、施設内外の環境の配慮や指導の工夫を行うなど、必要な対策を講じること。

ウ　保育中の事故の発生に備え、施設内外の危険箇所の点検や訓練を実施するとともに、外部からの不審者等の侵入防止のための措置や訓練など不測の事態に備えて必要な対応を行うこと。また、子どもの精神保健面における対応に留意すること。

ここをチェック！

①睡眠中の事故防止のために、呼吸・SIDSチェックを含む睡眠時チェックを行います。

②プール・水遊び中の事故防止のために、指導員のほかに監視員を置いています。

③食事中の事故防止のためにミニトマトや白玉等への配慮や食物アレルギーへの対応があります。

④訓練は、児童福祉施設の設備及び運営に関する基準に基づいた毎月の避難訓練(火災・地震等)のほか、不審者訓練(園内・園外)等が行われています。

これらは年間行事予定の段階で計画されています。

4　災害への備え(第３章４)

「施設・設備等の安全確保」「災害発生時の対応体制及び避難への備え」「地域の関係機関等との連携」について示されています。

表3　施設・設備等の安全確保

ア　防火設備、避難経路等の安全性が確保されるよう、定期的にこれらの安全点検を行うこと。
イ　備品、遊具等の配置、保管を適切に行い、日頃から、安全環境の整備に努めること。

表4　災害発生時の対応体制及び避難への備え

ア　火災や地震などの災害の発生に備え、緊急時の対応の具体的内容及び手順、職員の役割分担、避難訓練計画等に関するマニュアルを作成すること。
イ　定期的に避難訓練を実施するなど、必要な対応を図ること。
ウ　災害の発生時に、保護者等への連絡及び子どもの引渡しを円滑に行うため、日頃から保護者との密接な連携に努め、連絡体制や引渡し方法等について確認をしておくこと。

表5　地域の関係機関等との連携

ア　市町村の支援の下に、地域の関係機関との日常的な連携を図り、必要な協力が得られるよう努めること。
イ　避難訓練については、地域の関係機関や保護者との連携の下に行うなど工夫すること。

避難訓練計画等に関するマニュアル
内容、手順、職員の役割分担等を決め、消防署に提出します。また、引渡し訓練も保護者の協力の下に行っています。

ここが問われた!
令5-前-9では表3～5の内容について問われました。

保育所は子どもが集団で生活する場であり、一人一人の子どもに加えて、集団の子どもの健康と安全から成り立っています。それは、大人の責任において守られなければならないことですが、子ども自身も自らが健康と安全に関する力を身につけていくことも重要です。

また、衛生管理や安全管理において、保育中の環境整備は不可欠です。例えば「お散歩」という保育内容１つをとっても、経路や公園等について「お散歩マップ」を必ず作成し、異常や危険性の有無、工事箇所や交通量等を点検し記録をつけ、全職員で情報を共有します。保育中は常に、子どもの動きを観察し、その観察の空白時間が生じないよう午睡の時間を含めて確実に観察します。

○×チェック問題

保育所保育指針第3章の内容として、適切なものに○、不適切なものに×で答えなさい。

1 「災害への備え」に関する内容は、全3項目で構成されている。

2 防災への備えとして、避難訓練は少なくとも6か月に1回定期的に実施するなど、必要な対応を図る。

3 防災への備えとして、防火設備、避難経路等の安全性が確保されるよう、定期的にこれらの安全点検を行う。

4 避難訓練は、地域の関係機関や保護者との連携は、必要がない。

5 子どもの健康に関する保健計画を全体的な計画に基づき作成する。

6 嘱託医（園医）等により毎年の健康診断を行い、その結果を記録し、保育に活用するとともに、保護者が子どもの状態を理解するようにする。

7 感染症やその他の疾病の発生予防に努め、その発生や疑いがある場合には、必要に応じて嘱託医、市町村、保健所等に連絡し、その指示に従うとともに、保護者や全職員に連絡し、予防等の協力を求める。

8 乳幼児期にふさわしい食生活が展開され、適切な援助が行われるよう、食事の提供を含む保健計画を全体的な計画に基づいて作成する。

9 保育所における食育は、安全な生活の基本としての「食を営む力」の育成に向け、その基礎を培うことを目標とする。

答え

1○
2× 「少なくとも6か月に1回」との記載はない。
3○
4× 地域の関係機関や保護者との連携の下に行うなど工夫することとの記載がある。
5○
6× 「毎年の」ではなく「定期的に」
7○
8× 「保健計画」ではなく「食育計画」
9× 「安全」ではなく「健康」

テーマ6 子育て支援(保育所保育指針第4章)

保育所における保護者に対する子育て支援では、すべての子どもの健やかな育ちを実現することができるよう家庭と連携して支援していくとともに、保護者及び地域が有する子育てを自ら実践する力の向上に資するよう留意します。

保育所における子育て支援に関する基本的事項、保育所を利用している保護者に対する子育て支援、地域の保護者等に対する子育て支援

ここが問われた！
令2-後-16、令5-前-14では、第4章の記述内容について正しい組み合わせを選ぶ問題が出題されました。

1 保育所における子育て支援に関する基本的事項(第4章1)

保育所での子育て支援を行う際には、保護者の気持ちを受け止めたり、子育てに関する知識や技術等の専門性や保育所の特性を生かして行うための基本的事項があります。

ここが問われた！
令4-後-12では、表1の穴埋め問題が出題されました。

表1　保育所の特性を生かした子育て支援

ア　保護者に対する子育て支援を行う際には、各地域や家庭の実態等を踏まえるとともに、保護者の気持ちを受け止め、相互の信頼関係を基本に、保護者の自己決定を尊重すること。
イ　保育及び子育てに関する知識や技術など、保育士等の専門性や、子どもが常に存在する環境など、保育所の特性を生かし、保護者が子どもの成長に気付き子育ての喜びを感じられるように努めること。

ここが問われた！
31-前-18、令1-後-8,9,18、令2-後-10、令3-後-8,17、令5-前-12、令6-前-10は、事例問題で、「子育て支援」に照らし保育士の対応として適切な記述が○×で問われました。

保育士等が保護者の不安や悩みに寄り添い、子どもへの愛情や成長を喜ぶ気持ちを共感し合うことによって、保護者は子育てへの意欲や自信を膨らませることができます。

保護者とのコミュニケーションにおいては、子育てに不安を感じている保護者が子育てに自信を持ち子育てを楽しいと感じることができるよう保育所や保育士等による働きかけや環境づくりが望まれます。

表2 子育て支援に関して留意すべき事項

ア 保護者に対する子育て支援における地域の関係機関等との連携及び協働を図り、保育所全体の体制構築に努めること。

イ 子どもの利益に反しない限りにおいて、保護者や子どものプライバシーを保護し、知り得た事柄の秘密を保持すること。

2 保育所を利用している保護者に対する子育て支援（第4章2）

保育所を利用している保護者への支援は、毎日顔を合わせている関係ですから相互理解は重要なポイントです。「様々な機会」とは、日々の送迎時の会話や保育所便り、クラス便り、連絡帳等を通したり、参観日や懇談会等にあたります。

また、多様な家庭や子どもに対応するためには、個別の支援が大切です。

ここが問われた！

31-前-5では、「2 保育所を利用している保護者に対する子育て支援」の一部（(1)(2)）穴埋め問題が出題されました。令6-前-19では、「不適切な養育等が疑われる家庭への支援」（表5）の記述として適切なものを選ぶ出題がありました。

表3 保護者との相互理解

ア 日常の保育に関連した様々な機会を活用し子どもの日々の様子の伝達や収集、保育所保育の意図の説明などを通じて、保護者との相互理解を図るよう努めること。

イ 保育の活動に対する保護者の積極的な参加は、保護者の子育てを自ら実践する力の向上に寄与することから、これを促すこと。

表4 保護者の状況に配慮した個別の支援

ア 保護者の就労と子育ての両立等を支援するため、保護者の多様化した保育の需要に応じ、病児保育事業など多様な事業を実施する場合には、保護者の状況に配慮するとともに、子どもの福祉が尊重されるよう努め、子どもの生活の連続性を考慮すること。

イ 子どもに障害や発達上の課題が見られる場合には、市町村や関係機関と連携及び協力を図りつつ、保護者に対する個別の支援を行うよう努めること。

ウ 外国籍家庭など、特別な配慮を必要とする家庭の場合には、状況等に応じて個別の支援を行うよう努めること。

表5 不適切な養育等が疑われる家庭への支援

ア 保護者に育児不安等が見られる場合には、保護者の希望に応じて個別の支援を行うよう努めること。

イ 保護者に不適切な養育等が疑われる場合には、市町村や関係機関と連携し、要保護児童対策地域協議会で検討するなど適切な対応を図ること。また、虐待が疑われる場合には、速やかに市町村又は児童相談所に通告し、適切な対応を図ること。

ここをチェック！

不適切な養育とは虐待が疑われる場合が含まれます。保育所には市町村または児童相談所への通告の義務があります。

ここが問われた！

令4-前-11では、「地域に開かれた子育て支援」（表6）について穴埋め問題が出題されました。令5-後-12では、一時預かり事業における保育園の対応について○×問題が出題されました。一時預かりにおいても、根底となる考え方は保育所保育指針です。

3 地域の保護者等に対する子育て支援（第4章3）

保育所を利用していない、特に0、1歳の初めてのお子さんを持つ保護者の中には不安を抱えている方も少なくありません。そこで、保育所では「地域の子育て支援拠点」として育児相談や情報の発信等をしていきます。

地域には、様々な関連機関があり、様々な人材（退職した経験豊かな保育者、伝統文化の継承者など）がいます。連携することによって子育て支援の幅が広がっていきます。

表6　地域に開かれた子育て支援

ア　保育所は、児童福祉法第48条の4の規定に基づき、その行う保育に支障がない限りにおいて、地域の実情や当該保育所の体制等を踏まえ、地域の保護者等に対して、保育所保育の専門性を生かした子育て支援を積極的に行うよう努めること。 イ　地域の子どもに対する一時預かり事業などの活動を行う際には、一人一人の子どもの心身の状態などを考慮するとともに、日常の保育との関連に配慮するなど、柔軟に活動を展開できるようにすること。

表7　地域の関係機関等との連携

ア　市町村の支援を得て、地域の関係機関等との積極的な連携及び協働を図るとともに、子育て支援に関する地域の人材と積極的に連携を図るよう努めること。 イ　地域の要保護児童への対応など、地域の子どもを巡る諸課題に対し、要保護児童対策地域協議会など関係機関等と連携及び協力して取り組むよう努めること。

○×チェック問題

保育所保育指針の内容として適切なものに○、不適切なものに×で答えなさい。

1　「第4章　子育て支援」には、保育所における子育て支援に関する基本的事項、保育所を利用している保護者に対する子育て支援、地域の保護者等に対する子育て支援の3点についての記載がある。

2　たとえどのようなことがあっても、保護者や子どものプライバシーを保護し、知り得た事柄の秘密の保持に留意する。

3 保護者に対する子育て支援を行う際には、各地域や家庭の実態等を踏まえるとともに、保護者の気持ちを受け止め、相互の信頼関係を基本に、保育士はその方向性を示していく。

4 保護者とのコミュニケーションは、日常の送迎時における対話や連絡帳、電話、面接など様々な機会をとらえて行う。

5 保護者の保育参観や保育体験への参加の機会は、他の子どもの家庭状況がわかることから子育て支援として行わない。

6 保育士や看護師、栄養士等の専門性を有する職員が配置されていることを活かして、保護者が子どもの成長に気づけるようにする。

7 保護者の気持ちを受け止め、相互の信頼関係を基本に、保護者自らが選択、決定していけるように支援する。

8 子どもに障害や発達上の課題が見られる場合には、市町村や関係機関と連携及び協力を図りつつ、保護者に対する最大限の支援を行うように努める。

9 外国籍家庭など、特別な配慮を必要とする家庭の場合には、状況等に応じて個別の支援を行うよう努める。

10 虐待が疑われる場合には、すぐには通告せず、証拠が見つかるまで様子をみる。

答え

1○

2× 「たとえどのようなことがあっても」ではなく「子どもの利益に反しない限りにおいて」

3× 「保育士はその方向性を示していく」ではなく「保護者の自己決定を尊重する」

4○

5× 保育参観や保育体験は、日頃の子どもの様子を知る大事な機会である。

6○

7○

8× 「最大限の」ではなく「個別の」

9○

10× 虐待が疑われる場合には、速やかに市町村または児童相談所に通告し、適切な対応を図る。

テーマ 7

職員の資質向上（保育所保育指針第5章）

既に示された事項を踏まえて、保育所は質の高い保育を展開するため、絶えず、一人一人の職員についての資質向上及び職員全体の専門性の向上を図るよう努めなければならないとされています。

職員の資質向上に関する基本的事項、施設長の責務、職員の研修等、研修の実施体制等

1 職員の資質向上に関する基本的事項（第5章1）

保育所の職員はそれぞれの専門知識や技能を身につけ、磨き続けること、そしてその倫理観や人間性も大事であることが書かれています。また、それぞれの専門性を高めるためにカンファレンスや自己評価・反省をして改善・向上につなげていきます。

ここが問われた！

令3-前-10では、指針の第5章内の本文（原文）の○×問題が出題されました。令4-前-12では、表1について穴埋め問題が出題されました。31-前-17、令5-後-13では、表2について穴埋め問題が出題されました。赤字部分が頻繁に問われます。

表1　保育所職員に求められる専門性

子どもの最善の利益を考慮し、人権に配慮した保育を行うためには、職員一人一人の倫理観、人間性並びに保育所職員としての職務及び責任の理解と自覚が基盤となる。

各職員は、自己評価に基づく課題等を踏まえ、保育所内外の研修等を通じて、保育士・看護師・調理員・栄養士等、それぞれの職務内容に応じた専門性を高めるため、必要な知識及び技術の修得、維持及び向上に努めなければならない。

表2　保育の質の向上に向けた組織的な取組

保育所においては、保育の内容等に関する自己評価等を通じて把握した、保育の質の向上に向けた課題に組織的に対応するため、保育内容の改善や保育士等の役割分担の見直し等に取り組むとともに、それぞれの職位や職務内容等に応じて、各職員が必要な知識及び技能を身につけられるよう努めなければならない。

2 施設長の責務

施設長は、保育所の質や職員の質の向上のために必要な環境の確保に努めなければなりません。その際に留意すべきことが以下の2点です。

表3 施設長の責務と専門性の向上

施設長は、保育所の役割や社会的責任を遂行するために、法令等を遵守し、保育所を取り巻く社会情勢等を踏まえ、施設長としての専門性等の向上に努め、当該保育所における保育の質及び職員の専門性向上のために必要な環境の確保に努めなければならない。

表4 職員の研修機会の確保等

施設長は、保育所の全体的な計画や、各職員の研修の必要性等を踏まえて、体系的・計画的な研修機会を確保するとともに、職員の勤務体制の工夫等により、職員が計画的に研修等に参加し、その専門性の向上が図られるよう努めなければならない。

3 職員の研修等

保育所では、保育の質の向上のため、職員同士が主体的に学び合う研修の場を設けなければなりません。研修には、保育所の中で行われる研修と外部研修があります。

ここが問われた！
令3-後-10で表5の文章の語句の正誤が問われました。

表5 職場における研修

職員が日々の保育実践を通じて、必要な知識及び技術の修得、維持及び向上を図るとともに、保育の課題等への共通理解や協働性を高め、保育所全体としての保育の質の向上を図っていくためには、日常的に職員同士が主体的に学び合う姿勢と環境が重要であり、職場内での研修の充実が図られなければならない。

表6 外部研修の活用

各保育所における保育の課題への的確な対応や、保育士等の専門性の向上を図るためには、職場内での研修に加え、関係機関等による研修の活用が有効であることから、必要に応じて、こうした外部研修への参加機会が確保されるよう努めなければならない。

4 研修の実施体制等

「体系的な研修計画の作成」「組織内での研修成果の活用」「研修の実施に関する留意事項」について示されています。「キャリアパス」とは、ある職位や職務に就くために必要な職務経験とその順番やルートのことで、キャリアアップしていく道筋です。

表7　体系的な研修計画の作成

保育所においては、当該保育所における保育の課題や各職員のキャリアパス等も見据えて、初任者から管理職員までの職位や職務内容等を踏まえた体系的な研修計画を作成しなければならない。

表8　組織内での研修成果の活用

外部研修に参加する職員は、自らの専門性の向上を図るとともに、保育所における保育の課題を理解し、その解決を実践できる力を身に付けることが重要である。また、研修で得た知識及び技能を他の職員と共有することにより、保育所全体としての保育実践の質及び専門性の向上につなげていくことが求められる。

表9　研修の実施に関する留意事項

施設長は保育所全体としての保育実践の質及び専門性の向上のために、研修の受講は特定の職員に偏ることなく行われるよう、配慮する必要がある。また、研修を修了した職員については、その職務内容等において、当該研修の成果等が適切に勘案されることが望ましい。

ここが問われた！

令6-前-9では、指針の第５章４(1)(2)(表７、表８)の原文の正誤が問われました。

職員の資質向上に関して、保育所が置かれている状況の背景を知るべく保育に関わる制度がどのように変化してきたかを理解しておくことも大切です。また、保育ニーズの多様化により、保育所の役割や機能の多様化と拡大、そしてそこで行われている保育の質についても、より高いものが求められてきています。

保育所の職員一人一人の資質の向上とともに保育所全体としての質の向上に取り組んでいく必要があります。そのため計画的な研修を積み重ね、特にその中核を担う保育士は、保育現場で求められる知識や技能をより深め、さらなる専門性を高めていくことが求められます。

○×チェック問題

保育所保育指針の内容として適切なものに○、不適切なものに×で答えなさい。

1 子どもの最善の利益を考慮し、人権に配慮した保育を行うためには、職員一人一人の倫理観、人間性並びに保育所職員としての職務及び責任の理解と自覚が基盤となる。

2 施設長は、保育所における保育の質及び職員の専門性向上のために必要な研修の確保に努めなければならない。

3 保育所においては、当該保育所における保育の課題や各職員のキャリアパス等も見据えて、初任者から看護師までの職位や職務内容等を踏まえた体系的な研修計画を作成しなければならない。

4 施設長は、保育所の全体的な計画や、各職員の研修の必要性等を踏まえて、体系的・計画的な研修機会を確保するとともに、その専門性の向上が図られるよう努めなければならない。

5 保育所では、保育の質の向上のため、職員同士が主体的に学び合う研修の場を設けなければならない。

6 研修には、保育所で行われる研修（園内研修）と外部研修（園外研修）がある。

7 外部研修に参加した職員は、研修で得た知識及び技能を他の職員に漏らしてはならない。

8 保育所の職員は、それぞれの専門性を高めるためにカンファレンスや自己評価・反省をして改善・向上につなげていく。

答え

1○
2×「研修」ではなく「環境」
3×「看護師」ではなく「管理職員」
4○
5○
6○
7× 研修で得た知識及び技能を他の職員と共有することにより、保育所全体としての保育実践の質及び専門性の向上につなげていく。
8○

テーマ 8

日本の保育(歴史的変遷、現状、課題)

日本の保育の歴史、思想、そして現状とその課題について、おさえておきましょう。

日本の保育の始まり、日本の保育に関わる代表的な人々、日本の保育の現状と課題

1 日本の保育の始まり

■日本の幼稚園の始まり

日本で初めての公立幼稚園は、1876(明治９)年設立の東京女子師範学校附属幼稚園です。

・初代監事(園長):関信三、主席保姆:松野クララ、保姆:豊田芙雄

日本で初めての私立幼稚園は、1880(明治13)年設立の桜井女学校附属幼稚園です。

・設立:桜井チカ(東京女子師範学校附属幼稚園保姆科第１回卒業生を採用)

どちらの幼稚園もフレーベル主義に基づき、恩物を用いた保育内容です。

■日本の保育所の始まり

次の３つのルートがあります。

① 新潟静修学校附設託児所(守孤扶独幼稚児保護会)

1890(明治23)年、赤沢鍾美・仲子夫妻が開設した学校に併設されたものが発展しました。当時、妹や弟等の子守をしながら(子守学校・子守学級)学校に通ってくる子ども

ここが問われた!

関係する人物と施設名等について問われました(31-前-6、令1-後-16、令3-後-6、令4-前-15、令6-前-12)。令3-前-5では、歴史事項の記述と施設名の正しい組み合わせの選択問題が出ています。日本の幼稚園の始まりについて問われました(令5-前-19)。

ここをチェック!

・松野クララ、豊田芙雄…東京女子師範学校附属幼稚園
・赤沢鍾美…新潟静修学校附設託児所
・橋詰良一…家なき幼稚園
・野口幽香、森島峰…二葉幼稚園
・石井十次…岡山孤児院

たちのために、「別室」で子どもを預かりました。これが、日本人による本格的託児所の始まりと言われています。

② 東京女子師範学校附属幼稚園内分室

1892(明治25)年、日本で初めての公立幼稚園、東京女子師範学校附属幼稚園に「分室」ができました。貧民幼児のための簡易幼稚園です。2年ほどでなくなっています。

③ 二葉幼稚園

1900(明治33)年、野口幽香(のぐちゆか)、森島峰(もりしまみね)(美根)により設立されました。二人とも、もとは東京女子師範学校附属幼稚園の保母でしたが、華族女学校附属幼稚園へ転勤となり、その途中でみた貧しい子どもたちのために設立しました。「貧民層の子どもたちにも富裕層の子どもと同じ教育を」との思いで、フレーベル主義に基づき、恩物を用いた教育を行いました。

1916(大正5)年、「二葉保育園」と名称を変更しました。

2 日本の保育に関わる代表的な人物

上記のほかにも覚えておきたい人物がいます。

表1 保育に関わる代表的な人物

人物	内容
倉橋惣三(くらはしそうぞう)	・日本で初めて保育を理論化する…「誘導保育論」 ・児童中心保育…「生活を、生活で、生活へ」と導いていくことが大事 ・1927(昭和2)年、雑誌「キンダーブック」の創刊・編集に関わる。 ・著書「幼稚園保育法真締」「育ての心」「幼稚園雑草」
城戸幡太郎(きどまんたろう)	・社会中心主義の保育 ・1936(昭和11)年、保育問題研究会を設立、会長を務める。
東基吉(ひがしもときち)	・1900(明治33)年、東京女子高等師範学校助教授兼附属幼稚園批評係に任命され、恩物の用い方を批判。 ・主著「幼稚園保育法」
和田実(わだみのる)	・1915(大正4)年、幼稚園と保母養成所を設立。 ・遊戯を重視して幼児を誘導する。 ・共著「幼児教育法」
橋詰良一(はしづめりょういち)	・1922(大正11)年、自然の中で子どもたちを自由に遊ばせる園舎のない幼稚園「家なき幼稚園」を開設。

ここが問われた!

人名と活動を組み合わせる問いが出ています(31-前-6、令1-後-5, 6, 16、令4-前-15)。倉橋惣三について、正しい業績を選ぶ問いが出ています(令2-後-5,6)。

3 大正デモクラシー

ここが問われた！
土川五郎について出題されました(令4-前-15)。

大正時代は、子どもの個性や自発性を尊重する考え方が広まった時代です。こうした活動は、保育の世界に豊かな文化をもたらしました。

・土川五郎の幼児期にふさわしい遊戯(律動遊戯)
・山本鼎(やまもとかなえ)の自由画運動
・鈴木三重吉の雑誌「赤い鳥」、赤い鳥運動
・北原白秋の童謡「あめふり」「からたちの花」

4 保育内容の歴史的変遷

ここをチェック！
明治時代は、政府は欧米諸国に追いつき、先進国として発展するために教育政策に力を入れました。

「保育内容」は、それぞれの時代の社会的影響を受けて変化してきました。明治時代初期には、ヨーロッパを中心とする外国の教育制度に倣いました。大正時代は、アメリカの新教育運動の影響を受け、それまでのフレーベル主義にとらわれることなく、モンテッソーリ教育が導入されてきました。

ここが問われた！
・公布年等及び内容と省令等名を結びつける問題(令2-後-18)
・保育の歴史に関する記述の正誤について(令6-前-12)

表2 保育内容の変遷

1876(明治9)	日本最初の国立(官立)幼稚園である東京女子師範学校附属幼稚園が開園 保育内容：フレーベルの恩物中心 欧米の保育をそのまま模倣
1877(明治10)	東京女子師範学校附属幼稚園規則の制定 保育内容 ① 3つの保育科目(物品科、美麗科、知識科) 物品科：子どもが日常生活で使う実物や花、鳥などを絵や模型で見せ、「これは○○です」と名前を教えるなど 美麗科：切り紙や美しい絵、あるいは色を見せ、美しいと思う心を育てる 知識科：フレーベルの恩物や唱歌、談話等により知識を啓発する ② 1日4～5時間の保育 ③ 30～45分単位で構成された時間割に基づく保育
1879(明治12)	教育令……就学前教育施設として「幼稚園」の名称が正式に使われた 保育内容：東京女子師範学校附属幼稚園の保育内容をモデルとし、全国各地に普及した

1899(明治32)	幼稚園保育及設備規程の制定……幼稚園について最初の国家基準 保育内容：遊嬉、唱歌、談話、手技
1911(明治44)	小学校令施行規則の改正……保育時間、園児定員数が緩和された 保育内容：保育４項目の内容規定が削除され、各幼稚園において保育内容を編成できるようになった
1926(大正15)	幼稚園令……小学校令から独立した初めての幼稚園固有の法律 保育内容：遊嬉、唱歌、談話、手技等 「等」が付けられたことにより、保育内容は各幼稚園の裁量で選択できるようになった
1948(昭和23)	保育要領……日本で最初の保育内容の基準書。幼稚園の保育内容、方法を示すもので、保育所や家庭での子育てにも役立つよう配慮された。現在の幼稚園教育要領、保育所保育指針のもとになるもの

ここが問われた！

保育要領について問われました(令5-前-19、令5-後-1)。

さらに深める

文部省が刊行した「保育要領」は、幼稚園のみならず保育所や家庭にも共通する手引きとして作成されました。

図１　戦後の保育内容

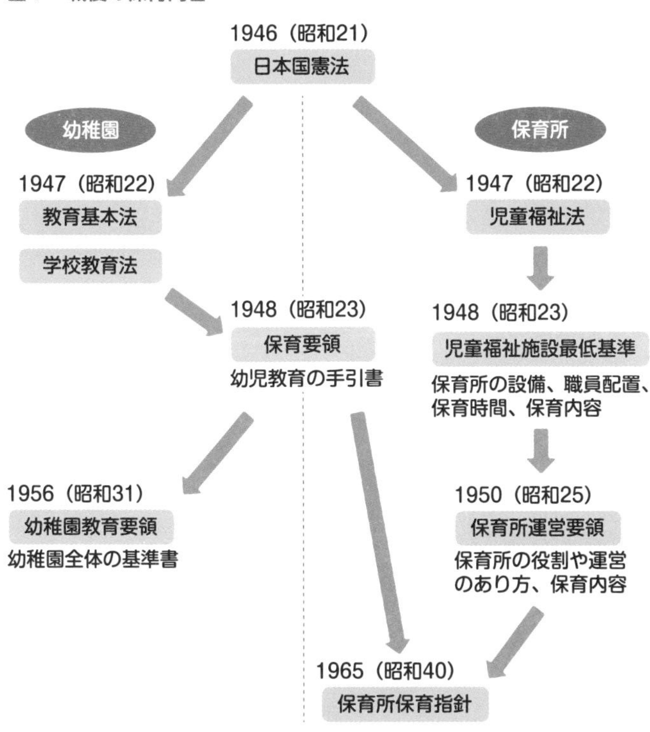

ここが問われた！

保育所の歴史について出題されました(令4-後-17)。

第二次世界大戦後、日本国憲法が公布・施行され、1948(昭和23)年に刊行された保育要領をもとに、幼稚園教育要領が刊行されました。第二次世界大戦以前は、保育施設は託児所等の貧困対策としてあるのが基本でしたが、保育所については、保育所運営要領の刊行により保育所の役割や運営のあり方などが示され、その後に保育所保育指針の発行となりました。そして、現在の「保育内容」に至っています。

5 日本の保育の現状と課題

日本の保育の現状は、待機児童問題に始まり、早期教育の過熱化、多文化共生、保育ニーズの多様化や貧困問題等様々です。そんな中、家庭においても、核家族化により保護者には相談できる人がなく、たった一人で思い悩んだり、実際に人手が足りなく一人ですべてのことを行うワンオペ育児という言葉も出てきています。

ここをチェック！

年齢別の保育所等利用児童数及び待機児童数の統計を読み解く出題が頻繁にされています。表から読み取れること(例：待機児童数は3歳以上児が最も多い等)を選択肢から選ぶものです。

■待機児童問題

待機児童問題とは、利用資格があるにもかかわらず子どもが保育所に入れず、入所を待機させられることです。子どもが待機児童になると、保護者は職場復帰ができず、やむをえず育児休暇を延長するなど、働きたくても働くことができない状況になります。最近では、少子化や新型コロナウイルス感染症の流行による利用控え等により、待機児童がゼロという市区町村も増えてきました。

■早期教育の過熱化

乳児期からの能力開発が注目され、生後2、3か月より教室に通い勉強をする子どもたちが増えたり、保育所に通う子どもの保護者からも「英語教育を取り入れてほしい」「ワークブックをこなしてほしい」「体操教室や水泳教室と連携してほしい」との声が多くあります。

■多文化共生

社会や経済のグローバル化が急速に進展し、保育所でも外国籍の子どもたちが増加しています。母国語を大切にし、母国の文化を継承していくことができるよう、保育所保育指針

「第１章　総則」の１の「⑸　保育所の社会的責任」においても「子どもの人権に十分配慮」する必要を記しています。保育所では、子育ての文化の違いという課題があります。日本の文化を押し付けるのではなく、お互いの文化を認め合うことが求められています。また、言葉の問題もありますが、最近はスマートフォンで翻訳機能を使うことができコミュニケーションがとりやすくなりました。

■子どもの貧困問題

子どもの貧困率は11.5％（「2022年国民生活基礎調査」）で、約９人に１人が満足にご飯が食べられない状況といわれています。そうした中で、今では朝ご飯を提供する保育所も出てきました。貧困は経済的な苦しさだけが問題なのではなく、それから先の教育問題や健康問題、さらには将来にかかわる問題等が重なり合っています。

子どもの貧困に対する支援として子ども食堂があります。しかし、貧困を隠したい子どもも多く、子ども食堂に本当に困っている子どもが来ないという現状もあります。

■スマートフォンによる子育て

現代社会では、「ワンオペ育児」という言葉があるように、一人で育児をしていて疲れている・困っている保護者がいます。核家族化により、自分以外に子どもをみていてくれる人がいないことが主な理由です。ワンオペ育児では、子どもにスマートフォンで遊んでいてもらうことがよく起こります。買い物中や電車の中で、周囲に迷惑をかけてはいけないという思いからスマートフォンを使うこともあります。また、子育てにも慣れておらず、子どもが言うことを聞いてくれない、夜に寝ついてくれないというときにどう対応してよいのかわからないため、子どもが怖がるアプリを利用している保護者もいます。しかし、人やモノとの直接的な関わりが大切な乳児期に、デジタル画面と長い時間向かい合っていると、子どもの脳や目、また、運動能力の発達にも影響があり、大きな課題となっています。

用語解説

認可外保育施設
児童福祉法に基づく認可を受けていない、乳児または幼児を保育することを目的とする施設です（ベビーホテルなど）。認可外ですが、都道府県知事への届出が必要です。地方自治体が、認可外保育施設への指導監督を行う際のガイドラインとして、国が「認可外保育施設指導監督の指針」を作成しています。

■子育て支援

保育所で行われている子育て支援(テーマ6参照)。

具体的には、「延長保育」「休日保育」「夜間保育」「病児・病後児保育」などの支援があります。

ここが問われた!

保育認定のための「保育を必要とする事由」について問われました(令5-前-15)。保育の無償化について問われました(令5-前-16)。

■保育を必要とする事由

保育所などで保育を希望し、無償化となる教育・保育給付を受ける場合は、認定を受ける必要があります。認定にあたって考慮される「保育を必要とする事由」は表3のとおりです。子ども・子育て支援新制度のもとでは、従来の「保育に欠ける」要件が見直され、「保育を必要とする事由」として、新たに種類が加えられました。

表3　保育を必要とする事由

・就労(フルタイムのほか、パートタイム、夜間、居宅内の労働など)
・妊娠、出産
・保護者の疾病、障害
・同居又は長期入院等している親族の介護・看護
・災害復旧
・求職活動(起業準備を含む)
・就学(職業訓練校等における職業訓練を含む)
・虐待やDVのおそれがあること
・育児休業取得中に、既に保育を利用している子どもがいて継続利用が必要であること
・その他、上記に類する状態として市町村が認める場合

ここが問われた!

令6-前-6では、子ども・子育て支援新制度に関する記述から適切なものを選ぶ出題がありました。

■子ども・子育て支援新制度

制度の詳細は第4章(p.200)を参照してください。

子ども・子育て支援新制度は、「量」と「質」の両面から子育てを社会全体で支える制度です。

現代社会の少子化対策問題、子育ての孤立化や待機児童問題など、様々な課題に対応し、子どもたちの健やかな育ちと子育てを社会全体で支えていくための制度です。

ここが問われた!

令1-後-19では、地域型保育事業に含まれる事業について出題されました。

■子ども・子育て支援新制度のもとでの新たな認可事業(0歳〜満3歳未満児対象)

保護者のニーズや待機児童など現代の保育の課題を踏まえ、子ども・子育て支援新制度のもとで、「地域型保育事業」が新設されました。表4の4事業です。これらは市町村の認可事業として保育給付の対象となる仕組みです。

表 4 新たな認可事業

小規模保育事業	利用定員が6～19名の施設。A型、B型、C型、それぞれに設置基準がある。小規模かつ0歳～2歳までの事業であることから、保育内容の支援及び卒園後の受け皿の役割を担う連携施設の設定が求められている。
家庭的保育事業	家庭的保育者の居宅等で5名以下の乳幼児を保育する。家庭的保育者1名につき3名まで、補助者をつけた場合5名まで保育することができる。小規模保育事業同様、連携施設の設定が求められている。
居宅訪問型保育事業	保育を必要とする乳幼児の居宅において、保育士等が1対1を基本として保育を行う。原則として保育を必要とする3歳未満の障害や疾病等により集団保育が著しく困難な乳幼児などを対象としている。障害児を保育する場合には、専門的な支援を受けられる連携施設の確保が必要とされている。
事業所内保育事業	主として従業員の子どものほか、地域において保育を必要とする子どもに保育を提供する。定員が20名以上の場合は保育所と同様の基準が適用され、定員19名以下の場合は小規模保育事業のA型、B型と同様の基準になる。

■ 保育所等に関する統計

本科目では、統計から社会の現況を読み取る問題が出題されています。保育所や認定こども園に関する統計数値等について出題されていますので、それらを確認しておきましょう。

ここが問われた！

統計等の社会の現況に関する出題として、
- 認定こども園数の推移表を読み取る問題（31-前-20、令4-後-20）
- 年齢区分別の保育所等利用児童の人数と割合（保育所等利用率）（令3-後-20）
- 保育所等数と利用児童数から説明を読み取る問題（令1-後-20、令5-前-20、令5-後-20）
- 年齢区分別の保育所等利用者数と待機児童数から説明を読み取る問題（令2-後-20、令4-前-20、令6-前-20）
- 認定こども園の支給認定別在籍園児数を認定こども園類型ごとに読み取る問題（令3-前-20）

○×チェック問題

1　日本で初めての幼稚園（公立）は、東京女子師範学校附属幼稚園である。

2　東京女子師範学校附属幼稚園は、初代監事に関信三、主席保姆に松野クララ、保姆に豊田芙雄が就任し、フレーベル主義の保育を行った。

3　新潟静修学校では、1890（明治23）年に、子守をしながら通学してくる子どもたちのために別室をつくり附設託児所とした。開設したのは野口幽香である。

4　野口幽香は、森島峰とともに二葉幼稚園を開設した。

5　倉橋惣三は、日本で初めて保育を理論化し「誘導保育論」を著した。

6　城戸幡太郎は、保育問題研究会を設立した。

7　1963（昭和38）年、文部省は「幼稚園と保育所との関係について」という通知を発出した。

8　鈴木三重吉は自由画運動を展開した。

9　土川五郎は、幼児期にふさわしい遊戯（律動遊戯）の創作を目指した。

10　家庭的保育事業とは、保育を必要とする乳児・幼児であって満3歳未満のものの保育を、家庭的保育者の居宅等において行う事業であり、利用定員は10人以下である。

答え

1 ○
2 ○
3 ×　赤沢鍾美・仲子夫妻
4 ○
5 ○
6 ○
7 ×　文部省と厚生省の共同通知
8 ×　自由画運動を展開したのは山本鼎で、鈴木三重吉は赤い鳥運動を展開した。
9 ○
10 ×　「10人以下」ではなく「5人以下」

テーマ 9

諸外国の保育（歴史的変遷、現状、課題）

諸外国の保育の歴史や思想、人名、そして現状と課題についておさえておきましょう。

世界で初めての幼稚園…フレーベル、外国の保育に関わる代表的な人々、諸外国の保育の現状と課題

1 世界で初めての幼稚園

世界で初めての幼稚園は、「キンダーガルテン（Kindergarten）」です。フレーベル（Fröbel, F. W. A., 1782-1852）が1840年に開設したものです。「子どもたちの庭」という意味で日本では「幼稚園」と訳されています。

フレーベルは、「幼児教育の父」と呼ばれています。フレーベルの教育思想はキリスト教の影響を強く受けています。幼児は幼児らしく充実して生活することでよき児童となり、児童にふさわしい児童期を過ごすことで立派な青年になると述べ、幼児が幼児らしく充実して生きる子どもの遊びこそ幼児教育の根本であると論じ、子どもへの共通理解を重視しました（『人間の教育』1826年）。

子どもの遊びは、子ども自身の内面を表現したものであるとし、その意義を重んじたフレーベルは、理想的な遊具「恩物」（ドイツ語でGabe）を考案しました（1838年）。「恩物」は、球や立方体などで構成され、数学的な原理を体験したり、生活の周囲にあるものを表現したりして遊ぶもので、教育玩具の始まりを成すものです。

ここが問われた！

フレーベルに関する問題が出題されています（令2-後-9、令3-前-8、令3-後-19、令6-前-11）。

ここをチェック！

ドイツの教育者である**フレーベル**は、世界で最初の幼稚園（Kindergarten）の創設者です。主著である『人間の教育』（1826年）の中で、幼児期においては**遊び**がこの時期の子どもの最も美しい表れだと主張しました。彼は、幼児のための遊具（Gabe）を考案し、明治時代になって**関信三**の編集した『幼稚園法二十遊嬉』等によってわが国に紹介されました。

2 外国の保育に関わる代表的な人々

表 1　外国の保育に関わる代表的な人々

コメニウス (Comenius, J. A., 1592-1670)	チェコスロバキア 教育思想家	近代教育学の父 『大教授学』(1657年)…幼児期は母親による適切な教育が大切である。 『世界図絵』(1658年)…世界で初めての絵入り教科書。	直観教育…子どもは直接感性に訴えることが重要であると考え、遊びの重要性を説いた。
ルソー (Rousseau, J. J., 1712-1778)	フランス 啓蒙思想家、教育思想家	子どもの発見者…大人中心の伝統的な子ども観から抜け出し、子どもを独自の存在として捉えることが教育の原点であると説いた。 『人間不平等起源論』(1755年) 『社会契約論』(1762年)…すべての人は生まれながらに「善」であり、平等である。 『エミール』(1762年)…主人公エミールの誕生から成人までの成長を家庭教師の立場から描いた。	自然主義教育(消極的教育)…子どもが大人に合わせるのではなく、子ども時代の肉体的、感性的特性を活かし、子どもが伸び伸びと育つよう保護し、支え、環境を整えることを主張した。
ペスタロッチ (Pestalozzi, J. H., 1746-1827)	スイス 教育実践家	初等教育の父 『隠者の夕暮れ』(1780年)…玉座の上にあっても、木の葉の屋根の陰に住まっても同じ人間と、人間の平等をうたった。	生活が陶冶する…人の持つ生まれつきの素質や能力を調和的に伸ばしていくことが教育と説いた。子どもの頭(知識)、手(技術)、心(宗教心)の3つの発達を保育理念とした。実物教授・労作教授・直観教授が行われた。
オーベルラン (Oberlin, J. F., 1740-1826)	フランス 牧師	牧師として、村人を貧困と道徳的荒廃から救済する事業を興した。	編み物学校(1769年)と保育所(幼児保護所・幼児学校)…村人を貧困と道徳的荒廃から救済、生きる術を身につけるようにした。
オーエン (Owen, R., 1771-1858)	イギリス 工場主	教育の中で叩いたり罵倒したりすることを批判し、子どもに愛情を持って接することを重視した。 人間の性格は、生まれながらの素質と、環境による後天的な影響が結びついて形成されると考え、子どもの置かれる社会環境の改善は重要な問題とした。	性格形成学院…子どもの保護と教育を行った。その中に1歳～3歳までのクラスと4歳～6歳までの子どものクラスがある幼児学校がある。
エレン・ケイ (Key, Ellen, 1849-1926)	スウェーデン 女性解放家、教育者	明治末期に日本に紹介され、大正自由教育運動や日本の女性運動に大きな影響を与えた。	『児童の世紀』(1900年)…国家主義に基づく近代の公教育を批判し、子ども中心主義に基づく学校改革が必要だと説き、改革教育学の先駆けとなる。

モンテッソーリ（Montessori, M., 1870-1952）	イタリア 女性精神科医、教育者	子どもには、ある能力を獲得するのに最も効果的な時期がある。ある能力が育つ敏感期にその能力が育つのに必要な活動や環境が与えられることで集中力が発揮されると説いた。	モンテッソーリ教育、教具…障害児との関わりにおける治療と研究により、感覚器官の鍛錬のための考案。 子どもの家…ローマのスラム街に貧しい子どものためにつくった。ここでモンテッソーリ教育を行った。
アリエス（Ariès, Philippe, 1914-1984）	フランス 歴史学者	民衆の生活に着目する「社会史」的視点から子どもや家族の生活の歴史を研究した。	『（子どもの）誕生』（1960年）…愛情を基盤とする家族関係や親子関係が大切。子どもは大人に向かって発達する存在であるとの考え方。

ここが問われた！

人名とその取り組みについて問われました（令3-前-19、令3-後-19、令4-前-16、令4-後-18,19、令5-前-18、令5-後-11、令6-前-11）。フレーベル、コメニウス、ルソー、ペスタロッチ、モンテッソーリ、オーエン等、基本的な人物についての出題が多いです。

3 諸外国の保育の現状と課題

表2 諸外国の保育

アメリカ	ヘッドスタート計画…1965年、貧困撲滅政策の一環として開始された。貧困家庭の幼児に適切な教育を与えることにより、入学後の学習効果を促進させることを意図した補償教育制度。1994年からは、妊婦と胎児の健康促進、乳児の健全な発達、家族の子育て支援サービスも提供された。
イギリス	シュア・スタート…1997年、ブレア政権以来の貧困地域の総合的な保育育児支援策。就学までに丁寧なサポートを受け、就学時に確かなスタートを切れるようにするというプロジェクト。具体化、発展させるために全国各地にチルドレンズセンターという総合施設が急増した。就学は5歳。
ドイツ	KITA…幼稚園、保育所、学童保育が一体化した施設。 幼稚園は3歳以上。保育所は3歳未満。学童保育、家庭的保育、就学は6歳。
フランス	保育学校（エコール・マテルネル）の無償化 保育学校…3歳以上のほぼすべての子どもが通っている。母親学校と呼ばれる託児所が1881年制度改革により教育省に置かれる。 授業料無償、義務教育ではないが、初等教育の一部。 2歳までの子どもは保育所。就学は6歳。

ここが問われた！

令2-後-19、令4-後-19で、諸外国の幼児教育・保育に関する記述について正しい組み合わせを選ぶ問題が出題されました。

イタリア	各自治体ごとに幼児教育が進められている。 最近は、レッジョエミリア市の教育実践が有名…街全体ですべての子どもを育てようという考え方。 プロジェクトと呼ばれるテーマ発展型の保育。 ドキュメンテーションと呼ばれる評価反省法。就学は６歳。
フィンランド	「生まれた時から切れ目のない保育を」という教育理念のもと保育が営まれている。 家で暮らすように保育所で生活できるような環境が用意されている。保育者の配置基準は３歳以下は子ども４：保育者１、３歳以上は子ども７：保育者１。 就学は７歳（６歳というのは子どもの発達にとても敏感な年齢であるという考え）、就学前教育が行われている。
韓国	教育科学技術部監督の幼稚園と保健福祉部管轄のオリニジップ（子どもの家、日本の保育所にあたる）。オリニジップは、親が就労していない子どもでも保育を受けることができる。 小さいうちから自国に関する興味・関心を育むことを大切にしている。

保育は、その地域や国の歴史、政治、文化等と密接に関わっています。例えば、日本の保育所は保育者１人で30人もの年長児クラスを担当しますが、フィンランドの保育施設では、保育者１人につき７人の子どもを担当します。また、国によって就学年齢も違います。それは、各々の国で大切にしたいものが違うからです。

管轄省庁も、１つの省庁が乳幼児の保育に関するすべての施設を管轄する国（例：フィンランド）、年齢によって社会福祉分野、教育分野の管轄が分かれている国（例：フランス）、同じ年齢であっても社会福祉分野と教育分野で異なる管轄の国（例：日本）があります。また、私立や公立など保育施設の設置主体についても多様です。

フランスの出生率は
各国に比べて高いよ

○×チェック問題

1 フレーベルは、ドイツの教育者で、世界で最初の幼稚園の創設者である。

2 コメニウスは、世界で初めての絵入り教科書『世界図絵』を著した。

3 オーベルランは、性格形成学院をつくった。

4 フレーベルは、「初等教育の父」と呼ばれ、『隠者の夕暮れ』を著し、人間の平等をうたった。

5 エレン・ケイは、明治末期に日本に紹介され、大正自由教育運動や日本の女性運動に大きな影響を与えた。

6 モンテッソーリは、ローマのスラム街に貧しい子どもたちのために「子どもの家」をつくった。

7 アリエスはフランスの歴史学者であり、愛情を基盤とする家族関係や親子関係の大切さを『(子どもの) 誕生』(1960年) で著した。

8 アメリカでは、1965年、貧困家庭の幼児に適切な教育を与えることにより、入学後の学習効果を促進させることを意図したシュア・スタートを開始した。

9 フランスでは、各自治体ごとに幼児教育が進められており、最近では、レッジョエミリア市の教育実践が有名である。

10 イギリスでは「生まれた時から切れ目のない教育を」という教育理念のもと保育が営まれている。

答え

1 ○
2 ○
3 × 「オーベルラン」ではなく「オーエン」
4 × 「フレーベル」ではなく「ペスタロッチ」
5 ○
6 ○
7 ○
8 × 「シュア・スタート」ではなく「ヘッドスタート計画」
9 × 「フランス」ではなく「イタリア」
10 × 「イギリス」ではなく「フィンランド」

テーマ10 保育に関する法令及び制度

保育に関する法律について、毎回出題があります。児童の最善の利益という理念について、また、条約や法律に書かれている内容についてもおさえておきましょう。

児童の権利に関する条約(子どもの権利条約)、児童憲章、児童福祉法、児童福祉施設の設備及び運営に関する基準、教育基本法、学校教育法、保育要領

1 児童の権利に関する条約(子どもの権利条約)

国連は、1979(昭和54)年を国際児童年とし、子どもの権利を守るための条約をつくりました。これが児童の権利に関する条約(子どもの権利条約)です。1989(平成元)年、国連総会において採択され、日本は1994(平成6)年に批准しました。

児童の権利に関する条約は前文と本文54条からなり、具体的な内容として以下のようなものがあります。

第1条 (児童の定義)

児童とは18歳未満のすべての者をいう。ただし、児童に適用される法律の下でより早く成年に達する場合はこの限りではない。

第3条 (児童の最善の利益)

第6条 (生命への権利・生存及び発達の確保)

第7条 (登録、氏名、国籍についての権利)

第12条 (意見表明権)

ここが問われた!

条約や宣言を年代順に並べる問題が出ています(31-前-19、令4-前-17)。国際連盟または国際連合による総会での採択順です。令5-後-18では、児童の権利に関する条約の第27条の内容が問われました。

ここをチェック!

年代順に並べてみましょう。

- 児童の権利に関するジュネーブ宣言(1924年)
- 世界人権宣言(1948年)
- 児童権利宣言(1959年)
- 児童の権利に関する条約(1989年)

第27条　（生活水準への権利）

　締約国は、児童の身体的、精神的、道徳的及び社会的な発達のための相当な生活水準についてのすべての児童の権利を認める。

　父母又は児童について責任を有する他の者は、自己の能力及び資力の範囲内で、児童の発達に必要な生活条件を確保することについての第一義的な責任を有する。

第29条　（教育の目的）

第44条　条約締結国は、5年ごとに権利保障の進捗状況を国連内の児童の権利に関する委員会に報告することが求められています。

2 児童憲章

児童憲章は、日本国憲法の精神に従い、1951(昭和26)年5月5日に制定されました(詳細はp.113参照)。

児童憲章(抜粋)

　われらは、日本国憲法の精神にしたがい、児童に対する正しい観念を確立し、すべての児童の幸福をはかるために、この憲章を定める。

　児童は、人として尊ばれる。

　児童は、社会の一員として重んぜられる。

　児童は、よい環境のなかで育てられる。

(以下12項目略)

ここが問われた！

児童憲章の本文について問われました(令4-前-13)。

ここが問われた！

令2-後-11では、法律・省令名とその原文を結びつける問題が出題されました。令3-後-11では、児童福祉法の保育士に関連する条文について出題されました。

3 児童福祉法

1947(昭和22)年、日本国憲法の理念をもとにつくられた児童福祉に関する具体的な法律です。子どもが平等に愛護をもって育てられなければならないことや、国及び地方公共団体、並びに保護者が果たす責任、保育所保育の原理原則についても示されています。

児童福祉法の成立により、保育所は国の制度となりました。1997(平成9)年の改正により、保育所の利用は、市町村の措置決定から市町村と利用者との契約に変わりました。

「日本国憲法の理念」は、第14条の法の下の平等、第25条の健康で文化的な最低限度の生活を営む権利です。

ここが問われた！

児童福祉法の成立・改正に伴う保育所の歴史について〇×で問われました(令4-後-17)。

保育に関連する具体的な条文は以下の通りです。

第１条　(児童福祉の理念)

第２条　(児童育成の責任)

第４条　(児童及び障害児の定義)

第18条の4以降　(保育士の定義、身分、資格)

第24条　(保育の利用)

(保育所)

第39条　保育所は、保育を必要とする乳児・幼児を日々保護者の下から通わせて保育を行うことを目的とする施設(利用定員が20人以上であるものに限り、幼保連携型認定こども園を除く。)とする。

第48条の4　(保育所の情報提供等)

4　児童福祉施設の設備及び運営に関する基準

児童福祉法第45条に基づき、1948(昭和23)年に厚生省令として制定されました。

保育所は、その第５章に記されています。

児童福祉施設の設備及び運営に関する基準(抜粋)

(職員)

第33条　保育所には、保育士(中略)、嘱託医及び調理員を置かなければならない。ただし、調理業務の全部を委託する施設にあっては、調理員を置かないことができる。

2　保育士の数は、乳児おおむね３人につき１人以上、満１歳以上満３歳に満たない幼児おおむね６人につき１人以上、満３歳以上満４歳に満たない幼児おおむね15人につき１人以上、満４歳以上の幼児おおむね25人につき１人以上とする。ただし、保育所１につき２人を下ることはできない。

(保育時間)

第34条　保育所における保育時間は、１日につき８時間を原則とし、その地方における乳幼児の保護者の労働時間その他家庭の状況等を考慮して、保育所の長がこれを定める。

児童福祉法は、保育所の「根拠法」です。

ここが問われた！

児童福祉法第39条の内容に関し出題されました(令4-後-15、令6-前-8)。

児童福祉法第４条(児童の定義)

児童とは、満18歳に満たないものをいい、児童を下記のように定義しています。

乳児…満１歳に満たない者

幼児…満１歳から、小学校就学の始期に達するまでの者

少年…小学校就学の始期から、満18歳に達するまでの者

児童福祉施設の設備及び運営に関する基準は、1948(昭和23)年に厚生省令として制定されました。当時は「児童福祉施設最低基準」という名です。その名前の通り、この基準というのは最低基準です。

ここが問われた！

穴埋め問題は、令3-前-4で第33条、第34条、第36条、令1-後-10で第35条、〇×で解答する問題は、令3-後-12、

（保育の内容）
第35条 保育所における保育は、養護及び教育を一体的に行うことをその特性とし、その内容については、内閣総理大臣が定める指針に従う。
（保護者との連絡）
第36条 保育所の長は、常に入所している乳幼児の保護者と密接な連絡をとり、保育の内容等につき、その保護者の理解及び協力を得るよう努めなければならない。

令5-後-19、令6-前-8と、頻繁に何らかの形で出題されています。令5-後-19では第33条の内容が問われました。

ここをチェック！
2024（令和6）年4月より、満3歳以上児と満4歳以上児の保育士の配置基準が改正されました（第33条第2項）。

5 教育基本法、学校教育法、保育要領

その他、押さえておきたい法律等として、表1があります。教育基本法と学校教育法は同時に制定されています。教育基本法には教育の理念が掲げられています。学校教育法は、その理念を達成するための法律です。

ここが問われた！
令2-後-18では、公布年等及び内容と省令等名を結びつける問題が出題されました。令6-前-8では、幼稚園の根拠法が問われました。

表1 教育基本法、学校教育法、保育要領

教育基本法	1947（昭和22）年制定	教育の憲法としての性格を持ち、日本の教育の理念が掲げられています。2006（平成18）年全部改正。 第10条「家庭教育」、第11条「幼児期の教育」が加えられました。
学校教育法	1947（昭和22）年制定	教育基本法の理念を学校教育制度に具現化した法令。第1条には「学校の範囲」、第22条には「幼稚園の目的」が記されています。幼稚園の根拠法です。
保育要領	1948（昭和23）年	日本で最初の保育内容の基準書。幼稚園の保育内容、方法を示すものですが、保育所や家庭での子育てにも役立つように配慮されました。現在の幼稚園教育要領、保育所保育指針のもとになるものです。

○×チェック問題

1 児童の権利に関する条約は、日本においては1994（平成６）年に批准された。

2 児童の権利に関する条約は、全100条で成立している。

3 児童の権利に関するジュネーブ宣言は、1954年に出された。

4 世界人権宣言は、1948年に出された。

5 児童権利宣言は、1959年に出された。

6 児童憲章は、児童福祉法の精神に従い、1951（昭和26）年５月５日に制定された。

7 児童福祉法は、保育所の根拠法である。

8 児童福祉施設の設備及び運営に関する基準には、保育所における保育時間についても定められている。

9 児童福祉施設の設備及び運営に関する基準で、保育士の数は、乳児おおむね３人につき１人以上と定められている。

10 児童福祉施設の設備及び運営に関する基準で、保育士の数は、満３歳以上満４歳に満たない幼児おおむね15人につき１人以上と定められている。

答え

1 ○

2 ✕ 前文と本文54条

3 ✕ 1924年

4 ○

5 ○

6 ✕ 「児童福祉法」ではなく「日本国憲法」

7 ○

8 ○ 第34条に「１日につき８時間を原則とし」と記載がある。

9 ○

10 ○

第 2 章

教育原理

頻出テーマ

テーマ 1　教育の意義・目的と教育法規
令4-前-1,2 令4-後-1,9 令5-前-1 令5-後-1 令6-前-1

テーマ 2　幼稚園教育要領並びに幼稚園における学校評価
令4-前-5 令4-後-6 令5-前-2,7 令5-後-2,3 令6-前-8,9

テーマ 3　教育の思想と歴史的変遷（西洋及び日本の人物）
令4-前-3,4 令4-後-3,4 令5-前-3,4,5 令5-後-4,7
令6-前-4,5,6,7

テーマ 4　子どもの権利並びに保護
令4-後-2,10 令6-前-2

テーマ 5　教育行政及び教育制度
令4-前-7,8 令4-後-5,7 令5-前-6,9 令5-後-5,6,10

テーマ 6　教育を取り巻く諸問題
令4-前-6,9,10 令4-後-8 令5-前-8,10 令5-後-9
令6-前-3,10

教育関連の法令、幼稚園教育要領、西洋及び日本の教育理論と人物、教育政策は、頻出問題だよ！「子どもの権利」に関しては他科目とも重なる内容だから、関連づけて学習しよう。

テーマ1 教育の意義・目的と教育法規

教育基本法は日本国憲法の精神を受け、主に教育のあり方（理念）を定めています。学校教育法は教育基本法の理念の実現に向け、「学校」の定義や体系、教員の種類・資格など、主に教育のやり方（制度等）について定めています。

日本国憲法第26条（教育を受ける権利）、義務教育、教育基本法前文、第１条（教育の目的）、第２条（教育の目標）、学校教育法第１条（学校の定義）、第22条・第24条（幼稚園の目的・役割）

1 教育基本法

ここをチェック！
第1条（教育の目的）と第2条（教育の目標）の理解が求められます。この2つについては、必ず教育基本法の本文を読み込んでおきましょう。

ここが問われた！
- 日本国憲法第26条について（令5-後-1）
- 憲法、教育基本法、学校教育法の条文について（令6-前-1）

「教育憲章」と呼ぶ人もいる通り、日本の教育の基盤となる基本方針を定めた法律です。前文を持つ法律で、「民主的で文化的な国家を更に発展」「世界の平和と人類の福祉の向上に貢献」という２つの理想を実現するために教育を推進すると示されています。

■日本国憲法との関係

日本国憲法では第26条で「教育を受ける権利、教育の義務」が示されています。教育基本法はその憲法の精神に則り、教育の目的、方針、機会均等、義務教育などを明らかにし、我が国の教育の基本方針を確立したものです。

■教育基本法前文

教育基本法には前文があり、我が国がめざす教育の理想やあり方が示されています。第１条と第２条の内容を集約したものともいえます。

教育基本法前文

我々日本国民は、たゆまぬ努力によって築いてきた民主的で文化的な国家を更に発展させるとともに、世界の平和と人類の福祉の向上に貢献することを願うものである。

我々は、この理想を実現するため、個人の尊厳を重んじ、真理と正義を希求し、公共の精神を尊び、豊かな人間性と創造性を備えた人間の育成を期するとともに、伝統を継承し、新しい文化の創造を目指す教育を推進する。

ここに、我々は、日本国憲法の精神にのっとり、我が国の未来を切り拓(ひら)く教育の基本を確立し、その振興を図るため、この法律を制定する。

■教育の目的・目標

「第１章　教育の目的及び理念」において、表１の通り定めています。

表１　教育基本法

条項	条文
第１条(教育の目的)	教育は、人格の完成を目指し、平和で民主的な国家及び社会の形成者として必要な資質を備えた心身ともに健康な国民の育成を期して行われなければならない。
第２条(教育の目標)	教育は、その目的を実現するため、学問の自由を尊重しつつ、次に掲げる目標を達成するよう行われるものとする。
一	幅広い知識と教養を身に付け、真理を求める態度を養い、豊かな情操と道徳心を培うとともに、健やかな身体を養うこと。
二	個人の価値を尊重して、その能力を伸ばし、創造性を培い、自主及び自律の精神を養うとともに、職業及び生活との関連を重視し、勤労を重んずる態度を養うこと。
三	正義と責任、男女の平等、自他の敬愛と協力を重んずるとともに、公共の精神に基づき、主体的に社会の形成に参画し、その発展に寄与する態度を養うこと。
四	生命を尊び、自然を大切にし、環境の保全に寄与する態度を養うこと。
五	伝統と文化を尊重し、それらをはぐくんできた我が国と郷土を愛するとともに、他国を尊重し、国際社会の平和と発展に寄与する態度を養うこと。

教育基本法は**教育の目的及び理念**、教育の実施に関する基本的条項、国と地方の責務などを明示しており、世界の平和と人類の福祉の向上に貢献すること、**個人の尊厳**、**公共の精神**、人間性、創造性、伝統の継承などをうたっています。他

教育基本法第３条(生涯学習の理念)

自己の人格を磨き、豊かな人生を送るため、**生涯**にわたって、あらゆる**機会**と**場所**において学習することができる**社会**の実現(令4-後-9)。

ここが問われた！

教育基本法第４条について問われました(令4-前-2)。同条では、すべての国民がひとしく「その能力に応じた教育を受ける機会を与えられなければならず、人種、信条、性別、社会的身分、経済的地位又は門地によって、**教育上差別されない**」と明記しています。

ここをチェック！

教育基本法第９条と第16条では教員と教育行政のあり方が定められており、教員並びに国や地方公共団体がめざすべき目的と行動内容が示され、教員には崇

高な使命の自覚を、国や地方公共団体には適正な教育を求めています。

ここが問われた!

教育基本法第10条は家庭教育における保護者の責任について説いている内容で、近年の試験で重視されています。同条に関し問われました(令3-後-1、令5-前-1)。第11条(幼児期の教育)について問われました(令5-前-1)。

ここをチェック!

教育基本法第11条

幼児期の教育は、生涯にわたる人格形成の基礎を培う重要なものであることにかんがみ、国及び地方公共団体は、幼児の健やかな成長に資する良好な環境の整備その他適当な方法によって、その振興に努めなければならない。

ここが問われた!

学校教育法第22条と第29条から出題がありました(令2-後-2)。同法第22条から出題がありました(令4-前-1)。条文を比較すると、同じ学校でも幼稚園と小学校ではめざす教育が違う

にも「第3条　生涯学習の理念」「第10条　家庭教育」「第11条　幼児期の教育」など重要な条項がありますので、内容を確認しておきましょう。

■教育基本法の改正にみる幼児教育への期待

2006(平成18)年の改正では、小学校への接続を踏まえ、「家庭教育」(第10条)と「幼児期の教育」(第11条)の項目が新設され、注目を集めました。

第10条で特筆すべきは「保護者に対する学習の機会及び情報の提供」が明記されたことで、教育の第一義的責任は保護者にあるとしつつ、教職員の支援意識を高める内容となりました。また、家庭教育を支援するための施策も求めています。保護者については、生活のために必要な習慣を身に付けさせ、自立心を育成することを求めています。

第11条では、幼児教育は「生涯にわたる人格形成の基礎」の段階として、良好な環境の整備とその他の方策による振興が求められました。

2 学校教育法

1947(昭和22)年、教育基本法とともに公布されました。第2次世界大戦終結後の教育では6・3・3・4制の学校体系が採用されました。学校教育法では、「学校」の定義や種類・設置者との関係・教員の定義や資格などのほか、教育目標や修業年限、教科並びに教科用図書、授業料や児童・生徒の懲戒など、詳細にわたり方針を示しています。

関連として、就学義務や学校の認可・届出等を定めた政令である学校教育法施行令、学校設置の認可の申請・届出に関してさらに細目を定めた文部科学省令である学校教育法施行規則も運用されています。

■学校の定義

学校教育法の第1条では、我が国における公的な教育施設である「学校」の定義が示されており、具体的には「学校とは、幼稚園、小学校、中学校、義務教育学校、高等学校、中等教育学校、特別支援学校、大学及び高等専門学校」とされ

います。改正により、1999(平成11)年に中等教育学校、2007(平成19)年に盲学校・聾学校・養護学校が統合された特別支援学校、2016(平成28)年に義務教育学校が新たに定義されました。

① 中等教育学校

いわゆる「中高一貫型」に教育を一体化した学校です。前期課程3年+後期課程3年で構成され、それぞれ中学校及び高等学校の学習指導要領が基本原則となります。

② 特別支援学校

2007(平成19)年までの盲学校・聾学校・養護学校を一本化して創設されました。現在でも「盲学校・聾学校・養護学校」と名乗っている学校がありますが、分類上は特別支援学校となります。視覚障害者、聴覚障害者、知的障害者、肢体不自由者または病弱者(身体虚弱者を含む)に対して、幼稚園・小学校・中学校または高等学校に準ずる教育を施すとされています。

なお、小学校、中学校、義務教育学校、高等学校、中等教育学校においては、知的障害者、肢体不自由者、身体虚弱者、弱視者、難聴者等に該当する児童及び生徒を対象に、特別支援学級を置くことができるとされています。

③ 義務教育学校

いわゆる「小中一貫型」に教育を一体化した学校です。今までの小中6・3制にこだわらず、年限の区割りに一定の自由度が認められます。設置の際に小中学校の統廃合を伴うため、学区が広大となり通学距離が遠大化するという心配の声もあります。

■ 幼稚園に関する重要な規定

学校教育法第22～28条では幼稚園について規定されています。特に、第22条では幼稚園の目的が定められています。また、第23条では「健康」「人間関係」「環境」「言葉」「表現」の5領域を見定めた幼稚園教育の目標について規定しています。

その他、健康診断(第12条)、家庭と地域の支援(第24条)、

こと、また、相互のスムーズな連携が意図されていることがわかります。

ここが問われた!

学校教育法第81条から出題がありました。幼稚園、小学校、中学校、義務教育学校、高等学校、中等教育学校において、障害による学習上または生活上の困難を克服する教育を施すことを求める条文です(令4-後-1)。

ここをチェック!

義務教育に関する制度の見直し

2005(平成17)年10月26日の中央教育審議会答申で、学校種間の連携・接続のあり方に大きな課題があり、学校の楽しさや教科の好き嫌いなどについて中学校1年生時点のほかに小学校4～5年生段階で発達上の段差があることが指摘されました。

入園者の定義(第26条)、園長、教頭並びに教諭の配置(第27条)、特別支援学級(第81条)なども確認しておきましょう。

ここをチェック!

時事問題を背景に出題される可能性もあります。昨今では教員の体罰や違法行為、保護者の虐待などが多く報道され、学校教育法が引き合いに出される場面も増えています。

■その他、子どもへの大人の関わり方など

学校教育法では大人が子どもに関わる際のあり方に関しても基本姿勢を提示しています。社会的常識として認知されている事柄も含まれています。

① 体罰の禁止(第11条)

「教育上必要があると認めるときは、文部科学大臣の定めるところにより、児童、生徒及び学生に懲戒を加えることができる。ただし、体罰を加えることはできない」と定められています。

懲戒と体罰の区別の考え方や正当防衛などについては、一定の方針として「体罰の禁止及び児童生徒理解に基づく指導の徹底について(通知)」(平成25年3月13日24文科初第1269号)が文部科学省から出されています(p.134参照)。

② 義務教育(第16条)

義務教育を「子どもが教育を受ける義務」と誤解している人が多いのですが、「保護者(子に対して親権を行う者(親権を行う者のないときは、未成年後見人)をいう。以下同じ。)は、次条に定めるところにより、子に9年の普通教育を受けさせる義務を負う」とある通り、実際には大人が子どもに教育を受けさせる義務のことをいいます(第17条でその条件を詳細に提示しています)。

表2 学校教育法

条数	条文
第22条(幼稚園の目的)	幼稚園は、義務教育及びその後の教育の基礎を培うものとして、幼児を保育し、幼児の健やかな成長のために適当な環境を与えて、その心身の発達を助長することを目的とする。
第23条(教育目標)	幼稚園における教育は、前条に規定する目的を実現するため、次に掲げる目標を達成するよう行われるものとする。 一 健康、安全で幸福な生活のために必要な基本的な習慣を養い、身体諸機能の調和的発達を図ること。 二 集団生活を通じて、喜んでこれに参加する態度を養うとともに家族や身近な人への信頼感を深め、自主、自律及び協同の精神並びに規範意識の芽生えを養うこと。 三 身近な社会生活、生命及び自然に対する興味を養い、それらに対する正しい理解と態度及び思考力の芽生えを養うこと。 四 日常の会話や、絵本、童話等に親しむことを通じて、言葉の使い方を正しく導くとともに、相手の話を理解しようとする態度を養うこと。 五 音楽、身体による表現、造形等に親しむことを通じて、豊かな感性と表現力の芽生えを養うこと。

第24条（家庭及び地域の支援）	幼稚園においては、第22条に規定する目的を実現するための教育を行うほか、幼児期の教育に関する各般の問題につき、保護者及び地域住民その他の関係者からの相談に応じ、必要な情報の提供及び助言を行うなど、家庭及び地域における幼児期の教育の支援に努めるものとする。
第25条（教育内容）	① 幼稚園の教育課程その他の保育内容に関する事項は、第22条及び第23条の規定に従い、文部科学大臣が定める。 ② 文部科学大臣は、前項の規定により幼稚園の教育課程その他の保育内容に関する事項を定めるに当たつては、児童福祉法（昭和22年法律第164号）第45条第2項の規定により児童福祉施設に関して内閣府令で定める基準（同項第3号の保育所における保育の内容に係る部分に限る。）並びに就学前の子どもに関する教育、保育等の総合的な提供の推進に関する法律（平成18年法律第77号）第10条第1項の規定により主務大臣が定める幼保連携型認定こども園の教育課程その他の教育及び保育の内容に関する事項との整合性の確保に配慮しなければならない。 ③ 文部科学大臣は、第1項の幼稚園の教育課程その他の保育内容に関する事項を定めるときは、あらかじめ、内閣総理大臣に協議しなければならない。
第26条（幼稚園に入園できる者）	幼稚園に入園することのできる者は、満3歳から、小学校就学の始期に達するまでの幼児とする。
第29条（小学校の目的）	小学校は、心身の発達に応じて、義務教育として行われる普通教育のうち基礎的なものを施すことを目的とする。

○×チェック問題

1 教育基本法の2006（平成18）年の改正では、小学校への接続を踏まえ、「家庭教育」（第10条）と「幼児期の教育」（第11条）の項目が新設された。

2 教育基本法第10条では、教育のすべての責任は保護者にあるとしつつ、「保護者に対する学習の機会及び情報の提供」が明記され、教職員の支援意識を高めるものとなっている。

3 教育基本法第11条では、幼児教育を「生涯にわたる社会人教育の基礎」の段階として良好な環境の整備とその他の方策による振興を求めている。

4 教育基本法第11条には、「幼児期の教育は、生涯にわたる資質・能力形成の基礎を培う重要なものである」という記述がある。

5 教育基本法第11条には、「国及び地方公共団体は、幼児ののびやかな発達に資する良好な環境の整備その他適当な方法によって、その振興に努めなければならない」という記述がある。

6　学校教育法第1条では、幼稚園、小学校、中学校、義務教育学校、高等学校、中等教育学校、特別支援学校、大学及び児童養護施設を学校として定めている。

7　学校教育法第26条では、幼稚園に入園できるのは満4歳から小学校就学の始期に達するまでの幼児と定めている。

8　学校教育法第22条によると、幼稚園は義務教育及びその後の教育の基礎を培うものとして、幼児を教育し、幼児の健やかな成長のために適当な環境を与えて、その心身の発達を助長することを目的とする。

9　幼稚園においては、保護者及び地域住民その他の関係者からの相談に応じ、必要な情報の提供及び助言を行うなど、家庭及び地域における幼児期の教育の支援に努める。

答え

1 ○
2 ✕「すべての責任」ではなく「第一義的責任」
3 ✕「社会人教育」ではなく「人格形成」
4 ✕「資質・能力形成」ではなく「人格形成」
5 ✕「のびやかな発達」ではなく「健やかな成長」
6 ✕「児童養護施設」ではなく「高等専門学校」
7 ✕「満4歳」ではなく「満3歳」
8 ✕「教育し」ではなく「保育し」
9 ○

テーマ2

幼稚園教育要領並びに幼稚園における学校評価

幼稚園教育要領は、全国的に一定の教育水準を確保するとともに、実質的な教育の機会均等を保障するため、国が学校教育法に基づいて定めた大綱的基準です。おおむね10年に一度の改訂が行われています。

幼稚園教育要領、2017(平成29)年改訂、「第１章　総則」の抜本的な改訂(2018(平成30)年４月１日施行)、前文(幼稚園教育要領のめざすもの)、学校教育法第25条、学校教育法施行規則第38条、幼稚園における学校評価ガイドライン〔平成23年改訂〕

1 幼稚園教育要領

幼稚園教育の基礎となる保育要領が1948(昭和23)年に制定され、教育内容の目標を明確にする基準として幼稚園教育要領が1956(昭和31)年に制定されました。それ以降、約10年ごとに改訂されています。現在の幼稚園教育要領は、2017(平成29)年に改訂され、2018(平成30)年度から施行されています。第1章では、幼稚園における教育課程の構成や預かり保育などについての考え方を整理しています。第2章では教育の「ねらい及び内容」として、健康・人間関係・環境・言葉・表現の各項目について解説しています。

■学校教育法との関係

学校教育法では第25条で「幼稚園の教育課程その他の保育内容に関する事項は、第22条及び第23条の規定に従い、文部科学大臣が定める」とされています。学校教育法は学校の定義や学校教育の目標・制度などを定めた法律です。

ここをチェック！

幼稚園教育要領に、「幼児期の終わりまでに育ってほしい姿」として10項目が挙げられています(p.42参照)。

ここが問われた！

「幼児期の終わりまでに育ってほしい姿」について、「保育所保育指針」の本文の内容が問われました(令5-前-7、令6-前-9)。

幼稚園教育要領の原文も確認しよう

■学校教育法施行規則との関係

学校教育法施行規則第38条で「幼稚園の教育課程その他の保育内容については、この章に定めるもののほか、教育課程その他の保育内容の基準として文部科学大臣が別に公示する幼稚園教育要領によるものとする」と定めています。

学校教育法施行規則は1947(昭和22)年に公布され、学校教育法(1947(昭和22)年)・学校教育法施行令(昭和28年政令第340号)の下位法としてその実質的な運用を定義する文部科学省の省令です。

■幼稚園教育要領のめざすもの(前文より)

前文では、幼児に対して、「多様な人々と協働しながら様々な社会的変化を乗り越え、豊かな人生を切り拓き、持続可能な社会の創り手となる」ことに期待しています。

社会に開かれた教育課程の実現

これからの幼稚園には、学校教育の始まりとして、こうした教育の目的及び目標の達成を目指しつつ、一人一人の幼児が、将来、自分のよさや可能性を認識するとともに、あらゆる他者を価値のある存在として尊重し、多様な人々と協働しながら様々な社会的変化を乗り越え、豊かな人生を切り拓き、持続可能な社会の創り手となることができるようにするための基礎を培うことが求められる。

教育課程を通して、これからの時代に求められる教育を実現していくためには、よりよい学校教育を通してよりよい社会を創るという理念を学校と社会とが共有し、それぞれの幼稚園において、幼児期にふさわしい生活をどのように展開し、どのような資質・能力を育むようにするのかを教育課程において明確にしながら、社会との連携及び協働によりその実現を図っていくという、社会に開かれた教育課程の実現が重要である。

前文の内容が問われました(31-前-2、令5-前-2)。

一人一人の資質・能力を育んでいく小学校以降の教育や生涯にわたる学習とのつながりを見通す

幼児の自発的な活動としての遊びを生み出すために必要な環境を整え、一人一人の資質・能力を育んでいくことは、教職員をはじめとする幼稚園関係者はもとより、家庭や地域の人々も含め、様々な立場から幼児や幼稚園に関わる全ての大人に期待される役割である。家庭との緊密な連携の下、小学校以降の教育や生涯にわたる学習とのつながりを見通しながら、幼児の自発的な活動としての遊びを通しての総合的な指導をする際に広く活用されるものとなることを期待して、ここに幼稚園教育要領を定める。

幼児期の終わりまでに育ってほしい姿については、資料「一人一人のよさを未来へつなぐ――学校教育のはじまりとしての幼稚園教育」も文部科学省のホームページで閲覧してみてください。現場の取り組みに活かしやすいよう、その趣旨がわかりやすく図表付きで解説されています。

■幼稚園教育要領「第1章　総則」のポイント

・幼児期の教育は、生涯にわたる人格形成の基礎を培う重要なものとされている。

・「環境を通して行う教育」を基本とする。

・幼稚園教育において育みたい資質・能力を明確化。

・幼稚園修了時までに育ってほしい具体的な姿を「幼児期の

終わりまでに育ってほしい姿」として明確化するとともに、小学校と共有することにより幼小接続を推進。

・幼児一人一人のよさや可能性を把握するなど幼児理解に基づいた評価を実施。

・言語活動などの充実を図るとともに、障害のある幼児や海外から帰国した幼児など特別な配慮を必要とする幼児への指導を充実。

■ 幼稚園教育要領の目的・目標

幼稚園教育要領では「環境を通して行う教育」を基本としており、よりよい教育環境の創造をめざしています。

・幼児の主体的な活動を促し、幼児期にふさわしい生活を展開（幼児は安定した情緒の下で自己発揮をすることにより発達に必要な体験を得ていく）

・遊びを通しての指導を中心として第２章に示すねらいが総合的に達成されるようにする（「遊び」は、幼児にとって重要な「学習」）

・一人一人の発達の特性に応じること

■ 幼稚園教育において育みたい資質・能力

幼児の自発的な活動としての遊びを生み出すために必要な環境を整え、一人一人の資質・能力を育んでいくことは、家庭や地域の人々も含め、幼児や幼稚園に関わる全ての大人に期待される役割とされています（前文）。また、幼稚園教育において育みたい資質・能力として、以下の３点が示されています。

①　豊かな体験を通じて、感じたり、気づいたり、わかったり、できるようになったりする「知識及び技能の基礎」

②　気づいたことや、できるようになったことなどを使い、考えたり、試したり、工夫したり、表現したりする「思考力、判断力、表現力等の基礎」

③　心情、意欲、態度が育つ中で、よりよい生活を営もうとする「学びに向かう力、人間性等」

これらは個別に取り出して身につけさせるものではなく、遊びを通しての総合的な指導を行う中で、一体的に育んでい

ここが問われた！

幼稚園教育要領第１章「総則」の、第１について(令1-後-9、令3-後-3、令5-後-2)、第３「教育課程の役割と編成等」の１「教育課程の役割」からカリキュラム・マネジメントについて(令4-後-6)、第４「指導計画の作成と幼児理解に基づいた評価」から３「指導計画の作成上の留意事項」について(誤った選択肢に共通していたのは、幼児の発達段階や学びの実状を考慮せずに高度な教育や負担を求めようとする記述)(令3-前-3)、第４「指導計画の作成と幼児理解に基づいた評価」について(令4-前-5)出題されました。

ここが問われた！

カリキュラムの種類(教科カリキュラム・経験カリキュラム・潜在的カリキュラムなど)について出題されました(令6-前-8)。

くことが重要とされています。

幼稚園教育要領の主な重要事項は、表１の通りです。

表１　幼稚園教育要領の主な重要事項

条項	重要事項
前文	・社会に開かれた教育課程の実現 ・一人一人の資質・能力を育んでいく ・小学校以降の教育や生涯にわたる学習とのつながり
第１章　総則 第１	幼児期の教育は、生涯にわたる人格形成の基礎を培う重要なものであり、幼稚園教育は、学校教育法に規定する目的及び目標を達成するため、幼児期の特性を踏まえ、環境を通して行うものであることを基本とする。 このため教師は、幼児との信頼関係を十分に築き、幼児が身近な環境に主体的に関わり、環境との関わり方や意味に気付き、これらを取り込もうとして、試行錯誤したり、考えたりするようになる幼児期の教育における見方・考え方を生かし、幼児と共によりよい教育環境を創造するように努めるものとする。
第２	幼稚園教育において育みたい資質・能力及び「幼児期の終わりまでに育ってほしい姿」
第３	１　教育課程の役割 (前略)教育課程の実施に必要な人的又は物的な体制を確保するとともにその改善を図っていくことなどを通して、教育課程に基づき組織的かつ計画的に各幼稚園の教育活動の質の向上を図っていくこと(以下「カリキュラム・マネジメント」という。)に努めるものとする。
第４	指導計画の作成と幼児理解に基づいた評価
第５	１　障害のある幼児などへの指導 個々の幼児の障害の状態などに応じた指導内容や指導方法の工夫を組織的かつ計画的に行う。 ２　海外から帰国した幼児や生活に必要な日本語の習得に困難のある幼児の幼稚園生活への適応 安心して自己を発揮できるよう配慮するなど個々の幼児の実態に応じ、指導内容や指導方法の工夫を組織的かつ計画的に行う。
第２章　ねらい及び内容 健康	ねらい ⑴明るく伸び伸びと行動し、充実感を味わう。 ⑵自分の体を十分に動かし、進んで運動しようとする。 ⑶健康、安全な生活に必要な習慣や態度を身に付け、見通しをもって行動する。
人間関係	ねらい ⑴幼稚園生活を楽しみ、自分の力で行動することの充実感を味わう。 ⑵身近な人と親しみ、関わりを深め、工夫したり、協力したりして一緒に活動する楽しさを味わい、愛情や信頼感をもつ。 ⑶社会生活における望ましい習慣や態度を身に付ける。
環境	ねらい

	(1)身近な環境に親しみ、自然と触れ合う中で様々な事象に興味や関心をもつ。 (2)身近な環境に自分から関わり、発見を楽しんだり、考えたりし、それを生活に取り入れようとする。 (3)身近な事象を見たり、考えたり、扱ったりする中で、物の性質や数量、文字などに対する感覚を豊かにする。 内容 (6)日常生活の中で、我が国や地域社会における様々な文化や伝統に親しむ。
言葉	ねらい (1)自分の気持ちを言葉で表現する楽しさを味わう。 (2)人の言葉や話などをよく聞き、自分の経験したことや考えたことを話し、伝え合う喜びを味わう。 (3)日常生活に必要な言葉が分かるようになるとともに、絵本や物語などに親しみ、言葉に対する感覚を豊かにし、先生や友達と心を通わせる。
表現	ねらい (1)いろいろなものの美しさなどに対する豊かな感性をもつ。 (2)感じたことや考えたことを自分なりに表現して楽しむ。 (3)生活の中でイメージを豊かにし、様々な表現を楽しむ。

※　第2章における「内容」の解説は幼稚園教育要領の本文をご参照ください。

■「幼保連携型認定こども園教育・保育要領」・「保育所保育指針」との関連性

幼稚園教育要領は、おおむね10年に一度改訂が行われています。現在の幼稚園教育要領は、2017(平成29)年３月31日に告示され、2018(平成30)年４月１日から施行されたものです。「幼保連携型認定こども園教育・保育要領」「保育所保育指針」と同時期に改訂されており、内容も整合性が図られた形となりました。特に、この改訂で初めて示された「育みたい資質・能力」(３つの柱)および「幼児期の終わりまでに育ってほしい姿」(10の姿)は共通して記載されています。いずれから出題されても、同様の内容であることを確認しておきましょう。

また、「幼保連携型認定こども園教育・保育要領」の「幼稚園的機能」に関連する記載は、幼稚園教育要領と同様の内容となっています。共通の部分を確認し、いずれから出題されても対応できるようにしておきましょう。

■人間形成と家庭・地域・社会等との関連性

2005(平成17)年の中央教育審議会「子どもを取り巻く環

文部科学省ではカリキュラム・マネジメントに関して、次の３点を重視しています(第1章第3)。①「幼児期の終わりまでに育ってほしい姿」や小学校の学びを念頭に置くこと、②幼児の姿や就学後の状況、家庭や地域の現状等に基づき、教育課程を改善し続けること、③必要な人的・物的資源等を、家庭や地域の外部の資源も含めて効果的に組み合わせること(文部科学省幼児教育部会(第8回)配付資料「資料1 幼児教育部会とりまとめ(案)」より)。

ここが問われた！

「幼保連携型認定こども園教育・保育要領」第1章「総則」第2「教育及び保育の内容並びに子育ての支援等に関する全体的な計画等」の内容が出題されました(令5-後-3)。「幼稚園教育要領」と同様の記載部分が理解できていれば対応できます。

さらに深める

中央教育審議会は文部科学省に設置されている文部科学大臣の諮問機関です。委員は30名以内となっており、任期は２年で再任可能、有識者の中から人選され、文部科学大臣が任命します。教育・学術・文化等に関わる基本的な施策のあり方について調査したり、審議したりして、文部科学大臣に進言・答申しています。一般的には「中教審」という略称で呼ばれています。中央教育審議会令によれば、「特別の事項を調査審議させるため必要があるときは、臨時委員を置くことができる」ともされています。

境の変化を踏まえた今後の幼児教育の在り方について(答申)」では、下記の要素が示されていました。幼児教育は関わる大人すべてが連携して守られるものであることがわかります。

・家庭・地域社会・幼稚園等施設(幼児に対する教育機能を担う幼稚園や保育所等の施設をいう。以下同じ)における教育は、それぞれの有する教育機能を互いに発揮し、バランスを保ちながら、幼児の自立に向けて、幼児の健やかな成長を支える大切な役割を果たしている。
・家庭は、愛情やしつけなどを通して幼児の成長の最も基礎となる心身の基盤を形成する場である。
・地域社会は、様々な人々との交流や身近な自然との触れ合いを通して豊かな体験が得られる場である。
・幼稚園等施設は、幼児が家庭での成長を受け、集団活動を通して、家庭では体験できない社会・文化・自然などに触れ、教員等に支えられながら、幼児期なりの豊かさに出会う場である。
・この家庭・地域社会・幼稚園等施設の間で、幼児の生活は連続的に営まれており、この三者で連携が取られ、幼児への教育が全体として豊かなものになって初めて、幼児の健やかな成長が保障される。

2 幼稚園における学校評価

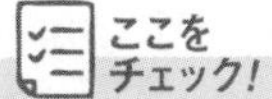

保護者等への情報開示が重視される時代となり、学校運営の改善や教育の水準の向上は必須の課題といえます。

幼稚園における学校評価については、2002(平成14)年４月に施行された幼稚園設置基準において、各幼稚園は、自己評価の実施とその結果の公表に努めることとされました。また、保護者等に対する情報提供について、積極的に行うこととされました。さらに、2007(平成19)年６月に学校教育法、同年10月に学校教育法施行規則の改正により、自己評価・学校関係者評価の実施・公表、評価結果の設置者への報告に関する規定が新たに設けられています。

■改訂の経緯

2007(平成19)年７月に文部科学省初等中等教育局に置か

れた「幼稚園における学校評価の推進に関する調査研究協力者会議」における議論を踏まえ「学校評価ガイドライン〔改訂〕」に示された内容に準ずるとともに、幼稚園の特性を考慮し、2008(平成20)年3月に「幼稚園における学校評価ガイドライン」が作成されました。さらに、「学校評価ガイドライン〔平成22年改訂〕」を踏まえ、第三者評価の記述の充実など幼稚園の特性に応じた学校評価を推進するため「幼稚園における学校評価ガイドライン〔平成23年改訂〕」に改められました。

■ 学校評価の必要性

幼稚園において、幼児がよりよい教育活動を享受できるよう、学校運営の改善と発展を目指し、教育の水準の保証と向上を図ることが重要であるとされており、評価結果等を広く保護者等に公表していくことが必要であるとしています。

各幼稚園は建学の精神やその教育目標に基づき運営されているので、幼児の健やかな成長のために、その幼稚園の学校運営の状況を、学校評価を通して理解できることは保護者にとって重要となります。

○×チェック問題

幼稚園教育要領に関する記述として正しいものに○、誤ったものに×で答えなさい。

1 「第1章　総則」の中で、豊かな体験を通じて、感じたり、気付いたり、分かったり、できるようになったりする「学びに向かう力、人間性の基礎」について示されている。

2 「第1章　総則」の中で、気付いたことや、できるようになったことなどを使い、考えたり、試したり、工夫したり、表現したりする「知識及び技能等の基礎」について示されている。

3 「第1章　総則」の中で、心情、意欲、態度が育つ中で、よりよい生活を営もうとする「思考力、判断力、表現力等」について示されている。

4 前文には、教育基本法の条文に関する言及があり、教育がそれら条文に依拠して行われるべきものであることが確認されている。

5 「第1章　総則」の中で、教育課程を中心にした教育時間の終了後等に行う教育活動の計画や学校保健計画などを関連させた全体的な計画の作成について述べられている。

6 「第1章　総則第5　特別な配慮を必要とする幼児への指導」の中では、性的少数者に当たる幼児への配慮についても述べられている。

答え

1 × 「学びに向かう力、人間性」ではなく「知識及び技能」

2 × 「知識及び技能」ではなく「思考力、判断力、表現力」

3 × 「思考力、判断力、表現力」ではなく「学びに向かう力、人間性」

4 ○

5 ○

6 × 「1　障害のある幼児などへの指導」と「2　海外から帰国した幼児や生活に必要な日本語の習得に困難のある幼児の幼稚園生活への適応」について述べられている。

テーマ3

教育の思想と歴史的変遷(西洋及び日本の人物)

人物に関する問題は多くの人が苦手と考えがちですが、人物とキーワードをつなげておくだけでも得点に結びつけやすくなります。キーワードとのつながりが覚えられたら、人物それぞれの背景にも理解を深めていきましょう。

ソクラテス、コメニウス、ロック、ルソー、ペスタロッチ、フレーベル、モンテッソーリ、貝原益軒、石田梅岩、吉田松陰、福沢諭吉、松野クララ、森有礼、倉橋惣三、澤柳政太郎、城戸幡太郎

1 西洋の人物

外国人のカタカナ名前は覚えにくいかもしれませんが、キーワードとつなげていくことで理解を進めやすくなります。まずは「誰」と「何」だけでもつながるようにしましょう。

■古い時代の人物

教育に関連する人物については、古代ギリシャにその原点を求めていくことになります。ソクラテスは問答していく中で弟子たちに「無知」を自ら気づかせる(無知の知)手法を用い、その問答法は「産婆術」と呼ばれました。その弟子のプラトンは自らの教育論をもとに、アテナイに「アカデメイア」を創設しています。プラトンの弟子アリストテレスはこの「アカデメイア」で教育を受けた人物です。

■近世以後の人物

中世から近世にかけては、教育の世界はキリスト教会の制約を強く受けていましたが、少しずつ独自の教育観を表すよ

ここをチェック!

似た人名や似たキーワードでの混同がどうしても多くなりがちです。人物を年代順に並べたり、似ているキーワードの相違点を明確にしたりするなど、立体的な学びを深める工夫が得点に結びつきます。

表を活用して学習しよう

うになり、近代教育への道を切り開き始めます。中でもコメニウスは子どもたちへの差別なき普遍的な教育を説き、近代教育学の基盤を築いたことで知られます。ロックの「タブラ・ラサ(白紙説)」やフレーベルの「恩物」、モンテッソーリ「児童の家」など、教育分野にも、保育分野に関連する重要なキーワードが点在します。

■その他の西洋の人物に関する概観

頻出の重要人物としては、「子どもの発見者」と呼ばれたルソー、ペスタロッチの「生活が陶冶する」という概念、幼稚園の創始者といわれるフレーベルが開発した「恩物」、20世紀を「児童の世紀」と唱えたエレン・ケイ、学校を子どもたちの生活の場としてとらえたデューイ、「性格形成学院」を創設したオーエンなどがあげられます。

また、五段階教授法を唱えたツィラー、「プロジェクト・メソッド」を提唱したキルパトリックなども押さえておきたいところです。

表1　人物とキーワード

人物	キーワード
ソクラテス	「無知」を自ら気づかせる問答法「産婆術」(無知の知)
コメニウス	実際の事物あるいは代替物を用いた「直観教授」 著書『大教授学』『世界図絵』
ロック	「健全な身体に宿る健全な精神」が幸福 「タブラ・ラサ」～人は生得観念を持たずに生まれる
ルソー	子どもは小さな大人ではないとし、「子どもの発見者」と呼ばれる 著書『エミール』『社会契約論』
ペスタロッチ	学習者の興味・体験～主体的な学び「生活が陶冶する」 著書『隠者の夕暮』『シュタンツだより』『白鳥の歌』
オーエン	「性格形成学院」設立、社会改革家で実業家でもある 主著『新社会観または性格形成論』
フレーベル	世界初の幼稚園「キンダーガルテン」 遊戯を重視し、考案した遊具を「恩物」と名づけた
モンテッソーリ	障害児教育に寄与。著者に『幼児の秘密』がある ローマの貧民街に「児童の家(子どもの家)」創設

ここが問われた!

一斉指導の際に少人数のグループに子どもたちを分け、教師の監督のもと、各グループの優秀な上級生に助手的な立場で他の子どもたちに対応させる「ベル・ランカスター法」が出題されました。選択肢として「シュタイナー教育」「レッジョ・エミリア・アプローチ」「プロジェクト・メソッド」「モンテッソーリ教育」の4件が挙げられており、教育理論の比較をしておくことが求められます(令2-後-4)。プロジェクト・メソッドの内容について出題されました(令5-後-4)。

ここが問われた!

ロック、コメニウス、フレーベルについて出題されました(令3-後-4)。「白紙」や「恩物」といった重要単語を人物と結び付けておきましょう。デューイについて問われました(令4-前-3)。教育を経験の再構築ととらえ、著書に『経験と教育』『民主主義と教育』などがあります。ルソーの著書『エミール』や、スキナーの「ティーチング・マシン」「プログラム学習」について出題されました(令4-後-3, 4)。モンテッソーリについて問われました(令5-前-3、令6-前-4)。オーエンに

キルパトリック	目標を設定し計画・実行「プロジェクト・メソッド」
ヴィゴツキー	子どもの発達過程における「最近接領域」に着目 主著『思考と言語』
ブルーナー	発見的に学ぶプロセスと発達段階を重視「発見学習」 著書『教育の過程』
スキナー	ティーチング・マシンの開発による「プログラム学習」
その他	プラトン「アカデメイア」／アリストテレス「リュケイオン」 コンドルセ「公教育制度改革案」 カント「人格の完成」 ヘルバルト「四段階教授法」～明瞭・連合・系統・方法 デューイ「経験主義」、著書『民主主義と教育』 エレン・ケイ「児童中心主義」、著書『児童の世紀』 ラングラン…1965年ユネスコ国際会議で生涯教育を提唱

2 日本の人物

日本の教育もその歴史は古く、1000年以上前にまでさかのぼります。聖徳太子は全人民に等しく教育を説く考えから『三経義疏』を記したといわれます(諸説あり)。

■古い時代の人物

天智天皇の時代には既に官人を対象とした学校の前身というべきものがつくられ、律令制下では大学寮が整備されますが、のちの藤原氏の勧学院をきっかけに、菅原氏の文章院や在原氏の奨学院など大学別曹が隆盛したため衰退します。民間では平安時代、空海が綜芸種智院（しゅげいしゅちいん）を開き、民衆にも学びの場を提供しました。

武家社会においては鎌倉時代の「金沢文庫」(北条(金沢)実時)、室町時代の「足利学校」(上杉憲実（うえすぎのりざね）が復興)などが知られています。芸能教育面では室町時代の『風姿花伝』(世阿弥（ぜあみ）)が今なお読み継がれているロングセラーとなっています。

■近世以後の人物

江戸期以降になると武士階級を中心に教育整備が進み、林羅山（はやしらざん）の朱子学、中江藤樹（なかえとうじゅ）の陽明学、山鹿素行らの古学などがあります。江戸中期以後は石田梅岩（いしだばいがん）の「心学講舎」、広瀬淡窓（ひろせたんそう）の「咸宜園（かんぎえん）」、緒方洪庵（おがたこうあん）の「適塾」、吉田松陰の「松下村塾」などの私塾が有名です。また庶民教育としては、江戸期以前

ついて問われました(令5-前-5)。表1の人物の事績や著作を確認しておきましょう。

ここをチェック!

ブルーナーの発見学習
発見という行為を通じて学習内容を体得すると考え、子ども自身に学びを体験させ、自ら課題に対する解答や知識の体系を発見し、学習体系を自らつくり上げるよう導く教授法です。

さらに深める

レイヴ＆ウェンガーの「正統的周辺参加論」が出題されました。初学者は初め周辺的立場で学習共同体に参加しますが、徐々に中心的な立場へと移行することを求められるという考えです(31-前-4)。

ここが問われた!

- 空海が綜芸種智院の設立者であることを問う出題(令4-前-4)
- 北条実時の金沢文庫、世阿弥の『風姿花伝』について(令6-前-6)

ここが問われた!

中江藤樹について、著書やその内容から、人物名を問う出題がありました(令5-後-7)。

に寺で行われていた世俗教育が江戸時代には民間の寺子屋に移行していき、幕末に近づくと急増したといわれます。

■近代の人物

明治以降になると西洋思想の影響が強くなり、教育も大きく変化していきます。福沢諭吉の『学問のすゝめ』はその走りといえるでしょう。初代文部大臣となった森有礼（もりありのり）が学校制度の基礎を築き、明治天皇の「教育ニ関スル勅語（教育勅語）」が教育の基本方針となりました。

大正期以後では倉橋惣三の「誘導保育」論や城戸幡太郎（きどまんたろう）の「保育問題研究会」などが幼児教育の世界に大きな影響を与えています。

■その他の日本の人物に関する概観

日本で初めての体系的な教育書と呼ばれる『和俗童子訓（わぞくどうじくん）』を著した貝原益軒（かいばらえきけん）は特に有名な国内人物です。また、江戸時代の私塾として、荻生徂徠（おぎゅうそらい）の「蘐園塾（けんえんじゅく）」、伊藤仁斎の「古義堂」などがあります。

明治以降の人物としては、『小学唱歌集』と『幼稚園唱歌集』を著した井沢修二、ドイツ人で日本初の幼稚園保母となった松野クララらをおさえておきたいところです。

表2　人物とキーワード

人物	キーワード
貝原益軒	著書『和俗童子訓』（日本初の体系的な教育書（育児書））
石田梅岩	心学者で石門心学の祖。著書『都鄙問答』
広瀬淡窓	私塾「咸宜園（かんぎえん）」 門下生に大村益次郎、高野長英ら。
緒方洪庵	私塾「適塾」 門下生に福沢諭吉、大鳥圭介ら。
吉田松陰	私塾「松下村塾」 門下生に高杉晋作、伊藤博文、山県有朋ら。
福沢諭吉	著書『学問のすゝめ』『文明論之概略』
松野クララ	フレーベル設立の保母学校に学んだドイツ人女性。 東京女子師範学校附属幼稚園で首席保母となった。

ここが問われた！

城戸幡太郎について、事績から人物名を問う出題がありました（令3-後-5）。近代日本の幼児教育に関する著名な人々については、これまでにも出題があります。関係した施設名や団体名、また、教育観について確認しておきましょう。

ここが問われた！

『和俗童子訓』の著作から貝原益軒（令2-後-5、令5-前-4、令6-前-5）、成城小学校創設の事績から澤柳政太郎を問う問題が出題されました（令2-後-5）。

ここが問われた！

私塾など教育機関は出題されやすいので、表2を活用して人物と名称を確実に覚えましょう。特に江戸時代と大正時代は要注意です（31-前-5、令4-前-4、令6-前-6）。

ここをチェック！

人物に関する問題では、①施設、②主義信条、③著書が主な出題内容となります。この3件に関する知識を集めておくことで、全体像の整理がつきやすくなります。簡易な表にまとめるなど工夫してみましょう。

森有礼	英米に学んだのち初代文部大臣となり、学制改革に寄与。 「小学校令」「中学校令」「師範学校令」「帝国大学令」
明治天皇	1890(明治23)年、教育の基本方針を示す「教育ニ関スル勅語(教育勅語)」を発布。
澤柳政太郎	成城小学校(現・成城学園)の創立者。 文部次官、文学博士。主著『我国の教育』
鈴木三重吉(すずきみえきち)	小説家、童話作家。児童雑誌『赤い鳥』を創刊。
倉橋惣三	東京女子高等師範学校教授、また、附属幼稚園主事。 「誘導保育」論。著書『幼稚園真諦』
城戸幡太郎	知的障害児教育研究。1936(昭和11)年、保育問題研究会設立。 戦後は教育刷新委員会委員として教育改革に関わる。

『幼稚園真諦』の文章より著者名が問われました(令6-前-7)。

1　ピアジェは、恩物によって子どもの活動を引き出すことを提唱した。
2　オーエンは、シュタンツで孤児のための学校を経営した。
3　モンテッソーリは、世界初の幼稚園をつくり、「恩物」と名づけられた遊具を考案した。
4　貝原益軒は「人の性は本善」であるという性善説の立場であった。『和俗童子訓』をあらわした。
5　緒方洪庵は、大坂（現・大阪）に適塾を開いた。
6　荻生徂徠は、蘐園塾を開いた。
7　伊藤仁斎は、古義堂を開いた。

答え

1×「ピアジェ」ではなく「フレーベル」
2×「オーエン」ではなく「ペスタロッチ」
3×「モンテッソーリ」ではなく「フレーベル」
4○
5○
6○
7○

テーマ4 子どもの権利並びに保護

子どもの権利並びに保護については、大きく分けて国際連合などの国際関係における動きと、それを受けての国内の対応という２つの柱を見ることができます。双方の関連性を意識しながら学習すると流れをつかみやすくなります。

keyword **国際連合教育科学文化機関（ユネスコ）、世界人権宣言、児童憲章、児童の権利に関する条約（子どもの権利条約）**

1 国際連合教育科学文化機関（ユネスコ）

ここをチェック！

国連児童基金（ユニセフ）はその活動指針として、児童の権利に関する条約（子どもの権利条約）の定める子どもの基本的人権の実現をその使命とし、子どものライフ・サイクル（人生の過程）に応じて適切な総合的支援を行い、大きな成果を生むことをうたっています。

1945（昭和20）年11月16日にロンドンで開かれた国際連合教育文化会議でユネスコ憲章が採択され、1946（昭和21）年11月４日にパリで創設されました。日本は1951（昭和26）年７月２日に加盟しています。

ユネスコ憲章前文の中でも、「戦争は人の心の中で生れるものであるから、人の心の中に平和のとりでを築かなければならない」という一文は、保育士試験のみならず多方面で引用されている有名なフレーズです。

第１条「目的及び任務」では次のように創設の目的を説明しています。

「1　この機関の目的は、国際連合憲章が世界の諸人民に対して人種、性、言語又は宗教の差別なく確認している正義、法の支配、人権及び基本的自由に対する普遍的な尊重を助長するために教育、科学及び文化を通じて諸国民の間の協力を促進することによって、平和及び安全に貢献することである。」

2 世界人権宣言

第二次世界大戦では特定の人種の迫害や大量虐殺など、著しい人権侵害が行われました。戦後、その反省から人権問題を国際社会全体の課題としてとらえ、人権の保障を世界平和の基盤にしようとする動きが起こりました。

1948(昭和23)年12月10日、パリで開かれた第3回国際連合総会において、「すべての人民とすべての国とが達成すべき共通の基準」として世界人権宣言を採択しています。

世界人権宣言は基本的人権を尊重する原則を初めて国際的に定めたもので法的拘束力はありません。前文並びに30の条文からなり、世界各国の憲法及び法律にも反映され、国際会議の決議などでも重視されてきました。

国連憲章とともに、1959(昭和34)年11月20日に第14回国際連合総会で採択された児童権利宣言の基盤ともなりました。

法の下の平等、身体の安全、思想・良心・宗教の自由、表現の自由、集会・結社の自由、生存権などの基準が示され、なかでも第1条の「すべての人間は、生まれながらにして自由であり、かつ、尊厳と権利とについて平等である」との条文にその理念がよく表されています。

3 児童憲章

1951(昭和26)年5月5日、内閣総理大臣によって招集された国民各層・各界の代表で構成する「児童憲章制定会議」によって制定されました。1947(昭和22)年に制定された児童福祉法の趣旨や効力が戦後の混乱でなかなか発揮されず、社会的改善を求めて制定されたものですが、法的な拘束力を持つものではありません。ここに全文を紹介します。

児童憲章の本文から穴埋めの出題がされました(令6-前-2)。

児童憲章

われらは、日本国憲法の精神にしたがい、児童に対する正しい観念を確立し、すべての児童の幸福をはかるために、この憲章を定める。

児童は、人として尊ばれる。

児童は、社会の一員として重んぜられる。
児童は、よい環境のなかで育てられる。

一　すべての児童は、心身ともに、健やかにうまれ、育てられ、その生活を保障される。

二　すべての児童は、家庭で、正しい愛情と知識と技術をもって育てられ、家庭に恵まれない児童には、これにかわる環境が与えられる。

三　すべての児童は、適当な栄養と住居と被服が与えられ、また、疾病と災害からまもられる。

四　すべての児童は、個性と能力に応じて教育され、社会の一員としての責任を自主的に果たすように、みちびかれる。

五　すべての児童は、自然を愛し、科学と芸術を尊ぶように、みちびかれ、また、道徳的心情がつちかわれる。

六　すべての児童は、就学のみちを確保され、また、十分に整った教育の施設を用意される。

七　すべての児童は、職業指導を受ける機会が与えられる。

八　すべての児童は、その労働において、心身の発育が阻害されず、教育を受ける機会が失われず、また児童としての生活がさまたげられないように、十分に保護される。

九　すべての児童は、よい遊び場と文化財を用意され、わるい環境からまもられる。

十　すべての児童は、虐待、酷使、放任その他不当な取扱からまもられる。あやまちをおかした児童は、適切に保護指導される。

十一　すべての児童は、身体が不自由な場合、または精神の機能が不十分な場合に、適切な治療と教育と保護が与えられる。

十二　すべての児童は、愛とまことによって結ばれ、よい国民として人類の平和と文化に貢献するように、みちびかれる。

? ここが問われた！

児童権利宣言
1959年11月、第14回国際連合総会で採択されました。国連憲章と世界人権宣言をもとに、前文と10か条からなり、子どもの健全な成育・幸福・権利を保障しています（31-前-3）。

4 児童の権利に関する宣言（児童権利宣言）

1959年11月20日の第14回国連総会で採択されました。国連憲章や世界人権宣言などをもととしてつくられたものです。10か条の条文のほかに前文を備えており、その前文には宣言の目的が以下のように記載されています。

児童が、幸福な生活を送り、かつ、自己と社会の福利のためにこの宣言に掲げる権利と自由を享有することができるようにするため、この児童権利宣言を公布し、また、両親、個人としての男女、民間団体、地方行政機関及び政府に対し、これらの権利を認識し、次の原則に従って漸進的に執られる立法その他の措置によってこれらの権利を守るよう努力することを要請する

条文では児童の権利や健康・教育の保障を唱え、差別や虐待、搾取からの保護をうたっています。ここに重要な条文をいくつか掲載します。

第1条　児童は、この宣言に掲げるすべての権利を有する。すべての児童は、いかなる例外もなく、自己又はその家庭のいづれについても、その人種、皮膚の色、性、言語、宗教、政治上その他の意見、国民的若しくは社会的出身、財産、門地その他の地位のため差別を受けることなく、これらの権利を与えられなければならない。

第2条　児童は、特別の保護を受け、また、健全、かつ、正常な方法及び自由と尊厳の状態の下で身体的、知能的、道徳的、精神的及び社会的に成長することができるための機会及び便益を、法律その他の手段によって与えられなければならない。この目的のために法律を制定するに当っては、児童の最善の利益について、最高の考慮が払われなければならない。

第5条　身体的、精神的又は社会的に障害のある児童は、その特殊な事情により必要とされる特別の治療、教育及び保護を与えなければならない。

5 児童の権利に関する条約(子どもの権利条約)

児童の権利に関する条約については第4章(p.185)も参照しましょう。

1989(平成元)年11月20日、第44回国際連合総会で採択されました。発効は翌年の1990(平成2)年です。国連人権委員会で草案づくりに参画した「国連児童基金(ユニセフ)」はその趣旨を次のように説明しています。

「子どもの基本的人権を国際的に保障するために定められた条約です。18歳未満の児童(子ども)を権利をもつ主体と位置づけ、おとなと同様ひとりの人間としての人権を認めるとともに、成長の過程で特別な保護や配慮が必要な子どもならではの権利も定めています。前文と本文54条からなり、子どもの生存、発達、保護、参加という包括的な権利を実現・確保するために必要となる具体的な事項を規定しています。」

「生きる権利」「守られる権利」「育つ権利」「参加する権利」を4つの柱として具体的事項を規定しました。なお、日本は

1994(平成6)年に批准しました。

6 戦後の子どもの権利・保護の流れ

先の大戦では人権、とりわけ子どもたちの権利が著しく損なわれたため、戦後、国際的な見直しが着実に進められてきました。

ここが問われた!

子どもの権利・保護にも関連する事項として、日本国憲法の第13条から出題がありました。「第13条　すべて国民は、個人として尊重される。生命、自由及び幸福追求に対する国民の権利については、公共の福祉に反しない限り、立法その他の国政の上で、最大の尊重を必要とする」世界人権宣言や児童憲章とも理念が通じていることを意識しておきましょう(令2-後-1)。

表1　戦後の子どもの権利・保護の流れ

年代	内容・流れ
1945(昭和20)年 1946(昭和21)年	国際連合教育文化会議でユネスコ憲章採択 国際連合教育科学文化機関(ユネスコ)創立(本部:パリ) 「戦争は人の心の中で生れるものであるから、人の心の中に平和のとりでを築かなければならない」
1948(昭和23)年	第3回国際連合総会で世界人権宣言採択 「すべての人民とすべての国とが達成すべき共通の基準」
1951(昭和26)年	児童憲章制定会議(内閣総理大臣招集)で児童憲章制定 「児童に対する正しい観念を確立し、すべての児童の幸福をはかる」
1959(昭和34)年 11月	第14回国連総会で児童の権利に関する宣言採択 ⇒児童権利宣言とも呼ばれる 児童の権利や健康・教育の保障、差別や虐待、搾取からの保護を提唱
1989(平成元)年	第44回国際連合総会で児童の権利に関する条約採択 ⇒日本では一般的に子どもの権利条約とも呼ばれる 世界的な観点から児童の人権の尊重、保護の促進をめざしたもの (「児童」=18歳未満のすべての者)

また児童福祉法は、戦災孤児等の社会的現実を踏まえ、すべての児童の権利保護を目的として制定されました。2016(平成28)年の改正では、「児童の福祉を保障するための原理」の明確化が行われています。

ここが問われた!

児童福祉の保障の原理に関して、児童福祉法の2016(平成28)年改正の内容からの出題がありました(令4-後-2)。改正の趣旨については、リンク先の資料「児童福祉法等の一部を改正する法律(平成28年法律第63号)の概要」を参照してください。

■政府が捉えている子どもの権利の問題点

2004(平成16)年に発表された文部科学省の「人権教育の指導方法等の在り方について[第一次とりまとめ]」の「はじめに」にはこうあります。

> (前略)我が国では、すべての国民に基本的人権の享有を保障する日本国憲法の下で、人権に関する各般の施策が講じられ

てきた。また、教育基本法に基づき、人格の完成をめざし、平和的な国家及び社会の形成者の育成を期する教育が、家庭・学校・地域のあらゆる場において推進されてきた。(中略)

しかしながら、人権教育・啓発に関する基本計画(平成14年3月閣議決定。以下、「基本計画」という。)で指摘されているように、生命・身体の安全にかかわる事象や不当な差別など、今日においても様々な人権問題が生じている。特に、次代を担う児童生徒(幼児を含む。以下同じ。)に関しては、各種の調査結果に示されるように、いじめや暴力など人権に関わる問題が後を絶たない状況にある。さらには、児童生徒が虐待などの人権侵害を受ける事態も深刻化している。

2008(平成20)年の文部科学省「人権教育の指導方法等の在り方について[第三次とりまとめ]」では、1948(昭和23)年の国連総会において採択された世界人権宣言より以降、人権に関する様々な条約が採択されるなど、人権保障のための国際的努力が重ねられており、日本でも、知的理解にとどめず人権感覚を身に付けるために広く啓発する必要があるとして、人権教育の指導方法等のあり方を中心に検討が進められたことが示されています。

同とりまとめの本文には、「いじめ」について以下の記載があります。

例えば、「いじめ」を許さない態度を身に付けるためには、「いじめはよくない」という知的理解だけでは不十分である。実際に、「いじめ」を許さない雰囲気が浸透する学校・学級で生活することを通じて、児童生徒ははじめて「いじめ」を許さない人権感覚を身に付けることができるのである。

ここで解説してきた各項目の多くは、第二次世界大戦後の国際情勢を踏まえたものといえます。しかし、戦後70年以上が過ぎても改善のみられない地域、新たな紛争地域などがあり、全世界的な子どもの権利・保護が確実化されたとはいいにくい実情があります。

加えて昨今は、先進諸国における「子どもの貧困」も取り

ここをチェック!

第二次世界大戦後の急速な人権意識の高まりは、恒久平和の基盤として重視されたものです。子どもの人権や権利については特に重視されて国内外ともに改善が重ねられています。その流れと趣旨を把握しましょう。

ここが問われた!

「人権教育の指導方法等の在り方について[第三次とりまとめ]」から出題されました(令4-後-10)。

社会の時流を受け、事件が頻発している児童虐待が出題されています。教育関連の報道を見逃さず、文部科学省や中央教育審議会の最新情報をチェックしましょう。法令改正などの動きは特に重要です。

沙汰されるようになり、戦争や紛争、独裁政権下のみならず、資本主義経済の動向との関連性にも注意を要する状況となっています。この現実はSDGsの目標設定にも反映されています。

7 こども基本法

■こども基本法

2022(令和４)年６月に公布され、2023(令和５)年４月に施行されました。日本国憲法および児童の権利に関する条約の精神にのっとり、すべてのこどもが、将来にわたって幸福な生活を送ることができる社会の実現を目指し、こども施策を総合的に推進することを目的としています。同法での「こども」の定義は、「心身の発達の過程にある者」とされています(第２条)。詳しくは第４章も参照してください。

○×チェック問題

児童の権利に関する条約について、国連人権委員会で草案づくりに参画した国連児童基金（ユニセフ）の説明の文章の空欄を適切な語句で埋めなさい。

（１）未満の児童（子ども）を権利をもつ主体と位置づけ、おとなと同様ひとりの人間としての人権を認めるとともに、（２）の過程で特別な保護や配慮が必要な子どもならではの権利も定めています。前文と本文54条からなり、子どもの生存、発達、保護、（３）という包括的な権利を実現・確保するために必要となる具体的な事項を規定しています。

この条約においては、「生きる権利」「守られる権利」「（４）」「参加する権利」を４つの柱として具体的事項を規定しています。

答え

1 18歳
2 成長
3 参加
4 育つ権利

「児童憲章」（昭和26年５月５日）の前文について、文中の空欄を適切な語句で埋めなさい。

われらは、（１）の精神にしたがい、児童に対する正しい観念を確立し、すべての児童の幸福をはかるため、この憲章を定める。
児童は、（２）として尊ばれる。
児童は、（３）として重んぜられる。
児童は、よい（４）の中で育てられる。

答え

1 日本国憲法
2 人
3 社会の一員
4 環境

「児童の権利に関する宣言」について、文中の空欄を適切な語句で埋めなさい。

第１条　児童は、この宣言に掲げるすべての権利を有する。すべての児童は、いかなる例外もなく、自己又はその家庭のいづれについても、その（ １ ）、皮膚の色、性、言語、宗教、政治上その他の意見、国民的若しくは社会的出身、財産、門地その他の地位のため（ ２ ）を受けることなく、これらの権利を与えられなければならない。

第２条　児童は、特別の（ ３ ）を受け、また、健全、かつ、正常な方法及び自由と尊厳の状態の下で身体的、知能的、道徳的、精神的及び社会的に成長することができるための（ ４ ）及び便益を、法律その他の手段によって与えられなければならない。この目的のために法律を制定するに当っては、児童の最善の利益について、最高の考慮が払われなければならない。

答え

1 人種
2 差別
3 保護
4 機会

テーマ5 教育行政及び教育制度

我が国では第二次世界大戦後、義務教育の制度が整備され、地方において教育委員会がその中心的な役割を担っています。教育政策については中央教育審議会が様々な提言を行っています。また試験では、諸外国の教育への取り組みについて出題されることがあります。

学制、教育令、教育ニ関スル勅語(教育勅語)、教育基本法、学校教育法、幼保連携型認定こども園、道徳教育、中央教育審議会、諸外国の教育実践

1 戦前の教育制度

1872(明治5)年、「学制」が公布され、国民皆学を旨とする近代日本の教育制度が始まりました。1879(明治12)年には「教育令」が公布され、教育の権限は地方に移譲されていきます。1890(明治23)年、「教育ニ関スル勅語(教育勅語)」が発せられ、国民に道徳と教育の規範を示します。1941(昭和16)年の「国民学校令」では小学校を国民学校に改め、国家主義的な教育が進められることとなりました。

キーワードに沿って歴史的な流れを理解しよう

■「学制」

前年に設置された文部省で立案・制定され、主に欧米の学校制度を模して近代教育の構築を図りました。全国を大学区・中学区・小学区に分け、学区制で小学校・中学校・大学校を設置する趣旨でしたが、社会変化に適さず「教育令」公布とともに廃されました。学制の序文にある「必ず邑に不学の戸なく、家に不学の人なからしめん事を期す」は、国民皆学へのきわめて強い意志が感じられる文章となっています。

ここが問われた!
明治から第二次世界大戦までは学校制度の入れ替わりが激しく、その順序、それぞれの趣旨の違いが問われる可能性があります。制定の背景と理由を理解しましょう(令4-前-7)。

ここが問われた！

教育令に関する内容が出題されました(令5-後-6)。

■「教育令」

アメリカの教育制度を模範とし、「学制」よりも小学校の設置基準や修学年限を緩和しており、地方の実情を重視した内容となっていました。

江戸時代は身分や男女の区別なくすべての国民が通学して学問を得るという発想がありませんでした。学制はあらゆる条件に関係なく国民全員に学問を与えようとしており、我が国としては画期的な着想となりました。

■「教育ニ関スル勅語(教育勅語)」

明治天皇により、教育の根本理念を明示すべく発布された勅語です。全文315字と短いものですが忠君愛国を説いており、戦後1948(昭和23)年に国会で失効とされました。

■「国民学校令」

従来の小学校を改め、教科書を刷新して戦時の体制に対応できる国家主義的な教育を企図しました。1947(昭和22)年の「学校教育法」によりもとの小学校に戻りました。

戦前の教育制度の大まかな流れは表1の通りです。

表1　教育制度の流れ

年	重要事項
1871(明治4)	文部省を設置
1872(明治5)	「学制」～国民皆学の理念
1879(明治12)	「教育令」～教育の権限を地方に移譲
1880(明治13)	「改正教育令」～修身を重視
1889(明治22)	「大日本帝国憲法」発布
1890(明治23)	「教育ニ関スル勅語」発布
1937(昭和12)	教育審議会を設置
1941(昭和16)	「国民学校令」～戦時体制への対応
1945(昭和20)	第二次世界大戦終戦

2 戦後の教育制度

ここが問われた！

日本国憲法と教育基本法の施行年、義務教育年数、学校教育法における学校の定義が出題されました(令2-後-7)。

第二次世界大戦における敗戦は、国体のみならず教育にも大きな変化をもたらすこととなります。占領軍は教育改革を特に重視し、日本国民の思想と生活を大きく変えようとします。六・三制の義務教育期間など、現在の学校制度に通じる基盤がこの時につくられました。

関連法令と教育委員会によって地方教育行政が整えられることとなります。

■日本国憲法と教育基本法

1947(昭和22)年に施行された日本国憲法では「学問の自

由」(第23条)と「教育を受ける権利」「教育を受けさせる義務」(第26条)がうたわれ、同年施行の教育基本法では教育の目的及び理念、教育の実施に関する基本的条項、並びに教育における国と地方の責務が明示されるなどしました。

そのほか、国民の権利を保護する条項として、以下のような重要条文が含まれています。条文を通読し、内容を把握しておきましょう。

第11条　基本的人権の享有と本質
第13条　生命・自由・幸福追求の権利
第14条　法の下の平等と差別の排除
第19条　思想及び良心の自由
第25条　健康で文化的な最低限度の生活

また、公共の福祉に関する定義も盛り込まれています。基本的人権は個人に保障されるものですが、その個人は社会との関係を無視して生きることはできません。他人の基本的人権を侵害しないよう、制約があるものだと考えているのです。

また、単線型の学校体系や教育の機会均等を軸として学校運用の規則を定めた学校教育法も同年施行され、学校教育制度の整備が進められました。

3 近年の着目すべき視点

昭和後期からは教育の乱れが広く指摘されるようになりました。背景には核家族化や平成時代の景気低迷などがあるともいわれ、社会構造との関連を意識すべき着目点が増えてきています。社会的に極端な権利主張が目立つようになり、幼少期から対人能力や道徳心を養成していく必要性も唱えられています。また、家庭教育への支援も重視されています。

■ 幼保連携型認定こども園

幼保連携型認定こども園は、幼稚園教育要領に依拠する幼稚園と保育所保育指針に依拠する保育所の双方の機能を併せ持つ施設です。都道府県が条例で認定内容を定め、小学校との連携や小学校へのスムーズな進学及び学習移行を促す役割を果たしています。

ここをチェック!

「少子高齢社会への総合的な対応に関する関係行政機関の事務の調整に関する事務をつかさどる」という誤りを見抜く問題でした。文部科学省に該当するかどうかは教育業務に特化できる内容かどうかで見極めましょう(31-前-7)。

ここが問われた!

子ども・子育て支援法における「教育・保育施設」について出題されました(令4-前-8)。

ここが問われた!

幼保連携型認定こども園教育・保育要領
「第1章　総則」の「第3　幼保連携型認定こども園として特に配慮すべき事項」に関し、園児一人一人の状況の違いや個人差に対して配慮や工夫を求める内容について問われました(令4-後-5)。

■道徳教育

近年は我が国でも道徳心の低下が憂慮されており、教育施策における重要課題となっています。生命を大切にする心や他人を思いやる心、善悪の判断などの規範意識等の道徳性を身につけることを重視して、2018（平成30）年４月から「特別の教科　道徳」が小学校に設定されています。ただし、この教科では数値による評価は行わないこととなりました。

なお、文部科学省の資料「『特別の教科 道徳』の指導方法・評価等について（報告）」においては道徳の評価にあたって、

・数値による評価ではなく、記述式とすること
・個々の内容項目ごとではなく、大くくりなまとまりを踏まえた評価とすること
・他の児童生徒との比較による評価ではなく、児童生徒がいかに成長したかを積極的に受け止めて認め、励ます個人内評価として行うこと
・学習活動において児童生徒がより多面的・多角的な見方へと発展しているか、道徳的価値の理解を自分自身との関わりの中で深めているかといった点を重視すること
・道徳科の学習活動における児童生徒の具体的な取組状況を一定のまとまりの中で見取ること

が求められています。

ここをチェック!

特別の教科　道徳
道徳教育は単一の科目として処理することなく、発達の段階をも踏まえつつ、あらゆる学校教育活動を通じて行われるべきであると考えられ、道徳への思索を深めることに重点が置かれています。

■中央教育審議会

文部科学大臣の諮問機関で1952（昭和27）年に設置されました。文部科学省の多数の審議会の中では最高位となり、最も重要な事項を取り扱います。近年では道徳の教科化や学校における働き方改革（教師の過重労働改革）などの話題で注目を集めるようになりました。この機関の答申は教育政策・教育行政を左右する影響力の強いものとなっています。

中央教育審議会の答申（2001（平成13）年の省庁再編以降）から出題されることが増えています。「チーム学校」「道徳教育」「子どもの体力向上」など、教育時事ワードへの関心を高めておく姿勢が求められます。

■生涯学習社会

文部科学省は、人々が生涯のいつでも自由に学習機会を選択し学ぶことができ、その成果が適切に評価される社会として「生涯学習社会」の概念を定義しています。

国民一人一人が自己の人格をみがき、豊かな人生を送るこ

とができるよう、その生涯にわたってあらゆる機会に、あらゆる場所において学習することができ、その成果を適切に活かすことのできる社会の実現をめざして、生涯学習の振興に取り組むこととしています。以下の取り組みを通してその実現をめざします。

・多様な学習機会の提供(様々な教育機関・民間教育事業者・NPO法人と連携)
・学習成果の評価・活用(単位認定・学位授与・民間教育事業の質の向上など)
・普及・啓発から学習成果の活用へ
・社会人の学び直し産学連携による職業教育プログラムの開発・実施

■青少年の自殺の状況

厚生労働省『令和5年版　自殺対策白書』には、以下のような点が報告されています。

(1) 死因順位から見た自殺の状況(2021(令和3)年)
・10～39歳までの死因の第1位が「自殺」である。
・特に、15～29歳の年齢段階では、死因の半数以上が「自殺」によるものである。
・男女別では、男性は10～44歳、女性は10～34歳の各年齢階級において、死因は「自殺」によるものが第1位である。

(2) 「学生・生徒等」の自殺者数の状況(2022(令和4)年)
・「大学生」が最も多く(438人)、次いで「高校生」(354人)、「中学生」(143人)となっている。
・男女別にみると、男性は「大学生」が最も多い。女性は「高校生」が最も多く、次いで「大学生」となっている。

4 中央教育審議会の答申

中央教育審議会の答申から頻繁に出題されています。

中央教育審議会の答申はその後の教育施策の基盤となるため、次の時代の教育を左右する、きわめて重要な資料といえます。出題された答申を以下に挙げます。

■「新しい時代における教養教育の在り方について」(平成14年2月)

核家族化・少子化・都市化などの進行による家庭や地域の教育力低下を問題点として挙げ、近年の子どもたちに見られる教育上の諸課題について論じています。形式的な平等にとらわれ、一人一人の多様な個性や能力の伸長に留意してこなかったことや、自ら学び、自ら考える力や豊かな人間性を育む教育がおろそかになっていたことを指摘しています。

■「子どもの体力向上のための総合的な方策について」(平成14年9月)

児童生徒が体を動かす時間を多く確保することを説き、教師には、子どもの発達段階に応じて、体を動かす楽しさや喜びを体験させる指導のための実技研修の充実も求めました。また、学校教員のみならず、地域のスポーツ指導者の参画にも触れています。

「外遊びとスポーツのすすめ――体を動かそう全国キャンペーン(仮称)」の展開や、「外遊び・スポーツスタンプカード(仮称)と親子で行うスポーツ活動」「スポーツふれあい広場などによる機会・場・仲間の確保」など、学校教育に限らず親子間・地域連携での取り組みについても提案されています。

ここが問われた!
幼児教育での小学校教育との接続の改善について出題されました(令3-後-10)。

■「子どもを取り巻く環境の変化を踏まえた今後の幼児教育の在り方について」(平成17年1月)

幼児教育の充実のための具体的方策として、①幼稚園等施設の教育機能の強化・拡大、②家庭や地域社会の教育力の再生・向上、③幼児教育を支える基盤等の強化を提唱しています。主な具体的施策としては、小学校教育との連携・接続の強化・改善、幼稚園教員の養成・採用・研修等の改善、幼稚園等施設における子育て支援の推進、幼稚園における自己評価・外部評価と情報提供等の推進などを提示しました。

生涯学習振興施策や働き方の見直し等による家庭や地域社会の教育力の再生・向上にも触れています。

■「新しい時代を切り拓く生涯学習の振興方策について～知の循環型社会の構築を目指して～」(平成20年2月)

平成18年12月の教育基本法改正による「生涯学習の理念」(第3条)、「家庭教育」(第10条)、「社会教育」(第12条)、「学校、家庭、地域住民等の相互の連携協力」(第13条)等の規定の充実を踏まえた提言です。「社会の変化や要請に対応するために必要な力」として、次代を担う子どもたちに必要な「生きる力」を育むこと、成人に必要な変化の激しい時代を生き抜くための学習を継続でき、かつその成果を適切に生かせる環境をつくることを求めています。

学校・家庭・地域が連携するための仕組みをつくり、社会全体の教育力を向上させることの重要性を説いています。

■「道徳に係る教育課程の改善等について」(平成26年10月)

学校における道徳教育は、道徳の時間を要としつつも、あらゆる教育活動を通じて行われるべきものとの考えを基本とし、児童生徒の発達段階を踏まえて内容や指導法を見直していくべきことが説かれています。教育基本法で教育の目的とされている「人格の完成」のため、その人格の基盤となる道徳性を高めることが道徳教育の使命であるとしています。道徳の教科化について、「学校の教育活動全体を通じて行う道徳教育の要である『道徳の時間』を『特別の教科 道徳』(仮称)として位置付けた上で、道徳に係る教育課程の在り方を改善する必要がある」と提起しています。

■「チームとしての学校の在り方と今後の改善方策について」(平成27年12月)

学校において子どもが成長していく上で、教員に加えて、多様な価値観や経験を持った大人と接したり、議論したりすることで、より厚みのある経験を積むことができるとし、本当の意味での「生きる力」を定着させるために、「チームとしての学校」が求められていると説いています。

教科や学年といった構造上の区分を超え、組織全体としての運営改善を求め、「専門性に基づくチーム体制の構築」「学

?ここが問われた!

変化の激しい社会を生き抜くために必要な生涯学習の環境づくりについて出題されました(令3-前-9)。

?ここが問われた!

カリキュラム・マネジメントやPDCAサイクルについて出題されました(31-前-9)。

校のマネジメント機能の強化」「教員一人一人が力を発揮できる環境の整備」の３つの視点から学校のマネジメントモデルの転換を図るべきとしています。

ここが問われた！

2030年とその先の社会の在り方を見据えた、学校教育を通じて子どもたちに育てたい姿について出題されました（令1-後-8）。多様性の尊重に触れ、学校の教育活動での取り組みだけでなく、地域社会の中での交流・共同学習の推進を図るべきとしている箇所について問われました（令3-前-10）。教育課程に関する記述について問われました（令5-前-6）。

■「幼稚園、小学校、中学校、高等学校及び特別支援学校の学習指導要領等の改善及び必要な方策等について」（平成28年12月）

それまでの学習指導要領等改訂の経緯と子どもたちの現状や教育的課題を踏まえ、社会の変化が加速度を増し、複雑で予測困難な時代となっている中で、感性を豊かに働かせながら、どのような未来を創っていくのか、どのように社会や人生をよりよいものにしていくのかという目的を自ら考え出せる人間へと育んでいくことの大切さを説きました。

「生きる力」の理念の具体化に向けて、「主体的・対話的で深い学び」の実現（「アクティブ・ラーニング」の視点）の重要性を説き、“生きて働く「知識・技能」の習得”、“「思考力・判断力・表現力等」の育成”、“学びを人生や社会に生かそうとする「学びに向かう力・人間性等」の涵養”という３つの柱に基づく教育課程の枠組みの整理を教育施策に求めています。また、配慮が必要な子どもに対し、一人一人の教育的ニーズに応じた「個別の教育支援計画」や「個別の指導計画」の作成を求めています。

ここが問われた！

「第１部　総論　1．急激に変化する時代の中で育むべき資質・能力」の内容が出題されました（令5-後-10）。

■「「令和の日本型学校教育」の構築を目指して～全ての子供たちの可能性を引き出す、個別最適な学びと、協働的な学びの実現～」（令和３年１月）

Society5.0時代の到来や新型コロナウイルスの感染拡大など、予測困難な時代であること、また急激な社会変化を踏まえ、今後の学校教育の方向性が示されました。今後の教育の方向性のキーワードは個別最適な学びと協働的な学びです。具体的には、以下のように示されています。

> 2020年代を通じて実現を目指す学校教育を「令和の日本型学校教育」とし、その姿を「全ての子供たちの可能性を引き出す、個別最適な学びと、協働的な学びとした。ここでは、ICTの活用と少人数によるきめ細かな指導体制の整備により、「個に応じた指導」を学習者視点から整理した概念である「個別最適な学び」と、これまでも「日本型学校教育」において重視されてきた、「協働的な学び」とを一体的に充実することを目指している。

また、幼児教育においては、以下のような学びの姿が実現することを目指すとされています。

> 幼稚園等の幼児教育が行われる場において、小学校教育との円滑な接続や特別な配慮を必要とする幼児への個別支援、質の評価を通じたPDCAサイクルの構築が図られるなど、質の高い教育が提供され、良好な環境の下、身近な環境に主体的に関わり様々な活動を楽しむ中で達成感を味わいながら、全ての幼児が健やかに育つことができる。

なお、「第Ⅱ部　各論」の「1．幼児教育の質の向上について」も、一読しておきましょう。「基本的な考え方」として、以下の3点があげられています。

> ・幼児教育は、生涯にわたる人格形成の基礎を培う重要なものである。また、学校教育の始まりとして幼稚園では、義務教育及びその後の教育の基礎を培うことを目的としている。
> ・幼稚園、保育所、認定こども園といった各幼児教育施設においては、集団活動を通して、家庭や地域では体験し難い、社会・文化自然等に触れる中で、幼児期に育みたい資質・能力を育成する幼児教育の実践の質の向上に一層取り組んでいく必要がある。
> ・新型コロナウイルス感染症への対応をとりつつ、子供の健やかな育ちをいかに守り支えていくかが今日の課題となっており、こうした課題にも的確に対応するため、教育環境の整備も含めた幼児教育の内容・方法の改善・充実や、幼児教育を担う人材の確保・資質及び専門性の向上、幼児教育を推進するための体制の構築等の取組を進めることが必要である。

■その他の答申について

出題された資料に限らず、中央教育審議会の答申では、生涯学習・特別支援・道徳の視点が特に重視されているようです。今後もこうした視点からの教育観が求められると考えてよいでしょう。

答申は文部科学省のホームページで閲覧できますので、幼児教育にかかわるものを閲覧しておくことをお勧めします。

表2　その他の重要な答申

公表年	名　称
2005(平成17)年10月	「新しい時代の義務教育を創造する」
12月	「特別支援教育を推進するための制度の在り方について」
2011(平成23)年1月	「今後の学校におけるキャリア教育・職業教育の在り方について」
2013(平成25)年12月	「今後の地方教育行政の在り方について」
2015(平成27)年12月	「新しい時代の教育や地方創生の実現に向けた学校と地域の連携・協働の在り方と今後の推進方策について」
2018(平成30)年12月	「人口減少時代の新しい地域づくりに向けた社会教育の振興方策について」

ここが問われた！

「人口減少時代の新しい地域づくりに向けた社会教育の振興方策について」から、「地域における学びのきっかけづくり」に関して問われました(令5-前-9)。

2022(令和4)年12月	「『令和の日本型学校教育』を担う教師の養成・採用・研修等の在り方について」

5 諸外国の教育実践

ここが問われた!

諸外国で取り組まれている様々な教育のスタイルについて問われました(令4-後-7、令5-後-5)。

試験対策として、諸外国の教育実践についてもおさえておきましょう。

表3 諸外国の教育実践

名称	実施国	内容
森の幼稚園	デンマーク	1954年に保護者集団によって定型化された。
テ・ファリキ	ニュージーランド	ニュージーランドの保育カリキュラムのこと。マオリ(ニュージーランドの先住民族)語で「敷物」を意味する。学術ではなく思考や探求、人々との交流を深めていくための4原則5要素がうたわれている。マーガレット・カーが「学びの物語 Learning Stories」という保育記録を開発・提案した。
シュタイナー教育	ドイツ	自由学校から始まった。
イエナ・プラン	ドイツで始まりオランダで発展	学年の枠組みを超えて取り組まれる。ペーターセンが創始した。
レッジョ・エミリア・アプローチ	イタリア	個々の感性を伸ばすことに重点を置く。
ウィネトカ・プラン	アメリカ	子どもたちの創造力育成に重点を置く。
ドルトン・プラン	アメリカ	一斉授業を排した。
エシコウル	フィンランド	小学校入学への接続を重視する。

○×チェック問題

文部科学省「『特別の教科　道徳』の指導方法・評価等について（報告）」について、文中の空欄を適切な語句で埋めなさい。

数値による評価ではなく（ 1 ）とすること、他の児童との比較ではなく児童生徒がいかに成長したかを積極的に受け止めて認め、（ 2 ）個人内評価とすること、道徳的価値の理解を（ 3 ）との関わりの中で深めているかといった点を重視することなどを教育者に求めている。

答え

1 記述式
2 励ます
3 自分自身

諸外国の教育実践について、正しいものに○、誤ったものに×で答えなさい。

1　テ・ファリキは、イタリアの保育カリキュラムのことである。
2　レッジョ・エミリア・アプローチは、ニュージーランド発祥の保育で、個々の感性を伸ばすことに重点を置いている。
3　イエナ・プランは、アメリカで発祥しオランダで発展した教育方法で、異年齢のクラス編成が１つの特徴である。
4　シュタイナー教育は、ルドルフ・シュタイナーが提唱した教育方法で、ドイツの自由学校から始まった。

答え

1 ×「イタリア」ではなく「ニュージーランド」
2 ×「ニュージーランド」ではなく「イタリア」
3 ×「アメリカ」ではなく「ドイツ」
4 ○

テーマ6 教育を取り巻く諸問題

現代は高度なグローバル化社会・情報化社会となり、国境の概念が薄れゆくとともに、全世界的な格差や不平等への改善意識が高まりつつあります。教育にも格差や不平等がありますが、それを解消する決め手としても教育は寄与できるものとして注目されます。

一方、国内においては少子高齢化・核家族化が極限まで進み、教育上の諸問題が浮き彫りとなっています。いじめや体罰・虐待・特別支援教育など、課題が山積されており、その改善・解決に資する生涯学習等の取り組みも始まっています。

ESD(持続可能な開発のための教育)、SDGs(持続可能な開発目標)、いじめ、生涯学習の仕組みづくりと「生きる力」、特別支援教育、第4期教育振興基本計画

1 「ESD」と「SDGs」

大量消費社会がもたらした環境破壊と国家間格差などの反省に立ち、全世界的な視点で「環境」と「開発」を共存させ、循環型の社会を実現させる必要性が高まっています。国際社会では1980年代からこの課題に取り組み始め、現在は次の2件が運用されています。

■ESD(持続可能な開発のための教育(Education for Sustainable Development))

2002(平成14)年、国際連合「持続可能な開発に関する世界首脳会議」(通称：地球サミット)で日本が「ESDの10年(2005～2014年)」を提唱して採択されました。

特に次の2つの観点が必要とされています。

ESD
文部科学省ウェブサイト(「日本ユネスコ国内委員会」解説ページ)に概略がまとめられています。

・人格の発達や、自律心、判断力、責任感などの人間性を育むこと
・他人との関係性、社会との関係性、自然環境との関係性を認識し、「関わり」「つながり」を尊重できる個人を育むこと

■ SDGs（持続可能な開発目標（Sustainable Development Goals））

2015（平成27）年9月の国連サミットにおいて全会一致で採択された、「誰一人取り残さない」持続可能で多様性と包摂性のある社会の実現のための2030年を年限とする17の国際目標です。全体で169件のターゲットを定めています。

「普遍性」（先進国を含め、すべての国が行動）、「包摂性」（人間の安全保障の理念を反映し「誰一人取り残さない」）、「参画型」（すべてのステークホルダーが役割を）、「統合性」（社会・経済・環境に統合的に取り組む）、「透明性」（定期的にフォローアップ）の5つを特徴としています。

2 国内の教育問題と政策

平成以降は社会構造の多様化・複雑化に伴い、教育問題も多様化・複雑化してきました。また、その解決策も多岐にわたり、かつ以前の手法が通じにくくなったり、法の守備範囲では届きにくくなったりするなど、改善・進化が求められる領域もあります。

■ いじめ

2013（平成25）年、「いじめ防止対策推進法」が公布されました。同法第1条において、いじめが、いじめを受けた児童等の教育を受ける権利を著しく侵害し、その心身の健全な成長及び人格の形成に重大な影響を与えるのみならず、その生命または身体に重大な危険を生じさせるおそれがあるものであることに鑑み、児童等の尊厳を保持するため、いじめの防止等（いじめの防止、いじめの早期発見及びいじめへの対処をいう）のための対策に関し、基本理念を定めることとされています。また第2条において、「児童等に対して、当該

ここが問われた！
SDGs
「ODA」や「OECD」などの国際用語を5つ選択肢に並べ、その中から「持続可能な開発目標」の略語を選択する形で出題されました。今後、内容を問う問題が出される可能性も十分に考えられます（令4-前-9）。

さらに深める
他の活動内容とからめ、国際連合教育科学文化機関（ユネスコ）の定義や我が国との関わりが出題される可能性も考えられます。

ここが問われた！
内閣府「子供の貧困対策に関する大綱」から、幼児教育・保育の質の向上のための幼稚園教諭・保育士等のあり方について出題されました（令4-前-10）。

ここが問われた！
いじめ防止対策推進法第3条の条文から正誤問題が出題されました。条文を確認し、学校のみならず関わるすべての大人がこの問題に向き合い、見過ごすことのないよう対処していく必要があることを説いている点に着目してください（令2-後-10）。

児童等が在籍する学校に在籍している等当該児童等と一定の人的関係にある他の児童等が行う心理的又は物理的な影響を与える行為(インターネットを通じて行われるものを含む。)であって、当該行為の対象となった児童等が心身の苦痛を感じているものをいう」として、いじめの明確な定義がなされました。

現代は暴言・暴力のみならずＳＮＳなどインターネット上のいじめも多発しています。

同年の資料「学校における『いじめの防止』『早期発見』『いじめに対する措置』のポイント」も文部科学省のホームページで閲覧しておきましょう。具体的な対応姿勢と措置について解説されています。

体罰と懲戒の区別については、文部科学省「体罰の禁止及び児童生徒理解に基づく指導の徹底について(通知)」にも示されています。要点は次の通りです。

① 場所的及び時間的環境、懲戒の態様等の諸条件を総合的に考え、個々の事案ごとに判断する必要がある。

② 身体に対する侵害を内容とするもの(殴る、蹴る等)、児童生徒に肉体的苦痛を与えるようなもの(正座・直立等特定の姿勢を長時間にわたって保持させる等)に当たると判断された場合は、体罰に該当する。

■体罰

2012(平成24)年末に大阪の市立高校で起きた教師による体罰を原因とする生徒の自殺をきっかけとして、翌2013(平成25)年、社会的な改善要求が一段と高まったのは記憶に新しいところです。学校教育法は第11条で次の通り体罰を禁止しています。「校長及び教員は、教育上必要があると認めるときは、文部科学大臣の定めるところにより、児童、生徒及び学生に懲戒を加えることができる。ただし、体罰を加えることはできない。」

家庭での体罰については「しつけ」を言い訳とする児童虐待が後を絶たないことから、2019(令和元)年に児童虐待の防止等に関する法律(児童虐待防止法)が改正され、2020(令和２)年４月から親権者による体罰が禁止されることとなりました。

■生涯学習の仕組みづくりと「生きる力」

1990(平成２)年、生涯学習に関する初めての法律として生涯学習の振興のための施策の推進体制等の整備に関する法律(生涯学習振興法)が制定されました。

2006(平成18)年、教育基本法が改正され、生涯学習の理念について第３条で以下のように整理されています。「国民一人一人が、自己の人格を磨き、豊かな人生を送ることができるよう、その生涯にわたって、あらゆる機会に、あらゆる場所において学習することができ、その成果を適切に生かすことのできる社会の実現が図られなければならない。」

生涯学習と深い関連性をもつものに「**生きる力**」があります。子どもたちが自ら学び、自ら考え、主体的に判断・行動し、問題を解決する資質や能力のことをいいます。小学校・中学校の**学習指導要領**には1998(平成10)年、初めて盛り込まれました。文部科学省は「これからの社会を生きる子どもたちは、自ら課題を発見し解決する力、コミュニケーション能力、物事を多様な観点から考察する力(**クリティカル・シンキング**)、様々な情報を取捨選択できる力などが求められると考えられます」としています。

生きる力

「生きる力」の理念の具体化に関連して、中央教育審議会の2016(平成28)年の答申から、**2030年とその先の社会のあり方を見据えながら学校教育を通じて育てたい姿**の内容について出題されました(令1-後-8)。

■特別支援教育

特別支援教育の整備の歴史は古くなく、2004(平成16)年にLD・ADHD・高機能自閉症に関して支援整備のためのガイドラインが試案として提示されました。2012(平成24)年、中央教育審議会から「**共生社会の形成に向けたインクルーシブ教育システム構築のための特別支援教育の推進(報告)**」が示され、翌2013(平成25)年には文部科学省から「**学校教育法施行令の一部改正について(通知)**」が出されています。

なお、2007(平成19)年、それまでの盲学校・聾学校・養護学校は**特別支援学校**として同一の学校種へと変更されました(名称は以前のままの学校もあります)。

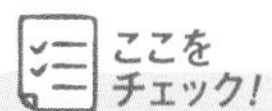

特別支援に関連して「**障害者差別解消法【合理的配慮の提供等事例集】**」から事例判断の問題が出されました。また、障害者支援の基本理念である「**障害者の権利に関する条約**」の条文も出題されています(31-前-10)。

第4期教育振興基本計画(期間：2023～2027年度)

将来の予測が困難なVUCAの時代であること、少子化・人口減少・高齢化が進んでいる社会変化を踏まえ、以下の2つの基本方針が掲げられています。

① 持続可能な社会の創り手の育成

② 日本社会に根差したウェルビーイングの向上

さらに、以下の5つの基本的な方針を示しています。

① グローバル化する社会の持続的な発展に向けて学び続ける人材の育成

② 誰一人取り残されず、全ての人の可能性を引き出す共生

社会の実現に向けた教育の推進

③　地域や家庭で共に学び支え合う社会の実現に向けた教育の推進

④　教育デジタルトランスフォーメーション（DX）の推進

⑤　計画の実効性確保のための基盤整備・対話

■児童虐待防止に向けた学校対応

児童虐待防止に向けた学校対応について、2004（平成16）年1月に文部科学省から「児童虐待防止に向けた学校における適切な対応について（通知）」が出されました。要点は以下の通りです。

①　学校生活のみならず、幼児児童生徒の日常生活面について十分な観察、注意を払いながら教育活動をする中で、児童虐待の早期発見・対応に努める。

②　学級担任、生徒指導担当教員、養護教諭、スクールカウンセラーなど教職員等が協力して、日頃から幼児児童生徒の状況の把握に努める。

③　不登校児童生徒が家庭等にいる場合についても、学級担任等の教職員が児童生徒の状況に応じて家庭への訪問を行うことなどを通じて、その状況の把握に努める。

④　虐待を受けた幼児児童生徒を発見した場合は、速やかに児童相談所又は福祉事務所へ通告し、虐待の確証がなくても、疑いがある場合は関係機関へ連絡、相談をするなど、日頃からの連携を十分に行う。

■児童虐待防止を強化するための法改正

2019（令和元）年6月、「児童虐待防止対策の強化を図るための児童福祉法等の一部を改正する法律」が公布されました。一部の規定を除き、2020（令和2）年4月から施行されました。改正の趣旨として、児童虐待防止対策の強化を図るため、児童の権利擁護、児童相談所の体制強化及び関係機関間の連携強化等の措置を講ずるべきことが示されています。以下、重要ポイントを列挙します。

⑴　児童の権利擁護

①　児童虐待の防止等に関する法律関連

・親権者は、児童のしつけに際して体罰を加えてはならないこととする。

② 児童福祉法関連

・都道府県（児童相談所）の業務として、児童の安全確保を明文化する。

・児童福祉審議会において児童に意見聴取する場合においては、その児童の状況・環境等に配慮するものとする。

(2) 児童相談所の体制強化及び関係機関間の連携強化等

① 児童虐待の防止等に関する法律関連

・都道府県は、一時保護等の介入的対応を行う職員と保護者支援を行う職員を分ける等の措置を講ずるものとする。

・児童虐待を行った保護者について指導措置を行う場合は、児童虐待の再発を防止するため、医学的または心理学的知見に基づく指導を行うよう努めるものとする。

・都道府県知事が施設入所等の措置を解除しようとするときの勘案要素として、児童の家庭環境を明文化する。

② 児童福祉法関連

・都道府県は、児童相談所が措置決定その他の法律関連業務について、常時弁護士による助言・指導のもとで適切かつ円滑に行うため、弁護士の配置またはこれに準ずる措置を行うものとするとともに、児童相談所に医師及び保健師を配置する。

・都道府県は、児童相談所の行う業務の質の評価を行うことにより、その業務の質の向上に努めるものとする。

・児童福祉司の数は、人口、児童虐待相談対応件数等を総合的に勘案して政令で定める基準を標準として都道府県が定めるものとする。

・児童福祉司及びスーパーバイザーの任用要件の見直し、児童心理司の配置基準の法定化により、職員の資質の向上を図る。

そのほか、児童相談所の設置促進や、福祉事務所、配偶者暴力相談支援センター、学校及び医療機関など、関係機関間の連携強化に関する内容が盛り込まれています。児童の住所移転に伴う地域間の児童相談所同士の情報交換の必要性、関わる諸施設の職員が守るべき守秘義務や相互連携の努力義務なども明記されています。

ここが問われた！
文部科学省の政策「GIGAスクール構想」の実施理念について出題されました（令5-前-8）。

■ GIGAスクール構想

義務教育段階において子どもたちに１人１台の端末を持たせ、高速で大容量の通信ネットワーク環境も整備し、ICT教育環境の充実をめざす構想です。あらゆる場所・機会でICTが活用されている現代社会の状況を踏まえ、ICT端末を鉛筆やノートと同じように必須の学習用具と捉えています。GIGAとは、Global and Innovation Gateway for Allの頭文字を並べたものです。この名称から、将来的な国際社会での活躍や、社会人となって革新を主導できる能力の育成を視野に入れていることがわかります。

多様な子どもたちを誰一人取り残すことのない、公正に個別最適化された学びを全国の学校現場で持続的に実現させることを目標としており、文部科学省資料「「GIGAスクール」構想について」（令和２年７月）には、「特別な支援を必要とする子供を含め、多様な子供たち一人一人に個別最適化され、資質・能力が一層確実に育成できる教育ICT環境を実現する」と明記されています。

一人一人に合わせた教育で学習活動をより充実させ、自分の考えを広げたり深めたりできるような成長をめざします。インターネット等を用いて調べ物をしたり、意見を議論したりするなど、良識のある情報発信ができるようにすることが考えられており、「わかる授業」や「魅力ある授業」の実現にも役立てるとされています。

3 文部科学省の通知・資料等

試験において、文部科学省の通知・資料等から頻繁に出題されています。

出題された資料に限らず、文部科学省の通知や資料は今後の教育施策を厳格に規定していくものとなりますので、子どもたちに関わる立場として、知っておくべき極めて重要な内容となります。出題された通知・資料等を以下に挙げます。

■「特別支援教育の推進について(通知)」(平成19年4月)

改正学校教育法の施行に当たり、幼稚園、小学校、中学校、高等学校、中等教育学校及び特別支援学校において行う特別支援教育について基本的な考え方や留意事項等をまとめて示した資料です。

特別支援教育の理念や校長の責務のほか、特別支援教育を行うための体制の整備及び必要な取り組みとして、校内委員会の設置や実態把握、特別支援教育コーディネーターの指名、関係機関との連携を図った「個別の教育支援計画」の策定などに触れています。

幼児児童生徒の障害の重度・重複化、多様化等に対応した教育を一層進めるため、特別支援学校における「個別の指導計画」の作成を求め、一人一人に応じた教育を進めることとしています。

ここが問われた!
特別支援教育の理念や幼児児童生徒への支援の充実について正誤が問われました(令1-後-10)。

■「幼児期の教育と小学校教育の円滑な接続の在り方について(報告)」(平成22年11月)

子どもの発達や学びの連続性を保障するため、幼児期の教育(幼稚園、保育所、認定こども園における教育)と児童期の教育(小学校における教育)が円滑に接続し、体系的な教育が組織的に行われることが極めて重要であると説かれています。

ここが問われた!
児童期の教育とは異なる幼児期の教育の特徴について正誤が問われました(令3-前-4)。

第1章では幼小接続の現状と課題を、第2章では幼小接続の体系として、教育の連続性・一貫性や学びの芽生えの時期から自覚的な学びの時期への円滑な移行、その段階移行において求められる教育を、第3章では幼小接続における教育課程編成・指導計画作成上の留意点を解説しています。第4章では連携・接続の体制づくりや教職員の資質向上、幼児期と児童期をつながりとして捉える工夫、家庭や地域社会との連携・協力など、幼小接続の取り組みを進めるための方策を提案しています。

ここが問われた!
学校段階等間の接続に関して小学校学習指導要領の第1章「総則」の第2「教育課程の編成」から出題がありました(令4-前-6)。

■「体罰根絶に向けた取組の徹底について（通知）」（平成25年8月）

体罰の未然防止策として、体罰の禁止、組織的な指導体制の確立と指導力の向上、部活動指導における体罰の防止のための取り組みに触れています。また、徹底した実態把握および早期対応のために、体罰の実態把握と報告および相談の徹底、事案に応じた厳正な処分等、さらには再発防止策の策定を教育委員会（ならびに管理職）に求めています。

ここが問われた！
SNSトラブルについて、前後の文脈に合わせた適切な語句が問われました（令3-後-8）。

■「学校における『いじめ防止』『早期発見』『いじめに対する措置』のポイント」（平成25年10月）

いじめについての教職員の共通理解を求め、「いじめは人間として絶対に許されない」との雰囲気を学校全体に醸成していくことが大切だとしています。いじめが生まれる背景と指導上の注意を提示し、また、子どもたちの自己有用感や自己肯定感を育む教育姿勢を求めています。

早期発見と事後の措置についても注意点を示し、関係した児童生徒の保護者への助言のほか、いじめが起きた集団への働きかけやネット上のいじめへの対応、学校組織の運営の改善や教職員研修の充実などにも言及し、広く総合的な姿勢でいじめ問題と向き合うことを提案しています。

ここが問われた！
・ドイツの教育制度について、文章から国名を選ぶ問題（令3-前-8）
・イギリスの学校系統図について（令6-前-3）

■「諸外国の教育統計」

諸外国の教育制度や教育データを網羅した統計資料で、平成25年版をもって廃止された資料「教育指標の国際比較」の後継資料にあたります。

米・英・仏・独・中・韓等における教育の普及状況や諸条件、教育費等について文部科学省がまとめた資料で、各国の学校種別の学校数・在学率・教員数・学費等から各国の教育状況を比較できる内容となっています。

この資料のうち「1.1 学校系統図と学校統計」には、各国の学校系統図（教育制度を図示したもの）が記載されています。

ここが問われた！
文部科学省の機能について、正誤が問われました（31-前-7）。

■文部科学省の機能

過去には、通知や資料ではなく、文部科学省そのものの機能をたずねる出題もありました。文部科学省の役割を理解することが求められます。

文部科学省は国の行政機関の１つで、2001（平成13）年１月の省庁再編成の際に文部省と科学技術庁が統合する形で設置された、教育や科学技術・学術、スポーツ、文化の振興という幅広い分野の政策を取り扱う組織です。

文部科学大臣を長として、副大臣２名、大臣政務官２名、秘書官で組織を束ねます。

事務次官の配下に文部科学審議官２名、大臣官房、総合教育政策局、初等中等教育局、高等教育局、科学技術・学術政策局、研究振興局、研究開発局、国際統括官が属します。

下位組織にスポーツ庁と文化庁があり、それぞれに長官が配置されています。また、外局として国立教育政策研究所、科学技術・学術政策研究所、日本学士院、地震調査研究推進本部、日本ユネスコ国内委員会があります（2024（令和６）年４月１日現在）。

■ その他の資料

通知等の資料は文部科学省のホームページで閲覧できますので、幼児教育に関わってくるものを一度は閲覧しておくことをお勧めします。昨今は生涯学習・特別支援・道徳のほか、いじめや虐待など、子ども関連の社会問題が頻発しています。仕事を進める上でも重要な資料といえるでしょう。

そのほか、特に閲覧をお勧めしておきたい資料を紹介します。

・「「特別の教科　道徳」の指導方法・評価等について（報告）」（平成28年７月）（道徳教育に係る評価等の在り方に関する専門家会議）…要点をまとめた「概要版」もあります。
・「OECD生徒の学習到達度調査（PISA）」…OECDが進めている国際的な学習到達度に関する調査です。15歳児を対象に読解リテラシー、数学的リテラシー、科学的リテラシーの３分野について、おおよそ３年ごとに実施されています。2023年12月には「PISA2022」の調査結果が公表されています。日本は、前回の「PISA2018」と比べ３分野すべ

文部科学省では主に学校とその制度の維持運用、**教職員の人材育成と資質向上**、科学技術・スポーツ・文化に関する振興政策などを取り扱っています。少子高齢社会など総合的な施策の統括は内閣府が主導しています。

文部科学省の組織図は、以下のリンクから確認できます。

さらに深める

今後の試験でも出題の可能性が考えられますので、文部科学省ホームページの「**新着情報**」を時々チェックするとよいでしょう。新着情報については、メールマガジンの配信も行われています。

ここが問われた！

OECD生徒の学習到達度調査（PISA2018）に関する出題がありました（令４-後-８）。「OECD生徒の学習到達度調査（PISA）」の調査結果については、以下のリンクから確認できます。

ここが問われた！

「新・放課後子ども総合プラン」の事業内容について問われました。放課後児童クラブは厚生労働省、放課後子供教室は文部科学省の事業であることを確認しておきましょう(令5-後-9)。「学びや生活の基盤をつくる幼児教育と小学校教育の接続について～幼保小の協働による架け橋期の教育の充実～」(令和５年２月)(中央教育審議会)から出題されました(令6-前-10)。

てで平均得点や順位が上昇した結果となりました。

・「学習指導要領におけるESD関連記述」(令和元年11月)…小学校の部を参照。
・「学校教育のはじまりとしての幼稚園教育」(令和２年12月)
・「新・放課後子ども総合プラン」(詳細はp.239を参照)
・「学びや生活の基盤をつくる幼児教育と小学校教育の接続について～幼保小の協働による架け橋期の教育の充実～」(令和５年２月)(中央教育審議会)

○×チェック問題

文部科学省「幼児期の教育と小学校教育の円滑な接続の在り方について（報告）」（平成22年11月）について、（　）を正しい語句で埋めなさい。

第１章で幼小接続の課題を説き、第２章では教育の連続性・（１）、第３章では幼小接続における課程編成と（２）作成上の留意点、第４章では幼児期と児童期を（３）として捉える工夫を踏まえながら、小学校教育への円滑な移行について解説している。

答え

1 一貫性　**2** 指導計画　**3** つながり

「いじめ防止対策推進法」のいじめの定義に関する説明について、（　）を正しい語句で埋めなさい。

児童等に対して、当該児童等が在籍する学校に在籍している等当該児童等と一定の人的関係にある他の児童等が行う心理的又は（１）な影響を与える行為（インターネットを通じて行われるものを（２）。）であって、当該行為の対象となった児童等が（３）の苦痛を感じているものをいう。

答え

1 物理的　**2** 含む　**3** 心身

「新・放課後子ども総合プラン」に関する説明の（　）の語句について、正しいものに○、誤ったものに×で答えなさい。

共働き家庭等の（１　「中１の壁」）を打破するとともに、次世代を担う人材を育成するため（２　共働き家庭）の就学児童が放課後等を安全・安心に過ごし、多様な体験・活動を行うことができるよう、文部科学省と厚生労働省が（３　協力して）事業の整備等を進める。

答え

1 × 「小１の壁」　**2** × 全て　**3** ○

第 3 章

社会的養護

頻出テーマ

テーマ1 社会的養護の基本理念と原理
令4-前-5 令4-後-1 令5-前-1 令5-後-1 令6-前-1,3

テーマ2 社会的養護関係施設
令4-後-3,4,9 令5-前-2,9,10 令5-後-8 令6-前-2

テーマ3 社会的養護関係施設における施策と運営指針
令4-前-3 令4-後-2,6,7,8 令5-前-3,6,8 令5-後-2,6,7
令6-前-4,5,6,10

テーマ4 社会的養護に関わる機関と専門職
令4-後-5 令5-後-3

テーマ5 児童虐待と被措置児童虐待
令4-前-2 令6-前-7

テーマ6 社会的養育の推進に向けて
令4-前-1 令4-後-10 令5-前-4,5 令5-後-5

「社会的養育の推進に向けて」から知識が問われたり、社会的養護関係施設の実施要項や運営指針の詳細が出題されたりするよ。テキストで紹介している部分に加え、原文もチェックしておこう！

テーマ1 社会的養護の基本理念と原理

社会的養護とは、何らかの事情で保護者のない児童や保護者に監護させることが適当でない児童を、公的な責任によって社会的に養育し、保護するとともに、養育に大きな困難を抱える家庭への支援を行うことをいいます。ここではまず、社会的養護に関する基本理念と原理について確認していきます。

児童の権利に関する条約、児童福祉法、社会的養護の基本理念と原理、新しい社会的養育ビジョン

1 社会的養護の基本理念

ここが問われた！

・児童福祉法の条文の穴埋め問題(令3-後-1)
・児童の権利に関する条約の記述について(令5-前-1)
・児童福祉法第２条について(令5-後-1)

社会的養護の基本的な考え方は、児童の権利に関する条約や児童福祉法が元となっています。

児童の権利に関する条約第３条には「児童に関わるすべての措置をとるに当たっては、公的若しくは私的な社会福祉施設、裁判所、行政当局又は立法機関のいずれによって行われるものであっても、児童の最善の利益が主として考慮されるものとする」と示されています。

児童福祉法第１条では「全て児童は、児童の権利に関する条約の精神にのっとり、適切に養育されること、その生活を保障されること、愛され、保護されること、その心身の健やかな成長及び発達並びにその自立が図られることその他の福祉を等しく保障される権利を有する」と規定されています。また、第2条では「全て国民は、児童が良好な環境において生まれ、かつ、社会のあらゆる分野において、児童の年齢及び発達の程度に応じて、その意見が尊重され、その最善の利益が優先して考慮され、心身ともに健やかに育成されるよう努めなければならない」「児童の保護者は、児童を心身ともに健やかに育成することについて第一義的責任を負う」「国及び地方公共団体は、児童の保護者とともに、児童を心身ともに健やかに育成する責任を負う」と示されています。

こうした法律や条約を根拠に、子どもの最善の利益のために、社会全体で子どもを育むことが基本理念として示されています。

2 社会的養護の原理

社会的養護の基本理念に基づいて、子どもたちに保障すべき養育環境の整備や必要な関わりと支援が整理され、厚生労働省通知の社会的養護施設それぞれの運営指針に共通して、社会的養護の原理の６つの項目が示されています。

ここが問われた！

社会的養護の原理に関する記述の正誤は頻出です（31-前-4、令1-後-8、令2-後-7，8）。

表１　社会的養護の原理（一部抜粋）

①家庭的養護と個別化	・すべての子どもは、適切な養育環境で、安心して自分をゆだねられる養育者によって養育されるべき。 ・一人一人の子どもが愛され大切にされていると感じることができ、子どもの育ちが守られ、将来に希望が持てる生活の保障が必要。 ・「あたりまえの生活」を保障していくこと。 ・できるだけ家庭あるいは家庭的な環境で養育する「家庭的養護」と、個々の子どもの育みを丁寧にきめ細かく進めていく「個別化」が必要。
②発達の保障と自立支援	・未来の人生を作り出す基礎となるよう、子ども期の健全な心身の発達の保障を目指す。 ・愛着関係や基本的な信頼関係の形成が重要。 ・自立や自己実現を目指して、子どもの主体的な活動を大切にするとともに、様々な生活体験などを通して、自立した社会生活に必要な基礎的な力を形成していく。
③回復をめざした支援	・虐待体験や分離体験などによる悪影響からの癒しや回復をめざした専門的ケアや心理的ケアなどの治療的な支援も必要。 ・安心感を持てる場所で、大切にされる体験を積み重ね、信頼関係や自己肯定感（自尊心）を取り戻していけるようにしていくことが必要。
④家族との連携・協働	・悩みを抱えている親、適切な養育環境を保てず困難な状況におかれている親子に、問題状況の解決や緩和をめざし、的確に対応するため、親と共に、親を支えながら、あるいは親に代わって、子どもの発達や養育を保障していく包括的な取り組みをする。

ここが問われた！

児童養護施設運営指針について継続的支援と連携アプローチに関する出題がありました(令6-前-1)。

⑤継続的支援と連携アプローチ	・始まりからアフターケアまでの継続した支援と、できる限り特定の養育者による一貫性のある養育。 ・児童相談所等の行政機関、各種の施設、里親等の様々な社会的養護の担い手が、それぞれの専門性を発揮しながらの連携アプローチが求められる。 ・支援の一貫性・継続性・連続性というトータルなプロセスを確保していくことが求められる。 ・一人一人の子どもに用意される社会的養護の過程は、「つながりのある道すじ」として子ども自身にも理解されるようなものであることが必要。
⑥ライフサイクルを見通した支援	・社会に出てからの暮らしを見通した支援を行うとともに、入所や委託を終えた後も長くかかわりを持ち続け、帰属意識を持つことができる存在になっていくことが重要。 ・子どもが親となり、子どもを育てる側になっていくという世代を繋いで繰り返されていく子育てのサイクルへの支援。虐待や貧困の世代間連鎖を断ち切っていけるような支援。

3 新しい社会的養育ビジョン

ここが問われた！

・「新しい社会的養育ビジョン」の年代を問う出題(令4-前-5)
・「新しい社会的養育ビジョン」における社会的養護の考え方について(令4-後-1)
・「新しい社会的養育ビジョン」に示された内容について(令6-前-3)

「新しい社会的養育ビジョン」は、日本の社会的養護の施策の方向性を示すものとして2017(平成29)年に厚生労働省から公表されました。

経緯としては、2016(平成28)年の児童福祉法改正によって、子どもが権利の主体であること、実親による養育が困難であれば、里親や特別養子縁組などで養育されるよう、家庭養育優先の理念等が規定されたことを受け、とりまとめられました。具体的には5つのポイントが示されたので、こちらも丁寧に読み解いていきましょう。

表2 「新しい社会的養育ビジョン」の5つのポイント

①市区町村を中心とした支援体制の構築
②児童相談所の機能強化と一時保護改革
③代替養育における「家庭と同様の養育環境」原則に関して乳幼児から段階を追っての徹底、家庭養育が困難な子どもへの施設養育の小規模化・地域分散化・高機能化
④永続的解決(パーマネンシー保障)の徹底
⑤代替養育や集中的在宅ケアを受けた子どもの自立支援の徹底

さらに、上記5つのポイントを実現していくための9つの工程も示されました。

表3 「新しい社会的養育ビジョン」の9つの工程

①市区町村の子ども家庭支援体制の構築 ②児童相談所・一時保護改革 ③里親への包括的支援体制（フォスタリング機関）の抜本的強化と里親制度改革 ④永続的解決（パーマネンシー保障）としての特別養子縁組の推進 ⑤乳幼児の家庭養育原則の徹底と、年限を明確にした取組目標 ⑥子どもニーズに応じた養育の提供と施設の抜本改革 ⑦自立支援（リービング・ケア、アフター・ケア） ⑧担う人材の専門性の向上など ⑨都道府県計画の見直し、国による支援

そして、これらは子どもの権利保障のために最大限のスピードをもって実現することが必要であること、進めていく中で子どもが不利益を被ることがないように十分配慮することとされています。

○×チェック問題

1　社会的養護の考え方は「児童の権利に関する条約」や「児童福祉法」が元となっている。

2　児童福祉法第２条では、「児童の保護者は、児童を心身ともに健やかに育成することについて第一義的責任を負う」と示されている。

3「児童養護施設運営指針」における社会的養護の６つの原理として「家庭養育と集団化」がある。

4「児童養護施設運営指針」における社会的養護の６つの原理として「発達の保障と自立支援」がある。

5「児童養護施設運営指針」における社会的養護の６つの原理として「回復をめざした支援」がある。

6「児童養護施設運営指針」における社会的養護の６つの原理として「家族との連携・協働」がある。

7「児童養護施設運営指針」における社会的養護の６つの原理として「継続的支援と連携アプローチ」がある。

8「児童養護施設運営指針」における社会的養護の６つの原理として「ライフサイクルを見通した支援」がある。

9「新しい社会的養育ビジョン」では「施設養育優先の理念」が規定された。

10「新しい社会的養育ビジョン」では「施設養育の小規模化」が示された。

答え

1 ○
2 ○
3 ×「集団化」ではなく「個別化」
4 ○
5 ○
6 ○
7 ○
8 ○
9 ×「施設養育」ではなく「家庭養育」
10 ○

テーマ2 社会的養護関係施設

家庭での養育が困難な子どもを養育する場合、多く選択されているのは施設での養育です。現在、社会的養護を必要とする子どもの約９割が施設に入所しているという現状を踏まえ、ここでは社会的養護関係施設の５つを紹介するとともに、社会的養護に関わるファミリーホーム、自立援助ホームについても解説していきます。

keyword **乳児院、児童養護施設、母子生活支援施設、児童心理治療施設、児童自立支援施設、ファミリーホーム、自立援助ホーム、専門職員の配置**

1 社会的養護の施設

社会的養護関係施設として①乳児院、②児童養護施設、③母子生活支援施設、④児童心理治療施設、⑤児童自立支援施設があります。それぞれの特徴をみていきましょう。

■乳児院

乳児院については、児童福祉法第37条に定められています。

> **第37条**　乳児院は、乳児（保健上、安定した生活環境の確保その他の理由により特に必要のある場合には、幼児を含む。）を入院させて、これを養育し、あわせて退院した者について相談その他の援助を行うことを目的とする施設とする。

入院している乳児は、両親の死亡や、遺棄・虐待・放任などの理由で保護者が養育できなくなり措置にいたるケースが

ここが問われた！

「社会的養護関係施設における親子関係再構築支援ガイドライン」の「親子関係再構築」の定義が出題されました（令6-前-2）。

ここをチェック！

「社会的養護関係施設における親子関係再構築支援ガイドライン」では、養育の問題がある家族を対象に、子どもと親との相互の肯定的なつながりを主体的に回復するために、乳児院、児童養護施設等が、親、子ども、親子関係、家族・親族に対して行うあらゆる支援について述べられています。

ここが問われた!
乳児院に関する記述の正誤について出題されました（令2-後-5）。

ほとんどです。近年では児童相談所から一時保護委託を受けることも多く、また、未婚の母が産んだ乳児も増加しています。

１年程度で退所する子どもが多いものの、保護者のもとへ戻れる乳幼児は25％程度です。そのまま児童養護施設へと引き継がれる乳幼児が多いといえます。

ここが問われた!
地域小規模児童養護施設について事例問題が出題されました（令5-前-10）。

■児童養護施設

児童養護施設については、児童福祉法第41条に定められています。

> **第41条**　児童養護施設は、保護者のない児童（乳児を除く。ただし、安定した生活環境の確保その他の理由により特に必要のある場合には、乳児を含む。以下この条において同じ。）、虐待されている児童その他環境上養護を要する児童を入所させて、これを養護し、あわせて退所した者に対する相談その他の自立のための援助を行うことを目的とする施設とする。

入所している児童は、両親の死亡や、遺棄・虐待・放任などのほか、保護者が長期にわたり拘禁されている、精神または身体の障害があるなどの理由も含まれます。入所年齢は原則として満１歳以上満18歳未満ですが、必要があれば満20歳まで認められます。在所平均は５年程度ですが、措置解除まで長期間養育される児童も多くいるのが現状です。虐待を受けた経験のある児童が多く、７割以上の児童が虐待経験あり（特にネグレクト）という調査結果が児童養護施設入所児童等調査で示されています。

ここが問われた!
母子生活支援施設の入所理由に関する問題が出題されました（令3-後-2）。母子生活支援施設の入所状況に関して出題されました（令4-後-3）。母子生活支援施設について事例問題が出題されました（令4-後-9、令5-前-9）。

■母子生活支援施設

母子生活支援施設については、児童福祉法第38条に定められています。

> **第38条**　母子生活支援施設は、配偶者のない女子又はこれに準ずる事情にある女子及びその者の監護すべき児童を入所させて、これらの者を保護するとともに、これらの者の自立の促進のためにその生活を支援し、あわせて退所した者について相談その他の援助を行うことを目的と

する施設とする。

入所の原因として、配偶者の死亡、離婚、拘禁、精神障害、非婚などによる生活困窮や住宅難があげられますが、近年では配偶者からの家庭内暴力（DV）によって入所しているケースが50％を占めています。なお、入所する児童もまた、母親へのDVを目撃していることから、心理的虐待を受けた児童が多いのも特徴として挙げられます。

■児童心理治療施設

児童心理治療施設については、児童福祉法第43条の2に定められています。

第43条の2　児童心理治療施設は、家庭環境、学校における交友関係その他の環境上の理由により社会生活への適応が困難となった児童を、短期間、入所させ、又は保護者の下から通わせて、社会生活に適応するために必要な心理に関する治療及び生活指導を主として行い、あわせて退所した者について相談その他の援助を行うことを目的とする施設とする。

入所の原因として、心理的・精神的問題を抱えていて、日常生活の多岐にわたって支障をきたしてしまうことから、心理治療を行うことを目的に入所します。小学校高学年から、障害に気づいて入所が増えるという事例が多く、児童養護施設入所児童等調査によると、広汎性発達障害の児童が50.6％を占めています。また、虐待された子どもが83.5％ということで、とても高いといえます。

■児童自立支援施設

児童自立支援施設については、児童福祉法第44条に定められています。

第44条　児童自立支援施設は、不良行為をなし、又はなすおそれのある児童及び家庭環境その他の環境上の理由により生活指導等を要する児童を入所させ、又は保護者の下から通わせて、個々の児童の状況に応じて必要な指導を行い、その自立を支援し、あわせて退所した者について相談その他の援助を行うことを目的とする施設とする。

入所の原因は、児童の行動上の問題や非行問題を起こした監護困難が多く、育ち直しや立ち直り、社会的自立に向けた支援を行います。家庭裁判所からの保護処分で入所する児童もいます。

児童養護施設入所児童等調査によると、虐待されたことのある児童が7割を超えている（身体的虐待が多い）と同時に、ADHD、自閉症スペクトラム、反応性愛着障害など心身の状況に「該当あり」の児童も7割を超えているという結果が示されています。

ここが問われた！
ファミリーホームの特徴に関して出題されました（令5-前-2、令5-後-8）。

2 ファミリーホーム（小規模住居型児童養育事業）

ファミリーホームは、子どもを養育者の家庭の中で預かって育てる形態です。児童養護施設よりも小さい単位で、より家庭に近いかたちで子どもを養育することができる場所です。

「都道府県」と「市町村」の入れ替え問題に注意しよう！

2008（平成20）年の児童福祉法改正により、第二種社会福祉事業の１つとして制度化され、事業の開始にあたっては、都道府県知事に対する届け出が必要になります。

入所する児童は、児童養護施設に入所する児童とほぼ同じ傾向にあります。やはり、児童養護施設入所児童等調査によると、虐待経験のある児童が56.8％と多く、中でもネグレクトや身体的虐待が多いという結果が示されています。

3 自立援助ホーム（児童自立生活援助事業）

ここが問われた！
自立援助ホームの入所児童の特徴に関する問題が出題されました（令3-後-2）。

自立援助ホームは、義務教育を終了した満20歳未満の児童等や、満20歳以上で学生であるなどその他の政令で定めるやむを得ない事情のある者で、児童養護施設入所の措置等を解除された者またはその他の都道府県知事が必要と認めたものに対し、共同生活を営む住居や児童養護施設等の施設、里親の居宅等における相談その他の日常生活上の援助及び生活指導並びに就業の支援等を行う事業で、児童福祉法第６条の３、第33条の６で規定されている第二種社会福祉事業です。

自立援助ホームは児童福祉施設ではありませんが、施設を措置解除された者が社会で自立することは困難であり、そうした児童を救済するという意味で、重要な役割を担っています。

ここをチェック！
児童福祉法改正により、自立援助ホームの対象者の年齢要件等が緩和されました(2024(令和6)年４月施行)。

4 施設の職員配置

社会的養護に関係する施設には、職員の配置が児童福祉法によって定められています。必ず配置しなければならない専門職員や、その他の職員については、表１の通りです。

ここが問われた！
社会的養護に関わる専門職等とその職種が必置と定められている施設・機関について出題されました(令3-後-7、令4-後-4)。

表１　社会的養護関係施設

施設名	支援内容	必置職員	その他職員
乳児院	短期間の入所の場合は、子育て支援。長期間入所している子どもについては養育のほかに、保護者支援や子どもの退所後のアフターケアなど	医師または嘱託医 看護師 個別対応職員 家庭支援専門相談員 栄養士及び調理員	心理療法担当職員[注1] 保育士 児童指導員
児童養護施設	食事や入浴などの生活全般の手助けや指導、学校行事への参加や進学・就職相談など生活支援(基本的信頼感の回復)と自立支援(社会性の獲得)	児童指導員 嘱託医 保育士 個別対応職員 家庭支援専門相談員 栄養士及び調理員	看護師[注2] 心理療法担当職員 職業指導員
母子生活支援施設	母親と子どもが一緒に生活できる住居の提供・自立支援(就労・家庭生活・児童の教育等の相談や助言) DVの被害者の一時保護や相談	母子支援員 嘱託医 少年を指導する職員 調理員またはこれに代わるべき者	個別対応職員[注3] 心理療法担当職員
児童心理治療施設	カウンセリングなどによる心理治療を行って、児童の成長・発達と自立を援助 親子関係の再構築等が図られるよう家庭環境の調整 退所した後、健全な社会生活を営むことができるよう心理療法及び生活指導	医師 心理療法担当職員 児童指導員 保育士 看護師 個別対応職員 家庭支援専門相談員 栄養士及び調理員	
児童自立支援施設	自立支援計画を策定 生活指導、学習指導、職業指導及び家庭環境の調整 児童への養育や心理的ケア等の支援、親子関係の再構築等を図	児童自立支援専門員 児童生活支援員 嘱託医及び精神科の診療に相当の経験を有する医師または嘱託医	心理療法担当職員 職業指導員

	る	個別対応職員 家庭支援専門相談員 栄養士並びに調理員	

注１：心理療法を行う必要があると認められる乳幼児またはその保護者10人以上に心理療法を行う場合は必置。
注２：乳児が入所している施設にあっては必置。
注３：配偶者からの暴力を受けたこと等により個別に特別な支援を行う必要があると認められる母子に当該支援を行う場合には必置。

○×チェック問題

1　乳児院には、保育士が必置である。
2「児童養護施設入所児童等調査」によると、児童養護施設には、虐待経験のある児童が７割以上いる。
3「児童養護施設入所児童等調査」によると、母子生活支援施設に入所する母の約５割がDV経験者である。
4「児童養護施設入所児童等調査」によると、母子生活支援施設には、心理的虐待を受けている児童は少ない。
5「児童養護施設入所児童等調査」によると、児童心理治療施設には、広汎性発達障害の児童が５割以上いる。
6「児童養護施設入所児童等調査」によると、児童心理治療施設には、虐待経験のある児童が８割以上いる。
7　児童自立支援施設では、児童の行動問題に対する立ち直りや社会的自立に向けた支援を行う。
8「児童養護施設入所児童等調査」によると、ファミリーホームには、虐待経験のある児童が２割程度いる。
9　自立援助ホームは、措置解除された児童を救済する役割を担っている。

答え

1 ×「必置である」ではなく「必置ではない」
2 ○
3 ○
4 ×「児童は少ない」ではなく「児童が多い」
5 ○
6 ○
7 ○
8 ×「２割程度」ではなく「５割以上」
9 ○

テーマ3

社会的養護関係施設における施策と運営指針

社会的養護における施設では、さまざまな施策や制度によって児童への支援や施設の運営が行われています。ここでは、施設運営に欠かせない、自立支援計画、運営指針、第三者評価について学びます。

自立支援計画、運営指針、第三者評価

1 自立支援計画

乳児院、児童養護施設、母子生活支援施設、児童心理治療施設、児童自立支援施設では、**児童福祉施設の設備及び運営に関する基準**に規定されている**自立支援計画**を策定しなければなりません。

策定は**義務**であり、施設入所後の児童について**個別**で策定されます。児童の担当職員をはじめとする多くの職員が計画に関わり、最終的な策定責任者は**施設長**とされ、その計画に基づいた支援を行います。

ここが問われた!
児童自立支援計画の策定に関する問題が出題されました(令3-後-4)。

2 運営指針

保育所に保育所保育指針があるように、社会的養護における施設にもそれぞれ運営の質を担保するための**運営指針**があります。

2012(平成24)年の厚生労働省通知によって、「**乳児院運営指針**」「**児童養護施設運営指針**」「**情緒障害児短期治療施設(現・児童心理治療施設)運営指針**」「**児童自立支援施設運営指**

ここをチェック!
各施設の運営指針についての出題傾向は、その施設の基本的事項についての記述の正誤が多く見られます。

針」「母子生活支援施設運営指針」「里親及びファミリーホーム養育指針」「自立援助ホーム運営指針」を定めました。

以下で取り上げる指針の一部引用からもわかるように、かなり具体的な内容が示されています。各指針の内容を押さえておきましょう。

表1　乳児院運営指針の抜粋

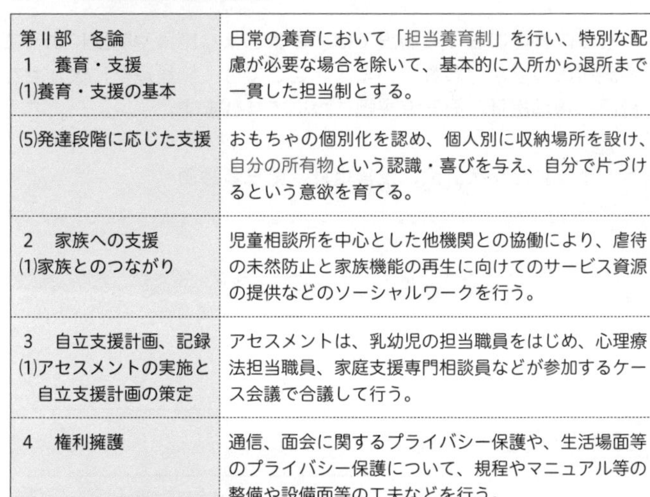

第Ⅱ部　各論 1　養育・支援 (1)養育・支援の基本	日常の養育において「担当養育制」を行い、特別な配慮が必要な場合を除いて、基本的に入所から退所まで一貫した担当制とする。
(5)発達段階に応じた支援	おもちゃの個別化を認め、個人別に収納場所を設け、自分の所有物という認識・喜びを与え、自分で片づけるという意欲を育てる。
2　家族への支援 (1)家族とのつながり	児童相談所を中心とした他機関との協働により、虐待の未然防止と家族機能の再生に向けてのサービス資源の提供などのソーシャルワークを行う。
3　自立支援計画、記録 (1)アセスメントの実施と自立支援計画の策定	アセスメントは、乳幼児の担当職員をはじめ、心理療法担当職員、家庭支援専門相談員などが参加するケース会議で合議して行う。
4　権利擁護	通信、面会に関するプライバシー保護や、生活場面等のプライバシー保護について、規程やマニュアル等の整備や設備面等の工夫などを行う。

表2　児童養護施設運営指針の抜粋

第Ⅱ部　各論 1　養育・支援 (1)養育・支援の基本	子どもの存在そのものを認め、子どもが表出する感情や言動をしっかり受け止め、子どもを理解する。
(4)住生活	発達段階に応じて居室等の整理整頓、掃除等の習慣が身につくようにする。
(6)性に関する教育	子どもの年齢・発達段階に応じて、異性を尊重し思いやりの心を育てるよう、性についての正しい知識を得る機会を設ける。
(7)自己領域の確保	でき得る限り他児との共有の物をなくし、個人所有とする。
(8)主体性、自律性を尊重した日常生活	日常生活のあり方について、子ども自身が自分たちの問題として主体的に考えるよう支援する。
(9)学習・進学支援、就労支援	公立・私立、全日制・定時制にかかわらず高校進学を保障する。
(12)継続性とアフターケア	子どもの特性を理解するための情報の共有化やケース会議を実施し、切れ目のない養育・支援に努める。

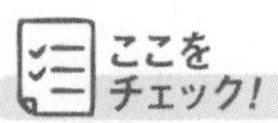

「乳児院運営指針」

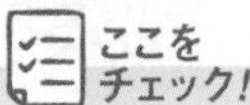

「児童養護施設運営指針」

ここが問われた!

「児童養護施設運営指針」からは頻繁に出題があります。

- 自立支援計画の策定(令4-後-6)
- 心理的ケア(令4-後-7)
- 子どもの養育・支援の記録(令4-後-8)
- 児童養護施設における子どもの特徴と背景(令5-前-3)
- 養育・支援(令5-前-6)
- 継続性とアフターケア(令5-後-6)
- 住生活、性、自己領域、日常生活(令5-後-7)
- 家族への支援(令6-前-5)
- 養育のあり方の基本(令6-前-10)

2　家族への支援 (1)家族とのつながり	子どもと家族の関係づくりのために、面会、外出、一時帰宅などを積極的に行う。
3　自立支援計画、記録 (1)アセスメントの実施と自立支援計画の策定	策定された自立支援計画を、全職員で共有し、養育・支援は統一かつ統合されたものとする。

「児童養護施設運営ハンドブック」の「地域支援」について問われました(令6-前-4)。

表3　情緒障害児短期治療施設(現・児童心理治療施設)運営指針の抜粋

第Ⅱ部　各論 1　治療・支援 (1)治療	子ども個々に心理治療の担当者を決め、定期的に実施し、効果について査定する。
(2)生活の中での支援	つまずきや失敗の体験を大切にし、子どもが主体的に解決していくプロセスを通して、自己肯定感などを形成し、自己を向上発展させるための態度を身につけられるよう支援する。
(10)学習支援、進路支援等	学習権を保障し、学習に主体的に取り組む意欲を十分に引き出し、適切な学習機会を確保する。
2　家族への支援 (1)家族とのつながり	自立支援計画、心理治療方針、服薬などの医療等について、入所後も適宜、家族と確認する機会を設けるなど家族への働きかけを行い、親子関係の継続や修復に努める。
4　権利擁護	子どもの意向を把握する具体的な仕組みを整備し、その結果を踏まえて、治療や支援の内容の改善に向けた取組を行う。

「情緒障害児短期治療施設運営指針」

第3章　社会的養護③

表4　児童自立支援施設運営指針の抜粋

第Ⅱ部　各論 1　支援 (1)支援の基本	施設での支援は子どもの基本的信頼感を構築することが不可欠であり、職員の高い専門性に基づく受容的・支持的かかわりを行う。
(7)行動上の問題に対しての対応	施設内の子ども間の暴力、いじめ、差別などが生じないよう施設全体に徹底する。
(9)主体性、自律性を尊重した日常生活	計画的な小遣いの使用等、金銭の自己管理ができるように支援する。
3　自立支援計画、記録 (1)アセスメントの実施と自立支援計画の策定	子どもが抱えている非行等の行動上の問題や課題を受け止め、児童相談所等との連携のもと、自立支援計画策定のための総合的なアセスメントを組織的に行う。
4　権利擁護	特別プログラムなど子どもの行動の自由などの規制については、子どもの安全の確保等のために、他に取るべき方法がない場合であって子どもの最善の利益になる場合にのみ、適切に実施する。

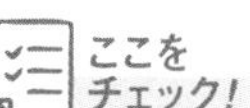

「児童自立支援施設運営指針」

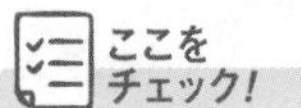

「母子生活支援施設運営指針」

表5　母子生活支援施設運営指針の抜粋

第Ⅱ部　各論 1　支援 ⑵入所初期の支援	入所に当たり、母親と子どもそれぞれの生活課題・ニーズを把握し、生活の安定に向けた支援を行う。
⑸DV被害からの回避・回復	24時間の受け入れや広域利用など、広く母親と子どもの緊急利用を受け入れる。
⑽就労支援	就労継続が困難な母親への支援を行い、必要に応じて職場等との関係調整を行う。
2　自立支援計画・記録 ⑵母親と子どもの支援に関する適切な記録	母子支援員日誌、少年指導員日誌、学童保育日誌、保育日誌、宿直日誌、日直日誌等を整備する。

ここを
チェック!

「里親及びファミリーホーム養育指針」

ここが
問われた!

「里親及びファミリーホーム養育指針」に関する出題がされました(令3-後-3、令4-前-3、令4-後-2、令5-後-2、令6-前-6)。

表6　里親及びファミリーホーム養育指針の抜粋

第Ⅱ部　各論 1　養育・支援 ⑴養育の開始	既に受託している子どもや実子を含む、生活を共にしている子どもへの事前の説明や働きかけを行うとともに、心の揺れ動きなどに十分に配慮する。
⑷子どもの名前、里親の呼称等	里父や里母の呼称について、お父さん、お母さん、おじさん、おばさん、○○(里親姓)のお父さん、お母さんなど受託された子どもの状況で決める。
⑹子どもの自己形成	真実告知のタイミングは、里親等が児童相談所や支援機関と相談の上、行うことが望ましい。
⒂委託の解除、解除後の交流	円滑に委託解除できるよう、子どもの意向を尊重するとともに、児童相談所の里親担当者と子ども担当者を交え、十分に話し合う。
2　自立支援計画と記録 ⑵記録と養育状況の報告	子どもが行動上の問題を起こす場合もあるため、問題が生じた背景や状況を記録し、児童相談所から適切な支援を受ける。

「自立援助ホーム運営指針」

表7　自立援助ホーム運営指針の抜粋

第Ⅱ部　各論 1　支援 ⑴支援の基本	存在そのものを受け入れるところから始まり、少しずつ自尊心を取り戻し、自己肯定感の向上を図ることが大切になる。このことは、スタッフの高い専門性に基づく受容的・支持的関わりが重要であり、基本的信頼感の構築につなげることでもある。
⑹性に関する教育	社会人としての性モラル、パートナーを尊重する大切さを伝える。
⑺ホーム内外での問題の対応	自立援助ホームは、失敗を保障する場所であり、決して規則で縛る場所ではない。罰を科したり、契約不履行だからとの理由で簡単に退居させることがないような対応が必要となる。

(13)家族関係調整	本人が家族との交流を拒否している場合、もしくは強引な引取りやストーカー行為などが予め予想される場合は、児童相談所等の関係機関と連携し、入居先を家族に教えないことも可能である。
6　スタッフの資質向上	スタッフが一人で問題を抱え込まないように、日頃から経験に関係なく、スタッフ同士意見を出し合う組織作りに努力する。

3 社会的養護施設における第三者評価

福祉サービス第三者評価は、社会福祉事業の経営者が第三者評価を受ける仕組みです。実施は任意ですが、社会的養護関係施設は子どもが施設を選ぶ仕組みではない措置制度であることから、施設運営の質の向上が必要です。そのため、「児童福祉施設の設備及び運営に関する基準」において、自らその行う業務の質の評価を行うとともに、定期的に外部の者による評価を受けて、それらの結果を公表し、常にその改善を図らなければならないと定められ、第三者評価及び自己評価の実施とそれらの結果の公表が義務づけられています。

具体的には、2012(平成24)年度から社会的養護関係施設の第三者評価が義務化され、各指針では3年に1回以上受審しなければならないこと、自己評価を毎年実施することが示されています。

ここが問われた!
第三者評価および自己評価の実施に関して出題されました(令3-後-8)。第三者評価に関して正誤が問われました(令5-前-8)。

第三者評価に関する規定をチェックしておこう

○×チェック問題

1　自立支援計画は、「児童福祉施設の設備及び運営に関する基準」に規定されている。

2　自立支援計画の策定は努力義務である。

3　乳児院では、担当養育制を基本としている。

4　児童養護施設では、自立支援計画を職員間で共有しない。

5　母子生活支援施設では、母親への就労支援も行う。

6　児童心理治療施設では、服薬など医療についても家族と確認していく。

7　児童自立支援施設では、金銭の管理については関与しない。

8　里親およびファミリーホームは、子どもを養育者の家庭に受け入れて養育する家庭養護である。

9　自立援助ホームは、失敗を保障する場所である。

10　社会的養護関係5施設（乳児院、児童養護施設、母子生活支援施設、児童心理治療施設、児童自立支援施設）では、第三者評価を受けることが努力義務とされている。

答え

1 ○

2 ×「努力義務」ではなく「義務」

3 ○

4 ×「共有しない」ではなく「全職員で共有する」

5 ○

6 ○

7 ×「関与しない」ではなく「自己管理できるよう支援する」

8 ○

9 ○

10 ×「努力義務」ではなく「義務」

テーマ4

社会的養護に関わる機関と専門職

ここでは社会的養護に関わる機関として、児童相談所、福祉事務所、要保護児童対策地域協議会について理解していきます。また、児童福祉施設に配置される専門職についても確認しておきましょう。

児童相談所、福祉事務所、要保護児童対策地域協議会

1 児童相談所

児童相談所は、児童福祉法に基づく行政機関です。都道府県、指定都市に設置が義務づけられていて、市町村との適切な協同、連携、役割分担を図りつつ、家庭等からの相談に応じ、子どもの福祉を図り、子どもの権利を擁護するのが目的です。

ここをチェック！
児童相談所は、児童虐待の防止等に関する法律の第一線実施機関です。

■児童相談所運営指針

児童相談所の概要や役割、組織についての指針を示している厚生労働省の通知で、1990(平成２)年に定められ、現在まで改正を重ねています。全９章から構成されており、児童相談所の概要、組織と職員、相談、調査、診断、援助、一時保護等について詳細が示されています。また、児童相談所の基本的な機能は、表１のとおりです。

ここをチェック！
児童相談所運営指針に詳細が示されていることに加え、児童福祉法にも児童相談所の規定があります。

ここが問われた！
児童相談所の一時保護について出題されました(令4-後-5)。

表１　児童相談所の基本的な機能

市町村援助機能	市町村による児童家庭相談と連携し、連絡や調整を行う。
相談機能	子どもに関する家庭などからの相談から、専門的支援が必要なものに対し援助を行う。
一時保護機能	必要に応じて、子どもを家庭から離して一時保護する。

措置機能	児童福祉施設に入所させたり、里親等に子どもを委託したりする。

2 福祉事務所

ここをチェック!

母子生活支援施設への入所は、原則、措置ではなく、利用者からの申し込みで行われ、その窓口は福祉事務所になります。

福祉事務所は、社会福祉法に基づく行政機関です。都道府県、市、特別区に設置義務があり、町村は任意設置となっています。事務所内に家庭児童相談室が設置され、社会福祉主事と家庭相談員が、育児や児童に関する相談に応じます。母子生活支援施設への入所手続きは、福祉事務所で行われています。

なお、福祉事務所は社会福祉六法(生活保護法、母子及び父子並びに寡婦福祉法、児童福祉法、老人福祉法、身体障害者福祉法、知的障害者福祉法)に定められた業務を行っています。

3 要保護児童対策地域協議会

ここをチェック!

厚生労働省令和2年度調査によれば、要保護児童対策地域協議会を設置している市町村は1738か所で、設置割合は99.8%になります。

要保護児童対策地域協議会は、要保護児童の適切な保護、要支援児童・特定妊婦への適切な支援を図るため、地方公共団体に設置されています(努力義務)。

2004(平成16)年の児童福祉法改正により、法定化されました。その役割を、要保護児童もしくは要支援児童及びその保護者または特定妊婦(支援対象児童等)への適切な保護や支援を図るために必要な情報の交換を行うとともに、支援対象児童等に対する支援の内容に関する協議を行うものとすると規定しています。

表2 支援の対象

要保護児童	保護者のない児童、又は保護者に監護させることが不適当であると認められる児童
要支援児童	乳児家庭全戸訪問事業やその他により把握した保護者の養育を支援することが特に必要と認められる児童
特定妊婦	出産後の養育について、出産前において支援を行うことが特に必要と認められる妊婦

4 専門職の配置施設

様々な児童福祉施設には、必ず配置しなければならない専門職員の種類が決まっています。児童福祉施設における職員に関する問題はよく出題される傾向がありますので、専門職と配置施設をおさえておきましょう。

表3 専門職の配置

専門職	配置施設
家庭支援専門相談員（ファミリーソーシャルワーカー）	児童養護施設、乳児院、児童心理治療施設、児童自立支援施設
児童指導員	児童養護施設、福祉型障害児入所施設、医療型障害児入所施設、福祉型児童発達支援センター、医療型児童発達支援センター、児童心理治療施設、乳児院
児童の遊びを指導する者	児童館、児童遊園、児童センター[注]
児童生活支援員	児童自立支援施設
里親支援専門相談員	（里親支援を行う）児童養護施設及び乳児院
心理療法担当職員	児童養護施設、児童自立支援施設、児童心理治療施設、乳児院、母子生活支援施設
看護師	乳児院、児童養護施設、福祉型障害児入所施設、医療型障害児入所施設、医療型児童発達支援センター、福祉型児童発達支援センター、児童心理治療施設
母子支援員	母子生活支援施設
児童福祉司	児童相談所
保育士	保育所、乳児院、児童館、児童センター[注]、放課後児童クラブ、児童養護施設、障害児入所施設、児童発達支援センター、児童心理治療施設、企業内保育所

注：児童館の機能に加えて、子どもたちの体力増進を図る機能があり、体力増進指導委員という専門の職員が配置されています。

ここが問われた！

児童相談所に児童福祉司が必置であることが出題されました（令3-後-7）。保育士、里親支援専門相談員、心理療法担当職員の配置について出題されました（令5-後-3）。

○×チェック問題

1　児童相談所は、社会福祉法に基づく行政機関である。
2　児童相談所は、都道府県、指定都市に設置が義務づけられている。
3　児童相談所の機能として、一時保護機能がある。
4　児童相談所の機能として、児童養護施設に入所させたり、里親等に子どもを委託したりする自由契約機能がある。
5　福祉事務所は、児童福祉法に基づく行政機関である。
6　福祉事務所は、都道府県、市、特別区に設置義務があり、町村は任意設置となっている。
7　福祉事務所は、母子生活支援施設の入所手続きを行っている。
8　要保護児童対策地域協議会は地方公共団体の設置が義務となっている。
9　要保護児童対策地域協議会は、2004（平成16）年の児童福祉法改正によって法定化された。
10　要保護児童対策地域協議会の支援対象は、要保護児童、要支援児童、特定妊婦である。

答え

1 ×「社会福祉法」ではなく「児童福祉法」
2 ○
3 ○
4 ×「自由契約機能」ではなく「措置機能」
5 ×「児童福祉法」ではなく「社会福祉法」
6 ○
7 ○
8 ×「義務」ではなく「努力義務」
9 ○
10 ○

＼テーマ5／
児童虐待と被措置児童虐待

児童虐待は、近年の社会問題の１つであり、幅広い知識が求められます。保育士試験では「社会福祉」「子ども家庭福祉」でも頻出です。虐待の定義、関連法、最新のデータを示すとともに、被措置児童への虐待問題についても解説します。

児童虐待の防止等に関する法律、虐待の種類、被措置児童虐待、被措置児童等虐待対応ガイドライン

1 児童虐待の防止等に関する法律（児童虐待防止法）

児童虐待には、保護者が18歳未満の児童に対して行う行為として、身体的虐待、性的虐待、ネグレクト、心理的虐待の４つがあります。これは、2000（平成12）年に制定された児童虐待の防止等に関する法律（児童虐待防止法）によって定義されました。

ここが問われた！
児童虐待の防止等に関する法律第14条の穴埋め問題が出題されました（令3-後-5）。

表１　虐待の種類

身体的虐待	殴る、蹴る、叩く、投げ落とす、激しく揺さぶる、やけどを負わせる、溺れさせる　など
性的虐待	子どもへの性的行為、性的行為を見せる、ポルノグラフィの被写体にする　など
ネグレクト（育児放棄）	家に閉じ込める、食事を与えない、ひどく不潔にする、自動車の中に放置する、重い病気になっても病院に連れて行かない　など
心理的虐待	言葉による脅し、無視、きょうだい間での差別的扱い、子どもの目の前で家族に対して暴力をふるう（DV）　など

2019（令和元）年に法律が改正され、児童の権利擁護の観

点から、しつけを理由とした親権者からの体罰の禁止が明文化されました。また、児童相談所の業務の明確化、市町村および児童相談所の体制強化等、児童虐待を防止するための施策が一層整備されたといえます。

■通告義務

児童虐待防止法では、児童の福祉に職務上関係のある団体及び個人に対し、「児童虐待の早期発見に努めなければならない」とされています。また、児童虐待を受けたと思われる児童を発見した者は、市町村、都道府県の設置する福祉事務所もしくは児童相談所に通告しなければならないとされています。

2 児童虐待の実態

全国の児童相談所における児童虐待の相談対応件数は、

図1　児童相談所における児童虐待相談対応件数と市町村における児童虐待相談対応件数の推移

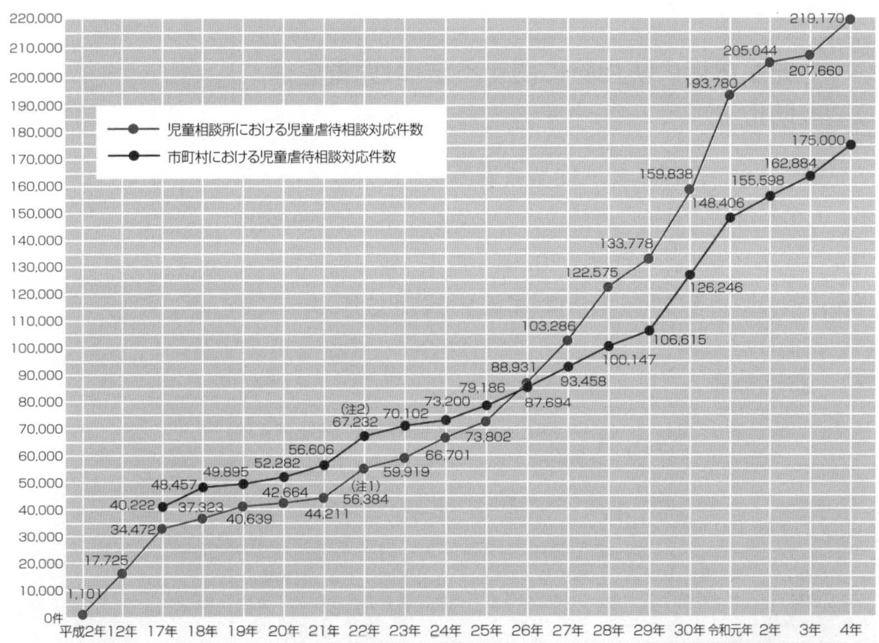

注1：東日本大震災の影響により、福島県を除いて集計した数値。
注2：東日本大震災の影響により、岩手県、宮城県（仙台市を除く）の一部及び福島県を除いて集計した数値。
資料：厚生労働省「福祉行政報告例」

1990（平成２）年度には1101件でしたが、2022（令和４）年度には21万9170件（速報値）となり、200倍近くになっています。背景として、社会的に児童虐待への理解が深まったことから警察からの通告が急増したこと、児童相談所全国共通ダイヤルの運用が2015（平成27）年より始まったことが挙げられます。

児童相談所における児童虐待相談対応件数の虐待種類別割合についても注目されています。種類別では、「心理的虐待」「身体的虐待」「ネグレクト」「性的虐待」の順に多くなっています。これは、子どもがDVを目撃することによる心理的虐待の急増が背景にあります。

図２　児童虐待種類別割合グラフ（2022（令和４）年）

■児童虐待種類別

総数 219,170件（速報値）

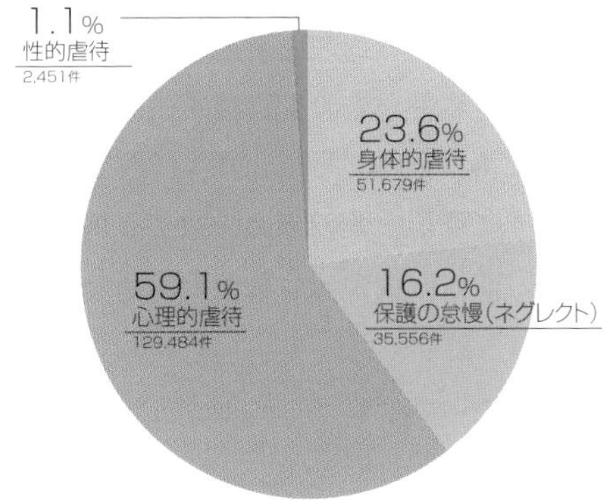

資料：厚生労働省「福祉行政報告例」

3　施設に入所してくる児童の被虐待体験

児童養護施設等に入所してくる子どもの多くが、虐待を受けた経験があります。児童養護施設では７割以上、児童心理治療施設では８割以上虐待を受けた経験があることが調査によって明らかとなっています。

ここが問われた！

児童養護施設入所児童の被虐待経験に関する問題が出題されました（令3-後-2）。「児童養護施設入所児童等調査の概要」から児童養護施設の入所児童の状況について出題されました（令4-前-2）。

図3　児童養護施設入所児童等の被虐待体験の有無

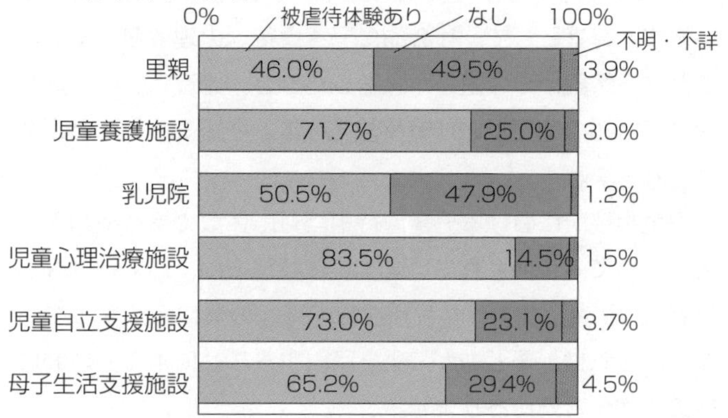

資料：厚生労働省「児童養護施設入所児童等調査結果」より作成

4　被措置児童等虐待の防止

さらに深める

「被措置児童等虐待対応ガイドライン」が作成され、都道府県の関係部局の連携体制や通告等があった場合の具体的対応等の体制をあらかじめ定めること、都道府県児童福祉審議会の体制を整備することや、関係施設の協議会等との連携・協議の強化が都道府県等に対し具体的に示されています。

施設等に入所してくる子どもに対して、施設職員等による虐待も明らかとなっています。不適切な事業運営や施設運営が行われている場合は、事業者や施設を監督する立場から適切な対応が必要となるため、2008（平成20）年に改正された児童福祉法では、被措置児童等虐待の防止に関する事項を盛り込み、被措置児童等の権利擁護を図るための仕組みが整備されました。

■ 被措置児童等虐待の定義

被措置児童等虐待とは、様々な事情により家庭での養育が困難であるため保護を要し、施設等への入所措置等をされた児童（被措置児童等）に対して、施設職員等が行う虐待を指します。

表2　虐待の種類

身体的虐待	被措置児童等の身体に外傷が生じ、または生じるおそれのある暴行を加えること
性的虐待	被措置児童等にわいせつな行為をすることまたは被措置児童等をしてわいせつな行為をさせること

ネグレクト	被措置児童等の心身の正常な発達を妨げるような著しい減食または長時間の放置、同居人もしくは生活をともにする他の児童による身体的虐待、性的虐待、心理的虐待の放置その他の施設職員等としての養育または業務を著しく怠ること
心理的虐待	被措置児童等に対する著しい暴言または著しく拒絶的な対応その他の被措置児童等に著しい心理的外傷を与える言動を行うこと

表３　施設職員等と被措置児童等の定義

施設職員等	・小規模住居型児童養育事業に従事する者 ・里親もしくはその同居人 ・乳児院、児童養護施設、障害児入所施設、児童心理治療施設もしくは児童自立支援施設の長、その職員その他の従業者 ・指定発達支援医療機関の管理者その他の従業者 ・一時保護する施設を設けている児童相談所の所長、当該施設の職員その他の従業者 ・委託を受けて児童に一時保護を加える業務に従事する者
被措置児童等	・里親等に委託された児童 ・乳児院等に入所する児童 ・一時保護が行われた児童

■被措置児童等虐待対応ガイドライン

「被措置児童等虐待」に着目し、都道府県・指定都市・児童相談所設置市（以下、都道府県）が準拠すべきガイドラインとして作成されたのが「被措置児童等虐待対応ガイドライン」です。各都道府県においては、このガイドラインを参考とし、都道府県内の関係者と連携して幅広く被措置児童等のための適切な支援策を推進することが求められます。

施設における被措置児童等虐待を予防し、また、虐待が発生した場合も再発防止を図るためには、都道府県として常に配慮することが必要です。都道府県内の関係者が共通の認識と、連携を深め、それぞれの各地域でよりよいケアを行うことができる体制づくりを進めていくことが重要です。

■令和３年度における被措置児童等虐待届出等制度の実施状況

施設職員等による被措置児童等虐待については、児童福祉法の規定により、都道府県市等が児童本人からの届出や周囲の者からの通告を受けて、調査等の対応を行い、その状況を都道府県知事等が公表しています。

令和３年度の全国の被措置児童等虐待の届出・通告受理件

風通しのよい組織運営
施設職員と施設長などが意思疎通・意見交換を図りながら、子どものケアの方針を定め、養育内容の実践、評価、改善を進めていく

開かれた組織運営
第三者委員や第三者評価の活用など、外部からの評価や意見を取り入れる

職員の研修、資質の向上
基幹的職員（スーパーバイザー）が指導することや自立支援計画のマネジメントを実施するノウハウの蓄積、ケーススタディの実施

子どもの意見をくみ上げる仕組み等
子どもの置かれた状況や子どもの権利などを記したいわゆる「子どもの権利ノート」等を活用する

ここが問われた！
「被措置児童等虐待対応ガイドライン」に示された虐待防止のための施設運営について問われました（令6-前-7）。

数は387件で、令和3年度に虐待の有無に係る事実確認が行われた事例(令和元年度以前の繰り越し事例を含む)のうち、都道府県市等において虐待の事実が認められた件数は131件でした。

① 虐待の事実が認められた施設等

・「児童養護施設」が69件(52.7%)
・「里親・ファミリーホーム」が21件(16.0%)
・「障害児入所施設等」が20件(15.3%)
・「児童自立支援施設」が8件(6.1%)
・「児童相談所一時保護所(一時保護委託含む)」が6件(4.6%)

② 虐待の種別・類型

・「身体的虐待」が68件(51.9%)
・「心理的虐待」が39件(29.8%)
・「性的虐待」が20件(15.3%)
・「ネグレクト」が4件(3.1%)

○×チェック問題

1 児童虐待には、身体的虐待、性的虐待、ネグレクト、心理的虐待の４つがある。

2 ネグレクトとは、育児放棄のことである。

3 心理的虐待には、子どもの前で暴力をふるう（DV）ことは含まれない。

4 児童虐待防止法では、児童虐待の早期発見に努めなければならないとされている。

5 虐待を受けたと思われる児童を発見した者には、市町村、福祉事務所または児童相談所への通告が義務付けられている。

6 児童虐待件数の増加は、社会的な虐待への理解の深まりが理由として挙げられる。

7 児童福祉法において、被措置児童等への虐待行為には経済的虐待が含まれる。

8 施設職員からの虐待を防止するため、2008（平成20）年の児童福祉法改正では、被措置児童等虐待の防止に関する事項を盛り込んだ。

9 令和元年度の被措置児童等虐待の種別で最も多いのは心理的虐待である。

10 被措置児童等虐待の定義は、身体に外傷を与える暴行、わいせつ行為、ネグレクト、心理的外傷を与える言動を行うことである。

答え

1 ○
2 ○
3 ×「含まれない」ではなく「含まれる」
4 ○
5 ○
6 ○
7 ×「含まれる」ではなく「含まれない」
8 ○
9 ×「心理的虐待」ではなく「身体的虐待」
10 ○

テーマ6 社会的養育の推進に向けて

子どもは家庭において健やかに養育されるものとされていますが、実際にはそれがかなわない子どもも多く存在します。そうした場合、より家庭に近い環境で養育されるべきだという考え方のもと、施設の小規模化や里親、養子縁組といった制度の充実が進められています。具体的な施策についてみていきます。

社会的養育の推進、里親、自立支援

1 里親制度

ここが問われた!

厚生労働省の資料「社会的養育の推進に向けて」の記述について出題されました(令2-後-6、令3-前-4、令4-前-1、令5-後-5)。

家庭における養育が適当でない場合の措置として、児童養護施設や乳児院のほかにも小規模住居型児童養育事業(ファミリーホーム)が挙げられますが、特に里親制度に関しては制度が社会のニーズに合わせて改正されています。

里親制度は、児童相談所が要保護児童の養育を委託する制度です。里親は、要保護児童を養育することを希望する者で、都道府県知事が委託をすることが適当と認め登録を受けた者とされています。

■里親制度の経緯

里親制度の法的根拠は児童福祉法です。第二次世界大戦後の戦災孤児や浮浪児対策として制度化されました。その後、2002(平成14)年には虐待を受けるなどして専門のケアが必要な子どもを対象とする専門里親と、3親等以内の親族(2011(平成23)年に「扶養義務者及びその配偶者である親族」に改正)を里親とする親族里親が創設されました。2008(平成20)年の改正では、それまで養育里親に含まれていた養子縁組里親を区分しました。その後、2016(平成28)年の改正では、養子縁組里親について研修の実施や名簿への登録等といった法定化が行われました。なお、同年には養子縁組の斡旋に関し、「民間あっせん機関による養子縁組のあっせんに係る児童の保護等に関する法律」が制定されました(2018(平成30)年4月から施行)。里親・養子縁組ともに広がりをみせています。

表1　里親制度の経緯

1948(昭和23)年	里親等家庭養育運営要綱の制定
1988(昭和63)年	民法の改正。特別養子縁組制度が実施
2002(平成14)年	里親の認定等に関する省令、里親が行う養育に関する最低基準が制定。里親制度の改正。里親の類型が「養育里親」「親族里親」「短期里親」「専門里親」となる。
2004(平成16)年	児童福祉法の改正。里親による監護、教育、懲戒について、児童福祉施設と同様の規定が追加
2008(平成20)年	児童福祉法の改正。養育里親と養子縁組里親を制度上区分、養育里親研修の義務化、里親支援を法定化、里親の類型が「養育里親」「専門里親」「養子縁組里親」「親族里親」となる。
2009(平成21)年	ファミリーホーム制度(小規模住居型児童養育事業)の創設
2011(平成23)年	里親委託ガイドラインの策定
2012(平成24)年	里親及びファミリーホーム養育指針の策定
2016(平成28)年	児童福祉法の改正。里親の普及啓発から里親の選定及び里親と児童との間の調整ならびに児童の養育に関する計画の作成までの一貫した里親支援が都道府県(児童相談所)の業務とされる。また、養子縁組里親の法定化及び研修の義務化が行われる。

■ 里親の種類と役割

① 養育里親

養育里親は原則として0歳から18歳まで(進学しなかった場合は中学卒業まで)の要保護児童を一定期間養育する里親です。必要な場合には、20歳未満まで措置延長できることとされています。

② 養子縁組里親

養子縁組によって養親となることを希望する里親。

③ 親族里親

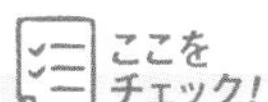

児童福祉法による里親(本文の4類型、里親と里子との間に親子関係はありません)と、民法に基づく「養子縁組」「特別養子縁組」(養親と養子の間に親子関係あり)は異なります。なお、普通養子縁組では実親との親子関係はそのままですが、特別養子縁組では実親との親子関係は終了します。

児童の親が死亡、行方不明、拘禁、入院や疾患などで養育できない場合に扶養義務者及びその配偶者である親族が子どもを養育する里親です。児童の精神的な負担を考慮し、養育里親よりも親族里親が優先されることが多いです。

④　専門里親

虐待された児童や非行等の問題を有する児童、及び身体障害児や知的障害児など、一定の専門的ケアを必要とする児童を養育する里親です。実家庭への家庭復帰や家族再統合、自立支援を目的としています。

「特別養子縁組」とは、民法に定められる子どもの福祉のための制度です。15歳未満の養子となる子どもの実親(生みの親)との法的な親子関係を解消し、実の子と同じ親子関係を結ぶ制度です。

ここが問われた!

特別養子縁組に関する記述の正誤を選択する問題が出題されました(令3-前-5)。

ここが問われた!

里親制度やファミリーホームに関する記述の正誤の組み合わせ問題が出題されました(令2-後-3)。里親制度に関する記述の正誤の組み合わせ問題が出題されました(令3-前-3)。

■里親になるための手続き

里親登録(認定)の要件として以下の要件を満たさなければなりません。要件を満たしていれば、里親の申し込みが可能です。

表2　里親認定の主な要件

- 心身ともに健全であること
- 子どもの養育についての理解や熱意と愛情をもっていること
- 経済的に困窮していないこと(親族里親は除く)
- 子どもの養育に関し虐待などの問題がないこと
- 「児童福祉法」及び「児童買春、児童ポルノに係る行為等の処罰及び児童の保護等に関する法律」の規定により罰金以上の刑に処せられたことがないこと

また、里親になるには、以下の手続きが必要です。

①里親希望

②児童相談所へ登録申請

③研修(親族里親は除く)、児童相談所の家庭訪問・調査

④都道府県児童福祉審議会から意見聴取

⑤里親認定・登録

⑥5年(専門里親は2年)ごとに更新と研修を受講(親族里親は除く)

■里親委託ガイドライン

「里親委託ガイドライン」に関し事例問題が出題されました(令4-後-10)。

里親制度は児童福祉法等の関係法令や通知「里親制度の運営について」等に基づいて行われていますが、各都道府県の児童相談所、里親会、里親支援機関、児童福祉施設などの関係機関が協働し、より一層の里親委託の推進を図るため「里親委託ガイドライン」が定められました。

里親委託優先の原則、できるだけ早い時期に家庭的な環境で養育されることが子どもの心身の成長や発達には不可欠であることなどが盛り込まれています。

■里親が行う養育に関する最低基準

児童福祉法の規定により里親に委託された児童について里親が行う養育に関する最低基準が定められています。「虐待等の禁止」等が明記されています。

・養育の一般原則

上記の最低基準に「養育の一般原則」が示されています。

（養育の一般原則）
第４条　里親が行う養育は、委託児童の自主性を尊重し、基本的な生活習慣を確立するとともに、豊かな人間性及び社会性を養い、委託児童の自立を支援することを目的として行われなければならない。
2　里親は、前項の養育を効果的に行うため、都道府県（指定都市及び児童相談所設置市を含む。）が行う研修を受け、その資質の向上を図るように努めなければならない。

ここが問われた！
「里親が行う養育に関する最低基準」の一部の穴埋め問題が出題されました（31-前-2）。

■里親委託推進等事業と里親支援専門相談員

里親委託を推進するためには、子どもを委託する児童相談所、要保護児童を実際に養育している乳児院等、子どもの委託を受ける里親が、互いをよく理解し、三者が協力しながら進めていく必要があり、児童相談所に「里親等委託調整員」を配置するとともに、「里親委託等推進委員会」を設け、児童相談所、乳児院等の施設及び里親との連携を図りつつ、施設から里親への子どもの委託を総合的に推進する事を目的に里親委託推進等事業があります。

・里親支援専門相談員

里親委託の推進・里親家庭への支援の充実の具体的な方策として、全国の児童養護施設及び乳児院に里親支援専門相談員を配置しています。

ここが問われた！
里親支援専門相談員に関する記述の正誤が問われました（令5-前-4、令5-後-5）。

表３　里親支援専門相談員の資格要件

①社会福祉士もしくは精神保健福祉士の資格を有する者
②児童福祉法第13条第３項各号のいずれかに該当する者

③児童養護施設等において児童の養育に5年以上従事した者

表4　里親支援専門相談員の仕事

・里親家庭への訪問
・電話相談・メール相談
・里親サロンの運営・参加
・週末里親等の調整
・里親委託の推進
・里親家庭の新規開拓
・里親家庭との交流行事への参加
・研修会への参加

2 小規模住居型児童養育事業(ファミリーホーム)

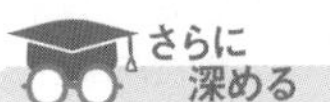

3つの違いを理解しましょう。
家庭養護…里親、ファミリーホーム
施設養護…施設
家庭的養護…グループホーム、小規模グループケア

小規模住居型児童養育事業は、養育者の家庭に児童を迎え入れて養育を行う事業です。児童福祉法第6条の3第8項に規定されています。

養育者は、養育里親としての経験や、児童養護施設等での勤務経験がある者とされています。委託児童の定員は5人または6人で、養育者の人数は2人の養育者(夫婦)及び1人の補助者とされますが、状況によっては、1人の養育者及び2人以上の補助者でも可能です。

3 養子縁組

養子縁組制度とは、保護者による養育が困難あるいは不適当とされる場合に、養親との間に法的な親子関係を成立させる制度です。民法に規定され、社会的養護の体系には入っていませんが、養子縁組里親からの関連で理解する必要があります。養子には2種類あり、普通養子は養子と実親との関係が存続したままであり、戸籍には養子であることが明記されます。特別養子は実親との関係が解消され、戸籍にも実子として記載されます。

なお、民法が改正され、2020(令和2)年4月から、特別養子縁組の対象児童の年齢要件が原則6歳未満だったのが、15歳未満へと引き上げられました。

表5　里親数、施設数、児童数等

里親	家庭における養育を里親に委託		登録里親数	委託里親数	委託児童数
			15,607世帯	4,844世帯	6,080人
	区分（里親は重複登録有り）	養育里親	12,934世帯	3,888世帯	4,709人
		専門里親	728世帯	168世帯	204人
		養子縁組里親	6,291世帯	314世帯	348人
		親族里親	631世帯	569世帯	819人

ファミリーホーム	養育者の住居において家庭養護を行う（定員5～6名）	
	ホーム数	446か所
	委託児童数	1,718人

施設	乳児院	児童養護施設	児童心理治療施設
対象児童	乳児（特に必要な場合は、幼児を含む）	保護者のない児童、虐待されている児童その他環境上養護を要する児童（特に必要な場合は、乳児を含む）	家庭環境、学校における交友関係その他の環境上の理由により社会生活への適応が困難となった児童
施設数	145か所	610か所	53か所
定員	3,827人	30,140人	2,016人
現員	2,351人	23,008人	1,343人
職員総数	5,519人	21,139人	1,512人

施設	児童自立支援施設	母子生活支援施設	自立援助ホーム
対象児童	不良行為をなし、又はなすおそれのある児童及び家庭環境その他の環境上の理由により生活指導等を要する児童	配偶者のない女子又はこれに準ずる事情にある女子及びその者の監護すべき児童	義務教育を終了した児童であって、児童養護施設等を退所した児童等
施設数	58か所	215か所	266か所
定員	3,400人	4,441世帯	1,719人
現員	1,099人	3,135世帯 児童5,293人	977人
職員総数	1,847人	2,070人	1,047人

小規模グループケア	2,318か所	地域小規模児童養護施設	581か所

※里親数、ファミリーホーム数、委託児童数、乳児院・児童養護施設・児童心理治療施設・母子生活支援施設の施設数・定員・現員は福祉行政報告例（令和4年3月末現在）
※児童自立支援施設の施設数・定員・現員、自立援助ホームの施設数・定員・現員・職員総数、小規模グループケア、地域小規模児童養護施設のか所数は家庭福祉課調べ（令和4年10月1日現在）
※職員総数（自立援助ホームを除く）は、社会福祉施設等調査報告（令和4年10月1日現在）
※児童自立支援施設は、国立2施設を含む
資料：こども家庭庁「社会的養育の推進に向けて」

4 社会的養護を対象とする児童数

保護者のいない児童、被虐待児など家庭環境上養護を必要とする児童などに対し、公的な責任として社会的に養護を行っている対象児童は、約4万2000人います(こども家庭庁「社会的養育の推進に向けて」より)。

「社会的養育の推進に向けて」における「家庭と同様の環境における養育の推進」の図からの出題や、「児童養護施設等入所児童等調査」の結果からの出題があります。ここから、国の方針についての理解や社会的養護を必要とする入所児童の状況について把握することが求められているといえます。

ここが問われた!
「家庭と同様の環境」について正誤が問われました(令5-前-5)。

5 社会的養護自立支援事業

里親等への委託や、児童養護施設等への入所措置を受けていた者で、18歳(措置延長の場合は20歳)到達後も引き続き里親家庭や施設に居住して個々の状況に応じて支援(生活相談・就労支援等)を行う事業として、社会的養護自立支援事業があります。実施主体は都道府県、指定都市、児童相談所設置市等があります。

ここが問われた!
社会的養護自立支援事業に関する問題が出題されました(31-前-7)。

○×チェック問題

1　里親は、要保護児童を養育することを希望する者で、都道府県知事が委託をすることが適当と認め登録を受けた者とされている。

2　里親の類型は、養育里親、専門里親、養子縁組里親、親族里親である。

3　養育里親は、原則として２歳から18歳までの要保護児童を養育する。

4　専門里親は、虐待された児童や非行等の問題を有する児童、障害児等の専門的ケアを必要とする児童を養育する。

5　養子縁組里親とは、養子縁組によって養親になることを希望する里親である。

6　親族里親の要件は、要保護児童の扶養義務者及びその配偶者である親族である。

7　里親委託の推進を図るために里親委託ガイドラインが定められている。

8　ファミリーホームの養育者は、養育里親としての経験や児童養護施設等での勤務経験がある者とされている。

9　養子縁組制度とは、保護者による養育が困難あるいは不適当とされる場合に、養親との間に法的な親子関係を成立させる制度である。

10　社会的養護の対象となる児童は、全国に約5000人いる。

答え

1 ○
2 ○
3 ×「２歳」ではなく「０歳」
4 ○
5 ○
6 ○
7 ○
8 ○
9 ○
10 ×「5000人」ではなく「4万2000人」

第4章

子ども家庭福祉

頻出テーマ

テーマ1 子どもの権利
令4-前-4 令4-後-1,4,5 令5-前-4 令5-後-1 令6-前-2

テーマ2 子ども家庭福祉に関する法律
令4-前-1,2,6,9 令4-後-6 令5-前-3,6,8,10,12
令5-後-5,11,16,18 令6-前-1,5,7,12

テーマ3 子ども・子育て支援に関する法律と事業
令4-後-7 令5-前-14 令5-後-19

テーマ4 児童福祉施設の種類
令4-前-8,13 令4-後-10,11 令5-前-9,15,16,17
令5-後-8,12 令6-前-9,13

テーマ5 日本の子ども家庭福祉の歴史
令4-前-3 令4-後-2,3,9,12 令5-前-1,2,11 令5-後-2,9,10
令6-前-4

テーマ6 子ども家庭福祉の現状と課題
令4-後-15,17 令5-後-4,13

テーマ7 子ども家庭支援と児童の健全育成
令4-前-7,10 令4-後-13 令5-前-13,18 令6-前-3,10,17

テーマ8 子ども・若者への支援と海外の子育て支援
令4-後-14,18 令5-前-19 令6-前-8

出題範囲が広いこともあって、難易度の高い科目といえるよ。子どもや保護者、家庭を取り巻く福祉政策に関連する法律や制度について、日頃から関心を持っておくことが大切！

\テーマ1/

子どもの権利

子ども家庭福祉とは、子どもとその保護者を対象とした、国や地方自治体および社会全体による生活と発達、自己実現を保障するための活動を意味します。まずは、子どもの権利がいつから認められるようになったのか、子ども観の変遷をおさえていきます。

児童福祉法、児童憲章、児童権利宣言、児童の権利に関する条約、こども基本法

1 子ども観の変遷

子ども観は近年まで様々な変遷を遂げています。近代にいたるまでは、ヨーロッパでは子どもは親や社会の所有物、もしくは働き手とみなされ、「小さな大人」と考えられていました。

その後18世紀後半、フランスの思想家ルソーは「子どもには乳幼児から成年へと至るまで自然な発達段階があり、自然は子どもが大人になる前に子どもであることを望んでいる」と述べました。19世紀になると、子どもの保護・育成を積極的に進める行政が始まり、1870年にはイギリスのバーナードによる児童養護施設「子どもの家」が開設しました。そして20世紀になると、スウェーデンの女性思想家エレン・ケイが「20世紀は児童の世紀である」と主張しました。このように子ども観は大きく変わっていきました。

ハーグ条約（国際的な子の奪取の民事上の側面に関する条約）
この条約は、国境を越えた子の連れ去りによって生ずる様々な子への悪影響から子を守るために、原則として元の居住国に子を迅速に返還するための国際協力の仕組みや国境を越えた親子の面会交流の実現のための協力について定めています。

2 子どもに関する宣言と条約

20世紀には、子どもの権利を保障する様々な宣言や条約が採択されました。

表1　子どもの権利保障等に関する経緯

制定等年	条約等名称	特　徴
1924年	ジュネーブ宣言	子どもの適切な保護が、「児童の権利に関するジュネーブ宣言」として国際的機関で初めて宣言された。
1951年	児童憲章	児童の基本的人権を尊重し、大人の守るべき事項を、国民多数の意見を反映して児童問題有識者が自主的に制定した道徳的規範。
1959年	児童の権利に関する宣言（児童権利宣言）	児童が、幸福な生活を送り、かつ、自己と社会の福利のためにこの宣言に掲げる権利と自由を享有することができるようにする。
1979年	国際児童年	社会の子どもへの関心を喚起するため、児童権利宣言制定20周年目に制定した。
1981年	国際障害者年	障害者が社会に完全に参加し、融和する権利と機会を享受することに向けることを目的とする。
1989年（日本は1994年に批准）	児童の権利に関する条約	児童（18歳未満）を権利を持つ主体と位置づけ、ひとりの人間として持っている権利を認め、弱い立場にある児童には保護や配慮が必要な面もあるため、児童ならではの権利も定めている。
1994年	国際家族年	家族の重要性を強調し家族問題に対する政府、国民の関心を高めることで、家族の役割、構造及び機能に対する理解、家族の関心事、現状及び問題に対する認識を深め、家族の福利を支援、促進するための施策を助長することを目的とする。

ここが問われた！

子どもの人権に関する歴史的経緯について出題されました（令3-前-4）。

ここが問われた！

・児童憲章の制定年と記述について（令3-後-2,3）
・児童憲章の前文についての穴埋め問題（令4-後-4）
・条約等歴史的事項の年代順（令6-前-2）

「児童の権利に関する条約」が採択された1989（平成元）年当時、1979（昭和54）年の「国際児童年」に始まり、1981（昭和56）年に「国際障害者年」、そして、1994（平成６）年の「国際家族年」と、国際的に児童の福祉政策に大きな影響を与えた時代でした。

3　児童の権利に関する条約

■日本が条約に批准するまでの経緯

1989（平成元）年に国際連合（国連）は児童の権利に関する条約を採択し、1990（平成２）年に日本はそれに署名し、1994（平成６）年にこの条約に批准しました。批准することでこの児童の権利に関する条約をまもることを宣言した締約国となりました。

条文もチェックしておこう

児童の権利に関する条約に批准した後の1999（平成11）年

改正の保育所保育指針に、同条約のテーマでもある「児童の最善の利益」という考え方が盛り込まれました。

■児童の権利に関する条約のポイント

① 児童は独立した固有の人格をもつ存在

② 「児童の最善の利益」を考慮する

③ 「受動的権利」(養育される権利等)と「能動的権利」(意見表明権や表現の自由等)がある

■家族から分離されない権利(第9条)

締約国は、児童がその父母の意思に反してその父母から分離されないことを確保し、また、父母の一方または双方から分離されている児童が父母との接触を維持する権利を尊重することが規定されています。

■意見を表明する権利(意見表明権)(第12条)

締約国は、自己の意見を形成する能力のある児童がその児童に影響を及ぼすすべての事項について自由に自己の意見を表明する権利を確保し、この場合において、児童の意見は、その児童の年齢及び成熟度に従って相応に考慮されると規定されています。

■障害児の権利(第23条)

締約国は、精神的または身体的な障害を有する児童が、その尊厳を確保し、自立を促進し及び社会への積極的な参加を容易にする条件のもとで十分かつ相応な生活を享受すべきであることを認めると規定されています。

■児童の権利に関する委員会の設置(第43条)

この条約において負う義務の履行の達成に関する締約国による進捗の状況を審査するため、児童の権利に関する委員会を設置することとされています。

表2 児童の権利に関する条約の主な内容

条	内 容	出題年度
第3条	児童の最善の利益が主として考慮、児童の福祉に必要な保護及び養護の確保	令1-後 令3-前 令4-前
第5条	父母等の責任、権利及び義務の尊重	令1-後

ここが問われた!

「児童の権利に関する条約」からは頻繁に出題があります。

- 第12条の穴埋め問題(31-前-1)
- 児童の権利に関する委員会の設置について(令2-後-4)
- 児童の権利に関する条約にて規定されている子どもの意見表明機会について(令2-後-5)
- 児童の権利に関する条約の記述として不適切なものを選ぶ問題(令3-後-4、令4-前-4)
- 「分離」について(令4-後-1)
- 第31条の穴埋め問題(令4-後-5)
- 児童の権利に関する条約に関する正誤(令5-前-4)
- 第23条の穴埋め問題(令5-後-1)

日本の保育では、月齢や年齢で見るよりも、発達段階で見ることが重要です。発達には個人差があることを意識して保育することが求められています。

第９条	父母からの分離についての手続き及び児童が父母との接触を維持する権利	令１-後 令４-前 令４-後
第12条	意見を表明する権利	31-前 令２-後 令４-前
第23条	心身障害を有する児童に対する特別の養護及び援助	令5-後
第43条	児童の権利に関する委員会の設置	令２-後

戦後、ポーランド政府はポーランドの小児科医、児童文学作家で教育者ヤヌス・コルチャックの思いと願いを受け継いで、「児童の権利に関する条約」の草案を国連に提出したことで、コルチャックは「児童の権利に関する条約の父」といわれています。

4 こども基本法

こども基本法は2022（令和４）年６月に制定され、2023（令和５）年４月１日に施行されました。児童の権利条約に対する国内法として位置づけられ、これまではっきりと明言されてこなかった子どもの権利擁護を示した「子どものため」の法律となります。

■こども基本法の目的

（目的）
第１条　この法律は、日本国憲法及び児童の権利に関する条約の精神にのっとり、次代の社会を担う全てのこどもが、生涯にわたる人格形成の基礎を築き、自立した個人としてひとしく健やかに成長することができ、心身の状況、置かれている環境等にかかわらず、その権利の擁護が図られ、将来にわたって幸福な生活を送ることができる社会の実現を目指して、社会全体としてこども施策に取り組むことができるよう、こども施策に関し、基本理念を定め、国の責務等を明らかにし、及びこども施策の基本となる事項を定めるとともに、こども政策推進会議を設置すること等により、こども施策を総合的に推進することを目的とする。

注：「こども」という表記は、国の説明資料では一般的に「子ども」が使用されていますが、本法律では「こども」というひらがな表記になります。

■こども基本法における定義

（定義）
第２条　この法律において「こども」とは、心身の発達の過程にある者をいう。
2　この法律において「こども施策」とは、次に掲げる施策その他のこどもに関する施策及びこれと一体的に講ずべき施策をいう。
一　新生児期、乳幼児期、学童期及び思春期の各段階を経て、おとなになるまでの心身の発達の過程を通じて切れ目なく行われるこどもの健やかな成長に対する支援
二　子育てに伴う喜びを実感できる社会の実現に資するため、就労、結婚、妊娠、出産、育児等の各段階に応じて行われる支援
三　家庭における養育環境その他のこどもの養育環境の整備

こども基本法では「こども」を特定の年齢に分けることなく、より包括的に定義していることが特徴です。

■こども基本法の基本理念

（基本理念）

第３条　こども施策は、次に掲げる事項を基本理念として行われなければならない。

一　全てのこどもについて、個人として尊重され、その基本的人権が保障されるとともに、差別的取扱いを受けることがないようにすること。

二　全てのこどもについて、適切に養育されること、その生活を保障されること、愛され保護されること、その健やかな成長及び発達並びにその自立が図られることその他の福祉に係る権利が等しく保障されるとともに、教育基本法（平成18年法律第120号）の精神にのっとり教育を受ける機会が等しく与えられること。

三　全てのこどもについて、その年齢及び発達の程度に応じて、自己に直接関係する全ての事項に関して意見を表明する機会及び多様な社会的活動に参画する機会が確保されること。

四　全てのこどもについて、その年齢及び発達の程度に応じて、その意見が尊重され、その最善の利益が優先して考慮されること。

五　こどもの養育については、家庭を基本として行われ、父母その他の保護者が第一義的責任を有するとの認識の下、これらの者に対してこどもの養育に関し十分な支援を行うとともに、家庭での養育が困難なこどもにはできる限り家庭と同様の養育環境を確保することにより、こどもが心身ともに健やかに育成されるようにすること。

六　家庭や子育てに夢を持ち、子育てに伴う喜びを実感できる社会環境を整備すること。

子どもの養育、教育、保健、医療、福祉等の権利を幅広く包括的に保障する基本法の位置づけで、以下のようなイメージになります。

図１　子どもの権利にかかわる法律　概念図

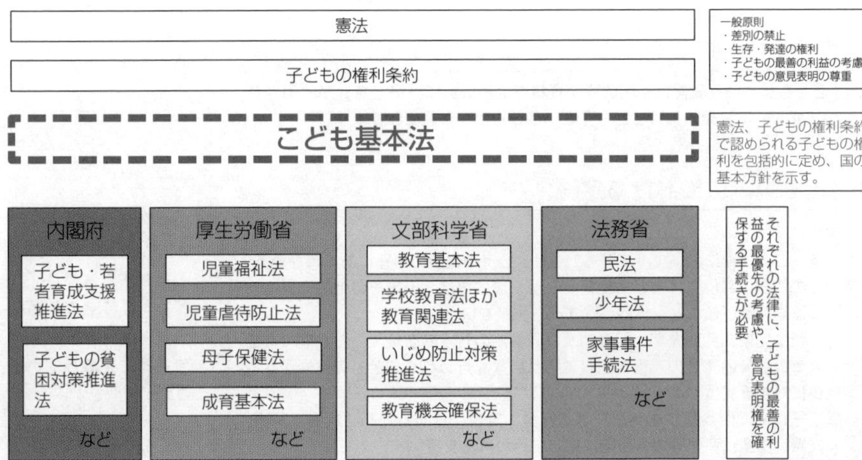

資料：日本財団作成を一部改変

○×チェック問題

1 児童の権利に関する条約は1989（平成元）年に国連で採択された。

2 日本が児童の権利に関する条約に批准したのは1990（平成２）年である。

3 児童の権利に関する条約では、入所施設をもって保護を行うことを原則としている。

4 児童の権利に関する条約制定に寄与したのはコルチャックである。

5 児童の権利に関する条約には、受動的権利と能動的権利がある。

6 児童の権利に関する条約では、児童の年齢を鑑みて意見を表明する権利は認めていない。

7 児童の権利に関する条約では、児童の権利に関する委員会の設置が規定されている。

8 児童の権利に関する委員会は、締約国の義務の履行の達成の進捗状況を審査する立場にある。

9 国際的な子の奪取の民事上の側面に関する条約を「ワシントン条約」という。

答え

1 ○

2 × 批准したのは1994（平成６）年、1990（平成２）年は署名した年

3 × 入所施設だけではなく、里親委託や養子縁組など、解決策を十分考慮することとされている。

4 ○

5 ○

6 × 児童の権利に関する条約第12条で「意見表明権」を認めている。

7 ○

8 ○

9 × 「ワシントン条約」ではなく「ハーグ条約」

テーマ2 子ども家庭福祉に関する法律

子ども家庭福祉に関する法律の中でも、児童福祉法、児童手当法、児童扶養手当法、特別児童扶養手当等の支給に関する法律、母子及び父子並びに寡婦福祉法、母子保健法の６つは「児童福祉六法」と呼ばれています。さらに、その関連法規についても重要なものをいくつかピックアップしました。多角的に法律の中身をみるとともに、時代背景についても探っていきましょう。

児童福祉六法（児童福祉法、児童手当法、児童扶養手当法、特別児童扶養手当等の支給に関する法律、母子及び父子並びに寡婦福祉法、母子保健法）

ここが問われた！

子ども家庭福祉に関する法律の制定順が問われました（31-前-2、令5-前-3）。
①児童福祉法
②少年法
③社会福祉法
④児童扶養手当法
⑤母子保健法
⑥児童手当法
⑦児童虐待防止法
（制定年）
①1947（昭和22）年
②1948（昭和23）年
③1951（昭和26）年
④1961（昭和36）年
⑤1965（昭和40）年
⑥1971（昭和46）年
⑦2000（平成12）年

1 児童福祉法

■児童福祉法制定の背景

日本は1945（昭和20）年に終戦を迎え、翌1946（昭和21）年に日本国憲法が公布されました。終戦２年目で復興が進められる一方で、戦争孤児たちが街中に多くみられるようになりました。そのような子どもたちを保護するために、児童福祉法が制定されました。

■児童福祉法制定の理念

児童福祉法には、すべて児童は、児童の権利に関する条約の精神にのっとり、適切に養育されることその他の福祉を等しく保障される権利を有することが明記されています。また、国及び地方公共団体は、児童を家庭及び当該養育環境において養育することが適当でない場合にあっては児童ができる限り良好な家庭的環境において養育されるよう、必要な措置を講じなければならないとあります。さらに、児童の保護者は、児童を心身ともに健やかに育成することについて第一義的責任を負うことが明記されています。

表1　児童福祉法の重要条項

	内容
第1条 第2条 第3条	〔児童福祉保障の原理〕 ①　全て国民は、児童が良好な環境において生まれ、かつ、社会のあらゆる分野において、児童の年齢及び発達の程度に応じて、その意見が尊重され、その最善の利益が優先して考慮され、心身ともに健やかに育成されるよう努めなければならない。 ②　児童の保護者は、児童を心身ともに健やかに育成することについて第一義的責任を負う。 ③　国及び地方公共団体は、児童の保護者とともに、児童を心身ともに健やかに育成する責任を負う。 前二条に規定するところは、（中略）すべて児童に関する法令の施行にあたつて、常に尊重されなければならない。
第4条	〔児童等〕 乳児：満1歳に満たない者、幼児：満1歳から、小学校就学の始期に達するまでの者、少年：小学校就学の始期から、満18歳に達するまでの者
第10条	〔市町村の行う業務〕 児童及び妊産婦の福祉に関し、必要な実情の把握に努めること。必要な情報の提供。家庭その他からの相談に応じ、必要な調査及び指導を行うこと並びにこれらに付随する業務を行うこと。
第11条	都道府県は、里親の相談に応じ、必要な情報の提供、助言、研修その他の援助を行うこと。
第13条	〔児童福祉司〕 都道府県は、児童相談所に児童福祉司を置かなければならない（必置）。
第18条の4～第18条の23	保育士の名称使用、保育士の資格要件、保育士試験、保育士登録、信用失墜行為の禁止、秘密保持などについての規定。
第21条の9	〔子育て短期支援事業〕 市町村は、子育て短期支援事業等が着実に実施されるよう、必要な措置の実施に努めなければならない。

2　児童扶養手当法及び児童手当法

死別母子世帯に対する「母子福祉年金制度」を補完するものとして1961（昭和36）年度に発足した児童扶養手当制度は、母子福祉年金が1986（昭和61）年に廃止されたこと、その一方で、離婚の増加により、母子家庭の大半は離婚によるもので占められています。

ここが問われた！

- 児童福祉法第1条と第2条について（令2-後-1）
- 同法における保育士等についての様々な規定（令2-後-7、令3-後-9）
- 第2条の国民の努力義務について（令3-前-1）
- 第1条について（令4-前-1）
- 第11条の都道府県の業務について（令4-前-6）
- 第13条の児童福祉司の任用資格について（令4-前-9）
- 同法に記載されている事項について（令4-後-6）
- 児童福祉司について（令5-前-8）
- 保育士に関する記述（令5-後-16）
- 第4条の定義について（令6-前-1）

児童福祉法が制定された1947（昭和22）年は、教育基本法と学校教育法が同時に制定されています。1946（昭和21）年にGHQ総司令官のマッカーサー元帥は福祉と教育の基本法を整備するように草案を書いています。

ここが問われた！

- 児童手当法第１条の同法の目的について（令3-前-7）
- 児童手当法等の年代の並びかえ問題（令4-前-2）
- 児童扶養手当制度に関する記述（令5-後-18）

児童手当は1971（昭和46）年の成立に向けて1960年代から議論がありました。1970（昭和45）年に「児童手当制度の大綱」が策定されていました。

さらに深める

児童扶養手当には所得制限があり、子ども１人の家庭で収入160万円までなら満額が支給されます。収入が増えるにつれて減額され、収入365万円以上は対象外になります。更新は毎年８月、窓口での対面手続が原則です。

表２　児童扶養手当法と児童手当法

児童扶養手当法（1961年）	児童手当法（1971年）
（この法律の目的） **第１条**　この法律は、父又は母と生計を同じくしていない児童が育成される家庭の生活の安定と自立の促進に寄与するため、当該児童について児童扶養手当を支給し、もつて児童の福祉の増進を図ることを目的とする。	（目的） **第１条**　この法律は、（中略）子ども・子育て支援の適切な実施を図るため、父母その他の保護者が子育てについての第一義的責任を有するという基本的認識の下に、児童を養育している者に児童手当を支給することにより、家庭等における生活の安定に寄与するとともに、次代の社会を担う児童の健やかな成長に資することを目的とする。
支給要件 ①　父母が婚姻を解消した児童 ②　父（母）が死亡した児童 ③　父（母）が政令で定める程度の障害の状態にある児童 ④　父（母）の生死が明らかでない児童 ⑤　その他①から④までに準ずる状態にある児童で政令で定めるもの	**支給要件** ①　15歳に達する日以後の最初の３月31日までの間にある児童 ※2024（令和６）年10月から高校生までの支給となる予定

3　母子及び父子並びに寡婦福祉法

ここが問われた！

母子保健法の年代について出題されました（令4-前-2）。

母子家庭または父子家庭を含むひとり親家庭及び寡婦の福祉の増進を図ることを目的に1964（昭和39）年に制定されました。ひとり親家庭とは、配偶者がおらず、20歳未満の児童を扶養する家庭のことです。寡婦とは、配偶者のない女子であって、かつて配偶者のない女子として児童を扶養していたことのあるものを指します。離婚または死別して再婚していない女性のことであり、未婚の母は寡婦に該当しません。

ここが問われた！

児童福祉に関する法律で制定順に並べ替える問題が出題されました（31-前-２、令5-後-5）。児童福祉法（1947（昭和22）年）→社会福祉法（1951（昭和26）年）→児童扶養手当法（1961（昭和36）年）→母子保健法（1965（昭和40）年）→児童手当法（1971（昭和46）年）

4　母子保健法

日本の母子保健施策は、国民保健の維持向上のための基礎としてきわめて重要であるにもかかわらず主に児童福祉法（1947（昭和22）年）に基づき行われてきました。実際には、母子保健に関する諸施策の総合的、体系的整備が十分行われないという認識のもと、母子保健の向上に関する対策を強力に推進するため、母子保健の理念に基づき、総合的、体系的に整備して1965(昭和40)年に母子保健法が制定されました。

母子保健法第１条で「この法律は、母性並びに乳児及び幼児の健康の保持及び増進を図るため、母子保健に関する原理を明らかにするとともに、母性並びに乳児及び幼児に対する保健指導、健康診査、医療その他の措置を講じ、もつて国民保健の向上に寄与することを目的とする」と定められています。

表３　母子保健法における主な定義

1 「妊産婦」とは、妊娠中又は出産後１年以内の女子をいう。
2 「乳児」とは、１歳に満たない者をいう。
3 「幼児」とは、満１歳から小学校就学の始期に達するまでの者をいう。
4 「保護者」とは、親権を行う者、未成年後見人その他の者で、乳児又は幼児を現に監護する者をいう。
5 「新生児」とは、出生後28日を経過しない乳児をいう。
6 「未熟児」とは、身体の発育が未熟のまま出生した乳児であって、正常児が出生時に有する諸機能を得るに至るまでのものをいう。

※ 「乳児」と「幼児」の年齢定義は児童福祉法と同様です。

■ 母子保健法に基づく母子保健施策

① 保健指導

母子保健法第10条では「市町村は、妊産婦若しくはその配偶者又は乳児若しくは幼児の保護者に対して、妊娠、出産又は育児に関し、必要な保健指導を行い、又は医師、歯科医師、助産師若しくは保健師について保健指導を受けることを勧奨しなければならない」と定められています。

② 健康診査

乳幼児健康診査(１歳６か月児健診・３歳児健診)

母子保健法第12条で、市町村は、満１歳６か月を超え満２歳に達しない幼児、満３歳を超え満４歳に達しない幼児に対し、内閣府令の定めるところにより、健康診査を行わなければならないと定められています。

また、第13条で、「前条の健康診査のほか、市町村は、必要に応じ、妊産婦又は乳児若しくは幼児に対して、健康診査を行い、又は健康診査を受けることを勧奨しなければ

ここが問われた!

・母子保健法の内容について(令3-後-10)
・産後ケア事業について(令5-前-12、令6-前-12)

用語解説

産後ケア事業
出産後1年を経過しない女性及び乳児に対して、心身のケアや育児サポートを行う支援体制のことです。母子保健法に基づき、市町村の努力義務として規定されています。

ならない」とされています。

③　母子健康手帳

母子保健法第16条で、「市町村は、妊娠の届出をした者に対して、母子健康手帳を交付しなければならない」と定められています。

④　低体重児届出の義務

母子保健法第18条で、「体重が2500グラム未満の乳児が出生したときは、その保護者は、速やかに、その旨をその乳児の現在地の市町村に届け出なければならない」と定められています。

⑤　訪問指導

母子保健法第19条で、「市町村長は、その区域内に現在地を有する未熟児について、養育上必要があると認めるときは、医師、保健師、助産師又はその他の職員をして、その未熟児の保護者を訪問させ、必要な指導を行わせるものとする」と定められています。

⑥　養育医療給付

母子保健法第20条で、「市町村は、養育のため病院又は診療所に入院することを必要とする未熟児に対し、その養育に必要な医療の給付を行い、又はこれに代えて養育医療に要する費用を支給することができる」と定められています。

■児童福祉法に規定されている母子保健サービス

母子保健の根拠となる法律は母子保健法が中心ですが、その他に、児童福祉法や子ども・子育て支援法などに基づいて実施されています。

表4　児童福祉法に規定されている母子保健サービス

①児童の保健に関し、正しい衛生知識の普及
②健康相談・健康診査・保健指導
③療育指導
④児童福祉施設に対する栄養の改善及び助言
⑤児童相談所への協力
⑥結核にかかっている児童への療育の給付
⑦小児慢性特定疾病医療費の給付

5 児童買春、児童ポルノに係る行為等の規制及び処罰並びに児童の保護等に関する法律

1999(平成11)年に制定されました。18歳未満の児童に対する児童買春および児童ポルノ等に係る行為を規制し、及びこれらの行為等を処罰するとともに、これらの行為等により心身に有害な影響を受けた児童を保護するための措置等について規定されている法律です。

ここが問われた！

児童買春、児童ポルノに係る行為等の規制及び処罰並びに児童の保護等に関する法律第1条について穴埋めで出題されました(令6-前-5)。

6 児童虐待の防止等に関する法律

我が国の児童虐待を防止する法律は、昭和初期、当時の社会において、子どもの人権が侵害され尊厳が軽視され、労働を強要されていた実態から児童虐待防止法(1933(昭和8)年)が制定されました。この児童虐待防止法は、児童福祉法(1947(昭和22)年)の制定によって廃止となりました。

その後、新しく2000(平成12)年に現行の児童虐待の防止等に関する法律が制定されました。児童に対する虐待の禁止や、児童虐待の予防及び早期発見その他の児童虐待の防止に関する国及び地方公共団体の責務、児童虐待を受けた児童の保護及び自立支援のための措置等について規定した法律です。

児童虐待については第3章「社会的養護」テーマ5も参照ください。

ここが問われた！

- 児童虐待とその防止に関する法律や制度について(令1-後-11)
- 児童虐待の防止等に関する法律第14条の親権者について(令3-前-6、令6-前-7)
- 第1条の同法の目的について(令3-前-13)
- 第8条の2の出頭要求に関する穴埋め問題(令5-前-6)
- 第5条第5項の啓発などに関する記述の正誤(令5-前-10)

7 配偶者からの暴力の防止及び被害者の保護等に関する法律

2001(平成13)年に制定された通称DV防止法は、配偶者からの暴力、すなわちドメスティック・バイオレンスに係る通報、相談、保護、自立支援等の体制を整備し、配偶者からの暴力の防止及び被害者の保護を図ることについて規定した法律です。なお、子どもの目の前で行われる面前DVは、児童虐待の防止等に関する法律において子どもへの心理的虐待であるとみなされています。

8 認定こども園

認定こども園の認定
認定は都道府県知事が行います。その際の条件として、保育と教育を一体的に行うことと地域における子育て支援の実施があります。

■認定こども園法

昨今、保育所は保護者の就労の有無で利用が限定され、幼稚園に通う園児の保護者の就労形態が多様化する中、就労を中断、再開する際に、施設の継続利用ができないことや、少子化が進行し、幼稚園、保育所が別々では、子どもの集団が小規模化し、施設運営も非効率となっていることなどを受けて、2006(平成18)年、就学前の子どもに関する教育、保育等の総合的な提供の推進に関する法律(認定こども園法)が成立しました。

第1条では「この法律は、幼児期の教育及び保育が生涯にわたる人格形成の基礎を培う重要なものであること並びに我が国における急速な少子化の進行並びに家庭及び地域を取り巻く環境の変化に伴い小学校就学前の子どもの教育及び保育に対する需要が多様なものとなっていることに鑑み、地域における創意工夫を生かしつつ、小学校就学前の子どもに対する教育及び保育並びに保護者に対する子育て支援の総合的な提供を推進するための措置を講じ、もって地域において子どもが健やかに育成される環境の整備に資することを目的とする」と規定されています。

■認定こども園の類型

2003(平成15)年の「経済財政運営と構造改革に関する基本方針」を根拠に認定こども園が創設されました。

表5　4つの類型

幼保連携型	幼稚園的機能と保育所的機能の両方の機能を併せ持つ単一の施設として、認定こども園としての機能を果たすタイプ
幼稚園型	認可幼稚園が、保育が必要な子どものための保育時間を確保するなど、保育所的な機能を備えて認定こども園としての機能を果たすタイプ
保育所型	認可保育所が、保育が必要な子ども以外の子どもも受け入れるなど、幼稚園的な機能を備えることで認定こども園としての機能を果たすタイプ
地方裁量型	幼稚園・保育所いずれの認可もない地域の教育・保育施設が、認定こども園として必要な機能を果たすタイプ

9 その他の関連法規

子ども家庭福祉を進めていく上で基本となる児童福祉六法以外にそれを支える法律（関連法規）として、司法に関する法律、社会福祉に関する法律、労働に関する法律、また保育・教育に関する法律、などがあります。

ここが問われた！
- 少年法の内容について（令3-前-15）
- 民法の内容について（令5-後-11）

表6　関連法規

- 民法（1896（明治29）年）
- 少年法（1948（昭和23）年）
- 育児休業、介護休業等育児又は家族介護を行う労働者の福祉に関する法律（1991（平成3）年）
- 次世代育成支援対策推進法（2003（平成15）年）
- 障害者の日常生活及び社会生活を総合的に支援するための法律（2005（平成17）年）

○×チェック問題

1 児童福祉法は戦後すぐの1947（昭和22）年に制定された。
2 児童手当法は児童福祉法が制定された後に制定された。
3 児童福祉法第１条では、「日本国憲法」の精神にのっとると規定されている。
4 児童福祉法で、乳児とは２歳未満の者をいう。
5 児童福祉法では、小学校始期から18歳未満の者を「学童」という。
6 児童福祉法第13条では、福祉事務所に児童福祉司の設置義務が規定されている。
7 母子保健法における乳児とは１歳に満たない者をいう。
8 認定こども園は児童福祉法が根拠法令である。

答え

1 ○
2 ○ 児童手当法は1971（昭和46）年に制定された。
3 × 「日本国憲法」ではなく「児童の権利に関する条約」
4 × １歳未満の者をいう。
5 × 「学童」ではなく「少年」
6 × 「福祉事務所」ではなく「児童相談所」
7 ○
8 × 「就学前の子どもに関する教育、保育等の総合的な提供の推進に関する法律」（認定こども園法）が根拠法令である。

テーマ3 子ども・子育て支援に関する法律と事業

2012(平成24)年8月に制定された子ども・子育て支援関連3法は、これまでとは異なる新たな子ども・子育て支援の仕組みを規定し、2015(平成27)年4月より子ども・子育て支援新制度として本格的に施行されました。複雑な制度ですので、丁寧に理解していきましょう。

keyword **子ども・子育て支援法、子ども・子育て支援新制度、施設型給付、地域型保育給付、地域子ども・子育て支援事業、幼児教育の無償化**

1 子ども・子育て支援関連3法

保護者が子育てについて第一義的に責任を負うという基本的認識のもとに、幼児期の学校教育・保育、地域の子ども・子育て支援を総合的に推進することを趣旨としています。

表1　子ども・子育て支援関連3法

関連3法	内容
子ども・子育て支援法	公費負担の仕組みが「施設型給付」として一本化。「地域型保育給付」を創設。
認定こども園法の一部改正法	幼保連携型認定こども園について、幼稚園と保育所(保育園)で、それぞれ別になっている認可・指導監督を一本化。
関係法律の整備等に関する法律	2つの法律を施行するに伴い、児童福祉法などの関係法律を改正。

■子ども・子育て支援法(第1条)

「この法律は、我が国における急速な少子化の進行並びに家庭及び地域を取り巻く環境の変化に鑑み、(中略)子ども・子育て支援給付その他の子ども及び子どもを養育している者

ここが問われた!
子ども・子育て支援法第1条の条文について出題されました(令2-後-6)。

に必要な支援を行い、もって一人一人の子どもが健やかに成長することができる社会の実現に寄与することを目的とする。」

2 子ども・子育て支援新制度

ここが問われた!

地域型保育事業について出題されました（令5-前-14）。

2015（平成27）年度から実施されている子ども・子育て支援新制度は、幼児期の学校教育や保育、地域の子育て支援の量の拡充や質の向上を進めていくためにつくられた制度で、必要とするすべての家庭が利用でき、子どもたちがより豊かに育っていける支援をめざし、取り組みを進めています。

図1 子どものための教育・保育給付

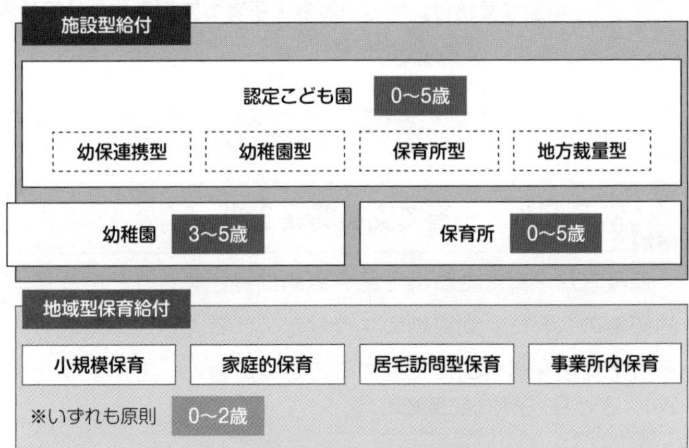

表2 施設型給付と地域型保育給付の対象事業の概要

	名 称	概 要
施設型給付	幼稚園	小学校以降の教育の基礎をつくるための幼児教育を行う学校。 管轄：文部科学省
	認定こども園	幼稚園と保育所の機能や特徴を併せ持ち、地域の子育て支援も行う施設。 管轄：内閣府
	保育所	就労などにより家庭で保育のできない保護者に代わって保育する施設。 管轄：厚生労働省
地域型保育給付	家庭的保育	家庭的な雰囲気のもとで、少人数（定員５人以下）を対象にきめ細かな保育を行う。

地域型保育給付	小規模保育	少人数(定員6～19人)を対象に、家庭的保育に近い雰囲気のもと、きめ細かな保育を行う。
	事業所内保育	会社の事業所の保育施設などで、従業員の子どもを地域の子どもと一緒に保育を行う。
	居宅訪問型保育	障害・疾患などで個別のケアが必要な場合や、施設がなくなった地域で保育を維持する必要がある場合などに、保護者の自宅で1対1で保育を行う。

3 幼児教育・保育の無償化

子ども・子育て支援新制度に移行している幼稚園、保育所、認定こども園、地域型保育、企業主導型保育事業の施設では、2019(令和元)年10月から3歳から5歳児クラスの保育料が無料になりました。

子ども・子育て支援法が改正され、2019(令和元)年10月より子育てのための施設等利用給付が実施されました。これにより、幼稚園の預かり保育や、認可外保育施設等の利用についても、市町村から「保育の必要性」の認定を受ければ、3歳から5歳までの利用料が無償化されることになりました。

表3　幼児教育・保育の無償化の概要

幼稚園、保育所、認定こども園等を利用する子ども
【対象者・利用料】 ○幼稚園、保育所、認定こども園等を利用する3歳から5歳までのすべての子どもたちの利用料が無償化される。 ・新制度に移行していない幼稚園については、月額上限2.57万円。 ・無償化の期間は、満3歳になった後の4月1日から小学校入学前までの3年間。 ・通園送迎費、食材料費、行事費などは、これまでどおり保護者の負担(副食費のみ免除の場合あり)。 ○0歳から2歳までの子どもたちについては、住民税非課税世帯を対象として利用料が無償化される。 【対象となる施設・事業】 ○幼稚園、保育所、認定こども園に加え、地域型保育、企業主導型保育事業(標準的な利用料)も同様に無償化の対象。
幼稚園の預かり保育を利用する子ども
【対象者・利用料】 ○無償化の対象となるためには、市町村から保育の必要性の認定を受ける必要がある。

○幼稚園の利用に加え、利用日数に応じて、最大月額1.13万円までの範囲で預かり保育の利用料が無償化される。

認可外保育施設等を利用する子ども

【対象者・利用料】
○無償化の対象となるためには、市町村から保育の必要性の認定を受ける必要がある。
○３歳から５歳までの子どもたちは月額3.7万円まで、０歳から２歳までの住民税非課税世帯の子どもたちは月額4.2万円までの利用料が無償化される。
【対象となる施設・事業】
認可外保育施設に加え、一時預かり事業、病児保育事業、ファミリー・サポート・センター事業も対象。

就学前の障害児の発達支援を利用する子ども

３歳から５歳までの利用料が無償化される。

資料：内閣府「幼児教育・保育の無償化に関する説明資料」より作成

4 子育て支援員研修事業

子ども・子育て支援新制度においては、「地域の実情やニーズに応じた」支援の担い手となる人材を確保することが必要です。多様な保育や子育て支援分野に関しての必要な知識や技能等を修得するための全国共通の研修制度を創設し、これらの支援の担い手となる「子育て支援員」の養成を図ることが求められています。

■実施主体

都道府県等または都道府県知事もしくは市町村長の指定した研修事業者。

■対象者

育児経験や職業経験など多様な経験を有し、地域において子育て支援の仕事に関心を持ち、以下の子育て支援分野の各事業等の職務に従事することを希望する者及び現に従事する者。

表４　子育て支援員研修事業の対象者

①家庭的保育事業の家庭的保育補助者
②小規模保育事業Ｂ型の保育士以外の保育従事者
③小規模保育事業Ｃ型の家庭的保育補助者
④事業所内保育事業の保育士以外の保育従事者
⑤利用者支援事業の専任職員

⑥放課後児童健全育成事業(放課後児童クラブ)の補助員
⑦地域子育て支援拠点事業の専任職員
⑧一時預かり事業の一般型の保育士以外の保育従事者
⑨一時預かり事業の幼稚園型の保育士及び幼稚園教諭普通免許状所有者以外の教育・保育従事者
⑩子育て援助活動支援事業(ファミリー・サポート・センター)の提供会員
⑪社会的養護関係施設等の補助的職員等
⑫仕事・子育て両立支援事業のうち、企業主導型保育事業の保育士以外の保育従事者

5 地域子ども・子育て支援事業

子ども・子育て支援法第59条で、「市町村は、(中略)市町村子ども・子育て支援事業計画に従って、地域子ども・子育て支援事業として、次に掲げる事業を行うものとする」と規定されています。

表5　事業名と事業内容

事業名	内容
利用者支援事業	地域の子育て支援事業等の利用についての情報収集と関係機関等との連絡調整等を実施する事業
地域子育て支援拠点事業	地域の子育て中の親子の交流促進や育児相談等を行う事業
妊婦健康診査	①健康状態の把握、②検査計測、③保健指導を実施
乳児家庭全戸訪問事業	生後4か月までの乳児家庭訪問 子育て支援の情報提供や養育環境等の把握
養育支援訪問事業	乳児家庭全戸訪問事業などにより把握した居宅を訪問し、相談支援や育児・家事援助などを行う事業
子どもを守る地域ネットワーク機能強化事業	要保護児童対策地域協議会の機能強化を図るため、関係機関・職員の専門性と連携強化を図る事業
子育て短期支援事業	児童を児童養護施設等で預かる短期入所生活援助(ショートステイ)事業 夜間養護等(トワイライトステイ)事業
子育て援助活動支援事業(ファミリー・サポート・センター事業)	子どもを預けたい人と、預かる人で会員組織を構成した会員相互による育児援助活動
一時預かり事業	保育所、幼稚園その他の場所で一時的に預かり、必要な保育を行う事業

ここが問われた!

市町村子ども・子育て支援事業計画の5年間の計画期間、需給計画について出題されました(令1-後-16)。

ここが問われた!

地域子ども・子育て支援事業の各事業内容について出題されました(31-前-12,14、令2-後-10、令3-前-10,12,17,20、令3-後-7、令4-前-11,20、令4-後-7、令5-後-19、令6-前-19)。

さらに深める

乳児家庭全戸訪問事業の訪問者

「保健師、助産師、看護師の他、保育士、母子保健推進員、愛育班員、民生・児童委員(主任児童委員)、母親クラブ、子育て経験者等から幅広く人材を発掘し、訪問者として登用して差し支えないものとする」と規定されています。

延長保育事業	保育所等で引き続き保育を実施する事業
病児保育事業	病院・保育所等の専用スペース等において、看護師等が一時的に保育等を行う事業
放課後児童健全育成事業（放課後児童クラブ）	授業の終了後等に小学校の余裕教室や児童館等において適切な遊び及び生活の場を与えて、その健全な育成を図る事業
実費徴収に係る補足給付を行う事業	保護者の世帯所得の状況を勘案し、特定教育・保育施設等に対して保護者が支払うべき教育・保育に必要な物品の購入に要する費用や行事への参加に要する費用を助成する事業
多様な事業者の参入促進・能力活用事業	特定教育・保育施設等への民間事業者の参入の促進に関する調査研究その他多様な事業者の能力を活用した特定教育・保育施設等の設置または運営を促進するための事業

上記の事業には、個々に実施要綱やガイドラインが設定され、そこで実施目的、実施主体、実施方法などの詳細が規定されています。利用者支援事業実施要綱、病児保育事業実施要綱、養育支援訪問事業実施要綱等があります。

○×チェック問題

1　子ども・子育て支援法で、認定こども園、幼稚園、保育所を通じた公費負担の仕組みが「施設型給付」として一本化された。

2　子ども・子育て支援新制度における、地域型保育給付は原則3～5歳が対象である。

3　子育て支援員研修事業での実施主体は、厚生労働省である。

4　乳児家庭全戸訪問事業では、生後2か月までの乳児家庭を訪問する。

5　幼児教育の無償化では、0～2歳児クラスには所得制限がある。

6　幼児教育の無償化では、給食費も全額無償である。

7　ファミリー・サポート・センター事業とは、会員相互による育児援助活動である。

8　放課後児童クラブは、小学校の敷地内の施設に限って行われる。

9　一時預かり事業の実施主体は都道府県である。

10　一時預かり事業での利用者負担はない。

答え

1 ○

2 ×　原則0～2歳

3 ×　「厚生労働省」ではなく「都道府県等または都道府県知事もしくは市町村長の指定事業者」

4 ×　「2か月」ではなく「4か月」

5 ○

6 ×　給食費は保護者負担（副食費のみ免除の場合あり）。

7 ○

8 ×　小学校以外の拠点、児童館などでも実施できる。

9 ×　市町村が主体である（市町村が認めた者へ委託等を行うことができる）。

10 ×　必要な経費の一部を保護者負担とすることができる。

テーマ4 児童福祉施設の種類

保育士は保育所以外の児童福祉施設でも勤務することができます。ここでは、児童福祉施設の種類とその特徴、そこでの保育士の働きや役割、関連する専門職についても明らかにします。「社会的養護」科目との重複も多いため、併せて確認しておきましょう。

児童福祉施設、児童福祉施設の設備及び運営に関する基準、児童養護施設入所児童等調査結果

1 児童福祉施設

ここが問われた!

施設名とその説明を結びつける出題がありました(令3-前-8、令4-前-8,13、令4-後-11、令5-前-9)。児童福祉法第7条に示された児童福祉施設について出題されました(令2-後-8)。

13種類の施設のうち、「児童自立支援施設」と「児童心理治療施設」の2つだけが、通所と入所の2つの方法を採用しています。

一般に児童福祉施設というと、児童福祉法に定められている施設をいいます。幼保連携型認定こども園も含めると全部で13種類の施設があります。

表1　児童福祉施設の種類

施設名	種別注	施設の目的
助産施設	第2種	経済的理由により、入院助産を受けることができない妊産婦を入所させて、助産を受けさせる。
乳児院	第1種	乳児を入院させて、養育し、退院した者について相談その他の援助を行う。
母子生活支援施設	第1種	配偶者のない女子またはこれに準ずる事情にある女子及びその者の監護すべき児童を入所させて、保護し、自立促進のための生活支援、あわせて退所者相談その他の援助を行う。
保育所	第2種	保育を必要とする乳児・幼児を日々保護者の下から通わせて保育を行う。
幼保連携型認定こども園	第2種	満3歳以上の幼児に対する教育及び保育を必要とする乳児・幼児に対する保育を一体的に行い、健やかな成長が図られるよう適当な環境を与え心身の発達を助長する。

児童養護施設	第１種	保護者のない児童、虐待されている児童その他環境上養護を要する児童を入所させて、養護し、退所者相談その他の自立援助を行う。
障害児入所施設	第１種	福祉型障害児入所施設：保護並びに日常生活における基本的な動作及び独立自活に必要な知識技能の習得のための支援を行う。 医療型障害児入所施設：保護、日常生活における基本的な動作及び独立自活に必要な知識技能の習得のための支援並びに治療を行う。
児童発達支援センター	第２種	障害児を日々保護者の下から通わせて、高度の専門的な知識及び技術を必要とする児童発達支援を提供し、併せて障害児の家族、事業者等に対し、相談、専門的な助言等の必要な援助を行う、地域の障害児の健全な発達において中核的な役割を担う機関
児童心理治療施設	第１種	社会生活への適応が困難となった児童を、短期間、入所させ、または保護者の下から通わせて、社会生活に適応するために必要な心理に関する治療及び生活指導を主として行い、退所者相談その他の自立援助を行う。
児童自立支援施設	第１種	不良行為をなし、またはなすおそれのある児童及び家庭環境その他の環境上の理由により生活指導等を要する児童を入所させ、または保護者の下から通わせて、個々の児童の状況に応じて必要な指導、自立支援をし、退所者相談その他の自立援助を行う。
児童厚生施設	第２種	児童遊園、児童館等児童に健全な遊びを与えて、その健康を増進し、または情操をゆたかにする。
児童家庭支援センター	第２種	地域の児童福祉に関する問題に対し、児童に関する相談のうち、専門的な知識及び技術を必要とするものに応じ、必要な助言を行うとともに、市町村の求めに応じ、技術的助言その他必要な援助を行うほか、児童相談所、児童福祉施設等との連絡調整その他内閣府令の定める援助を総合的に行う。
里親支援センター	第２種	里親の普及啓発、里親の相談に応じた必要な援助、入所児童と里親相互の交流の場の提供、里親の選定・調整、委託児童等の養育の計画作成といった里親支援事業や、里親や委託児童等に対する相談支援等を行う。

注：種別とは社会福祉法における社会福祉事業の種別。

2 児童福祉施設の設備及び運営に関する基準

この基準は、児童福祉施設を運営管理していく上での最低限度基準を設けるとともに、その基準を上回るような施設展開を求めています。また、「児童福祉施設は、最低基準を超えて、常に、その設備及び運営を向上させなければならない」

2022（令和４）年の児童福祉法の改正により、障害児入所施設の入所児童等が地域生活等へ移行する際の責任主体（都道府県・政令市）を明確化するとともに、22歳までの入所継続が可能となりました。

児童発達支援センターの類型は「福祉型」と「医療型」となっていましたが、2024（令和６）年度に一元化が行われ、より質の高い支援体制の構築をめざして現在も議論が続いています。

ここが問われた！

・福祉型児童発達支援センターの業務内容（令3-前-14）
・障害児入所施設に関する記述（令5-後-12）
・児童自立支援施設の目的（令5-後-8）

ここをチェック！

児童福祉施設の職員配置について

46人以上を入所させる児童養護施設における少年に対する児童指導員及び保育士の総数は少年おおむね**5.5人**につき１人以上です。

ここが問われた!

児童福祉施設の設備及び運営に関する基準における児童指導員の資格要件について出題されました（令3-前-9）。

「最低基準を超えて、設備を有し、又は運営をしている児童福祉施設においては、最低基準を理由として、その設備又は運営を低下させてはならない」(基準第４条)と定められています。

また、この基準の第５条では、「児童福祉施設は、入所している者の人権に十分配慮するとともに、一人一人の人格を尊重して、その運営を行わなければならない」と入所児童の権利擁護について定めています。

さらに深める

この児童福祉施設の設備及び運営に関する基準はあくまでも国が決めたもので、都道府県はこの基準に従ってその他の事項については条例で定めています。

具体的には、以下のように定められています。

> 地域社会との交流及び連携を図り、児童の保護者及び地域社会に対し、当該児童福祉施設の運営の内容を適切に説明するよう努めなければならない。
>
> その運営の内容について、自ら評価を行い、その結果を公表するよう努めなければならない。
>
> 法に定めるそれぞれの施設の目的を達成するために必要な設備を設けなければならない。
>
> 児童福祉施設の構造設備は、採光、換気等入所している者の保健衛生及びこれらの者に対する危害防止に十分な考慮を払って設けられなければならない。

3 児童養護施設入所児童等調査

ここが問われた!

- 「児童養護施設入所児童等調査」に関する記述の正誤(令4-後-10、令6-前-9)
- 各施設における障害等のある児童の割合について(令5-前-15)
- 児童自立支援施設入所児の平均在所期間について(令5-前-16)

この調査は、児童養護施設などの施設入所、里親に養育されている子どもの状況を調べたもので、施設入所理由、今現在の状況などの調査結果報告書です。おおむね５年に一度調査がありますが、2024(令和６)年２月１日現在の調査が最新です。

調査の結果、里親委託児童数は6057人(前回5382人)、児童養護施設入所児童数は２万3043人(同２万7026人)であり、このうち虐待を受けた経験のある児童の割合はそれぞれ46.0%(同38.4%)、71.7%(同65.6%)でした。

表２　結果の概要

項目	結果概要
1　児童の現在の年齢	里親の平均年齢が下降し、児童養護施設の平均年齢が上昇したこと以外は大きな変化はない。

2　児童の委託(入所)時の年齢	里親及び児童養護施設では２歳、児童心理治療施設では10歳、児童自立支援施設では13歳、乳児院では０歳、ファミリーホームでは３歳、自立援助ホームでは16歳が最も多くなっている。
3　児童の委託(在所)期間	「１年未満」が多く、期間が長くなるに従い児童数が漸減している。
4　児童の委託(入所)経路	里親では「家庭から」が43.9％(＋)、「乳児院から」が29.8％(＋)、「児童養護施設から」が11.9％(－)である。
5　児童の就学状況	里親及び母子生活支援施設では「就学前」が最も多い。
6　児童の心身の状況	障害等の「該当あり」の割合が前回調査より増えている。
7　児童の罹患傾向	里親で14.4％(－)、児童養護施設で18.8％(＋)、児童心理治療施設で17.0％(－)、児童自立支援施設で16.1％(－)、乳児院で54.3％(－)、母子生活支援施設で28.9％(＋)となっている。
8　特に指導上留意している点	「精神的・情緒的な安定」を留意点としてあげているのは共通している傾向である。
9　学業の状況	里親、児童養護施設、母子生活支援施設及びファミリーホームでは「特に問題なし」が最も高い。
10　通学状況	「普通に通学」が最も多い。

※　(＋)は前回調査より増、(－)は前回調査より減。

4　児童養護施設

子ども家庭福祉の一分野である社会的養護の対象児童は、約４万2000人と数えられていますが、うち約56％を占めるのが児童養護施設に入所している児童です。

表３　児童養護施設の概要

誰を？	保護者のない児童 保護者に監護させることが適当でない児童
どこで？	入所施設で
どんな支援？	安定した生活環境を整える。 生活指導、学習指導、職業指導、家庭環境を調整する。 養育を行う。 自立を支援する。
根拠法は？	児童福祉法第41条

里親家庭の年間所得

里親家庭の2022(令和4)年の年間所得(税込)は一般家庭と比較してみると、「平均所得金額」は里親家庭で601万1000円、一般家庭で545万7000円と一般家庭より55万円以上上回っています。

児童養護施設の目的には、退所者相談やその他の自立援助が含まれます(31-前-8)。

児童養護施設では「措置延長」という制度があります。厚生労働省は、児童養護施設等に入所した児童や里親等に委託した児童については、児童福祉法により、満18歳を超えて満20歳に達するまでの間、引き続き措置を行うことができることから、当該規定を積極的に活用することとしています。

いくつある？	全国に610か所　在所者数２万3486人
特徴は？	社会的養護が必要な子どもを、できる限り家庭的な環境で、安定した人間関係の下で育てることができるよう、施設のケア単位の小規模化（小規模グループケア）やグループホーム化などを推進。

※　施設数：令和４年　社会福祉施設等調査より

児童養護施設のルーツは、593年に聖徳太子が悲田院をつくったことに始まります。江戸時代は養育館、遊児厰（ゆうじしょう）がつくられ、1879（明治12）年には東京に福田会（ふくでんかい）育児院が、1887（明治20）年には石井十次によって岡山孤児院がつくられました。次いで1947（昭和22）年の児童福祉法の制定に伴い、孤児院という名称を養護施設に改称し、1997（平成９）年の児童福祉法の改正に伴い、名称が「児童養護施設」に改称され、現在全国に約600施設あります。

5　児童自立支援施設

児童自立支援施設は、「児童の心身の健やかな成長とその自立を支援」するために、児童の主体性を尊重しながら児童への養育や心理的ケア等を行います。

表４　児童自立支援施設の概要

誰を？	不良行為をなし、またはなすおそれのある児童 生活指導等を要する児童
どこで？	施設に入所、または保護者の下から通う。
どんな支援？	個々の児童の状況に応じて必要な指導を行う。 自立を支援する。 退所した者について相談、あわせてその他の援助を行う。
根拠法は？	児童福祉法第44条
いくつある？	全国に58か所、在所者数1114人
特徴は？	少年法に基づく家庭裁判所の保護処分等により入所する場合もあり、これらの役割から、児童福祉法では都道府県等に児童自立支援施設の設置義務が課せられており、大多数が公立施設となっている。

※　施設数：令和４年　社会福祉施設等調査より

■歴史的背景

児童自立支援施設は日本における児童福祉施設種別の中でも古い歴史を持つ施設です。

その起源は1883（明治16）年に大阪市の宗教家・池上雪枝

ここが問われた！

児童自立支援施設入所児童を、「少年法」の保護処分により少年院に入院させる場合、家庭裁判所の審判に付すことが適当と認められています（31-前-17）。

児童自立支援施設と少年院の違い

少年院は社会復帰支援等を行う法務省所管の施設であり、児童自立支援施設は児童福祉法における児童福祉施設として位置づけられています。

がつくった私設の「感化院」で、その後「感化院」は「少年教護院」へと名称変更され、さらに戦後の児童福祉法の施行により「少年教護院」から「教護院」へと名称変更が行われ、1998(平成10)年4月の改正児童福祉法施行によって「教護院」から「児童自立支援施設」へと名称が変更になりました。

また、施設名称だけではなく、施設存立の根拠ともいうべき施設目的にも大きな変化がありました。

6 母子生活支援施設

ここが問われた!

母子生活支援施設は、父子の入所については認めていません(31-前-8)。

母子生活支援施設は、18歳未満の子どもを養育している母子家庭の女性が、子どもと一緒に利用できる施設で、母親と子どもに対して、自立を支援しています。

母子支援施設はその性質上、住所電話番号等を公表していない施設が多くあります。

表5　母子生活支援施設の概要

誰を？	配偶者のない女子またはこれに準ずる事情にある女子 その者の監護すべき児童
どこで？	入所施設で
どんな支援？	保護し、これらの者の自立の促進のためにその生活を支援する。 退所した者について相談その他の援助を行う。
根拠法は？	児童福祉法第38条
いくつある？	全国に204か所、在所者数7305人
特徴は？	近年では、DV被害者(入所理由が夫等の暴力)が入所者の約6割を占めている。また、精神障害や知的障害のある母や、発達障害など障害のある子どもも増加している。「母子が一緒に生活しつつ、ともに支援を受けることができる唯一の児童福祉施設」という特性を生かし、保護と自立支援の機能の充実が求められている。

※　施設数：令和4年　社会福祉施設等調査より

児童福祉法第6条の3、児童福祉法第33条の6の児童自立生活援助事業は第2種社会福祉事業に位置づけられます。

7 その他の児童福祉施設等

ここが問われた!

・放課後等デイサービスが、障害児通所給付費及び特例障害児通所給付費によって給付が行われる障害児通所支援であることについて(31-前-16)

・放課後等デイサービスに関する記述の正誤(令6-前-13)

■自立援助ホーム(児童自立生活援助事業)

第3章p.154を参照してください。

■放課後等デイサービス

放課後等デイサービスは、児童福祉法第6条の2の2第3項の規定に基づき、学校(幼稚園及び大学を除く)等に就学している障害児に、授業の終了後または休業日に、生活能力の向上のために必要な支援、社会との交流の促進その他の便宜

放課後等デイサービスの利用料は基本額が決まっており、サービス内容によって料金が異なります。

を供与することとされています。

「放課後等デイサービスガイドライン」では、子どもの発達支援の連続性を保障するため、就学前に利用していた保育所や幼稚園、認定こども園や児童発達支援事業所等と連携し、情報の共有と相互理解に努めることが重要であるとされています。

○×チェック問題

1 保育所は第１種福祉施設である。
2 児童自立支援施設では入所支援のみで通所支援は行っていない。
3 母子生活支援施設の根拠法令は母子保健法である。
4 放課後等デイサービスは高校生も利用できる。
5 児童養護施設は全国に約600か所ある。
6 児童養護施設のルーツは聖徳太子がつくった敬田院である。
7 石井十次は1887（明治20）年に岡山孤児院を設立した。
8 1883（明治16）年に大阪に「感化院」を設立したのは留岡幸助である。
9 母子生活支援施設は父子の入所も認めている。
10 自立援助ホームは児童福祉法に基づく。

答え

1 ×「第１種」ではなく「第２種」
2 × 通所支援もあり。
3 ×「母子保健法」ではなく「児童福祉法」
4 ○
5 ○ 正確には610か所（令和４年10月１日）
6 ×「敬田院」ではなく「悲田院」
7 ○
8 ×「留岡幸助」ではなく「池上雪枝」
9 × 母子のみである。
10 ○

テーマ5 日本の子ども家庭福祉の歴史

日本の子ども家庭福祉の歴史は、家族相互・近隣住民との助け合いから、民間施設の活躍によって発展しました。その後は法律に基づく国家責任へと拡大し、昭和時代には多くの法律が整備されました。近年では時代に沿った内容とするため、児童福祉法がたびたび改正されています。また、ここでは平成初期から課題とされている少子化問題と国の施策についても取り上げていきます。

keyword 恤救規則、救護法、児童福祉法、少子化対策

1 日本の児童福祉の幕開け

縄文時代は、出産することが理由で女性のほうが短命でした。出土品から子どもの出産と成長を重視する時代であったことがわかります。弥生時代は、縄文時代に比べると人口も増加し、食糧も増え死産や早世も減少しました。この人口増加は、飛鳥・白鳳・奈良時代まで続き、その背景には国家体制の充実がありました。

年表を活用して、人物、業績を押さえよう！

2 明治・大正時代の児童福祉

明治時代に入ると日本の児童福祉は本格的に動き始めます。その基本法として1874（明治７）年に制定された恤救規則（じゅっきゅうきそく）があります。対象者としての子どもは「極貧で身寄りのない13歳以下の幼者」と規定されていました。

大正期は、第一次世界大戦が勃発して日本の景気は好況になりました。人口の激増、白米の消費が増え、米の価格が暴騰しました。この状況により1918（大正７）年に米騒動が全国で起こり、救済事業が社会事業として再編されました。

ここが問われた！

石井十次、石井亮一、留岡幸助、糸賀一雄、野口幽香など、主に明治期の児童福祉の篤志家が出題されました（令1-後-2、令5-後-2、令6-前-4）。

1874（明治７）年に制定された恤救規則は子ど

もたちを救済するには不十分であり、見かねた篤志家たちが私財を投げ打って児童福祉施設を創設しています。特にキリスト教徒の篤志家が多いのが特徴です。

ここが問われた！

石井亮一は日本で最初の知的障害児施設「滝乃川学園」の前身である「孤女学院」を創設しました（令1-後-2、令5-前-2）。

ここが問われた！

留岡幸助は、私立の感化院である「家庭学校」を創設し、東京家庭学校から北海道家庭学校へ移転しました（令1-後-2）。

さらに深める

大正時代の児童保護所（現在の児童養護施設）の収容者で感化院への送致数は大正２年度が１名で、大正８年度には78人に増大しています。その背景には、東京府（現・東京都）からの補助金支給があり、大きな影響を及ぼしています。

表1　児童福祉の歴史（明治・大正）

年号（元号）	事項
1874（明治７）	恤救規則が日本初の福祉の法律とされる
1883（明治16）	池上雪枝が大阪感化院を設立
1885（明治18）	高瀬真卿（しんけい）が東京感化院を設立
1887（明治20）	石井十次が岡山孤児院を設立
1890（明治23）	赤沢鐘美（あつとみ）・仲子夫妻が新潟静修学校を設立 筧（かけい）雄平が農繁期託児所を設立
1891（明治24）	石井亮一が孤女学院（後の滝乃川学園）を設立
1899（明治32）	留岡幸助が東京家庭学校を設立
1900（明治33）	野口幽香・森嶋峰が二葉幼稚園を設立
1909（明治42）	石井十次が愛染橋保育所を設立
1914（大正３）	留岡幸助が北海道家庭学校を設立
1916（大正５）	二葉幼稚園が二葉保育園へと名称変更される

3　昭和時代の児童福祉

1874（明治７）年に制定された恤救規則が明治、大正の時代を経て、1929（昭和４）年の救護法制定をもって幕を閉じました。第二次世界大戦後、日本国憲法を制定し、福祉国家へと進んでいきました。日本国憲法第25条の生存権の保障は児童福祉法（1947（昭和22）年）の制定で児童も保障されるようになりました。

また、1951（昭和26）年には、日本国憲法の精神に基づいた児童の権利宣言として児童憲章が定められました。それ以来、児童福祉の諸制度は、児童福祉法や児童憲章などを基本にして、「子どもの最善の利益」を保障する観点から発展してきました。

表2　児童福祉の歴史（昭和）

年号（元号）	事項
1929（昭和４）	救護法の制定

1933(昭和８)	少年救護法の制定
1937(昭和12)	母子保護法の制定
1942(昭和17)	高木憲次が整肢療護園を設立
1946(昭和21)	日本国憲法が公布 糸賀一雄が近江学園を設立
1947(昭和22)	児童福祉法の制定
1950(昭和25)	生活保護法の制定
1951(昭和26)	児童憲章
1961(昭和36)	児童扶養手当法の制定
1963(昭和38)	糸賀一雄がびわこ学園を設立
1964(昭和39)	母子福祉法(現・母子及び父子並びに寡婦福祉法)の制定 重度精神薄弱児扶養手当法(現・特別児童扶養手当等の支給に関する法律)の制定
1965(昭和40)	母子保健法の制定
1971(昭和46)	児童手当法の制定

昭和30年代は児童に関する法律が多く整備されています。これは1964(昭和39)年の東京オリンピック・パラリンピック開催を意識したものです。極東の小さな国、日本が世界の注目を浴びる中、福祉行政も整備されました。

ここが問われた!

日本の子ども家庭福祉に関する事項の年代を並び替える出題がされました(令4-後-２)。

4 平成・令和時代の児童福祉

平成時代には子ども家庭福祉という概念が生まれました。児童は家庭で生活し育っていくことが基本であるという考え方の現れです。そして、家庭に身をおく子どもたちにとって、家庭生活は切り離すことができない存在という認識のもと、児童福祉から子ども家庭福祉へと名称を変更しています。

また、これは児童に関する諸問題を社会全体で解決していくという方向性も表しています。

1994(平成６)年には、児童の権利に関する条約に批准し児童の権利を護っていこうという気運が高まります。さらに児童虐待や、少子化の一層の進行といった新たな課題に対応すべく次世代育成支援対策推進法(2003(平成15)年法制化)や児童虐待の防止等に関する法律(児童虐待防止法)(2000(平成12)年法制化)などの新しい施策が創設されました。

しかし、子どもと子育て家庭をめぐる社会環境の変化に伴い、課題もさらに複雑多岐化しています。

ここが問われた!

子どもや子育て家庭への支援に関する計画や大綱について出題されました(31-前-6)。

表3　児童福祉の歴史（平成）

年号（元号）	事項
1994（平成6）	児童の権利に関する条約を日本が批准する
1997（平成9）	児童福祉法改正（利用者支援制度の導入）
1999（平成11）	児童買春、児童ポルノに係る行為等の規制及び処罰並びに児童の保護等に関する法律の制定
2000（平成12）	児童虐待の防止等に関する法律の制定
2001（平成13）	児童福祉法改正（認可外保育施設の届出等の義務化） 配偶者からの暴力の防止及び被害者の保護等に関する法律（DV防止法）の制定
2003（平成15）	児童福祉法改正（保育士資格の国家資格化） 次世代育成支援対策推進法の制定 少子化社会対策基本法の制定
2006（平成18）	就学前の子どもに関する教育、保育等の総合的な提供の推進に関する法律（認定こども園法）の制定
2012（平成24）	子ども・子育て支援法の制定
2015（平成27）	子ども・子育て支援新制度の本格的な開始
2019（令和元）	児童虐待の防止等に関する法律、児童福祉法改正（保護者がしつけに際して体罰を加えることの禁止など）
2022（令和4）	こども基本法の制定

？ここが問われた！
2019（令和元）年の児童福祉法及び児童虐待防止法等の改正について問われました（令4-後-9）。

児童虐待が収束しない中、専門的な支援を行う者の資質の向上策についての検討を行うため、「社会的養育専門委員会」のもとにワーキンググループを設置するなど、社会的養育が課題になっています。それを受けて、2019（令和元）年6月に「児童虐待防止対策の強化を図るための児童福祉法等の一部を改正する法律」が公布されました。併せて、平成時代からの課題である子育て支援も継続課題になっています。

5　少子高齢社会

？ここが問われた！
少子社会の現状に関する記述の正誤が問われました（令4-後-3）。

2008（平成20）年の1億2808万人をピークに、日本の人口は減少しています。少子高齢化が進み、1990年代からは15～64歳の労働人口も減少しています。この傾向が続くと、2050年以降は総人口が1億人を切るものと試算されていま

図１　日本の高齢化の推移と見通し

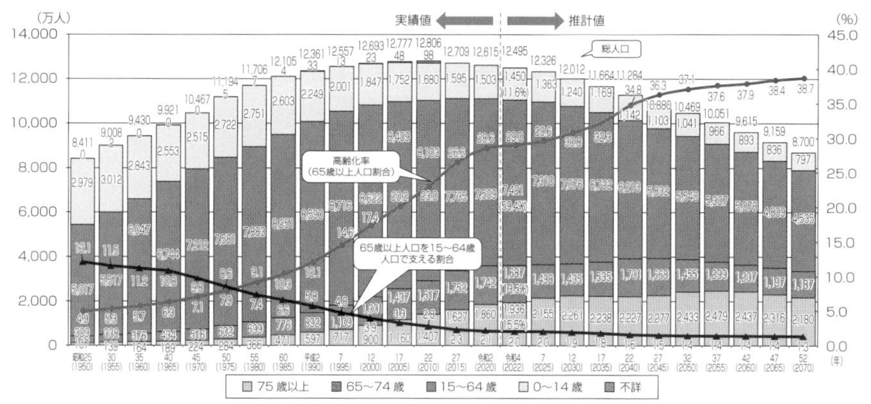

資料：棒グラフと実線の高齢化率については、2020年までは総務省「国勢調査」（2015年及び2020年は不詳補完値による。）、2022年は総務省「人口推計」（令和４年10月１日現在（確定値））、2025年以降は国立社会保障・人口問題研究所「日本の将来推計人口（令和５年推計）」の出生中位・死亡中位仮定による推計結果

（注１）2015年及び2020年の年齢階級別人口は不詳補完値によるため、年齢不詳は存在しない。2022年の年齢階級別人口は、総務省統計局「令和２年国勢調査」（不詳補完値）の人口に基づいて算出されていることから、年齢不詳は存在しない。2025年以降の年齢階級別人口は、総務省統計局「令和２年国勢調査　参考表：不詳補完結果」による年齢不詳をあん分した人口に基づいて算出されていることから、年齢不詳は存在しない。なお、1950年～2010年の高齢化率の算出には分母から年齢不詳を除いている。ただし、1950年及び1955年において割合を算出する際には、（注２）における沖縄県の一部の人口を不詳には含めないものとする。

（注２）沖縄県の昭和25年70歳以上の外国人136人（男55人、女81人）及び昭和30年70歳以上23,328人（男8,090人、女15,238人）は65～74歳、75歳以上の人口から除き、不詳に含めている。

（注３）将来人口推計とは、基準時点までに得られた人口学的データに基づき、それまでの傾向、趨勢を将来に向けて投影するものである。基準時点以降の構造的な変化等により、推計以降に得られる実績や新たな将来推計との間には乖離が生じうるものであり、将来推計人口はこのような実績等を踏まえて定期的に見直すこととしている。

（注４）四捨五入の関係で、足し合わせても100.0％にならない場合がある。

資料：内閣府「令和５年版　高齢社会白書」

す。

また、未婚化が進んでいるのも日本の特徴です。国勢調査によると、1980（昭和55）年には15歳以上の者の未婚の割合が男性は28.5％、女性は20.9％だったものが、2020（令和２）年には男性34.6％、女性24.8％へと増加しています。未婚者が増えるということは、子ども家庭そのものが減少しているということにも注目しなければなりません。

> **ここが問われた！**
> 人口動態統計における婚姻・出生・離婚について問われました（令5-後-9）。

> **ここが問われた！**
> 合計特殊出生率の動向について問われました（令5-前-1）。

6　少子化対策のきっかけ

日本が少子化対策に本格的に取り組み始めたのは、1989

人口を維持するために必要な合計特殊出生率の水準(人口置換水準)は、2.07程度といわれています。

(平成元)年に合計特殊出生率が1.57になったことがきっかけでした(1.57ショック)。1966(昭和41)年の、丙午という迷信の影響で出生数が極端に少なかった当時の出生率1.58を下回ったことで、問題意識が高まり、少子化対策が進んでいきました。

図2　出生の動向

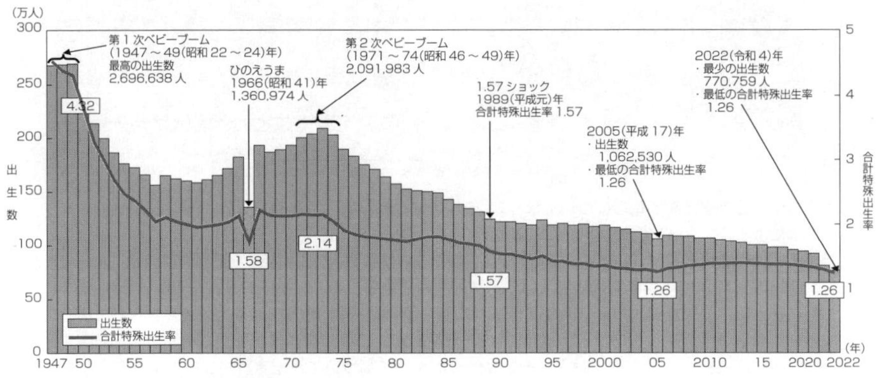

資料：厚生労働省「人口動態統計」より作成

7　国の取り組み

ここが問われた!

日本の少子化対策の年代順が問われました(令5-前-11)。

国の取り組みとして数多く策定された施策の中から、試験に出題されやすい施策を挙げました。確認しておきましょう。

表4　国の少子化に関する施策

1994年	エンゼルプラン	「今後の子育て支援のための施策の基本的方向について」という正式名で、少子化対策として、仕事と子育ての両立支援を目指し、当時の文部・厚生・労働・建設の4大臣合意によって策定。
1999年	新エンゼルプラン	「重点的に推進すべき少子化対策の具体的実施計画について」という正式名で、当時の大蔵・文部・厚生・労働・建設・自治6大臣の合意によって策定。保育サービス関連に加え、雇用、母子保健、相談、教育などの事業も加えた。
2001年	待機児童ゼロ作戦	保育所の待機児童をなくす取り組みとして、保育所定員の弾力化や認可保育所の規制緩和を示した。
2003年	少子化社会対策基本法の制定	少子化対策の基本理念を明らかにし、具体的な子育て支援の取り組みを推進するために制定された。
2003年	次世代育成支援対策推進法の制定	国、地方公共団体だけでなく、従業員101人以上(制定当時は301人以上)の一般事業主にも次世代育成

次世代育成支援対策推進法における行動計画の策定について出題されました(令3-後-17)。

		支援の行動計画をつくることが義務づけられた。
2004年	少子化社会対策大綱	少子化社会対策基本法に基づいて策定された。同じ大綱として、2010年の「子ども・子育てビジョン」と2015年及び2020年に少子化社会対策大綱が公表されている。
2004年	子ども・子育て応援プラン	同年の少子化社会対策大綱に基づいた重点施策の具体的実施計画として策定された。
2008年	新待機児童ゼロ作戦	保育サービス、放課後児童クラブの新たな数値目標を掲げ、さらなる規制緩和を示した。
2012年	子ども・子育て関連3法の成立	①子ども・子育て支援法、②認定こども園法(就学前の子どもに関する教育、保育等の総合的な提供の推進に関する法律)の一部を改正する法律、③子ども・子育て支援法及び認定こども園の一部を改正する法律の施行に伴う関係法律の整備等に関する法律の3法が成立。
2016年	ニッポン一億総活躍プラン	働き方改革、子育ての環境整備、すべての子供が希望する教育を受けられる環境の整備、「希望出生率1.8」に向けたその他の取組を掲げた。
2017年	子育て安心プラン	保育の受け皿を拡大、保育人材の確保、持続可能な保育制度の確立などを掲げた。
2017年	新しい経済政策パッケージ	人づくり革命として、幼児教育の無償化、待機児童の解消、高等教育の無償化、私立高等学校の授業料の実質無料化などを掲げた。
2018年	新・放課後子ども総合プラン	すべての児童が放課後を安心・安全に過ごし、多様な体験・活動が行えるよう、5年間で30万人の放課後児童クラブの受け皿整備など、新たなプランを策定した。
2020年	新子育て安心プラン	4年間で約14万人分の保育の受け皿整備や地域の子育て資源の活用などを掲げた。
2023年	こども未来戦略	2030年までが少子化の傾向を反転させるラストチャンスだとして、今後3年間を集中取り組み期間とし、①若い世代の所得を増やす、②社会全体の構造・意識を変える、③全てのこども・子育て世帯を切れ目なく支援する、という3つの基本理念と、「『加速化プラン』～今後3年間の集中的な取組～」が示された。
2023年	こども大綱	こども基本法に基づき、こども政策を総合的に推進するため、政府全体のこども施策の基本的な方針等を定めた大綱。すべてのこども・若者が身体的・精神的・社会的に幸せな状態(ウェルビーイング)で生活を送ることができる「こどもまんなか社会」の実現をめざす。

ここが問われた！

少子化社会対策大綱について出題されました(令3-後-17、令4-前-3、令4-後-12)。

ここが問われた！

ニッポン一億総活躍プランで示された「希望出生率1.8」の実現に向けた対応策について出題されました(令3-後-17)。

ここが問われた！

「新子育て安心プラン」の記述について問われました(令5-後-10)。

表5　こども未来戦略で示された施策等

①経済的支援の強化
・妊娠・出産の際に10万円相当を給付
・出産育児一時金を50万円に引き上げ
・児童手当を高校生まで拡大、所得制限の撤廃、第3子以降を3万円に増額
・高等教育にかかる費用負担軽減
②すべての子どもと子育て世帯の支援拡大
・産前・産後ケア拡充
・こども誰でも通園制度
・子どもの貧困対策
・障害のある子どもの支援体制強化
③共働き・共育ての推進
・「男性育休は当たり前」になる社会を目指す

○×チェック問題

1　日本で最初の救済支援は明治時代の救護法である。

2　野口幽香は東京に二葉保育園を設立した。

3　1963（昭和38）年に「びわこ学園」を創設したのは糸賀一雄である。

4　1887（明治20）年に石井十次が孤女学院を設立した。

5　「エンゼルプラン」が制定されたのは、「1.57ショック」後の1994（平成6）年である。

6　2008（平成20）年以降、日本の人口は増加している。

7　日本では、1990年代から15～64歳の労働人口が増加している。

8　2001（平成13）年の待機児童ゼロ作戦では、保育所定員の弾力化や認可保育所の規制緩和が示された。

9　2004（平成16）年の少子化社会対策大綱は、少子化社会対策基本法に基づいて策定された。

10　2016（平成28）年にニッポン一億総活躍プランによって、希望出生率1.8の実現に向けた取組を掲げた。

答え

1 ×「救護法」ではなく「恤救規則」
2 ○
3 ○
4 ×「孤女学院」ではなく「岡山孤児院」
5 ○
6 ×「増加」ではなく「減少」
7 ×「増加」ではなく「減少」
8 ○
9 ○
10 ○

テーマ6 子ども家庭福祉の現状と課題

現代の子ども家庭福祉には課題が山積みです。ここでは特に、2004(平成16)年の児童福祉法改正に加えられた要保護児童対策地域協議会についての理解と、子どもの貧困問題に関する理解を深めていきます。

児童虐待、要保護児童、少年非行、子どもの貧困、医療的ケア児

1 現状と課題

子ども家庭福祉の現状と課題は児童虐待、少年非行、障害児支援、ひとり親家庭、子どもの貧困、外国籍の子どもとその家庭への支援と多様化しているのが現状です。

児童虐待では、家庭内の問題という考え方から、社会全体の問題であるという視点が求められています。少年非行では、「(虐待や貧困などの)貧しさからの非行」から「(過保護や物質的な)豊かさからの非行」へと質的に変化してきました。障害児支援での大きな課題は、障害の程度にかかわらず地域での生活を可能とするための支援体制の整備です。そして、特に「医療的ケア児」へは、社会福祉や教育、医療保健が連携するコーディネーターの養成も課題です。ひとり親家庭における課題は、ひとり親への就労支援、生活支援、経済的支援と「自立支援」が求められています。そして、増えつつある外国籍の子どもとその家庭への支援は、在留資格(ビザ)という司法問題から、日本文化(言語、生活様式など)の理解と周辺住民の理解への支援があります。

ここが問われた!

日本語指導が必要な外国籍の児童生徒について出題されました(令4-後-17)。外国籍等の子どもの保育について出題されました(令5-後-13)。

「医療的ケア児及びその家族に対する支援に関する法律」(医療的ケア児支援法)が2021(令和3)年に制定・施行されました。これにより国や地方自治体が医療的ケア児の支援を行う責務を負うことが明文化されました。

保育士には、多様化する課題に対して、どの機関とつなげるか、どの制度に結びつけるかなどのソーシャルワークの技術がその専門性として求められています。

ここが問われた！
要保護児童対策地域協議会について出題されました（令2-後-16）。

2 要保護児童対策地域協議会の基本的な考え方

■要保護児童対策地域協議会とは

2020（令和２）年４月現在、1738市町村（全体の99.8%）が要保護児童対策地域協議会を設置しています。

職員構成は、「保健師・助産師・看護師」が1630名と最多で、「児童福祉司と同様の資格を有する者」が905名、「教員免許を有する者」が958名となっています。

表１　要保護児童対策地域協議会（協議会）の概要

①　設置主体	協議会は、地方公共団体が設置することができるとされています。 市町村が設置主体になり、関係機関へ働きかけることが原則です。
②　対象児童	協議会の対象児童は、「要保護児童（保護者のない児童または保護者に監護させることが不適当であると認められる児童）」であり、虐待を受けた子どもに限らず、要支援児童、非行児童なども含みます。
③　協議会の業務	①要保護児童の適切な保護を図るために必要な情報の交換を行います。 ①要保護児童に対する援助内容に関する協議を行います。
④　要保護児童対策調整機関の指定	協議会を設置した地方公共団体の長は、要保護児童対策調整機関を指定します。
⑤　守秘義務	協議会の構成員は、協議会の職務に関して知り得た秘密を漏らしてはならないこととされています。
⑥　関係機関への協力	協議会は、必要があると認めるときは、関係機関等に対して、資料または情報の提供、意見の開陳（かいちん）その他必要な協力を求めることができます。
⑦　罰則	守秘義務に反して、秘密を漏らした場合には１年以下の懲役または50万円以下の罰金が科せられます。
⑧　公示	地方公共団体は、協議会を設置したときは、その旨を公示しなければならないとされています。

3 要保護児童対策地域協議会の主たる構成員

構成員は児童福祉法第25条の２第１項に規定する「関係機関、関係団体及び児童の福祉に関連する職務に従事する者その他の関係者」と規定されていますが、加えて地域の実情に応じて幅広い者を参加させることもできます。

図1　要保護児童対策地域協議会の構成員

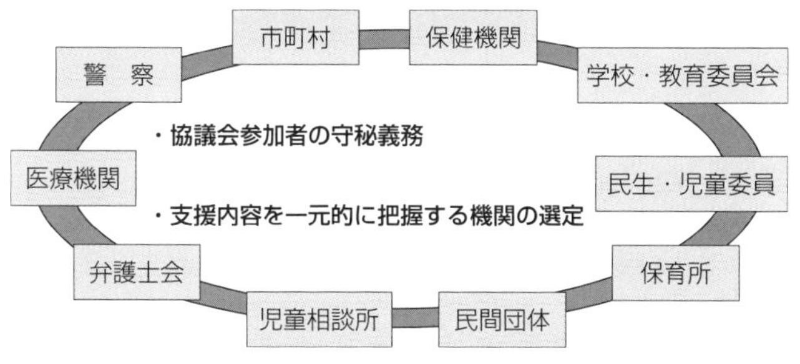

※　厚生労働省「要保護児童対策地域協議会(子どもを守る地域ネットワーク)スタートアップマニュアル」

4 支援の対象者

支援対象者は、児童福祉法第25条の2第1項により、以下の三者を支援対象に定めています。

表2　支援の対象者

要保護児童及びその保護者	保護者のない児童または保護者に監護させることが不適当であると認められる児童及びその保護者
要支援児童及びその保護者	保護者の養育を支援することが特に必要と認められる児童及びその保護者
特定妊婦	出産後の養育について出産前において支援を行うことが特に必要と認められる妊婦

5 要保護児童

厚生労働省は、要保護児童を以下のように定義しています。

①　被虐待児童・非行児童など

・保護者が虐待している児童

・保護者の著しい無理解または無関心のため、放任されている児童

・保護者の労働または疾病などのため、必要な監護を受けることのできない児童

・知的障害または肢体不自由等の児童で保護者のもとにあっては十分な監護が行われないため、専門の児童福祉施設に入所して保護、訓練・治療したほうがよいと認め

られる児童
・不良行為（犯罪行為含む）を成し、または成すおそれのある児童

② 孤児、保護者に遺棄された児童、保護者が長期拘禁中の児童、家出した児童など

ここが問われた！

要保護児童対策地域協議会設置・運営指針について出題されました（31-前-18、令1-後-17）。

さらに深める

要保護児童対策地域協議会の設置について

Q：同協議会運営のための３つの会議とは何ですか？

A：「代表者会議」「実務者会議」「個別ケース検討会議」の３層から構成されています。

Q：会議は誰が行いますか？

A：３つの会議の運営は、調整機関が担当し、各会議の開催準備、会議録の作成、参加関係機関への招集やスケジュール調整等を行います。

ここをチェック！

「要保護児童対策地域協議会設置・運営指針」についての出題傾向として、同協議会の存在意義や基本的な考え方についてや、同指針の内容の真偽を問う問題が出題されています。特に第１章は全文を読んで理解しましょう。

6 要保護児童対策地域協議会設置・運営指針

要保護児童対策地域協議会設置・運営指針（以下、指針）が厚生労働省から通知されています。

■ 指針の基本的な考え方

虐待を受けている子どもをはじめとする要保護児童（児童福祉法第６条の３に規定する要保護児童をいう。）の早期発見や適切な保護を図るためには、関係機関がその子ども等に関する情報や考え方を共有し、適切な連携の下で対応していくことが重要ですが、こうした多数の関係機関の円滑な連携・協力を確保するためには、①運営の中核となって関係機関相互の連携や役割分担の調整を行う機関を明確にするなどの責任体制の明確化、②関係機関からの円滑な情報の提供を図るための個人情報保護の要請と関係機関における情報共有の関係の明確化が必要であるとしています。

■ 対象児童

要保護児童対策地域協議会の対象児童は、児童福祉法第６条の３に規定する「要保護児童（保護者のない児童または保護者に監護させることが不適当であると認められる児童）」であり、虐待を受けた子どもに限られず、非行児童なども含まれます。

■ 関係するネットワーク等

少年非行問題を扱うネットワークとしては、①要保護児童対策地域協議会、②学校・教育委員会が調整役となっているネットワークや、③警察が調整役になっているネットワークも存在しますが、これら３つのネットワークは、それぞれ、中心となって活動する機関やケースに取り組む際の視点・手法が異なっている場合があります。

少年非行ケースを扱う際は、ケースごとにその子どもが抱える問題に最も適切に対応できるネットワークを活用することが望ましいことから、地域協議会としても、日頃から関係するネットワークとの連携・協力に努めるものとしています。

7 少年に関する法令

少年法とは、非行少年に対する処分やその手続きなどについて定める法律であり、第１条では、少年法の目的を「非行のある少年に対して性格の矯正及び環境の調整に関する保護処分を行うとともに、少年の刑事事件について特別の措置を講ずること」としています。

2022(令和４)年４月に改正少年法が施行されました。改正少年法では主に18歳・19歳の少年について、実名や写真等の報道が許されるといった従来よりも厳しい処罰となりました。

ここが問われた!

少年非行の種類や定義について出題されました(令2-後-15)。少年による刑法犯で最も多い罪名について出題されました(令4-後-16)。

2022(令和４)年４月は、選挙権年齢や成年年齢を18歳とする民法の改正も少年法と同時に施行され、18歳・19歳の者も社会において責任ある立場となりました。ただし、成年の定義は民法においては「18歳をもって成年とする」と改正されましたが、少年法の「少年」の定義はこれまでどおり「20歳に満たない者」とされています。

表３　非行少年の分類

犯罪少年	14歳以上で罪を犯した少年
触法少年	14歳未満で罪を犯した少年
虞犯(ぐはん)少年	18歳未満で、性格または環境に照らして、将来的に罪を犯す、または刑罰法令に触れる行為をするおそれがあると認められる少年
特定少年	罪を犯した18歳・19歳の少年

表４　家庭裁判所における少年事件の処分

ケース	処　分(対処)
児童福祉機関の指導に委ねる場合	都道府県知事または児童相談所長に送致。

「児童相談所運営指針」においても、非行少年の家庭裁判所送致についての指針が示されています。

少年の更生が十分期待できる場合	少年を保護処分に付さない。 審判を開始せずに調査のみ行って手続を終える。
14歳以上少年が罪を犯したとき、保護処分よりも、刑罰を科するのが相当と判断される場合	事件を検察官に送致することがある。
少年が16歳以上で故意に被害者を死亡させた場合	原則として、事件を検察官に送致する。

8 相対的貧困率の推移

日本では、子どもの貧困が大きな問題となっています。生まれ育った環境によって子どもの将来が左右されることのない社会を実現するために、様々な取り組みが行われています。

相対的貧困率とは、貧困線（等価可処分所得の中央値の半分）を基準として、貧困線に満たない世帯員の割合を指します。なお、子どもの貧困率とは、相対的貧困である18歳未満の子どもの割合です。

2012（平成24）年以降は数値が低下していますが、これは国民全体の生活水準が低下しているからであり、解決に向かっているわけではありません。

図2　相対的貧困率の年次推移

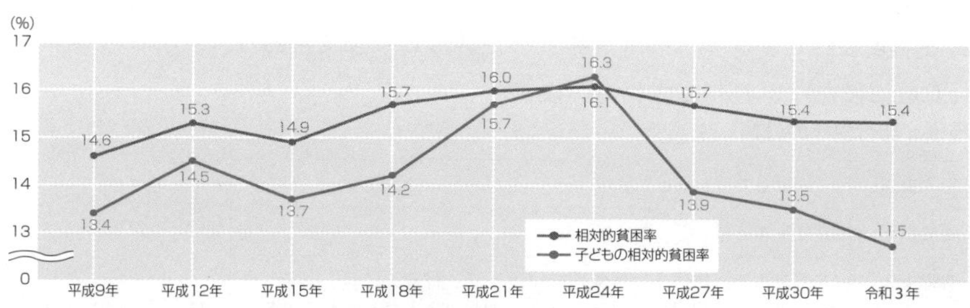

資料：厚生労働省「2022（令和４）年国民生活基礎調査」

図3　子どもがいる現役世帯の世帯員の相対的貧困率

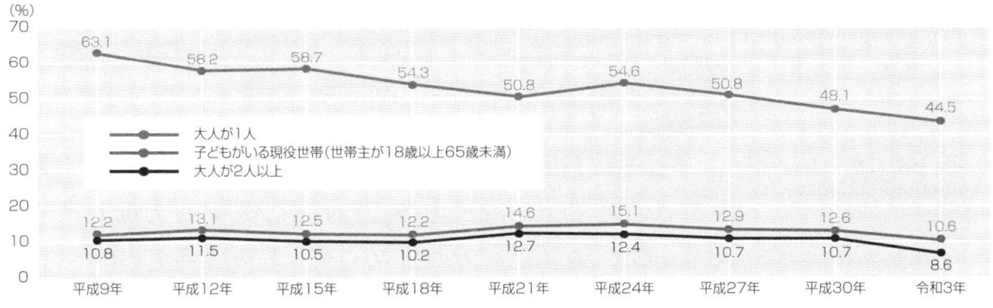

資料：厚生労働省「2022（令和４）年国民生活基礎調査」

9　子どもの貧困に関わる法令

2013（平成25）年に、貧困の状況にある子どもが健やかに育成される環境を整備するとともに、教育の機会均等を図るため、子どもの貧困対策を総合的に推進することを目的として「子どもの貧困対策の推進に関する法律」が制定されました。

ここが問われた！
子どもの貧困対策の推進に関する法律の第2条について穴埋め問題が出題されました（令4-前-15、令5-後-4）。

（目的）
第１条　この法律は、子どもの現在及び将来がその生まれ育った環境によって左右されることのないよう、全ての子どもが心身ともに健やかに育成され、及びその教育の機会均等が保障され、子ども一人一人が夢や希望を持つことができるようにするため、子どもの貧困の解消に向けて、児童の権利に関する条約の精神にのっとり、子どもの貧困対策に関し、基本理念を定め、国等の責務を明らかにし、及び子どもの貧困対策の基本となる事項を定めることにより、子どもの貧困対策を総合的に推進することを目的とする。
（基本理念）
第2条　子どもの貧困対策は、社会のあらゆる分野において、子どもの年齢及び発達の程度に応じて、その意見が尊重され、その最善の利益が優先して考慮され、子どもが心身ともに健やかに育成されることを旨として、推進されなければならない。
2～4　略

そして、この法律の中で「政府は、子どもの貧困対策を総合的に促進するため、子どもの貧困対策に関する大綱を定めなければならない」とされました。

10 子供の貧困対策に関する大綱

ここが問われた！
「子供の貧困対策に関する大綱」の内容について出題されました(令3-後-16)。

「子どもの貧困対策の推進に関する法律」に基づき、閣議決定されたのが「子供の貧困対策に関する大綱」です。2014(平成26)年に初めて定められ、社会情勢の変化に合わせておおむね5年ごとを目途に見直しが検討されます。

2019(令和元)年に閣議決定された「子供の貧困対策に関する大綱」では、旧大綱における「生活支援」が「生活の安定に資するための支援」と変更され、より生活に近い視点で貧困を評価する指標が追加されました。その他の分野につい

図4 「子供の貧困対策に関する大綱」の概要

基本的な方針

○親の妊娠・出産期から子どもの社会的自立までの切れ目ない支援
○支援が届いていない、又は届きにくい子ども・家庭への配慮
○地方公共団体による取組の充実
など

子どもの貧困に関する指標

○生活保護世帯に属する子どもの高校・大学等進学率
○高等教育の修学支援新制度の利用者数
○食料又は衣服が買えない経験
○子どもの貧困率
○ひとり親世帯の貧困率
など、39の指標

指標の改善に向けた重点施策

<教育の支援>
○幼児教育・保育の無償化の推進及び質の向上
○地域に開かれた子どもの貧困対策のプラットフォームとしての学校指導・運営体制の構築
- スクールソーシャルワーカーやスクールカウンセラーが機能する体制の構築、少人数指導や習熟度別指導、補習等のための指導体制の充実等を通じた学校教育による学力保障

○高等学校等における修学継続のための支援
- 高校中退の予防のための取組、高校中退後の支援

○大学等進学に対する教育機会の提供
○特に配慮を要する子どもへの支援
○教育費負担の軽減
○地域における学習支援等

<生活の安定に資するための支援>
○親の妊娠・出産期、子どもの乳幼児期における支援
- 特定妊婦等困難を抱えた女性の把握と支援 等

○保護者の生活支援
- 保護者の自立支援、保育等の確保 等

○子どもの生活支援
○子どもの就労支援
○住宅に関する支援
○児童養護施設退所者等に関する支援
- 家庭への復帰支援、退所等後の相談支援

○支援体制の強化

<保護者に対する職業生活の安定と向上に資するための就労の支援>
○職業生活の安定と向上のための支援
- 所得向上策の推進、職業と家庭が安心して両立できる働き方の実現

○ひとり親に対する就労支援
○ふたり親世帯を含む困窮世帯等への就労支援

<経済的支援>
○児童手当・児童扶養手当制度の着実な実施
○養育費の確保の推進
○教育費負担の軽減

施策の推進体制等

<子どもの貧困に関する調査研究等>
○子どもの貧困の実態等を把握するための調査研究
○子どもの貧困に関する指標に関する調査研究
○地方公共団体による実態把握の支援

<施策の推進体制等>
○国における推進体制
○地域における施策推進への支援
○官公民の連携・協働プロジェクトの推進、国民運動の展開
○施策の実施状況等の検証・評価
○大綱の見直し

資料：内閣府資料を一部改変

てもそれぞれ新たな指標が追加され、前回の大綱では25だった指標が、39に増加しました。

○×チェック問題

1　現在、子ども家庭福祉の課題は多様化する家庭への支援である。
2　要保護児童には、非行児童は含まれない。
3　要保護児童対策地域協議会の運営主体は都道府県である。
4　厚生労働省が定める要保護児童には被虐待児が含まれる。
5　要保護児童対策地域協議会の支援対象の中に「要支援児童」は含まれない。
6　相対的貧困率とは、貧困線を基準として、貧困線に満たない世帯員の割合を指す。
7　子どもの貧困対策を推進するため、2013（平成25）年に、子どもの貧困対策の推進に関する法律が制定された。
8　子どもの貧困対策の推進に関する法律第１条では、児童福祉法の精神にのっとり、子どもの貧困対策を総合的に推進することが示されている。
9　2019（令和元）年の「子供の貧困対策に関する大綱」では、重点施策として「大学等進学に対する教育機会の提供」が挙げられた。

答え

1 ○
2 ×　含まれる。
3 ×　「都道府県」ではなく「市町村」
4 ○
5 ×　対象児童の中に含まれる。
6 ○
7 ○
8 ×　「児童福祉法」ではなく「児童の権利に関する条約」
9 ○

テーマ7 子ども家庭支援と児童の健全育成

2020(令和2)年の「子ども家庭福祉」科目に追加された内容が「子ども家庭支援論」であり、その内容は保育所保育指針における子育て支援の意義と役割、具体的な支援になります。試験では事例問題として出題されることが多いといえます。また、ここでは児童の健全育成についても触れます。

子ども家庭支援の意義と役割、保育士のソーシャルワーク、家庭支援のための社会資源、子育て世代包括支援センター、放課後児童健全育成事業

1 子ども家庭支援の意義と役割

■子ども家庭支援の意義と必要性

① 子ども家庭支援の意義

日本国憲法第11条の基本的人権、第25条の生存権や、児童の権利に関する条約でうたわれた「児童の最善の利益」の尊重と実現が子ども家庭支援の意義といえます。

② 子ども家庭支援の必要性

社会の情報化、多様化など現代社会は大きくそして急速に変化しています。それにともなって、子どもと家庭を取り巻く環境も大きく変化しています。このような時代の中で、家庭への「理解者」が求められています。具体的には、子ども及び家庭(保護者)と日常的に関わる専門職として「保育士」が担う部分が多くあります。したがって、日常生活からの気づきを通した「子ども家庭支援」の必要性は高まっています。

■子ども家庭支援の目的と機能

子ども家庭支援は、支援を必要とする子どもと家庭にはたらきかけて、その子どもと家庭に必要な生活上の機能や役割が円滑に果たされるよう、また、回復できるよう支援することを目的としています。その目的を達成するために、以下のような機能があります。

表1　保育士の子ども家庭支援における主なソーシャルワークの機能

仲介機能	支援に必要な社会資源とつなげる仲介機能
調停機能	子ども、家庭、地域社会の間の対立や意見の食い違いを調停する機能
代弁機能	権利擁護など、子どもや家庭の代弁者となる機能(アドボカシー)
連携機能	公的・民間のサービス、社会資源とつなげる機能
処遇機能	施設内においての子どもや保護者への直接援助
治療機能	子どもや保護者の療育的機能を含めた治療を行う
教育機能	子どもや保護者に対して教育的な指導を行う
保護機能	特別なケアを要する子どもや家庭への保護的な立場に立つ
組織機能	公的・民間の組織的な活動や団体を動かす機能

2 保育士による子ども家庭支援の意義と基本

保育現場の保育士が子ども家庭支援を担う意義として、保育所の特性や保育士の専門性を活かした支援があります。その方法として、日常の保育と一体的に展開されること、子どもの育ちの喜びを共有することなどがあります。その際の保育士の基本的な態度として受容的で、利用者本人の自己決定を尊重します。加えて、知りえた情報はすべて守秘義務の対象として取り扱います。

■保育所・認定こども園の特性を活かした家庭支援

① 日々の保育の中で保護者との長期的で継続的な関わりがある。

② 異年齢の子どもたちが存在する。

③ 子どもの発達に合わせた保育の環境が整備されている。

④ 保育士以外の専門職(栄養士、看護師等)が配置されてい

ここが問われた!
事例問題で保育士の専門性とソーシャルワークについて出題されました(令5-前-18)。

ここをチェック!
2019(令和元)年10月から**幼児教育・保育の無償化**がスタートし、認定こども園、保育所、幼稚園を利用する3～5歳のすべての子どもたちの利用料が無料となりました。

る。

⑤　さまざまな社会資源と連携しながら支援ができる。

ここが問われた！

保育所保育指針に照らした子育て支援に関する記述の正誤問題が出題されました（令6-前-17）。

■保育の専門性を活かした家庭支援

保育の専門性を活かした家庭支援については、保育所保育指針第４章「子育て支援」に示されています。

> 1　保育所における子育て支援に関する基本的事項
> (1)　保育所の特性を生かした子育て支援
> イ　保育及び子育てに関する知識や技術など、保育士等の専門性や、子どもが常に存在する環境など、保育所の特性を生かし、保護者が子どもの成長に気付き子育ての喜びを感じられるように努めること。

また、保育所保育指針解説では保育士の専門性について次のように示しています。

> ①　子どもの発達を援助する知識及び技術
> ②　子どもへの生活援助の知識及び技術
> ③　保育の環境を構成していく知識及び技術
> ④　遊びを豊かに展開していくための知識及び技術
> ⑤　子どもや保護者に関する関係構築の知識及び技術
> ⑥　保護者等への相談、助言に関する知識及び技術

保育士には、こうした専門的な知識及び技術を、状況に応じた判断のもと、適切かつ柔軟に用いながら、子どもの保育と保護者への支援を行うことが求められています。

■保育士に求められる基本的態度

①　受容的な関わり

保育所保育指針第４章「子育て支援」に、以下のように示されています。

> 1　保育所における子育て支援に関する基本的事項
> (1)　保育所の特性を生かした子育て支援
> ア　保護者に対する子育て支援を行う際には、各地域や家庭の実態等を踏まえるとともに、保護者の気持ちを受け止め、相互の信頼関係を基本に、保護者の自己決定を尊重すること。

保護者が持ちがちな母性感に立脚した「母親規範意識

（母親ならこうあるべき）」があることを理解し、保育者自身が持つ個人的な価値観に気づき、差別や偏見による対応にならないように留意することが必要です。

② 自己決定の尊重

対人援助のバイステックの７原則にもある「自己決定の原則」にのっとって、保育者は保護者と一緒に問題を整理しながら、必要な情報を出し、保護者の決定や判断を支持する姿勢が求められます。

③ 秘密保持

児童福祉法では、以下のように保育士の秘密保持義務が規定されています。

第18条の22 保育士は、正当な理由がなく、その業務に関して知り得た人の秘密を漏らしてはならない。保育士でなくなった後においても、同様とする。

違反した場合は、１年以下の懲役または50万円以下の罰金の罰則があります。保育園ごとに秘密保持についてのルール等について保護者と事前に確認しておくことが必要です。ただし、虐待等が疑われる場合はこの限りではありません（児童福祉法第25条、児童虐待防止法第６条）。

■家庭の状況に応じた支援

① 就労と子育ての両立のための多様な保育ニーズへの対応

多様化する保護者の就労形態に対応するために、就労と子育てが両立できるように就労状況に合わせた支援が必要です。

具体的には以下のような対応が求められます。

・子どもが安定して過ごせる環境の整備
・子どもの体調の急変時に対応
・適切な医療機関の受診を勧める

② 障害や発達上の課題のある子どもの保護者への支援

障害や発達上の課題のある子どもの保育は、保護者への個別対応に加えて関連する機関との連携が重要です。

保育所保育指針第４章「子育て支援」

2　保育所を利用している保護者に対する子育て支援

⑵　保護者の状況に配慮した個別の支援

イ　子どもに障害や発達上の課題が見られる場合には、市町村や関係機関と連携及び協力を図りつつ、保護者に対する個別の支援を行うよう努めること。

具体的な連携機関としては、児童発達支援センター、放課後等デイサービス、その他児童発達支援機関があります。

③　特別な配慮を必要とする家庭への支援

特別な配慮を必要とする家庭とは、ひとり親家庭、経済的に困窮している家庭、外国籍の家庭、外国にルーツを持つ家庭、ステップファミリー等で、それらの家庭については状況を細かく把握しながら必要な支援を行うことが求められています。

保育所保育指針第４章「子育て支援」

2　保育所を利用している保護者に対する子育て支援

⑵　保護者の状況に配慮した個別の支援

ウ　外国籍家庭など、特別な配慮を必要とする家庭の場合には、状況等に応じて個別の支援を行うよう努めること。

具体的には、外国籍家庭の場合、使用する言語、文化、風習の違いによる誤解、ひとり親家庭等では、子育てに困難や問題を抱えやすいことを踏まえて、保育を通じて課題を把握することが求められます。

ここが問われた!
保育所保育指針における「不適切な養育等が疑われる家庭への支援」について出題されました(令2-後-12)。

④　育児不安や不適切な養育等がみられる保護者への支援

子どもの生命にかかわる事項でもあり、保育の専門性を活かした保育がより一層求められます。併せて、専門機関との連携が必須です。

保育所保育指針第４章「子育て支援」

2　保育所を利用している保護者に対する子育て支援

⑶　不適切な養育等が疑われる家庭への支援

ア　保護者に育児不安等が見られる場合には、保護者の希望に応じて個別の支援を行うよう努めること。

3 子育て家庭に対する支援の体制

■子育て家庭支援のための社会資源

① 行政機関等

子育て家庭を支える社会資源の中でまずは行政機関を挙げることができます。

・こども家庭センター
・児童相談所
・要保護児童対策地域協議会
・福祉事務所(家庭児童相談室)
・保健所・市町村保健センター

② 児童福祉施設

現在、児童福祉法で定められている児童福祉施設は13種類あります(詳細はp.206～207を参照)。幼保連携型認定こども園や保育所も児童福祉施設の1つであり、他の施設と連携しながら地域の社会資源として家庭支援を担っています。

③ 子育て家庭を支える専門職・実施者

子育て家庭を支える保育士以外の専門職として、児童委員、保健師、児童福祉司などが、子育て家庭支援の実施者として児童相談所や福祉事務所などでその支援にあたっています(詳細はp.283～を参照)。

4 多様な支援の展開と関係機関との連携

保育所保育指針から子ども家庭支援の内容とその対象を理解します。子どもを取り巻く環境が日々変化する中、子育て支援の環境を把握する必要があります。

■子ども家庭支援の内容と対象

具体的には、保育所の特性は2つあります。

① 専門性を活かした保育実践を行う「保育」

② 保護者の声を聴きながらエンパワメントする役割に基づいた「子育て支援」

また、子ども家庭支援の対象は大きく3つに分けられます。

・保育所に通園している園児の保護者
・保育所に通園していない子どものいる保護者
・児童福祉施設を利用している子どもの保護者

子育て支援については保育所保育指針で以下のように記されています。

第４章「子育て支援」
３　地域の保護者等に対する子育て支援
(1)　地域に開かれた子育て支援
ア　保育所は、児童福祉法第48条の４の規定に基づき、その行う保育に支障がない限りにおいて、地域の実情や当該保育所の体制等を踏まえ、地域の保護者等に対して、保育所保育の専門性を生かした子育て支援を積極的に行うよう努めること。

■要保護児童等及びその家庭に対する支援

保育所や児童福祉施設は要保護児童対策地域協議会の連携機関でもあり、要保護児童やその家庭への支援は必須です。

①　支援の展開

要保護児童とは「保護者のない児童又は保護者に監護させることが不適当であると認められる児童」(児童福祉法第６条の３)と定義されています。また、同法第25条の２では、要保護児童対策地域協議会の設置が努力義務とされています。

保育所以外の児童福祉施設も要保護児童対策地域協議会の関係機関であることから、要保護児童やその家庭への支援を行っています。

②　要保護児童とその家庭に対する保育所や児童福祉施設の支援と関係機関との連携

要保護児童を発見した場合の対応として、保護者の不適切な関わりがある場合は、他の関係機関と連携し、慎重に不適切な部分や養育の不十分な点について対処します。

経済的な支援を要する場合は、児童相談所、社会福祉事務所と連携しながら、必要に応じて母子生活支援施設への入所も促します(フォーマルサポート)。加えて、子ども食

ここが問われた！
事例問題で、社会資源としての地域の子ども食堂について出題されました(令4-後-20)。

堂や地域の支援団体(インフォーマルサポート)などの情報提供も行うなどの広範囲な支援が望まれています。

5 こども家庭センター

2024(令和6)年度から施行された児童福祉法及び母子保健法の改正により、市町村子ども家庭総合支援拠点(児童福祉法に基づき、虐待や貧困などの問題を抱えた家庭に対応する)と、母子健康包括支援センター(子育て世代包括支援センター)(母子保健法に基づき、妊産婦や乳幼児の保護者の相談を受ける)の機能を維持した上で組織を見直し、すべての妊産婦、子育て世帯、こどもへ一体的に相談支援を行う機関としてこども家庭センターが児童福祉法に規定され、市町村はその設置に努めることとされました。

市町村子ども家庭総合支援拠点と子育て世代包括支援センターの「連携」からより一歩前へ進むことや、こども家庭センターとして、地域の関係主体とつながりながら、サポートプランの作成や勧奨・措置を使いながら子育て家庭をマネジメントできる体制を整えることを目的としています。

ここが問われた!

子育て世代包括支援センターについて出題されました(令5-前-13)。子育て世代包括支援センターの必須業務について出題されました(令2-後-11)。

ここが問われた!

「子ども・子育て支援法」に基づく利用者支援事業(母子保健型)について出題されました(31-前-12)。利用者支援事業(母子保健型)は、子育て世代包括支援センター(法律上は母子健康包括支援センター)が中核となり実施します。

図1 こども家庭センターのイメージ

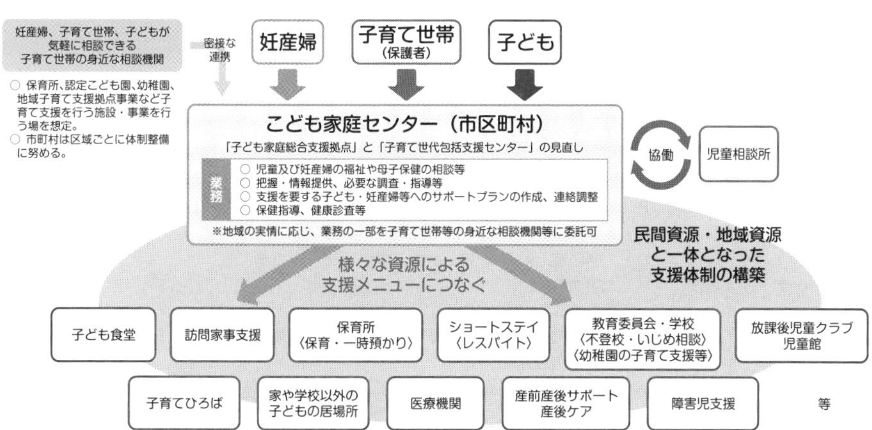

出典:こども家庭庁「こども家庭センターについて」

6 放課後児童健全育成事業

放課後児童対策としての具体的な施策について出題されました(令3-前-3)。放課後児童健全育成事業に関する記述について正誤が問われました(令4-前-10、令6-前-3)。

特別支援学校の小学部の児童も、放課後児童健全育成事業の対象に加えることができます(31-前-11)。

児童福祉法第６条の３第２項の規定に基づき、保護者が労働等により昼間家庭にいない小学校に就学している児童に対し、授業の終了後等に小学校の余裕教室や児童館等を利用して適切な遊び及び生活の場を与えて、その健全な育成を図るものです。

表2　事業内容

・放課後児童の健康管理、安全確保、情緒の安定
・遊びの活動への意欲と態度の形成
・遊びを通しての自主性、社会性、創造性を培うこと
・放課後児童の遊びの活動状況の把握と家庭への連絡
・家庭や地域での遊びの環境づくりへの支援
・その他放課後児童の健全育成上必要な活動

表3　設置数等

・設置数等：公営6707か所　民営１万9100か所
・登録児童数：145万7384人(2023(令和５)年５月１日現在)
・設置主体：市町村、社会福祉法人、保護者会、運営委員会など
・実施場所：学校の余裕教室、学校敷地内専用施設、児童館など

なお、学童保育の質の向上のために2014(平成26)年より各事業所に配置することが義務づけられ、「放課後児童健全育成事業者は、放課後児童健全育成事業所ごとに、放課後児童支援員を置かなければならない」(配置義務)と放課後児童健全育成事業の設備及び運営に関する基準第10条に規定されました。

放課後児童支援員の資格要件について出題されました(31-前-11)。

放課後児童クラブの待機児童数は前年比1096人増の１万6276人と、厚生労働省は発表しています(2023(令和５)年５月１日現在)。

表4　放課後児童支援員の資格要件

・保育士
・社会福祉士
・高校卒業＋２年以上児童福祉事業従事者
・幼稚園、小学校、中学校、高等学校又は中等教育学校の教諭となる資格を有する者
・大学卒業(＊)
・大学卒業(＊)で大学院への入学が認められた者
・大学院修了者(＊)
・外国の大学卒業(＊)
・高校卒業＋２年以上放課後児童健全育成事業に類似する事業の従事者＋市町村長が適当と認めた者
・５年以上放課後児童健全育成事業の従事者＋市町村長が適当と認めた者
(＊)社会福祉学、心理学、教育学、社会学、芸術学もしくは体育学を専修する学科又はこれらに相当する課程

7 新・放課後子ども総合プラン

小学生児童がいる共働き世帯やひとり親世帯では、働きながら子育てを希望する傾向が広がってきました。1997(平成9)年の児童福祉法改正で法定化された「放課後児童健全育成事業」は「第二種社会福祉事業」として位置づけられています。この事業は「放課後児童健全育成事業の設備及び運営に関する基準」に基づいて実施されています。

その背景には、2007(平成19)年の「放課後子どもプラン」、2008(平成20)年の「新待機児童ゼロ作戦」、そして2010(平成22)年に策定された「子ども・子育てビジョン」の利用児童を111万人にする目標がありました。加えて2014(平成26)年の「放課後子ども総合プラン」では、2019(令和元)年度末までに、新規で30万人分の整備を目指していました。しかしながら、近年の女性就業率の上昇等により、さらなる共働き家庭の児童数の増加が見込まれていることから、2018(平成30)年に「新・放課後子ども総合プラン」が策定されました。共働き家庭等の小１の壁を打破するとともに、次代を担う人材を育成するため、すべての児童が放課後等を安全・安心に過ごし、多様な体験・活動を行うことができるよう放課後等にすべての児童を対象として学習や体験・交流活動などを行う事業の計画的な整備等を進めています。

表５　「新・放課後子ども総合プラン」に掲げる目標(2019～2023年)

放課後児童クラブ
　2021年度末までに約25万人分を整備。
　2023年度末までに約30万人分の受け皿を整備。

すべての小学校区で、一体型の放課後児童クラブ及び放課後子供教室として１万か所以上で実施することをめざす。

新たに開設する放課後児童クラブの約80%を小学校内で実施することをめざす。

子どもの自主性、社会性等のより一層の向上を図る。

小１の壁
両親が共働きで保育園に通っていたが卒園して小学生になり、親が仕事で子どもの生活に合わせることが難しくなること。

なぜ「新・放課後子ども総合プラン」が策定されたのか？
①共働き家庭のさらなる増加により放課後児童クラブの追加的な調整が不可欠になっているため。②放課後児童クラブと放課後子供教室の一体型実施が目標(１万か所)に到達していないため。

8 放課後子供教室

放課後子供教室は、地域住民や大学生・企業ＯＢなど様々な人材の協力を得て行う、放課後等にすべての子どもを対象とした学習支援や多様なプログラム。2018（平成30）年の実施か所数は、１万8749教室（うち一体型：4913か所）であり、実施市区町村数は1171市区町村で、実施場所は小学校が74.8％と多く、その他（公民館、中学校など）25.2％となっています。

- 児童館ガイドライン第１章１「理念」について（令3-前-11）
- 児童館ガイドラインの記述の正誤について（令4-後-13）
- 児童館ガイドライン第３章「児童館の機能・役割」について（令6-前-10）

放課後や週末等に小学校の余裕教室等を活用し、子どもたちの安全・安心な活動拠点（居場所）を設け、地域の人々の参画を得て、子どもたちの社会性、自主性、創造性等の豊かな人間性を養うために、地域の子どもたちと大人の積極的な参画・交流による地域コミュニティーの充実を図る事業です。

費用負担は、事業実施経費について国が３分の１、都道府県が３分の１、市町村が３分の１を負担する補助事業です（政令指定都市・中核市は国３分の１、市３分の２）。

主な対象者は小学生ですが、地域の子ども全般を対象としているものであり、幼児、児童、生徒の一部のみに制限するものではありません。

9 児童館ガイドライン

2011（平成23）年に策定された「児童館ガイドライン」が2018（平成30）年に改正されました。改正の方向性としては、児童福祉法改正や、子どもの福祉的な課題への対応、子育て支援に対する児童館が持つ機能への期待を踏まえたものです。主な改正点は以下の通りです。

① 子どもの意見の尊重、子どもの最善の利益の優先等について示した。
② 児童館の施設特性を新たに示し、「拠点性」「多機能性」「地域性」の３点に整理した。
③ 子どもの理解を深めるため、発達段階に応じた留意点を示した。
④ 児童館の職員に対し、不適切な養育が疑われる場合等への適切な対応を求めた。
⑤ 乳幼児支援や中・高校生世代と乳幼児の触れ合い体験の取り組みの実施等の内容を加えた。
⑥ 大型児童館の機能・役割について新たに示した。

○×チェック問題

1　「代弁機能」とは、支援に必要な社会資源とつなげる機能である。
2　「環境を構成していく知識及び技術」は保育士の専門性である。
3　保育士は業務上知りえた秘密は漏洩した場合でも罰則はない。
4　保育士の保護者支援の基本は集団対応である。
5　子育て家庭を支える社会資源として保健所・市町村保健センターがある。
6　放課後児童健全育成事業は学校教育法に定められている。
7　放課後児童クラブには「放課後児童支援員」を配置するよう努力義務がある。
8　放課後児童支援員の資格要件に保育士は入っていない。
9　放課後児童クラブを設置するのは市町村である。
10　新・放課後子ども総合プランにおいて、放課後児童クラブに2023（令和５）年度末までに約20万人分の受け入れを整備する。

答え

1 ×　権利擁護など、子どもや家庭の代弁者となる機能（アドボカシー）
2 ○
3 ×　罰則規定がある。１年以下の懲役または50万円以下の罰金。
4 ×　基本的に個別対応を原則としている。
5 ○
6 ×　「学校教育法」ではなく「児童福祉法」
7 ×　「努力義務」ではなく「設置義務（必置）」
8 ×　保育士や社会福祉士等がある。
9 ○
10 ×　「約20万人」ではなく「約30万人」

テーマ8 子ども・若者への支援と海外の子育て支援

青少年の健全な育成について、ここでは子ども・若者育成支援推進法について理解するとともに、新しい子供・若者育成支援推進大綱(令和３年度)の確認をします。さらに、諸外国の子ども家庭福祉の動向から、今後の日本の子ども家庭福祉施策について考えてみましょう。

子供・若者育成支援推進大綱、子供・若者白書、諸外国の子ども家庭福祉

ここが問われた！

子ども・若者育成支援推進法等の子ども家庭福祉に関する条約・法律等の年代の順が問われました(令3-後-2)。

子ども・若者育成支援推進法第１条

この法律は、子ども・若者が次代の社会を担い、子ども・若者の健やかな育成、子ども・若者が社会生活を円滑に営むことができるようにするための支援について、子ども・若者育成支援推進本部を設置し、また、総合的な子ども・若者育成支援のための施策を推進することを目的とします。

1 子ども・若者育成支援推進法

子ども・若者育成支援推進法は、2009(平成21)年に制定され、翌年４月１日より施行されました。教育、福祉、雇用等の関連分野における子ども・若者育成支援施策の総合的推進とニートやひきこもり等困難を抱える若者への支援を行うための地域ネットワークづくりの推進を図るための法律です。第９条には、子ども・若者計画の作成について示されており、これを根拠に都道府県及び市町村は、国の大綱を勘案して都道府県子ども・若者計画(市町村子ども・若者計画)を作成する努力義務があるとされました。

2010(平成22)年には、第８条に基づく大綱として「子ども・若者ビジョン」が決定されました。

■子供・若者育成支援推進大綱(2016(平成28)年)

2016(平成28)年、政府は新たな大綱を策定し、①全ての子供・若者の健やかな育成、②困難を有する子供・若者やその家族の支援、③子供・若者の成長のための社会環境の整備、④子供・若者の成長を支える担い手の養成、⑤創造的な未来を切り拓く子供・若者の応援という５つの課題に重点的に取り組むこととしました。

■子供・若者育成支援推進大綱（2021（令和３）年）

2019（平成31）年４月から政府は第３次となる新たな大綱の作成に向けた検討を開始しました。「子供・若者が誰ひとり取り残されず、社会の中に安心できる多くの居場所を持ちながら成長・活躍していけるよう、支援の担い手やそのネットワークを強化しつつ取り組むとともに、取組の推進・評価にデータを有効活用していく」ことをポイントとして、2021（令和３）年４月に策定しました。

表１　子供・若者育成支援推進大綱（2021（令和３）年）の概要

１．子供・若者を取り巻く状況
① 社会全体の状況（子供・若者の健全育成に関連する主な社会課題）
生命・安全の危機／孤独・孤立の顕在化／低いWell-being／格差拡大への懸念／持続可能で多様性・包摂性ある社会づくり／リアルな体験の充実とデジタル・トランスフォーメーション（DX）の両面展開／成年年齢の引下げ／人権・権利の保障／ポストコロナ時代における国家・社会の形成者の育成
② 子供・若者が過ごす「場」ごとの状況
家　庭
虐待、貧困、ひきこもり、ヤングケアラー等が社会問題化。
学　校
児童生徒は多様化。学校現場の負担は年々増大。
地　域
住民のつながりの希薄化、地域活動の担い手の高齢化・固定化。
情報通信環境（ネット空間）
ネットの利活用が進む一方、SNSに起因する犯罪被害、誹謗中傷等の弊害も深刻化。
就　業（働く場）
若年無業者（ニート）の増加などコロナ禍で悪化が懸念。
２．子供・若者育成支援の基本的な方針・施策
① 全ての子供・若者の健やかな育成
人生100年時代を幸せ（Well-being）に生き抜く基盤を形成できるよう育成。
→自然・文化体験の充実と１人１台ICT環境の有効活用、少人数学級の実施、健康・安全教育、消費者教育の推進　等
② 困難を有する子供・若者やその家族の支援
家族を含め、誰ひとり取り残さず、非常時にも途切れることなく支援
→孤独・孤立対策、自殺、虐待、貧困等への対策、複合的課題への包括的支援等
③ 創造的な未来を切り拓く子供・若者の応援
長所を伸ばし、特技を磨き、才能を開花させ、未来を切り拓けるよう応援
→STEAM（Science,Technology,Engineering,Art,Mathematics）教育、起業家教育、”出る杭”の応援、地方移住、地域貢献活動の促進　等
④ 子供・若者の成長のための社会環境の整備
家庭、学校、地域等が、Well-beingの観点からより良い環境となるよう活動を促進

ここが問われた！
地域若者サポートステーション、ひきこもりに関する記述の正誤が問われました（令6-前-8）。

ここが問われた！
「ヤングケアラー」に関する記述の正誤が問われました（令5-前-19、令6-前-8）。

ここをチェック！
「ヤングケアラー」とは、法令上の定義はありませんが、一般には本来大人が担うと想定されている家事や家族の世話などを日常的に行っている子どもとされています。責任や負担の重さにより、学業や友人関係などに影響が出てしまうことがあります。

→多様な居場所づくり、子育て支援、家庭教育支援、地域と学校の協働、ネット利用の適正化、働き方改革、テレワーク、子供・若者への投資の推進　等

⑤　子供・若者の成長を支える担い手の養成・支援

専門人材から身近な大人、子供・若者自身や家族に至るまで、多様な担い手を支援

→企業等の参画促進、教師の資質能力の向上、専門や地域を超えた共助の推進、先端技術・データ活用(Child-Youth Tech)等

3．施策の推進体制

・子供・若者の多様化や課題の複雑化、孤独・孤立やWell-beingの観点等を踏まえ、多様なデータからなる参考指標(子供・若者インデックス)を新たに設定。

・大綱の期間はおおむね5年(令和3～7年度)としつつ、社会情勢、政策動向等に応じ適時改定。

2 子供・若者白書

ここが問われた!
『子供・若者白書』について、子ども・若者育成支援施策の記述に関して出題されました(31-前-3)。面前DVについての警察からの通告に関して出題されました(令4-後-14)。

『子供・若者白書』は、子ども・若者育成支援推進法第6条の規定に基づき、毎年国会に提出することとされている年次報告書です。

表2　『令和4年版子供・若者白書』

第1章	子供・若者育成支援施策の総合的な推進 第1節　「子ども・若者育成支援推進法」の成立・施行 第2節　「子ども・若者育成支援推進法」に基づく大綱の策定
第2章	全ての子供・若者の健やかな育成
第3章	困難を有する子供・若者やその家族の支援
第4章	創造的な未来を切り拓く子供・若者の応援
第5章	子供・若者の成長のための社会環境の整備
第6章	子供・若者の成長を支える担い手の養成・支援
第7章	施策の推進体制等

3 子ども・若者を地域で支える担い手

■民間協力者の確保

保護司は、法務大臣から委嘱された非常勤の国家公務員です。保護観察官と協働して、保護観察、生活環境の調整、地域社会における犯罪予防活動にあたっています。

保護司以外に、地域の中で更生保護を支えている民間の施設・団体は表3の通りです。

表3　更生保護を支える民間の施設・団体

更生保護施設	改善更生が困難な少年院仮退院者や保護観察中の少年等を保護し、各種の生活指導などを行うことにより、その自立更生を支援している。
更生保護女性会	犯罪や非行のない明るい地域社会を実現しようとする女性によるボランティア団体。
BBS（Big Brothers and Sisters Movement）	非行など様々な問題を抱える子どもの悩み相談や学習支援を通して、その自立を支援する「ともだち活動」をはじめ、非行防止や子どもの健全育成のための多彩な活動を行っている青年ボランティア団体。
協力雇用主	犯罪や非行歴のある人に、その事情を承知した上で職場を提供し、その人の立ち直りに協力しようとする民間の事業主。
人権擁護委員（法務省）	様々な人権問題に対処するため、幅広い世代・分野の出身者に人権擁護委員を委嘱。
児童委員（厚生労働省）	児童委員は、民生委員をもってあてられ、厚生労働大臣から委嘱される。主任児童委員も含む。
母子保健推進員（厚生労働省）	市町村長の委嘱を受け、地域の実情に応じた独自の子育て支援と健康増進のための啓発活動を行う。
少年警察ボランティア（警察庁）	少年の非行を防止し、その健全な育成を図る。
少年補導委員（内閣府）	地方公共団体が委嘱している少年補導委員で、補導・相談の効果的な進め方などの情報を共有。

日本BBS連盟会員綱領

一、BBS会員は、友愛と良識をもって、非行少年のよいともだちとなります。

一、BBS会員は、すべての人の信頼と尊敬を受けるよう、自己の反省と錬磨に努めます。

一、BBS会員は、明るい社会の建設に寄与します。

■ 同世代または年齢の近い世代による相談・支援

地域における子ども・若者育成支援に携わる多様な担い手を養成することを目的として、地域の若手指導者などのリーダーシップや企画力などの向上に資する青年リーダー研修会があります。

4　デンマークの子ども家庭福祉

デンマークの消費税は25%と日本に比べてかなり高額ですが、その分の恩恵を受けているため、国民は納得しているようです。子どもの貧困率も低く、世界幸福度調査報告書でも毎年上位に位置しています。

教育面では、公立学校は無料であり、大学に進学する場合においても国内やデンマークが認定する国に籍があれば授業料を支払う必要はありません。また18歳以上になった大学生は、親ではなく国に保護される身分となるため、国からの生活費（月に5000クローネ、9万1000円（2010年当時））の支給も始まります。

デンマークは民主主義国家であり、考え方の根底に「人の権利を尊重する」「人の自由と尊厳を大切にする」「人を認めともに支え合う」などがあり、家庭や学校内の教育方針にも反映されているといえます。

（参考文献：ケンジ・ステファン・スズキ（2010）消費税25％で世界一幸せな国デンマークの暮らし）

5 フランスの子ども家庭福祉

先進国では例外的に合計特殊出生率が1.82（2020年）と高い水準を維持し、「少子化対策のお手本」といわれているのがフランスです。

フランスでは、妊娠健診や出産が無料です。０歳から２歳までは保育園のほか、在宅の保育サービスも充実しています。そして、2019年には３歳からの義務教育がスタートしました。すべての子どもが公立の幼稚園に入園できる権利があり、保育料はかかりません。大学・大学院の学費は年間３万円になります。県から支給される奨学金も返済不要の給付型のため、家庭の経済状況に左右されず教育を受けられるようになっています。

税金の使用用途に占める割合は「教育」がいちばん高く、２番目は「児童福祉」です。また、企業からも税金控除となる寄付金が福祉分野に多く集まっているといわれています。

6 イギリスの貧困対策

イギリスが福祉国家であることはいうまでもありませんが、子どもの貧困に悩まされていた時期があります。そこで、1999年にブレア元首相が「2020年までに子どもの貧困を撲滅する」と宣言して以降、政府は多くの対策を打ち出しその実績を公表してきました。

その結果、ブレア政権が誕生した1997年から2010年までの間で、子どもの貧困率は26%から18%へ約3割低下しました。特にひとり親世帯の子どもの貧困率は49%から22%へと約5割低下しています(イギリスは日本より広く貧困層を捉えて貧困率を算出しているため、数値は日本より高くなっています)。

ただし、日本同様に財政難ということもあり、社会保障費の削減による貧困率の悪化は避けられません。それでも、日本と比較すると、子どもにかける予算がしっかり確保されています。

7 スウェーデンの子ども家庭福祉

スウェーデンは、早くから子どもの福祉を重視した政策を行うとともに、労働者の生活と雇用の安定に向けて積極的でした。1970年代以降、男女ともに仕事と育児の両立の実現を目指した結果、2016年には3～6歳児を持つ父親の就業率が9割に対し、母親も8割以上という高い就業率を達成しています。また、男性の育児休業取得率は、2001年生まれの子どもの父親では88.5%に達しています。

合計特殊出生率は、2020年には1.66という数値ですが、2060年まで1.8前後の水準を維持するだろうと推計されています。この数値は日本政府が掲げる目標値でもあり、スウェーデンを1つのモデルにしていくことが望まれます。

(参考文献：高橋 美恵子(2018)スウェーデンにおける仕事と育児の両立支援施策の現状—整備された労働環境と育児休業制度)

8 フィンランドの子ども家庭福祉

ジェンダーギャップ指数2022(世界経済フォーラム)2位のフィンランドは、ジェンダー平等が進み、女性のほとんどがフルタイムで働いています。日本のような「イクメン」という概念はなく、男性が子育てをするのは当然視されています。

妊娠期から就学前までの子どもの健やかな成長・発達の支援として、「ネウボラ(アドバイスの場)」といわれる場が存在します。どの自治体にもあり、健診は無料、利用率はほぼ100%といわれています。

国からは「育児パッケージ」が支給され、中身はベビーケアアイテムやベビー服、親が使用するアイテムなど43点です。パッケージの中身は男女共通で、生まれてくる子ども全員への、社会からの分け隔てない祝福と歓迎のシンボルという意味があり、子どもが大切にされていることがわかります。

(参考文献：髙橋 睦子(2015)ネウボラ フィンランドの出産・子育て支援)

図１　諸外国の合計特殊出生率の動き(欧米)

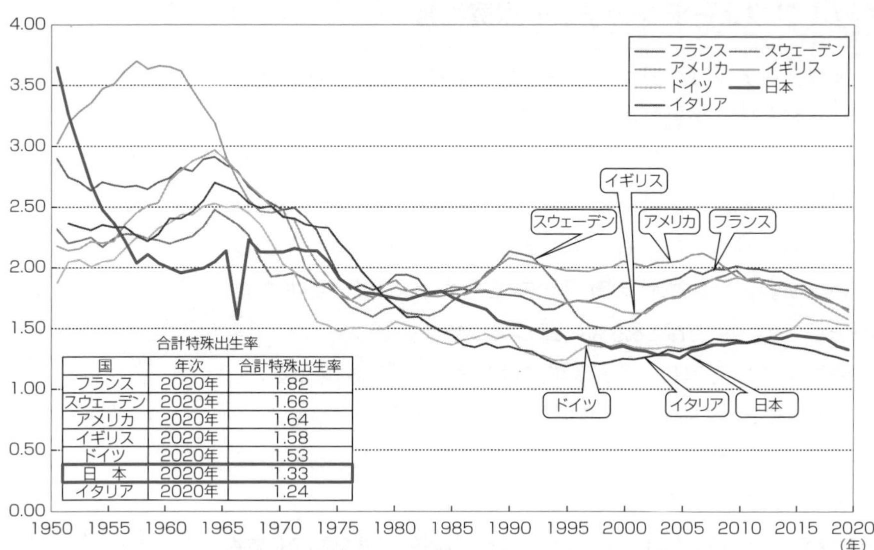

資料：諸外国の数値は1959年までUnited Nations “Demographic Yearbook”等、1960～2018年はOECD Family Database、2019年は各国統計、日本の数値は厚生労働省「人口動態統計」を基に作成。
注：2020年のフランス、アメリカの数値は暫定値となっている。
出典：内閣府『令和４年版　少子化社会対策白書』

ここが問われた!
日本と諸外国における子どもや家庭の統計に関する記述の正誤が問われました(令４-後-18)。

9　日本の子ども家庭福祉の現状

OECD(2017年)によると、加盟各国などの国内総生産(GDP)に占める小学校から大学に相当する教育の公的支出の割合が、日本は**2.9%**で、OECD平均の4.1%を大きく下回り、比較可能な38か国のうち下から２番目という結果でした。同様に、「家族関係社会支出」の対国内総生産(GDP)

比は1.73％（2019年度）であり、3.24％のイギリスや3.4％のスウェーデンの半分程度でした。

図２　各国の家族関係社会支出の対GDP比の比較

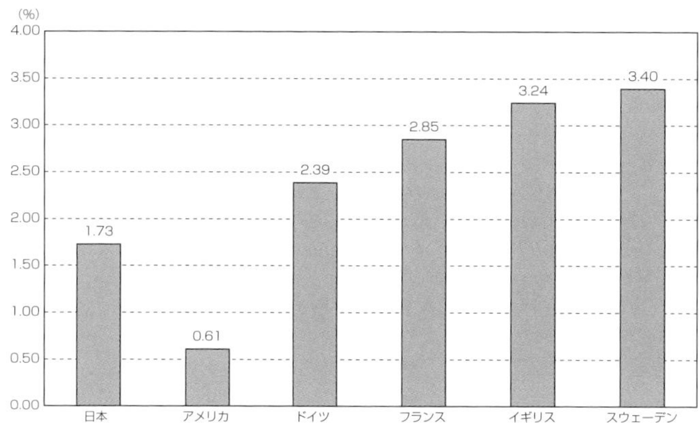

資料：国立社会保障・人口問題研究所「社会保障費用統計」（2019年度）を基に作成。

注１：家族関係社会支出…家族を支援するために支出される現金給付及び現物給付（サービス）を計上。計上されている給付のうち、主なものは以下のとおり（国立社会保障・人口問題研究所「社会保障費用統計」巻末参考資料より抜粋）。

・児童手当：現金給付、地域子ども・子育て支援事業費
・社会福祉：特別児童扶養手当給付費、児童扶養手当給付費、保育対策費等
・協会健保、組合健保：出産手当金、出産手当附加金
・各種共済組合：出産手当金、育児休業手当金等
・雇用保険：育児休業給付、介護休業給付等
・生活保護：出産扶助、教育扶助
・就学援助、就学前教育：初等中等教育等振興費、私立学校振興費等

２：日本は2019年度、アメリカ、フランスは2018年度、ドイツ、イギリス、スウェーデンは2017年度

３：諸外国の社会支出は、2021年５月24日時点の暫定値

出典：内閣府『令和４年版　少子化社会対策白書』

○×チェック問題

1 子供・若者育成支援推進大綱では、「全ての子供・若者の健やかな育成」として、「ICT環境の有効活用」があげられている。

2 子供・若者育成支援推進大綱では、「創造的な未来を切り拓く子供・若者の応援」として、「STEM教育」があげられている。

3 子供・若者育成支援推進大綱では、「子供・若者の成長のための社会環境の整備」として、「子供・若者への投資の推進」があげられている。

4 『子供・若者白書』は児童福祉法に基づいて作成される年次報告書である。

5 BBSとは世界に広がる青年ボランティア団体である。

6 人権擁護委員は法務省が委嘱する。

7 少年補導委員は法務省が管轄している。

8 スウェーデンには「ネウボラ」という育児支援の場がある。

答え

1 ○

2 × 「STEM教育」ではなく「STEAM教育」

3 ○

4 × 「児童福祉法」ではなく「子ども・若者育成支援推進法」

5 ○

6 ○

7 × 「法務省」ではなく「内閣府」

8 × 「スウェーデン」ではなく「フィンランド」

第 5 章

社会福祉

頻出テーマ

テーマ1 社会福祉の理念と概念
令4-後-2,4 令5-後-1

テーマ2 社会福祉の歴史
令4-前-1 令4-後-1 令5-後-2 令6-前-2

テーマ3 社会福祉の法制度と実施体系
令4-前-1,2,6,8,18,19,20 令4-後-6,7,9,18 令5-前-1,18,20 令5-後-5 令6-前-1,3,6,8,18,20

テーマ4 社会保障制度
令4-前-9,10 令4-後-3 令5-前-4,9 令5-後-8 令6-前-7

テーマ5 社会福祉に関わる専門職
令4-後-10 令5-前-3,6,10,19 令5-後-7

テーマ6 社会福祉における相談援助
令4-前-5,11,12,13,14,15 令4-後-5,11,12,13,14,15 令5-前-11,12,13,14,15 令5-後-9,10,11,12 令6-前-9,10,11,12

テーマ7 利用者の保護と福祉サービス評価
令4-前-16,17 令4-後-16,17 令5-前-5,16,17 令5-後-13,14,15,16 令6-前-13,14,15,16

テーマ8 地域福祉の推進
令4-前-4 令4-後-20 令5-後-18 令6-前-4

テーマ9 日本の社会福祉事業
令4-前-7 令4-後-8,19 令5-前-7 令5-後-6 令6-前-19

テーマ10 日本の少子化対策と子育て支援
令4-前-3 令5-後-17,19,20 令6-前-5,17

毎回、試験範囲からまんべんなく出題されているよ。特に、ここ数回においては、昨今の保護者支援の重要性から、保育士として知っておくとよい「相談援助」の出題が目立っているよ。

テーマ1 社会福祉の理念と概念

社会福祉の理念と概念は毎回出題されています。社会福祉の基本的な考え方を理解することが必要です。社会福祉に関係する法律においてどのように定義されているかを確認しながら社会福祉実践の基礎となる考え方を学びます。

ノーマライゼーション、インクルージョン、ウェルビーイング、生活の質、日本国憲法第25条、ナショナルミニマム

キーワードの内容も理解しよう！

1 日本国憲法第25条

「すべて国民は、健康で文化的な最低限度の生活を営む権利を有する」として、ナショナルミニマム(国家責任(ナショナル)として国民の最低限度(ミニマム))を保障しています。

また、「国は、すべての生活部面について、社会福祉、社会保障及び公衆衛生の向上及び増進に努めなければならない」としています。

社会福祉は日本国憲法第25条を具現化するための手段の1つと考えましょう。

ここが問われた！

日本国憲法における社会福祉の基本的な考え方について出題されました(令4-後-2)。

2 各法律における社会福祉の理念

社会福祉法第1条で、「この法律は、社会福祉を目的とする事業の全分野における共通的基本事項を定め、(中略)福祉サービスの利用者の利益の保護及び地域における社会福祉(以下「地域福祉」という。)の推進を図るとともに、(中略)社会福祉の増進に資することを目的とする」と定められています。

ここが問われた！

各福祉の法律における福祉の理念について出題されました(31-前-1)。

表１　福祉関連法における社会福祉の理念

法律	公布年	条文
児童福祉法	(1947(昭和22))	全て児童は、児童の権利に関する条約の精神にのっとり、適切に養育されること、その生活を保障されること、愛され、保護されること、その心身の健やかな成長及び発達並びにその自立が図られることその他の福祉を等しく保障される権利を有する。
身体障害者福祉法	(1949(昭和24))	身体障害者の自立と社会経済活動への参加を促進するため、身体障害者を援助し、及び必要に応じて保護し、もって身体障害者の福祉の増進を図る。
精神保健及び精神障害者福祉に関する法律	(1950(昭和25))	精神障害者の社会復帰の促進及びその自立と社会経済活動への参加の促進のために必要な援助を行い、並びにその発生の予防その他国民の精神的健康の保持及び増進に努める。
老人福祉法	(1963(昭和38))	老人の福祉に関する原理を明らかにするとともに、老人に対し、その心身の健康の保持及び生活の安定のために必要な措置を講じ、もって老人の福祉を図る。
母子及び父子並びに寡婦福祉法	(1964(昭和39))	母子家庭等及び寡婦に対し、その生活の安定と向上のために必要な措置を講じ、もって母子家庭等及び寡婦の福祉を図る。

表１の５つの法律は特に保育と関わりの深いものです。児童福祉法に加えて子どもと保護者に関わる法律が整備されています。５つの法律はその対象は違いますが、社会福祉法に規定されている「社会福祉の増進に資することを目的とする」に合致しています。各福祉の領域の特性に応じてその理念を規定しています。

3　社会福祉の基本理念

2000(平成12)年の社会福祉基礎構造改革以降、日本の社会福祉はそれまでの「困っているから助ける」という考え方から、「自分の力で生活を立て直すことを助ける」という「自立支援」という考え方に変わってきました。

この考え方を基本とした理念を表２にまとめました。

ここが問われた!

ユニバーサルデザインについての説明が出題されました(令2-後-1)。ソーシャルインクルージョンの概念、定義などについて出題されました(令3-前-1)。ノーマライゼーションなど、社会福祉の理念について出題されました(令4-後-4)。「自立支援」など日本の社会福祉の基本的な考え方について出題されました(令5-後-1)。

表2 社会福祉の基本的な考え方

ノーマライゼーション	障害のある人が障害のない人と同等に生活し、ともに生き生きと活動できる社会をめざすこと。
ユニバーサルデザイン	あらかじめ、障害の有無、年齢、性別、人種等にかかわらず多様な人々が利用しやすいよう都市や生活環境をデザインする考え方。
ソーシャルインクルージョン	すべての人々を孤独や孤立、排除や摩擦から援護し、健康で文化的な生活の実現につなげるよう、社会の構成員として包み支え合うこと。
QOL(Quality of Life)	一個人が生活する文化や価値観の中で、目標や期待、基準、関心に関連した自分自身の人生の状況に対する認識。
インテグレーション	社会福祉の対象者の処遇にあたり、対象者が他人と差別なく地域社会と密着した中で生活できるように援助をすること。
ワークライフバランス	老若男女すべての人にとって、仕事と仕事以外の諸活動のバランスがとれた状態にあること。
社会参加	社会の役割を担うことで社会に参加するという考え方。
ナショナルミニマム	国家が国民に対して保障する最低限の生活水準。
ウェルビーイング	「よりよく生きる」という観念。すべての国民を対象としている(福祉と訳される)。
エンパワーメント	人としての尊厳を奪われた人への主体的回復をめざす支援。
ストレングス	個人や集団の「強み」「能力」を生かした支援。
アドボカシー	代弁機能。意思表示が困難な人に代わって意思を述べる。

社会福祉の基本理念は「ノーマライゼーション」に基づいているよ！

○×チェック問題

1　日本国憲法第25条では「ナショナルマキシマム」を理念としている。

2　生活保護法では、社会福祉の理念を示している。

3　「ノーマライゼーション」とは、今日の福祉の基本的な考えとなっている。

4　ユニバーサルデザインとは、個人や集団の「強み」や「能力」を活かした支援である。

5　QOLは人間の価値を意味している。

6　ワークライフバランスとは、政府が国民の働き方を決めるものである。

7　日本の社会福祉の共通理念として自立支援がある。

答え

1 × 「ナショナル（国家責任として）ミニマム（最低限度の生活）」を理念としている。

2 × 国が国民の最低限度の生活を保障するための法律であり、社会福祉の理念を示しているとはいえない。

3 ○

4 × 多様な人々が利用しやすいよう都市や生活環境をデザインすることである。

5 × Quality of Lifeで、「生活の質」を意味している。

6 × あくまでも個々人が生活と仕事のバランスを考えることである。

7 ○

テーマ2 社会福祉の歴史

社会福祉の歴史についての問題は、毎回出題されています。歴史を学ぶことで今を理解し、将来を見通す力が備わります。歴史は年号の暗記ではなく、流れを理解することが覚える早道です。

エリザベス救貧法、セツルメント活動、恤救規則、救護法、福祉三法、福祉六法

ここが問われた!

- イギリスの福祉政策等の年代の順について(令3-後-4)
- 「ベヴァレッジ報告」「新救貧法」についての正誤(令5-後-2)
- イギリスの社会福祉の歴史について(令6-前-2)

1 ヨーロッパの社会福祉の歴史

社会福祉の発祥はイギリスだといわれています。19世紀末から20世紀初めにかけて、ヨーロッパ諸国の一部では公共福祉制度が導入されました。

イギリスで始まった社会福祉はアメリカへ渡ります。

表1 主なイギリスの社会福祉政策

制定年	政策／法律名	特徴
1601年	エリザベス救貧法	社会福祉の法律の原点
1834年	新救貧法	劣等処遇の原則　福祉国家イギリスの原点
1869年	COS(慈善組織協会)	慈善活動や物資配分の漏救・併救の防止
1884年	トインビーホール	代表的なセツルメントハウス注1(バーネット夫妻)
19世紀末～20世紀初頭	ブース貧困調査	『ロンドン市民の生活と労働』を発表
	ラウントリー貧困調査	1901年『貧困――都市生活の研究』を発表

1942年	ベヴァレッジ報告	「ゆりかごから墓場まで」「5つの巨人注2」

注1：セツルメント活動とは、大学教授や学生たちが貧しい人たちと生活することで貧困問題を解決しようとした活動。
注2：(克服すべき) 5つの巨人「貧窮、疾病、無知、不潔、怠惰」

2 アメリカの社会福祉の歴史

アメリカの社会福祉は、イギリスに影響を受けて発展していきました。イギリスのCOS活動は主にリッチモンドによってアメリカで紹介され、「ソーシャルケースワーク」として体系化されました。

■ セツルメント活動

1899年にアダムスがシカゴに「ハルハウス」を創設し、児童公園や図書館、保育所を設立しました。また、街の美化のために清掃活動も始めました。街全体の環境を改善することで生活の仕方や子育てを改善し、子どもの力を伸ばしていくという取り組みでした。

■ ホワイトハウス会議からニューディール政策

ホワイトハウス会議(白亜館会議)は1909年にセオドア・ルーズベルト大統領が開催し、その中で「家庭は文明の最高の創造物である、故に緊急やむを得ない事情のないかぎり児童を家庭から切り離してはならない」と宣言しました(家庭尊重の原則)。1929年の世界大恐慌が大量の失業者を生み出すと、フランクリン・ルーズベルト大統領は公共事業に大きく投資する「ニューディール政策」を打ち出し、1935年に社会保障法(「社会保障制度」「公的扶助」「社会福祉制度」を柱とした)が制定されました。

■ ヘッドスタート計画

1965年に始まったアメリカ連邦政府の育児支援施策の1つで、当時のジョンソン大統領の「偉大なるアメリカ(Great America)」を旗印に、未就学の幼児、特に貧困家庭の幼児に適切な教育を施し、就学後に通常の家庭の子どもたちと同一の学習準備段階に立てるように、あらかじめ「文化的格差の解消」を最大の目的としていました。

メアリー・リッチモンド(1861-1928)
家族を早くに亡くし、義務教育も受けないまま読書から読み書きを覚え、1889年にボルチモアの慈善組織協会で働きだし、「友愛訪問活動」に携わります。その活動からソーシャルケースワークの基礎を築き、「ケースワークの母」と呼ばれるようになりました。主著『ソーシャルケースワークとは何か？』(1922)、『社会的診断論』(1917)

3 北欧の社会福祉の歴史

社会福祉の誕生の地であるイギリスとそれを発展させたアメリカに加えて、北欧の国々の社会福祉も世界に影響を与えました。その代表的な概念として1950年代に提唱された「ノーマライゼーション」があります。1950年代にデンマークのバンク＝ミケルセンは、「障害者を排除するのではなく、障害のある人もない人と同じように、均等に当たり前の生活ができる社会がノーマル(健常)な社会である」という考え方を示しました。この考え方を理論化したのが、ノーマライゼーションの8原則を唱えたスウェーデンのニィリエです。

ノーマライゼーションはアメリカで発展、進化して日本にも導入されました。

4 国際年

国際的に共有すべきテーマを啓発するために国連が定める「国際年」には、社会福祉に関するものが多くあります。1968年の「国際人権年」をはじめとし、1971年は「人種差別と闘う国際年」、1975年は「国際婦人年」、1979年は「国際児童年」として定められました。1980年代になると、1981年の「国際障害者年」では「完全参加と平等」というスローガンが掲げられました。1990年代になると、1994年の「国際家族年」、1996年の「貧困撲滅のための国際年」、1999年の「国際高齢者年」が定められました。2000年代には、2001年が「ボランティア国際年」と定められました。

5 日本の社会福祉の歴史

日本の社会福祉の創生は「慈善救済」です。聖徳太子が593年に大阪の四天王寺に「四箇院(しかいん)」を建立したとされています。

表 2　聖徳太子の「四箇院」

敬田院（きょうでんいん）	悟りを得るための修行所
悲田院（ひでんいん）	身寄りのない高齢者や子どもたちを世話する施設
施薬院（せやくいん）	薬草などを育て薬として施与する施設
療病院（りょうびょういん）	身寄りのない病人を世話する施設

■明治時代以前の慈善救済

①　古代社会

古代社会の慈善救済には「政策的慈恵」や「仏教慈善」があります。飢饉や疫病などからの貧困救済が主なものでした。

その他、養老律令では「鰥寡（かんか）、孤独（こどく）、貧窮（びんぐ）、老疾（ろうしち）、不能自存者」として身寄りのない高齢者や子ども、障害者などを救済しました。

②　中世社会

中世社会は、武家支配が強まり、身分制度が細分化され年貢や労役が増えました。戦乱から飢饉が生まれ餓死者が出るほどでした。

③　近世時代

江戸時代になると幕藩体制のもと救済事業も組織的に行われました。貧民疾病救護のために「小石川療養所」が1722年に設立され、1791年には老中の松平定信が「七分積立制度」と「江戸町会所」を設立し、貧民救済にあたりました。

一方で「士農工商」という身分制度から厳しい年貢の取り立てや天災などによっては百姓一揆が起こりました。

■明治時代から第二次世界大戦までの慈善事業・社会事業

①　明治政府と公的救済

明治に入ると政府は「富国強兵」「殖産興業」に重点をおいた近代国家を目指しましたが、1873（明治 6）年に「地租改正」があり、各地で農民一揆が起こりました。その後、「無告の窮民」（身寄りのない貧困者）を対象とし、1874（明

「恤救規則」「救護法」について正誤が問われました（令5-後-2）。

治7)年に「恤救規則」が成立しました。その前文では、救済は「人民相互ノ情誼」によるもの、つまり相互扶助を基本としていました。この恤救規則は、1929(昭和4)年に「救護法」が成立するまで継続しました。

ここが問われた!
日本の戦前の社会事業と関連する人物の組み合わせについて出題されました(令4-後-1)。

② 民間の救済事業

明治政府の公的救済制度の不十分さから、キリスト教を中心とした篤志家たちが慈善事業を始めました。1887(明治20)年に石井十次が「岡山孤児院」を、1891(明治24)年に石井亮一が「聖三一孤女学院」のちの「滝乃川学園」を設立しました。山室軍平は1895(明治28)年に「救世軍」を設立し、低所得者を救済しました。また、1897(明治30)年に片山潜のセツルメント活動の拠点となった「キングスレー館」、1900(明治33)年に野口幽香の「二葉幼稚園」が設立されました。1908(明治41)年に「中央慈善協会」が設立され、のちに「社会福祉協議会」へと変化しました。

③ 感化救済事業

明治時代における民間慈善事業は主として身寄りのない子どもたちを対象とした「育児事業」として開始されました。1900(明治33)年に非行少年の教育的保護を目指す「感化法」が公布されました。感化法は1933(昭和8)年に少年教護法、そして1947(昭和22)年制定の児童福祉法に含まれるようになりました。

④ 社会事業の成立

第一次世界大戦(1914～1918)は、市民の消費生活を拡大し好景気をもたらしましたが、同時に物価の上昇は生活困窮も招きました。1918(大正7)年の米騒動を契機に、1920(大正9)年に原敬内閣はそれまでの「慈恵」という考え方を「社会事業」として法律に定めました。

一方で、この社会事業が不十分だとし、大阪府の林市蔵知事と小河滋次郎は「方面委員会」を発足し、今の「民生委員・児童委員」に発展しました。

⑤ 救護法の成立

1874(明治7)年に成立した恤救(じゅっきゅう)規則は、明治時代、大正時代を超えて1929(昭和4)年に「救護法」の成立で廃案になりました。救護法は、扶助内容も拡大充実しました。

⑥ 厚生事業の成立

1930年代前半は満州事変、日中戦争などの戦時下、1937(昭和12)年に「母子保護法」制定、1938(昭和13)年に「厚生省」設置、1941(昭和16)年に「医療保護法」が、1941(昭和16)年に「労働者年金保険法」のちの「厚生年金保険法」が制定されました。

■第二次世界大戦後の社会福祉

① 戦後の社会福祉

1945(昭和20)年の終戦、翌1946(昭和21)年にGHQは生活困窮者への支援は「国の責任で無差別平等に保護しなければならない」と日本政府に示し、公的扶助4原則ができました。同年、「生活保護法(旧法)」が制定され「救護法」が廃止されました。1947(昭和22)年に「日本国憲法」が施行されると「恩恵的な社会事業」から社会福祉や社会保障を重要視した「福祉国家」へと転換しました。

② 福祉三法の成立

戦災孤児や浮浪児たちへの強制収容が行われる中、すべての児童を対象とする児童福祉法が1947(昭和22)年に制定されました。また、戦争傷痍への保護制度として、身体障害者福祉法が1949(昭和24)年に制定されました。1950(昭和25)年には、日本国憲法第25条の生存権を保

ここが問われた!
第二次世界大戦後につくられた日本の社会福祉の法律について出題されました(令4-前-1)。

表3 福祉の基本法(福祉三法、福祉六法)

福祉三法					
生活保護法(1950(昭和25)年)	児童福祉法(1947(昭和22)年)	身体障害者福祉法(1949(昭和24)年)	精神薄弱者福祉法注(1960(昭和35)年)	老人福祉法(1963(昭和38)年)	母子福祉法注(1964(昭和39)年)
福祉六法					

注:精神薄弱者福祉法は現在の知的障害者福祉法で、母子福祉法は現在の母子及び父子並びに寡婦福祉法である。

証するため、旧生活保護法を改正した生活保護法が制定されました。

③ 国民皆保険・皆年金制度

1960(昭和35)年に池田内閣のもとで策定された長期経済計画である「所得倍増計画」が進められましたが、公害などの健康被害も顕著になり医療保険制度の確立が政策課題となりました。1961(昭和36)年には国民健康保険が開始され、誰もが医療保険に入れるように整備されました。併せて、労働者への不安解決のために国民年金法が施行され、「国民皆保険」「国民皆年金」制度が確立しました。

④ 福祉六法体制

戦後、福祉の基礎となる福祉三法が成立しましたが、1950年代からの高度経済成長は、核家族化、貧困問題などの様々な社会不安を生み出しました。その不安を払拭するために福祉三法に加えて「精神薄弱者福祉法」「老人福祉法」「母子福祉法」が制定され、福祉六法体制が整いました。

○×チェック問題

1　1884年にバーネット夫妻はトインビーホールというセツルメントハウスを設立した。

2「ゆりかごから墓場まで」といわれたのはブース貧困調査においてである。

3「ソーシャルワークの母」と呼ばれたのはイギリスのリッチモンドである。

4「家庭は文明の最高の創造物である」と宣言されたのは「ホワイトハウス会議」である。

5　ノーマライゼーションという概念は、デンマークのバンク＝ミケルセンによって提唱された。

6　石井亮一は「岡山孤児院」を設立した。

7　大正時代に大阪で設立された「方面委員会」は今の「民生委員」の前身である。

8「恤救規則（じゅっきゅう）」が成立するとそれまでの「救護法」は廃止された。

9　労働者への不安解消のために「国民年金法」が制定された。

10「生活保護法」「児童福祉法」「老人福祉法」の３つの法律を「福祉三法」という。

答え

1〇

2✕「ブース貧困調査」ではなく「ベヴァレッジ報告」

3✕「イギリス」ではなく「アメリカ」

4〇

5〇

6✕「岡山孤児院」ではなく「滝乃川学園」

7〇

8✕「救護法」の制定によって「恤救規則」が廃止された。

9〇

10✕「老人福祉法」ではなく「身体障害者福祉法」

テーマ3　社会福祉の法制度と実施体系

社会福祉の法制度は、毎回出題されています。法治国家の日本においては、社会福祉の施策の背景には、根拠となる法令があります。ここでは、社会福祉の実践を担保する法制度について学びます。

社会福祉法、生存権の保障、自立支援

試験によく出る法律ばかりだよ

ここが問われた！
社会福祉法の成立前後の社会福祉体制の見直しについて出題されました(令3-前-3)。

ここが問われた！
・社会福祉法に定められている事項を選ぶ問題(31-前-4)
・社会福祉法に関する記述の正誤(令6-前-1)
・社会福祉法に基づく

1　社会福祉法

1951(昭和26)年に制定された社会福祉事業法が、2000(平成12)年に題名を社会福祉法と改められて制定されました。

第１条(目的)として、「この法律は、社会福祉を目的とする事業の全分野における共通的基本事項を定め、社会福祉を目的とする他の法律と相まって、福祉サービスの利用者の利益の保護及び地域における社会福祉の推進を図るとともに、社会福祉事業の公明かつ適正な実施の確保及び社会福祉を目的とする事業の健全な発達を図り、もって社会福祉の増進に資することを目的とする」と定められています。

表１　社会福祉法で重要度が高い項目

項目	内容
目的・理念・原則	全分野における共通的基本事項を定める。
社会福祉事業	第一種社会福祉事業及び第二種社会福祉事業
社会福祉法人	社会福祉事業を行うことを目的として、設立された法人

社会福祉主事	都道府県知事または市町村長の補助機関である職員
苦情解決	利用者等からの苦情の適切な解決に努める。運営適正化委員会
社会福祉協議会	都道府県社会福祉協議会、市町村社会福祉協議会、地区社会福祉協議会
共同募金	共同募金会、配分委員会
福祉事務所	都道府県及び市は必須設置、町村は任意設置

市町村社会福祉協議会の活動や事業について(令6-前-18)

2 生活保護法

生活保護法(1950(昭和25)年)は、日本国憲法第25条の生存権を保障する基礎となる法律です。

第1条(この法律の目的)として、「この法律は、日本国憲法第25条に規定する理念に基き、国が生活に困窮するすべての国民に対し、その困窮の程度に応じ、必要な保護を行い、その最低限度の生活を保障するとともに、その自立を助長することを目的とする」と定められています。

生活保護には4原理・4原則があります(表2)。この原理・原則に則って、8つの扶助があります(p.279の表3「扶助の主な内容」を参照)。

表2 生活保護の4原理・4原則

4原理	内 容
国家責任**の原理**	国が生活に困窮するすべての国民に対して。
無差別平等**の原理**	法による保護を無差別平等に受けることができる。
最低生活**の原理**	健康で文化的な生活水準を維持。
補足性**の原理**	利用し得る資産、能力その他あらゆるものを最低限度の生活の維持のために活用することを要件として行われる。
4原則	**内 容**
申請保護**の原則**	申請に基づいて開始するものとする。
基準及び程度**の原則**	最低限度の生活の需要を満たすに十分なもので、これを超えない。
必要即応**の原則**	必要の相違を考慮して、有効かつ適切な対応。
世帯単位**の原則**	世帯を単位としてその要否及び程度を定める。

ここが問われた!

生活保護制度については頻出です。

- ○×の組み合わせを選ぶ問題(令3-前-7)
- 自立に関する記述(令3-後-3)
- 教育扶助の給付について(令4-前-6)
- 授産施設について(令4-後-9)
- 4原則、8つの扶助、保護施設について(令5-後-5)

被保護者調査(令和4年度)では被保護人員は199万3867人で、前年度と比べ1万5083人減少しています。

表３　生活保護法に基づく保護施設

救護施設	身体上または精神上著しい障害があるために日常生活を営むことが困難な要保護者を入所させて、生活扶助を行うことを目的とする施設。
更生施設	身体上または精神上の理由により養護及び生活指導を必要とする要保護者を入所させて、生活扶助を行うことを目的とする施設。
医療保護施設	医療を必要とする要保護者に対して、医療の給付を行うことを目的とする施設。
授産施設	身体上もしくは精神上の理由または世帯の事情により就業能力の限られている要保護者に対して、就労または技能の修得のために必要な機会及び便宜を与えて、その自立を助長することを目的とする施設。
宿所提供施設	住居のない要保護者の世帯に対して、住居扶助を行うことを目的とする施設。

3　生活困窮者自立支援法

生活困窮者自立支援法（2013（平成25）年）を根拠として、「現在は生活保護を受給していないが、生活保護に至るおそれがある人で、自立が見込まれる人」を対象に都道府県や市町村に「相談窓口」が設けられています。

ここが問われた！

自立相談支援事業の実施主体について出題されました（31-前-6）。

自立相談支援事業について「自立相談支援事業の手引き」が厚生労働省から発布（通知）されています。

表４　生活困窮者自立支援法の主な項目

項　目	内　容
目的（第１条）	生活困窮者に対する自立の支援に関する措置を講ずることにより、自立の促進を図る。
基本理念（第２条）	自立の支援は、生活困窮者の尊厳の保持を図りつつ、包括的かつ早期に行われなければならない。
定義（第３条）	「生活困窮者」とは、現に経済的に困窮し、最低限度の生活を維持することができなくなるおそれのある者。

4　障害者総合支援法

正式名称は、障害者の日常生活及び社会生活を総合的に支援するための法律です。2005（平成17）年に障害者自立支援法として制定され、2012（平成24）年の改正で現在の名称に改題されました。障害のある人が基本的人権のある個人としての尊厳にふさわしい日常生活や社会生活を営むことができるように、必要な福祉サービスに関わる給付・地域生活支援事業やその他の支援を総合的に行うことを定めた法律です。

（目的）

第１条　この法律は、障害者基本法の基本的な理念にのっとり、身体障害者福祉法、知的障害者福祉法、精神保健及び精神障害者福祉に関する法律、児童福祉法その他障害者及び障害児の福祉に関する法律と相まって、障害者及び障害児が基本的人権を享有する個人としての尊厳にふさわしい日常生活又は社会生活を営むことができるよう、必要な障害福祉サービスに係る給付、地域生活支援事業その他の支援を総合的に行い、もって障害者及び障害児の福祉の増進を図るとともに、障害の有無にかかわらず国民が相互に人格と個性を尊重し安心して暮らすことのできる地域社会の実現に寄与することを目的とする。

■ 基本理念

基本理念として、以下のことが掲げられています。

①すべての国民が、障害の有無にかかわらず、等しく基本的人権を享有するかけがえのない個人として尊重されること

②すべての国民が、障害の有無によって分け隔てられることなく、相互に人格と個性を尊重し合いながら共生する社会を実現すること

③すべての障害者及び障害児が可能な限りその身近な場所において必要な日常生活または社会生活を営むための支援を受けられること

④すべての障害者及び障害児に社会参加の機会が確保されること

⑤すべての障害者及び障害児にどこで誰と生活するかについての選択の機会が確保され、地域社会において他の人々と共生することを妨げられないこと

⑥障害者及び障害児にとって日常生活または社会生活を営む上で障壁となるような社会における事物、制度、慣行、観念その他一切のものの除去に資すること

■ 対象範囲

法が対象とする障害者の範囲は、身体障害者、知的障害者、精神障害者（発達障害者を含む）に加え、制度の谷間となって

支援の充実が求められていた難病等としています。

表５　その他障害者施策に関する法律

制定年	法律名	特徴
1970 (昭和45)	障害者基本法	障害者の自立及び社会参加の支援等のための施策の基本原則となる法律。
2002 (平成14)	身体障害者補助犬法	①　補助犬を育成する団体には良質な補助犬の育成と指導を義務づける。 ②　ユーザー(補助犬使用者)には補助犬の適切な行動と健康の管理を義務づける。 ③　公共施設・交通機関、スーパー・飲食店・ホテル・病院や職場などで、補助犬同伴の受け入れを義務づける。
2004 (平成16)	発達障害者支援法	発達障害者の円滑な社会生活を促進するための法律で、このうち18歳未満の者を発達障害児といいます。
2011 (平成23)	障害者虐待の防止、障害者の養護者に対する支援等に関する法律	第３条で「何人も、障害者に対し、虐待をしてはならない」とし、第６条で、国及び地方公共団体の障害者虐待の早期発見について規定しています。
2013 (平成25)	障害を理由とする差別の解消の推進に関する法律	略称「障害者差別解消法」。障害者基本法第４条の「差別の禁止」を具現化したもの。

ここが問われた！

障害者施策に関する法律の制定順について出題されました(令3-後-19、令4-後-18)。

ここが問われた！

障害者施策に関する法律と条文の見出しの組み合わせについて出題されました(令5-前-20)。

5　民生委員法

民生委員は民生委員法(1948(昭和23)年)において、「社会奉仕の精神をもって、常に住民の立場に立って相談に応じ、必要な援助を行い、福祉事務所等関係行政機関の業務に協力するなどして、社会福祉の増進に努める者」とされています。

■民生委員の特徴

社会奉仕の精神をもって住民の立場になって相談援助を行う民生委員には、次の３つの精神があります。①社会奉仕の精神、②基本的人権の尊重、③政党・政治目的への地位利用の禁止(政治的中立)。併せて、自主性、奉仕性、そして地域性という特徴を持っています。

ここが問われた！

民生委員・児童委員の役割について出題されました(31-前-12、令2-後-19)。

さらに深める

1917(大正６)年５月12日に、民生委員制度のもとになる済世顧問制度を定めた岡山県済世顧問制度設置規程が公布されました。それにちなんで、５月12日は「民生委員の日」と制定されました。その翌年、1918(大正７)年に、大阪府で林市蔵府知事が「方面委員制度」を発足し、その後1948(昭和23)年に民生委員法として刷新されました。

表 6　民生委員の特徴

- 民生委員法に基づいて厚生労働大臣から委嘱された非常勤の地方公務員です。
- 民生委員は児童福祉法によって「児童委員」も兼務します。
- 住民と行政や専門機関をつなぐパイプ役。
- ボランティアとして活動するため給与はなし。
- 任期は3年とし、再任も可能。

6　その他関連法律

社会福祉法を中心として各領域の法律が制定されていますが、その根底にあるのは、日本国憲法第25条で国民の生存権を国家の責任において保障すること（生存権の保障）です。また、日本の社会福祉に関する法律は、1950（昭和25）年までに制定された「福祉三法」、1960年代には「福祉六法」、1990（平成2）年の「社会福祉関係八法」改正というように、その時代の政策や社会背景などに影響されながら長い年月をかけてつくられています。

また、社会福祉の法律はいくつかの体系に分けられます。基本法として「障害者基本法」「高齢社会対策基本法」、福祉サービス法として「児童福祉法」「身体障害者福祉法」「老人福祉法」など、保健サービス法では「母子保健法」「地域保健法」があります。また、所得保障法として「生活保護法」「児童手当法」などが、組織・資格法として「社会福祉士及び介護福祉士法」や「民生委員法」があります。

表7の社会福祉関連法は過去に出題された法律です。それぞれの第1条～第3条でその法律の目的、定義、対象などが規定されています。

表 7　関連法令の主なポイント（制定順）

法律	制定年	キーワード	主な対象者
児童福祉法	1947（昭和22）	児童福祉の基本理念、児童の定義	児童全般
身体障害者福祉法	1949（昭和24）	18歳以上、身体障害者手帳	身体障害者
精神保健及び精神障害者の福祉に関する法律	1950（昭和25）	精神障害者保健福祉手帳、精神障害者の定義	精神障害者

ここが問われた！

- 子どもの意見を尊重する規定の各法の有無について（31-前-15）
- 児童福祉に関する法令の制定順（令2-後-4、令4-後-6、令5-前-1）
- 法律に規定のあるセンター名とその根拠となる法律名の組み合わせ（令4-前-19）
- 高齢化社会対策に関する法律の制定順（令6-前-8）

さらに深める

高齢者介護への入所型施設として、「特別養護老人ホーム」（通称：特養）と「介護老人保健施設」（通称：老健）がありますが、この2つは違う法律で根拠が示されています。前者は老人福祉法、後者は介護保険法です。

ここが問われた！

児童福祉法の記述について問われました（令6-前-3）。

ここが問われた！
母子及び父子並びに寡婦福祉法第２条、第４条、第９条について出題されました（令3-後-6）。

ここをチェック！
困難な問題を抱える女性への支援に関する法律（女性支援新法）の制定により（施行は2024（令和6）年４月）売春防止法は改正され、婦人相談員、婦人相談所、婦人保護施設は、女性支援新法に基づく「女性相談支援員」「女性相談支援センター」「女性自立支援施設」となった。

ここが問われた！
こども基本法第３条について出題されました（令6-前-20）。

知的障害者福祉法	1960（昭和35）	自立、社会経済活動参加促進	知的障害者
老人福祉法	1963（昭和38）	老人福祉の原理	高齢者
母子及び父子並びに寡婦福祉法	1964（昭和39）	母子家庭等や寡婦の生活安定と向上	母子等
介護保険法	1997（平成9）	契約制度、利用者主体、介護老人保健施設	高齢者
児童虐待の防止等に関する法律	2000（平成12）	早期発見、通告義務、親子再統合	児童全般
次世代育成支援対策推進法	2003（平成15）	次世代育成支援対策推進センター、次世代育成支援対策地域協議会	子育て家庭
高齢者虐待の防止、高齢者の養護者に対する支援等に関する法律	2005（平成17）	セルフネグレクト、高齢者権利擁護等推進事業、要介護者のレスパイトケア、介護相談員派遣等事業	高齢者
子ども・若者育成支援推進法	2009（平成21）	ワンストップ相談窓口、ネットワークづくり	子育て家庭
子ども・子育て支援法	2012（平成24）	施設型給付、地域型保育給付	子育て家庭
困難な問題を抱える女性への支援に関する法律	2022（令和4）年	女性相談支援センター、女性相談支援員、女性自立支援施設	女性全般
こども基本法	2022（令和4）年	こどもの権利、こどもまんなか社会、こども大綱、こども政策推進会議	児童全般

　これまで、児童虐待防止のために種々の対策を講じてきましたが、虐待による死亡事例が後を絶たず、2020（令和２）年度には児童相談所の児童虐待相談対応件数が20万件を超えるなど、子ども、その保護者、家庭を取り巻く環境は厳しいものとなっています。この状況を受けて、児童福祉法等の一部が改正されました。

表８　児童福祉法等の一部を改正する法律（令和４年法律第66号）の概要

改正の趣旨

児童虐待の相談対応件数の増加など、子育てに困難を抱える世帯がこれまで以上に顕在化してきている状況等を踏まえ、子育て世帯に対する包括的な支援のための体制強化等を行う。

改正の概要

1．子育て世帯に対する包括的な支援のための体制強化及び事業の拡充
　①　市区町村は、すべての妊産婦・子育て世帯・子どもの包括的な相談支援等を行う「こども家庭センター」の設置に努めなければならないこととされた（児童福祉法、母子保健法）。
　②　子育て支援事業として、「子育て世帯訪問支援事業」「児童育成支援拠点事業」「親子関係形成支援事業」が新設された。
　③　児童発達支援について、従来の「福祉型」「医療型」の類型を「児童発達支援」のみとし一元化が行われた。
2．一時保護所及び児童相談所による児童への処遇や支援、困難を抱える妊産婦等への支援の質の向上
　①　一時保護所の設備・運営基準を策定して一時保護所の環境改善を図る。
　②　困難を抱える妊産婦等に一時的な住居や食事提供、その後の養育等にかかる情報提供等を行う「妊産婦等生活援助事業」が創設された。
3．社会的養育経験者・障害児入所施設の入所児童等に対する自立支援の強化
　①　児童自立生活援助事業について、実施場所が拡充され、また、満20歳以上の措置解除者等で、大学生であること等の政令で定めるやむを得ない事情により都道府県知事が認めたものを対象とすることとされた。
　②　障害児入所施設の入所児童等が地域生活等へ移行する際の調整の責任主体（都道府県・政令市）が明確化されるとともに、22歳までの入所継続が可能とされた。
4．児童の意見聴取等の仕組みの整備
　都道府県知事または児童相談所所長は、施設入所や一時保護等の措置の際に児童の最善の利益を考慮しつつ、児童の意見・意向を勘案して措置を行うため、児童に対し「意見聴取等措置」をとらなければならないとされた。
5．一時保護開始時の判断に関する司法審査の導入
　都道府県知事または児童相談所所長が一時保護を開始する際に、親権者等が同意した場合等を除き、事前または保護開始から７日以内に、裁判官に一時保護状を請求しなければならないこととされた。
6．子ども家庭福祉の実務者の専門性の向上
　児童虐待を受けた児童の保護等の専門的な対応を要する事項について十分な知識・技術を有する者が、新たに児童福祉司の任用要件に追加された。
7．児童を性暴力等から守る環境整備の導入に先駆けた取組強化
　児童に性暴力等を行った保育士については登録を取り消すなど、資格管理の厳格化が行われた。また、国は当該保育士の情報のデータベースの整備を行うこととされた。認可外保育施設については、事業停止命令等の情報の公表や共有を可能とすることとされた。児童福祉施設等の運営について、国が定める基準に従い、条例で基準を定めるべき事項に児童の安全の確保を加えるなど所要の改正が行われた。

施行期日は、2024（令和６）年４月１日。ただし、５.は2025（令和７）年６月１日、７.の一部は公布後３か月を経過した日、2023（令和５）年４月１日、2024（令和６）年４月１日施行。

7　ＩＣＦ（国際生活機能分類）

ＩＣＦの障害についての分類が出題されました（令2-後-3）。

1980年に世界保健機関（ＷＨＯ）は、「国際障害分類」（ＩＣＩＤＨ）を障害に関する考え方として発表しました。2001

図 1　ICFの構成要素間の相互作用モデル

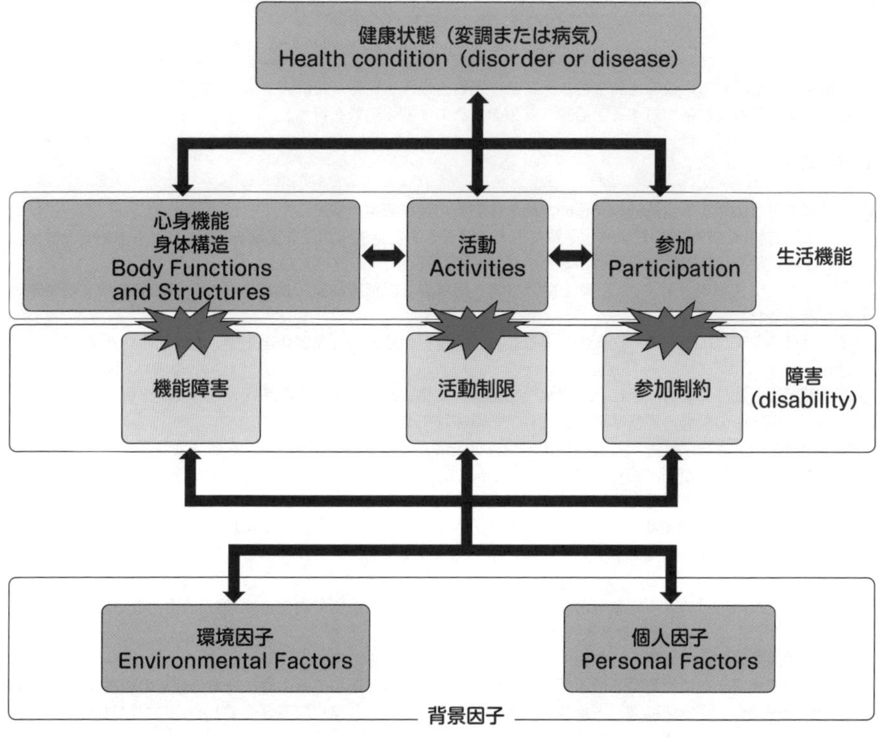

出典：WHO, *ICF：International Classification of Functioning, Disability and Health*, Geneva, 2001. 厚生労働省訳は、障害者福祉研究会編『ICF 国際生活機能分類――国際障害分類改定版』中央法規出版，p17，2002. を一部改変。

年に新しい考え方として「国際生活機能分類」(ＩＣＦ)を発表しました。以前のＩＣＩＤＨは障害を「病気・変調」という視点で分類していたものを、ＩＣＦでは、障害を「健康の構成要素」という視点で分類しています。その機能に支障があることを障害と定義しています。

8　社会福祉行政と実施機関

日本の社会福祉は行政が主導で実施されています。さまざまな福祉計画も都道府県や市町村が主体となって立案しています。

表 9　さまざまな福祉計画

障害福祉計画（市町村・都道府県が作成）	障害福祉サービス等の提供体制及び自立支援給付等の円滑な実施を確保することを目的として計画されたもの（根拠法令：障害者の日常生活及び社会生活を総合的に支援するための法律）。
障害児福祉計画（市町村・都道府県が作成）	障害児通所支援及び障害児相談支援等の提供体制の確保に係る目標に関する事項について計画されるもの（根拠法令：児童福祉法）。
地域福祉計画（市町村が作成）地域福祉支援計画（都道府県が作成）	地域住民等の参加を得て、地域生活課題の明確化と解決のための施策の内容や量について計画されるもの（根拠法令：社会福祉法）。

ここが問われた！
福祉計画と根拠法の組み合わせについて出題されました（令5-前-18）。

社会福祉行政の実施機関の中心に社会福祉法に定められた「福祉事務所（福祉に関する事務所）」があります。生活保護の事務等の措置に関する事務を行っています。

表 10　福祉事務所の事務

都道府県福祉事務所	生活保護法、児童福祉法、母子及び父子並びに寡婦福祉法の関連業務
市町村福祉事務所（特別区を含む）	生活保護法、児童福祉法、母子及び父子並びに寡婦福祉法、老人福祉法、身体障害者福祉法、知的障害者福祉法の関連業務

社会福祉行政機関は福祉事務所以外にも各種機関が設置されています。その多くは「相談所」と呼ばれています。

ここが問われた！
社会福祉に関する機関とその業務内容を結びつける出題がありました（令6-前-6）。

表 11　各種相談所

児童相談所（児童福祉法）＜都道府県に設置義務＞
原則18歳未満の子どもに関する相談や通告の受理。
全国232か所（2023（令和５）年）

身体障害者更生相談所（身体障害者福祉法）＜都道府県に設置義務＞
身体障害者本人やその家族からの相談、専門的な指導や判定業務などを行う。
全国に77か所（2020（令和２）年）

知的障害者更生相談所（知的障害者福祉法）＜都道府県に設置義務＞
知的障害者本人やその家族からの相談、専門的な指導や判定業務などを行う。
身体障害者更生相談所や児童相談所と統合または併設されていることが多い。
全国に86か所（2020（令和２）年）

女性相談支援センター（困難な問題を抱える女性への支援に関する法律）
女性の抱える様々な問題の相談に応じ、市町村など関係機関と連携しながら、援助を必要とする女性の自立をサポートする施設。
全国に49か所（2024（令和６）年）

婦人相談所に関する記述について出題されました（令4-前-8）。

精神保健福祉センター（精神保健及び精神障害者福祉に関する法律）
地域の“心の健康”の保持増進のため、幅広い取り組みを行う。
全国に69か所（2020（令和２）年）

地域包括支援センター（介護保険法）
地域住民の保健・医療の向上と福祉の増進を包括的に支援する。
全国に5431か所（2023（令和５）年）

児童家庭支援センター（児童福祉法）
児童に関する家庭などからの各種の相談や指導を行う。
全国に167か所（2022（令和４）年）

こども家庭センター（児童福祉法）<市町村に設置努力義務>
母子保健・児童福祉の両機能の連携・協働を深め、虐待への予防的な対応から子育てに困難を抱える家庭まで切れ目なく、漏れなく対応することを目的としている。

発達障害者支援センター（発達障害者支援法）
発達障害児（者）への支援を総合的に行うことを目的とした専門的機関。
全国に98か所（2023（令和５）年）

ここをチェック！
2022（令和4）年の児童福祉法及び母子保健法の改正により、母子健康包括支援センターは子ども家庭総合支援拠点と統合され児童福祉法に基づく「こども家庭センター」となり、市町村に設置の努力義務が課せられた。

その他、「児童福祉審議会」（都道府県に設置義務）、「基幹相談支援センター」（市町村任意設置）、「地域活動支援センター」等があります。

○×チェック問題

1　利用者等からの苦情の適切な解決に努める機関として運営適正化委員会がある。

2　民生委員は必ず児童委員も兼任する。

3　「医療扶助」は金銭給付である。

4　1980年にWHOは、ICFに代わってICIDHを発表した。

5　特別養護老人ホームの根拠法は介護保険法である。

6　女性相談支援センターの根拠法は母子保健法である。

7　老人福祉法では、老人を65歳以上のものとしている。

8　セルフネグレクトとは、自分を自分でネグレクトすることである。

9　女性相談支援員は売春防止法を根拠とする。

10　福祉に関する事務所（福祉事務所）は、生活保護についての事務を行っている。

答え

1 ○

2 ○

3 ×　医療券での現物給付

4 ×　ICIDH（国際障害分類）に代わってICF（国際生活機能分類）を発表した。

5 ×　「介護保険法」ではなく「老人福祉法」

6 ×　「母子保健法」ではなく「困難な問題を抱える女性への支援に関する法律」

7 ×　同法での老人の年齢定義はない。

8 ○

9 ×　「売春防止法」ではなく「困難な問題を抱える女性への支援に関する法律」

10 ○

\テーマ4/ 社会保障制度

日々生活していると、時に、病気やけが、老齢や障害、失業など自分の努力だけでは解決できない問題が発生します。このようなリスクに対して、まず人々が相互に連帯して支え合い、なお困窮する場合には必要な生活保障を行うのが、社会保障制度の役割です。

社会保険、社会福祉、公的扶助、社会手当

1 社会保障制度とは

社会保障制度は、国民の安心や生活の安定を支えるセーフティーネットの役割があります。

1950(昭和25)年の「社会保障制度に関する勧告」は、社会保障を「社会保険」「社会福祉」「公的扶助」「保健医療・公衆衛生」の4つと定義しています。

表1　社会保障の3つの機能

生活の安定と向上	医療保険の存在により一定の自己負担で必要な医療が受けられる。高齢期には、老齢年金により安定した生活を送ることができる。失業した場合には、雇用保険が受給できる。
所得再分配	生活保護制度は、税金を財源にしており「所得のより多い人」から「所得の少ない人」への再分配が行われる。
経済安定	雇用保険制度については、失業中の家計を下支えする効果に加え消費の減少による景気の落ち込みを抑制する効果。

資料：厚生労働省「誰もが安心して暮らせる社会保障制度の実現」

ここが問われた！

社会保障の3つの機能について出題されました(31-前-9)。社会保障審議会の勧告に基づく社会保障と社会福祉の位置づけについて出題されました(令3-前-2)。

国民負担率

租税負担及び社会保障負担を合わせた義務的な公的負担の国民所得に対する比率です。2024(令和6)年度の見通しでは、国民負担率は45.1%であり、2023(令和5)年度46.1%、2022(令和4)年度の48.4%と大きな変動はありません。

2 社会保険

病気、けが、出産、死亡、老齢、障害、失業など生活の困難をもたらすいろいろな事故の場合に一定額を給付することで、生活の安定を図るための強制加入の保険制度です。

■安心して医療を受けられる「医療保険」

医療保険には職業や年齢などにより様々な種類があり、医療保険を運営管理する「保険者(保険を出す者)」という主体も、国や市町村、民間団体など多岐にわたっています。

図 1　医療保険の種類

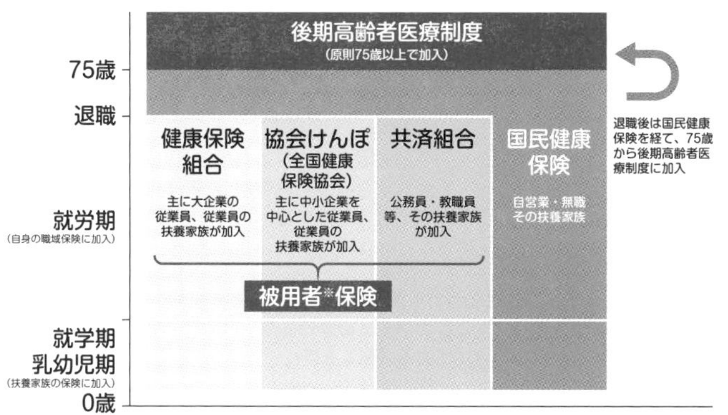

※被用者とは雇われている労働者を指す。

出典：日本医師会ホームページ「日本の医療保険制度の仕組み」

ここが問われた!

日本の社会保険制度について出題されました(令5-前-4)。国民年金、雇用保険、健康保険、介護保険、労働者災害補償保険等についての正誤問題が出題されました(令5-後-8、令6-前-7)。

■高齢者、障害者、遺族を経済的側面から保障する「年金制度」

年金制度は、社会保険方式によって国民に対して所得保障を行う制度です。

社会保険方式
一定期間の保険料拠出を給付の受給要件とし、保険料を財源として年金給付を行う方式のこと。

■要介護状態(加齢や特定疾患による)の者への「介護保険」

介護保険制度は市町村(特別区も含む)が保険者となっています。

被保険者は次の通りです。

・第１号被保険者：すべての65歳以上の者

・第２号被保険者：40歳から64歳までの医療保険加入者

介護保険制度の要介護認定は、市町村に設置されている介護認定審査会が行います。

ここが問われた!

介護保険制度の被保険者について問われました(令5-後-8)。

ここが問われた！

労働基準法に規定されている手当や時間外労働について出題されました(令2-後-9)。児童扶養手当法に関する記述について出題されました(令5-前-9)。

ここをチェック！

児童手当は2024(令和6)年10月より高校生までの支給とすることが予定されています。

3 社会手当

社会手当とは、事前加入や拠出を必要とする社会保険と公費負担の公的扶助の中間的な特徴を持つ制度です。公費が財源であり、一部「公的扶助」の役割もありますが、所得制限もあります。

表2 児童にかかる社会手当や関連制度

手当・制度	支給の対象など
児童手当	中学校卒業まで(15歳の誕生日後の最初の3月31日まで)の児童を養育している者(児童手当法第4条)。
児童扶養手当	父母の死別や離婚などで、父または母と生計を同じくしていない児童が育成される家庭(ひとり親)の生活の安定と自立の促進に寄与し、児童の福祉の増進を図ることを目的として支給される手当(児童扶養手当法第1条)。
特別児童扶養手当	20歳未満で精神または身体に障害を有する児童を家庭で監護、養育している父母等に支給される(特別児童扶養手当等の支給に関する法律第3条)。
障害児福祉手当	精神または身体に重度の障害を有するため、日常生活において常時の介護を必要とする状態にある在宅の20歳未満の者(特別児童扶養手当等の支給に関する法律第17条)。
出産育児一時金	被保険者が出産したときは、出産育児一時金として、政令で定める金額を支給する(健康保険法第101条)。
出産手当金	被保険者が出産したときは、出産の日以前42日から出産の日後56日までの間において労務に服さなかった期間、出産手当金を支給する(健康保険法第102条)。
妊産婦の時間外労働の制限制度	労働者の産前産後の労働時間制限について定めている(労働基準法第65条)。
小学校就学の始期に達するまでの子を養育する労働者の時間外労働の制限制度	小学校就学前の子の養育、または要介護状態にある家族の介護を行う労働者は、1か月あたり24時間、1年あたり150時間を超える時間外労働の免除を請求できる(育児休業、介護休業等育児又は家族介護を行う労働者の福祉に関する法律第17条)。

4 公的扶助

生活保護法第1条で、「この法律は、日本国憲法第25条に規定する理念に基き、国が生活に困窮するすべての国民に対し、その困窮の程度に応じ、必要な保護を行い、その最低限度の生活を保障するとともに、その自立を助長することを目的とする」と定められています。

社会保障制度の１つとして、社会保険制度と並び国民・住民生活を保障するものであり、資力調査を要件とする貧困者対策と、所得調査（制限）を要件とする低所得者対策の２つがあります。

表３　扶助の主な内容

扶助	給付内容と給付方法
生活扶助	日常生活に必要な扶助。食費・被服費・光熱費等のこと。金銭給付。
教育扶助	被保護家庭の児童が、義務教育を受けるのに必要な扶助。金銭給付。
住宅扶助	家賃・地代等や住宅の補修などを必要とするときの扶助。金銭給付。
医療扶助	けがや病気で医療を必要とするときの扶助。現物給付。投薬、処置、手術、入院等が直接給付になる。そのため、国民健康保険や後期高齢者医療制度からは脱退。
介護扶助	被保護者が要介護または要支援と認定された場合の扶助。例えば施設入所など。現物給付。
出産扶助	被保護者が出産するときに行われる扶助。金銭給付。
生業扶助	生業に必要な資金、器具や資材を購入するため、または技能を習得するため等の扶助（平成17年度から高等学校等就学費がこの扶助により支給）。金銭給付。
葬祭扶助	被保護者が葬儀を行う必要があるとき行われる給付。原則金銭給付。

ここが問われた！

生活保護制度の扶助の種類について出題されました（令5-後-5）。

ここをチェック！

40歳以上になると負担する介護保険料は表３の８つの扶助の中のどこから拠出されるかという問題が出ます。介護保険は強制加入保険ですので、その保険料は「日常生活に必要な費用」とみなされ、介護扶助ではなく生活扶助の介護保険料加算として支給されます。

5　保健医療・公衆衛生

保健医療や公衆衛生は、社会福祉、社会保険、公的扶助と並ぶ、社会保障制度の根幹をなすものです。たとえば、震災などの本人の力では解決が難しい事態になったときに、国民の自立した生活を保障するものです。**国民皆保険制度**のもと、病気やけがの場合でも、一定の割合の医療費を負担することで、医療機関を受診することができます。

日本国憲法第25条第2項に「国は、すべての生活部面について、社会福祉、社会保障及び公衆衛生の向上及び増進に努めなければならない」と規定されています。公衆衛生とは、たとえば、環境・社会衛生、職業衛生（労働安全衛生）、食品衛生などと多くの分野から成り立っています。社会保障制度の中では保健医療と一体という位置づけになっています。

6 公的年金制度

■年金の意義

公的年金制度は、社会保険方式によって国民に対して所得保障を行う制度の１つです。昔は高齢になって所得が減っても、主に子どもの世代による家族間扶養が当然のように存在していましたが、現代では都市化や核家族化など家族を取り巻く環境は大きく変化し、家族間扶養が困難な状況になっています。高齢期を安心して生活できるだけの経済的支援を担っているのが年金制度です。1961（昭和36）年の国民年金の創設によって、自営業者なども年金制度の対象に加えられ、国民皆年金が整えられました。

さらに深める

国民皆年金制度に加えて、国民皆保険（1961（昭和36）年）とは、病気のときや事故にあったときの高額な医療費の負担を軽減するため、原則的にすべての国民が公的医療保険に加入しなければならない制度です。

■年金制度の種類

日本国内に住所のある人の加入が義務づけられている年金は、その働き方によって種類が異なります。基本となるのが国民年金です。

ここが問われた！

公的年金制度の年金給付の種類が出題されました（令4-前-9、令5-後-8）。

表４　各年金制度の概要

制度	対象と説明
国民年金	日本国内に住む20歳以上60歳未満のすべての者。 第１号被保険者：農業等に従事する人、学生、フリーター、無職の人など。 第２号被保険者：厚生年金保険の適用を受けている事業所に勤務する者であれば、自動的に国民年金にも加入します。 第３号被保険者：第２号被保険者の配偶者で20歳以上60歳未満の者。 年金の種類：老齢基礎年金、障害基礎年金、遺族基礎年金
厚生年金	厚生年金保険の適用を受ける会社に勤務するすべての者。公務員・私立学校教職員など（2015（平成27）年10月１日より）。 国民年金（基礎年金）＋上乗せ年金 年金の種類：老齢厚生年金、障害厚生年金、遺族厚生年金

ここが問われた！

遺族基礎年金の支給対象について出題されました（31-前-5）。

ここが問われた！

障害者が障害年金を受給するためには、事前の保険料拠出が必要ですが、国民年金に加入する20歳前に障害を持った場合はこの限りではありません（31-前-5）。

■年金の世代間扶養

自分が納付した年金保険料は自分のために積み立てているわけではなく、現役世代の納付した保険料は高齢者を扶養するために使われています。また、20歳から納付が始まる年金保険料について「学生納付特例制度」があり、在学期間中の保険料を後払いできます。

■年金制度の動向

2020(令和2)年の年金制度改正法等の施行により、2022(令和4)年4月から年金制度が改正されました。老齢年金の繰下げの年齢について、上限が70歳から75歳に引き上げられました。また、65歳に達した日以後に受給権を取得した場合についても、繰下げの上限が5年から10年に引き上げられました。

○×チェック問題

1 社会保障の３つの機能とは「生活の安定と向上」「所得再分配」「経済安定」である。

2 20歳未満で精神または身体に障害を有する児童を家庭で監護、養育している父母等に支給されるものを児童手当という。

3 公的扶助は現在７つの扶助が存在している。

4 生活保護受給者の介護保険料は介護扶助から支給されている。

5 児童扶養手当の対象となるひとり親家庭に父子家庭も含まれる。

6 特別児童扶養手当は満18歳未満の障害のある者に支給される。

7 公的扶助は大きく「貧困者対策」と「低所得者対策」がある。

8 年金保険料における「学生納付特例制度」は、在学期間中の保険料の支払いが免除される制度である。

9 私立学校の教職員の医療保険は公務員と同じ「共済組合」である。

10 年金制度は選択制であり、すべての国民の加入は義務づけていない。

11 現役世代の納付した保険料は高齢者を扶養するために使われているが、これを世代間扶養という。

12 国民年金の加入対象は日本国内にいる20歳以上65歳未満のすべての者である。

13 老齢年金の繰下げの上限は70歳である。

答え

1 ○

2 × 特別児童扶養手当

3 × 「7つ」ではなく「８つ」

4 × 「介護扶助」ではなく「生活扶助」

5 ○

6 × 20歳未満でその監護・養育をしている父母等に支給される。

7 ○

8 × 「免除」ではなく「猶予」

9 ○

10 × 国民全員の加入が義務づけられている。

11 ○

12 × 「65歳未満」ではなく「60歳未満」

13 × 2022（令和４）年４月より70歳から75歳に引き上げられた。

テーマ5 社会福祉に関わる専門職

保育士以外にも各領域における社会福祉専門職が従事しています。国家資格や任用資格等、その幅は広く、配置される場は児童福祉施設以外の福祉施設があります。専門職と配置、資格などの組み合わせがよく問われます。

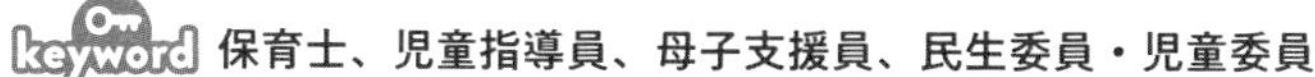

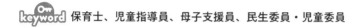

keyword 保育士、児童指導員、母子支援員、民生委員・児童委員

1 資格の種類

日本の資格には大きく「業務独占資格」「名称独占資格」そして「任用資格」の3つがあります。資格の種類によってできる業務の範囲が違います。保育士は「名称独占資格」ですが、他の資格についても覚えておきましょう。

表1　資格の種類

業務独占資格	有資格者以外が携わることを禁じている。 医師、弁護士、看護師など
名称独占資格	有資格者以外がその名称を使うことを禁じている。 保育士、社会福祉士、介護福祉士など 「信用失墜行為の禁止」「秘密保持義務」が規定されている。
任用資格	国が認めた一定条件を満たすことで与えられる資格であり、その職についてはじめて資格が活きる。 社会福祉系：社会福祉主事、知的障害者福祉司、身体障害者福祉司など 児童福祉系：児童指導員、母子支援員、少年指導員、婦人相談員など

2 福祉系国家資格

社会福祉系の資格には免許はなく、すべて国家資格(主に

ここが問われた！
福祉の専門職としての保育士に関する記述について出題されました(令5-前-3)。社会福祉における専門職について出題されました(令5-前-6,10)。

〇〇士)で管理されています。たとえば保育自体は資格がなくても普段、保護者が自分の子を養育することができます。しかし保育士は国家資格を持った専門職であることから、名称独占資格として位置づけられています。保育士については児童福祉法第18条の4～第18条の23に規定されています(p.191　表1参照)。

表2　福祉系国家資格(制定順)

資格名称	根拠法令・配置施設等
社会福祉士	相談業務を主として、児童福祉施設、高齢者福祉施設等に配置(社会福祉士及び介護福祉士法)
介護福祉士	主に介護老人福祉施設に配置(社会福祉士及び介護福祉士法)
精神保健福祉士	病院(特に精神科のある)、精神保健福祉センター等に配置(精神保健福祉士法)
保育士	保育所、児童福祉施設等に配置(児童福祉法)

3 児童福祉施設に配置される専門職(児童福祉施設の設備及び運営に関する基準)

児童福祉施設で働く専門職は、国家資格とは別に位置づけられています。職種によって配置される児童福祉施設に違いがあるので、覚えておきましょう。

ここが問われた！
少年指導員について問われました(令5-後-7)。

表3　児童福祉施設に配置される専門職

児童指導員	児童養護施設、障害児入所施設、児童発達支援センター、児童心理治療施設等に配置 児童の生活全般の支援と指導
児童自立支援専門員、児童生活支援員	児童自立支援施設に配置 利用児童の生活全般の支援、学習支援、職業指導
母子支援員、少年を指導する職員(少年指導員)	母子生活支援施設に配置 母子支援員：母親への就労支援・子育て相談や支援 少年指導員：特に資格要件はなく、事務職との兼任可
児童の遊びを指導する者	児童厚生施設に配置 遊びを通した子どもの心身の健康増進、情緒の安定
家庭支援専門相談員(ファミリー・ソーシャルワーカー)	児童養護施設、乳児院、児童心理治療施設、児童自立支援施設に配置 入所児童の早期退所の促進と親子関係の再構築

心理療法担当職員	児童養護施設、乳児院、児童心理治療施設、母子生活支援施設、児童自立支援施設に配置 虐待などでの心理治療や心理療法
個別対応職員	児童養護施設、乳児院、児童心理治療施設、児童自立支援施設に配置 個別対応が必要な児童への１対１の対応

4　その他社会福祉に関わる専門職

■民生委員・児童委員

民生委員は民生委員法に基づいて設置されています。

民生委員とは、社会奉仕の精神をもって、常に住民の立場に立って相談に応じ、必要な援助を行い、福祉事務所等関係行政機関の業務に協力するなどして、社会福祉の増進に努める方々です(民生委員法第１条、第14条)。厚生労働大臣が委嘱します(同法第５条)。

民生委員に給与は支給されません。任期は３年で、再任も可能です（同法第10条）。

⑴　民生委員の職務

民生委員法第14条に、以下の職務が定められています。

①　住民の生活状態を必要に応じ適切に把握しておくこと

②　生活に関する相談に応じ、助言その他の援助を行うこと

③　福祉サービスを適切に利用するために必要な情報の提供その他の援助を行うこと

④　社会福祉事業者等と密接に連携し、その事業または活動を支援すること

⑤　福祉事務所その他の関係行政機関の業務に協力すること

⑥　その他、住民の福祉の増進を図るための活動を行うこと

⑵　児童委員の職務(児童福祉法第17条)

民生委員は児童委員を兼務し、以下の職務を行います。

①　児童委員

民生委員・児童委員の2022(令和４)年12月１日現在の定数は24万547人です。それに対して現在、22万5356人の方が民生委員・児童委員として委嘱され活動しています(充足率：93.7％)。なお、定数は、厚生労働大臣の定める基準を参酌の上、都道府県知事が市町村長の意見を聴いて定めます。

ここが
問われた！

民生委員の待遇や業務内容について出題されました(令3-前-10)。

ここが問われた!

民生委員・児童委員の設置目的や身分について出題されました(令2-後-19)。民生委員・児童委員の役割について出題されました(31-前-12、令5-前-19)。

主任児童委員の指名

児童福祉に関する理解と熱意を有し、また、専門的な知識・経験を有し、地域における児童健全育成活動の中心となり、積極的な活動が期待できる者を選出する。厚生労働大臣が指名する(児童福祉法第16条第3項)。

・児童及び妊産婦につき、その生活及び取り巻く環境の状況を適切に把握しておくこと

・児童及び妊産婦につき、その保護、保健その他福祉に関し、サービスを適切に利用するために必要な情報の提供その他の援助及び指導を行うこと

・児童及び妊産婦にかかる社会福祉を目的とする事業を経営する者または児童の健やかな育成に関する活動を行う者と密接に連携し、その事業または活動を支援すること

・児童福祉司または福祉事務所の社会福祉主事の行う職務に協力すること

・児童の健やかな育成に関する気運の醸成に努めること

・その他、必要に応じて、児童及び妊産婦の福祉の増進を図るための活動を行うこと

② 主任児童委員

・児童の福祉に関する機関と区域を担当する児童委員との連絡調整を行うこと

・区域を担当する児童委員の活動に対する援助及び協力を行うこと

■社会福祉主事

社会福祉主事は、社会福祉法第18条及び第19条において、その資格が定義づけられている任用資格です(任用資格とは、特定の業務に任用されるときに必要となる資格です)。都道府県、市町村に設置された福祉事務所のケースワーカー等として任用されるための資格として位置づけられていますが、各種社会福祉施設の職種に求められる基礎的資格としても準用されています。また、社会福祉施設の施設長や生活相談員、社会福祉協議会の福祉活動専門員としても位置づけられています。

○社会福祉主事の設置(社会福祉法第18条)

都道府県、市及び福祉に関する事務所を設置する町村に、社会福祉主事を置く(設置義務)。それら以外の町村は、社会福祉主事を置くことができる(任意設置)。

都道府県の社会福祉主事は、都道府県の設置する福祉に

関する事務所において、生活保護法、児童福祉法及び母子及び父子並びに寡婦福祉法に定める援護または育成の措置に関する事務を行うことを職務とします。

市及び福祉事務所設置町村の社会福祉主事は、市及び福祉事務所設置町村に設置する福祉に関する事務所において、生活保護法、児童福祉法、母子及び父子並びに寡婦福祉法、老人福祉法、身体障害者福祉法及び知的障害者福祉法に定める援護、育成又は更生の措置に関する事務を行うことを職務とします。

福祉事務所を設置しない町村の社会福祉主事は、老人福祉法、身体障害者福祉法及び知的障害者福祉法に定める援護又は更生の措置に関する事務を行うことを職務とします。

表 4　社会福祉主事任用資格の必要な職種

行政	福祉事務所	現業員、査察指導員、老人福祉指導主事、家庭児童福祉主事［児童福祉事業従事 2 年以上等］、家庭相談員［児童福祉事業従事 2 年以上等］、母子相談員
	各種相談所	知的障害者福祉司［知的障害者福祉事業従事 2 年以上等］、身体障害者福祉司［身体障害者福祉事業従事 2 年以上等］
		児童福祉司［児童福祉事業従事 2 年以上等］
社会福祉施設		施設長、生活指導員　等

※　［　］内は、社会福祉主事任用資格に加えて必要な要件。

表 5　その他の社会福祉に関わる専門職

知的障害者福祉司	市町村福祉事務所(任意配置)や知的障害者更生相談所(配置義務)に配置(知的障害者福祉法第13条)
身体障害者福祉司	市町村福祉事務所(任意配置)や身体障害者更生相談所(配置義務)に配置(身体障害者福祉法第11条の2)
児童福祉司	都道府県、指定都市、児童相談所設置市の設置する児童相談所に配置義務(児童福祉法)
女性相談支援員	女性相談支援センター等に配置(困難な問題を抱える女性への支援に関する法律)
精神保健福祉相談員	精神保健福祉センター、保健所等の施設に配置(精神保健及び精神障害者福祉に関する法律)

社会福祉の相談員の種類と業務内容について出題されました(令3-前-9)。社会福祉施設の職員配置について問われました(令5-後-7)。

介護支援専門員（ケアマネジャー）	要介護者や要支援者の相談援助を行う。ケアプランの作成や市町村・サービス事業者・施設等との連絡調整を行う。 主任介護支援専門員：地域包括支援センターに配置義務
社会福祉主事	様々な生活問題をかかえて援助を求めている市民への面談、家庭訪問、具体的な措置の要・不要についての判定や指導などを行う。
生活支援員	施設などで障害者の日常生活上の支援や身体機能・生活能力の向上に向けた支援を行うほか、創作・生産活動に関わる。 障害者支援施設、地域活動支援センターなどに配置される。
訓練指導員	就職やスキルアップなどに必要な技能や技術の指導や就職支援を行う。 補装具製作施設及び盲導犬訓練施設に配置される。
生活相談員	主に施設に入所している高齢者に対し、各種の相談や援助、援助計画の立案・実施、また、関係機関との連絡・調整を行う。 老人ホームなどに配置される。

○×チェック問題

1　保育士は、業務独占資格である。

2　民生委員の任期は5年である。

3　社会福祉主事は、社会福祉法第18条及び第19条において、その資格が定義づけられている国家資格である。

4　主任介護支援専門員は、福祉事務所への配置が義務づけられている。

5　児童相談所には、児童福祉法に基づく専門職である児童福祉司を配置するよう努めなければならない。

6　女性相談支援員の設置の根拠となる法律は、母子及び父子並びに寡婦福祉法である。

7　児童福祉司は、市町村役所に配置しなければならない。

8　生活相談員は、障害者支援施設や地域活動支援センターなどに配置される。

9　民生委員は児童委員を兼務できる。

10　社会福祉主事は児童相談所に配置されている。

答え

1 ×「業務独占資格」ではなく「名称独占資格」

2 ×「5年」ではなく「3年」

3 ×「国家資格」ではなく「任用資格」

4 ×「福祉事務所」ではなく「地域包括支援センター」

5 ×努力義務ではなく必置（児童福祉法第13条）。

6 ×困難な問題を抱える女性への支援に関する法律第11条が根拠。

7 ×「市町村役所」ではなく「児童相談所」

8 ×「障害者支援施設や地域活動支援センター」ではなく「老人ホーム」

9 ×兼務することが義務づけられている。

10 ×「児童相談所」ではなく「福祉事務所」

第5章 社会福祉⑤

テーマ6 社会福祉における相談援助

社会福祉の専門職として知っておきたい知識が「相談援助技術」です。保護者支援をする上では欠かせない、長年用いられてきた技法です。ソーシャルワークといわれ、人々の生活課題の解決または緩和を図るものです。

バイステックの７原則、ケースワーク、グループワーク

1 相談援助の原則

相談援助にはいくつかの原則（セオリー）があります。

■バイステックの７原則

アメリカの社会福祉学者のF・P・バイステック（Biestek）が1957年に表明したケースワーク（個別援助技術）の基本的な原則です。これは、保育士が保護者との間での良好な関係を築く上で効果的であると証明された方法です。

ここが問われた！
相談援助の原則（バイステックの７原則）について出題されました（令3-前-13、令3-後-15、令5-前-13、令5-後-10、令6-前-10）。

バイステックの７原則は、あくまでも来談者との信頼関係を築いていくための技法であり、この技法だけで問題を解決できるわけではありません。この技法の上に、具体的な支援技術で問題解決を図ります。

表１　バイステックの７原則

原　則	技　法
個別化の原則	類似した相談内容でも、一人ひとり違う背景を持っているので、あくまでも個別的に対応する。
意図的な感情表出	「どんな感情も自由に表現したい」という気持ちを安心して表に出せる雰囲気をつくる。
統制された情緒的関与	感受性を働かせて利用者に共感し、自分の感情を制御しながら冷静に対応する。
受容	偏見や先入観をもたず、利用者をあるがままの姿でとらえる。
非審判的態度	「援助」であるときちんと自覚し、善悪を判断（審判）しない。

利用者の自己決定	利用者が自己決定できるよう情報提供する。
秘密保持	正当な理由がなく、その業務に関して知り得た人の秘密を漏らしてはならない。

■パールマンの４つのＰ

アメリカの社会福祉研究者であるパールマンは、ケースワークを「個人が社会的に機能する際に出会う問題に、より効果的に対応できるよう、人間福祉機関によって用いられる１つの過程である」と定義し、ケースワークは４つのＰによって構成されるとしています。

表２　パールマンのケースワークを構成する要素（４つのＰ）

Person（人）	対人的・制度的援助を必要とする人
Place（場所・機関）	対人援助を行う具体的な場所や機関
Problem（問題）	援助を必要とするクライアントが持つ解決するべき問題
Process（援助過程）	問題解決のための具体的な援助過程

2　ケースワークの展開過程

ケースワークは次のような過程を踏んで展開されていきます。

図１　ケースワークの展開過程

１　インテーク（受理面接）
来談者と出会い、抱える問題を把握し、信頼関係を構築する過程

２　アセスメント（事前評価）
来談者やその家族などとコミュニケーションを通して
情報を集め、ケースを発見し、分析する過程

３　プランニング（支援計画）
アセスメントに基づいて短期・中期・長期の支援計画を立てる過程

４　インターベンション（介入・支援）
社会資源を活用した来談者への具体的な支援の過程

ここが問われた！

パールマンの４つのＰの要素とその説明について出題されました（令3-前-11、令5-前-14）。

ここが問われた！

・相談援助過程での「ケース発見」について（令2-後-11、令4-後-11）
・ソーシャルワークの展開過程の内容について（令3-前-12、令4-前-11、令4-後-12、令6-前-12）
・ソーシャルワークの展開過程の全体像について（令3-後-11）
・「インテーク」について（令5-後-9）
・アセスメントにおける社会資源の評価や近隣住民の関係性の把握（31-前-11）
・「アセスメント」について（令6-前-9）
・「エバリュエーション」について（令6-前-11）

インターベンションの最中やモニタリングしたところ支援がうまくいっていない場合は、プランニングではなく、アセスメントへ戻ります。事前評価が間違っているとどんな計画を立てても問題解決は遅れます。

5　モニタリング（経過観察）
支援が適切に行われているかを確認する過程

6　エバリュエーション（事後評価）
問題が解決したか、来談者の自己実現が達成したかを評価する過程

7　ターミネーション（支援終結）
問題が解決したことを確認して支援を終結する過程

■支援の形態

支援には大きく2つの形態があります。主に行政が行う支援であるフォーマルサポートと、民間や市民たちが独自に行うインフォーマルサポートです。実際の支援では、フォーマルサポートの活用に加えてインフォーマルサポートも含めて総合的に行うことが求められています。

3 援助の視点

援助・支援していく上での基本的な視点があります。それを「実践モデル」といいます。

表3　ソーシャルワークの3つの実践モデル

治療モデル	「調査」→「社会診断」→「処遇」という過程。 1917年、ケースワークの母・リッチモンドが考案。
生活モデル（ライフモデル）	人と環境の相互作用を重要視する方法。 1980年代にピンカスとミナハンによって考案され、ジャーメインやギッターマンによって体系化。
ストレングスモデル	対象者の「元に戻ろうとする力」「回復力（レジリエンス）」に焦点をあてる方法。 1980年代後半からサリーベイやラップによって考案。

4 グループワーク（集団援助技術）

グループワーク（集団援助技術）は、集団の力（グループダイナミクス）を用いてメンバーの問題解決や成長を図る援助であり、メンバー間の相互作用が生まれるようにワーカー（支援者）が意図的に支援する方法です。

ここが問われた！

フォーマルサポートとインフォーマルサポートについて問われました（令5-後-12）。

ここが問われた！

利用者のADLの自立度や認知的能力、近隣住民同士の助け合いはストレングスモデルとして評価されます（31-前-13）。

さらに深める

ストレングスに着目した支援

チャールズ・A・ラップが記述した「ストレングスモデル」に本人の強みをもとにアセスメントを行う歴史的背景、理論、アセスメントの実際の記述方法等、詳しく解説されています。

ここが問われた！

グループワーク（集団援助技術）について出題されました（令3-前-15、令4-前-12、令5-前-12, 15）。

さらに深める

集団援助技術を提唱し、体系化した人物

コノプカ…集団援助技術を体系化した「コノプカの14原則」。

ニューステッター…グループワークを初めて定義した。

グループワークの展開過程は、「準備期」「開始期」「作業期」そして「終結期」の4つの段階に分かれます。

表4　グループワークの展開過程

準備期	支援者がそのメンバーやグループ全体と接触するまでの期間。 メンバーが初めて顔を合わせるための事前準備をする段階。
開始期	メンバーたちが初めて顔を合わせグループとして始まる段階。
作業期	グループメンバーそれぞれの課題達成や問題解決に取り組み、その成果を出そうとする段階。
終結期	グループの目的を達成し、ワークを終了することで援助関係を終える段階。

コイル…集団援助技術を初めて体系化した。集団援助技術はあくまでも援助技術の1つであり、個別援助技術(ケースワーク)を中心として援助することが重要です。

5 その他の援助技術(アプローチ)

様々な対象者を援助するときに、最適な方法(アプローチ)は何かを選択する必要があります。様々なニーズに対応するには様々なアプローチが必要です。

表5　主なアプローチ

心理社会的アプローチ	ソーシャルワーカーと利用者との関係性を重視。 ホリス(Hollis, F.)が提唱。
機能的アプローチ	利用者の社会的機能を高めることで問題解決を図る。 タフト(Tafut, J.)ロビンソン(Robinson, V.)が提唱。
問題解決アプローチ	利用者が対処能力(コンピテンス)を獲得していく。 パールマン(Perlman, H.H.)が提唱。
課題中心アプローチ	「いま」「ここ」と短期間で問題解決を図る。 リード(Reid, W.J.)エプスタイン(Epstein, L.)が提唱。
危機介入アプローチ	利用者の心理的危機に介入することで社会的機能の回復を図る。 ラポポート(Rapoport, L.)が提唱(フロイト、エリクソン、ロスの理論を体系化した)。
ナラティブ・アプローチ	「自分」の意味の世界を「物語」として考える。 フーコー(Foucault, M.)が提唱。
エンパワメント・アプローチ	抑圧されている利用者へ、本来持っている潜在能力に気づかせる。
チームアプローチ	専門職でチームを形成し目標に向かって、チームの強みを意識し、意図的に活用して支援する。

ここが問われた!

援助技術アプローチの説明について出題されました(令2-後-13、令4-前-15)。

各アプローチの特徴をチェック!

フェミニスト・アプローチ	女性解放へのアプローチ。エンパワメント・アプローチの類似型。
解決志向アプローチ	短期目標を達成するための短期的な方法。
生態学的アプローチ（エコロジカル・アプローチ）	援助対象者を家族、近隣、職場、地域の中の一員としてとらえ、関わりのある環境との相互関係をもとに行う援助。

ここが問われた！
相談援助の方法・技術について出題されました（令3-前-14、令4-前-13、令5-前-11、令5-後-11）。

表6　援助に関わる専門用語

アウトリーチ	福祉サービス等が必要にもかかわらず自ら申し出ない人たちに対して、社会福祉の実施機関等が積極的に働きかけ、潜在的な利用希望者に手を差し伸べ、支援等を働きかけること。
ケアカンファレンス	福祉サービスの援助過程において、的確な援助を行うために援助に携わる専門職等が集まり、意見交換や情報共有等を行う会議のこと。
ソーシャルアクション	社会福祉の実施機関や制度等の改善を目指して、行政機関や関係各方面に働きかける行為。
ケアマネジメント	利用者が必要とする保健・医療・福祉サービスが受けられるように調整することを目的とした援助展開の方法。利用者と社会資源の結び付けや関係機関・施設との連携等において、この手法が取り入れられている。

6　保育におけるソーシャルワーク

ソーシャルワークは主に社会福祉士が行う援助技術ですが、保育士もソーシャルワーカーの役割を持っています。保育士としてのソーシャルワークの考え方や具体的な展開を学ぶことが求められます。

■ソーシャルワークとは

ソーシャルワークは、日本語で「相談援助」といいます。保育士は対人援助職ですから、相談援助も持ちあわせておくべき技術です。相談援助とは「課題を持つ人の相談に個別に応じながら、その人の自身の力に気づき、自ら課題解決に取り組むことができるよう支援すること」といえます。

■保育士として知っておくべき相談援助技法

主に保育所保育士が関わる相談援助の内容は、3つに分けることができます。

主として「子どもの発達に関する相談」、保護者支援として「子育てに関する相談」や「家庭や保護者自身に関する相談」です。

表７　保育所保育士としての相談援助

子どもの発達に関する相談	身体面、行動面、言葉の面等。実際に「発達障害」と診断された場合は、より専門性の高い対応が求められる。
子育てに関する相談	子どもや保護者の対人関係、保育園への要望など、幅広い相談が含まれる。
家庭や保護者自身に関する相談	経済的困窮や、ＤＶに関する相談等、子どもの生活に深刻な影響を与えるような緊急性の高い問題が多い。

■ 保育における相談援助の展開

保育に限らずソーシャルワークでは、一定のプロセスのもとで支援が展開されていきます。有効な相談援助技法として、押さえておきましょう（p.291　図１も参照）。

図２　保育の相談援助のプロセス

1　ケース発見：生活問題を抱える保護者からの相談が持ち込まれることで問題が明確化する。

2　インテーク：保護者の信頼関係構築の第一歩。話しやすい雰囲気づくり。

3　アセスメント：インテークで得た情報から保護者の抱える生活課題を把握しニーズを決める。

4　プランニング：具体的な援助計画について保護者との合意形成。

5　インターベンション：実際の支援、保護者主体、実践記録を残す。

6　モニタリング：定期的に支援の経過を確認する。

7　エバリュエーション：最終段階での評価。

○×チェック問題

1 パールマンの4つのPとは、Person、Process、Program、Placeである。
2 「プランニング」とは、来談者やその家族などとコミュニケーションを通して情報を集め分析する過程である。
3 インターベンションとは「介入」と訳され、社会資源を活用した支援の過程である。
4 「自分」の意味の世界を「物語」として考えることをナラティブ・アプローチという。
5 エンパワメント・アプローチとは、「自分」の意味の世界を「物語」として考える方法である。
6 主に行政が行う支援をインフォーマルサポートという。
7 ストレングスモデルとは人と環境の相互作用を重視する方法である。
8 「治療モデル」は「社会診断」→「調査」→「処遇」という過程を踏む。
9 グループワークは、集団の力を用いてメンバーの問題解決や成長を図る援助である。
10 リッチモンドはケースワークにおける7原則を提唱した。

答え

1 × 「Program」ではなく「Problem(問題)」
2 × この説明は「アセスメント」。
3 ○
4 ○
5 × この説明は「ナラティブ・アプローチ」。
6 × 「インフォーマルサポート」ではなく「フォーマルサポート」
7 × 選択肢は「生活モデル」の説明。
8 × 「調査」→「社会診断」→「処遇」の過程。
9 ○
10 × 「リッチモンド」ではなく「バイステック」

テーマ7

利用者の保護と福祉サービス評価

日本では長年、社会福祉、特に施設利用者についての保護が不充分でした。しかし、措置からサービスへと転換が図られ、それに伴って、サービス提供者には「利用者に対して充分な説明をすること」というアカウンタビリティー(説明責任)が明確化されました。

第三者評価、行政監査、苦情解決、運営適正化委員会、情報提供

1 福祉サービス第三者評価

質の高い福祉サービスを事業者が提供するために、保育所、指定介護老人福祉施設(特別養護老人ホーム)、障害者支援施設、社会的養護関係施設などにおいて実施される事業について、公正・中立な第三者機関が専門的・客観的な立場から評価を行う仕組みが、福祉サービス第三者評価です。

ここが問われた!
- 社会的養護関係施設の第三者評価について(31-前-14)
- 保育所の第三者評価について(令1-後-16)
- 福祉サービス第三者評価事業の概要について(令3-前-16)
- 福祉サービス第三者評価事業について正誤(令4-前-16、令5-後-13、令6-前-13)

■ 根拠法令

社会福祉法第78条(福祉サービスの質の向上のための措置等)に、「社会福祉事業の経営者は、自らその提供する福祉サービスの質の評価を行うことその他の措置を講ずることにより、常に福祉サービスを受ける者の立場に立って良質かつ適切な福祉サービスを提供するよう努めなければならない」と定められています。

■ 社会的養護関係施設の受審義務について

第三者評価実施が義務づけられる社会的養護関係施設とは、児童養護施設、乳児院、児童心理治療施設、児童自立支援施設、母子生活支援施設の5つの施設があります。

その理由として、①これらの施設は子どもが施設を選ぶ仕組みでない措置制度等であること、②施設長による親権代行等の規定もあること、③被虐待児等が増加し、施設運営の質の向上が必要であることがあげられます。

■「第三者評価」と「行政監査」の違い

第三者評価	現状の福祉サービスをよりよいものへと改善する、つまり最低基準以上に福祉サービスの質の向上を目的とする。
行政監査	法令が求める最低基準を満たしているか否かについて、定期的に所轄の行政庁が確認するもの。

■保育所における福祉サービス第三者評価

福祉サービス第三者評価は、受審が義務化されていない保育所でもよく耳にするようになりました。

第三者評価を受審する意味は、①利用者へ適切な情報を提供すること、②組織全体の質を向上させること、③現状を把握し、課題を明らかにすることです。今後は、保育所も第三者評価を受審することがその保育所の「保育の質を担保」するためのツールになっていくことが予測されます。

2 苦情解決

利用者保護の中でも「利用者の権利擁護」は社会福祉の最重要課題であると認識されています。そこで、社会福祉事業者は利用者からの苦情を適切に解決するために、苦情解決窓口や苦情解決責任者を配置し、加えて、第三者委員を設置することで、利用者の権利擁護に努めています。さらに、解決しない場合には、運営適正化委員会（都道府県社会福祉協議会に設置）へ連絡し相談することができます。

ここが問われた！

保育所保育指針の「第1章　総則」において、苦情解決についても触れています（令1-後-4、令5-前-5）。福祉サービスにおける苦情解決の仕組みについて出題されました（令3-後-17、令5-前-17、令5-後-16、令6-前-16）。

ここが問われた！

被措置児童等虐待の規定と苦情解決について出題されました（令2-後-15）。

■根拠法令

社会福祉法第82条（社会福祉事業の経営者による苦情の解決）に、「社会福祉事業の経営者は、常に、その提供する福祉サービスについて、利用者等からの苦情の適切な解決に努めなければならない」と定められています。

■運営適正化委員会

社会福祉法第83条（運営適正化委員会）に、都道府県社会福祉協議会に置くものと規定されています。2000（平成12）

年の社会福祉法改正により、福祉サービス利用者の苦情などを適切に解決し利用者の権利を擁護する目的で設置されました。

表 1　運営適正化委員会の２つの役割

1　福祉サービスの利用者が、事業者とのトラブルを自力で解決できないとき、専門知識を備えた委員が中立な立場から解決に向けた仲介をする役割
2 「福祉サービス利用援助事業」を行う事業者について、サービスや利用者の財産管理が適切に運営されているかを調査し、助言・勧告する役割

3 情報提供

情報社会での新しく正しい情報提供は、社会福祉の領域でも必要とされています。

■ 情報提供に関する動向

① 1994（平成６）年の老人福祉法改正で措置者の市町村に情報提供の義務化。

（福祉の措置の実施者）
第５条の４　略
2　市町村は、この法律の施行に関し、次に掲げる業務を行わなければならない。
一　老人の福祉に関し、必要な実情の把握に努めること。
二　老人の福祉に関し、必要な情報の提供を行い、並びに相談に応じ、必要な調査及び指導を行い、並びにこれらに付随する業務を行うこと。

② 2004（平成16）年の児童福祉法改正で市町村に情報提供の義務化。

第10条　市町村は、この法律の施行に関し、次に掲げる業務を行わなければならない。
一　児童及び妊産婦の福祉に関し、必要な実情の把握に努めること。
二　児童及び妊産婦の福祉に関し、必要な情報の提供を行うこと。
三・四　略
2～4　略

福祉サービス等の情報提供について出題されました（令3-後-16、令4-後-16）。

保育所においては、地域住民に向けての情報提供について努力義務を課しています。

自治体や児童福祉施設の情報提供の基本的な考え方が出題されました（令2-後-16）。

さらに
深める

WAM NET（独立行政法人福祉医療機構）は、社会福祉に関する最新の情報と総合的な情報サイトとして展開しています。

③ 2000(平成12)年の社会福祉法改正ですべての社会福祉事業経営者に情報提供の努力義務。

ここが問われた！

福祉サービス利用援助事業(日常生活自立支援事業)について出題されました(令3-前-17、令4-前-17、令5-前-16、令5-後-15、令6-前-15)。

(情報の提供)

第75条 社会福祉事業の経営者は、福祉サービスを利用しようとする者が、適切かつ円滑にこれを利用することができるように、その経営する社会福祉事業に関し情報の提供を行うよう努めなければならない。

2 略

4 福祉サービス利用援助事業(日常生活自立支援事業)

日常生活自立支援事業の一部として位置づけられている福祉サービス利用援助事業は、物忘れ等の認知症の症状や知的障害、精神障害などによって必要な福祉サービスを自身の判断で適切に選択・利用することが難しい人を対象に、福祉サービスの利用手続きの援助を基本サービスとして、必要に応じて日常的な金銭管理のお手伝いや重要な書類の預かりを行います。ただし、利用者との契約に基づき支援を行いますので、利用にあたっては本事業の契約内容を理解し、契約する能力が必要です。

表2 具体的なサービス内容

1 福祉サービスの利用援助(基本サービス) 利用の手続きや料金の支払い、苦情解決制度利用の手続きなどを援助する。
2 日常的金銭管理サービス(オプション) 年金などの受け取り手続きや公共料金などの支払い、預貯金の出し入れなどを行う。
3 書類などの預かりサービス(オプション) 年金証書や権利証などの大切な書類を金融機関の貸金庫で預かる。

※ 利用料については、相談や支援計画の作成は無料。利用契約を締結した後の生活支援員による援助は有料

表3 福祉サービス利用援助事業と成年後見制度の違い

福祉サービス利用援助事業	福祉サービスの利用援助や日常的な金銭等の管理に限定。第二種社会福祉事業
成年後見制度 「後見」「保佐」「補助」	日常的な金銭に留まらないすべての財産管理や福祉施設の入退所など生活全般の支援(身上監護)に関する契約等の法律行為を援助

5 成年後見制度・未成年後見制度

成年後見制度とは、「認知症、知的障害、精神障害などにより物事を判断する能力が十分でない方について、本人の権利を守る援助者(「成年後見人」等)を選ぶことで、本人を法律的に支援する制度」です。

家庭裁判所は、成年後見人の選任(法人が選任される場合もある)、補助開始の審判を担っています。

■成年後見制度の３つのポイント

①「成人」で「判断能力が不十分な人」を守る制度。

②「法定後見」(民法)と「任意後見」(任意後見契約に関する法律)の２種類がある。

③「後見」「保佐」「補助」の３類型がある。

■未成年後見制度

親権者の死亡・行方不明などにより親権者が不在となった場合、それを放置しておくと、未成年者が十分な監護や教育を受けられなくなったり、財産が失われてしまうおそれがあります。このような場合、親権者に代わって未成年者の監護や教育を行ったり、財産を管理する後見人を選任し、未成年者を保護するのが未成年後見制度です。

具合的な内容は下記の通りです。

- 未成年者の監護教育、居所の指定、懲戒及び営業許可などについて親権者と同一の権利や義務を有します。
- 未成年者に財産がある場合には、それを管理し、その財産に関する売買、贈与、抵当権設定などの法律行為について、未成年者を代理します。
- 職務の遂行にあたって、未成年者の心身の状態及び生活の状況に十分に配慮します。
- 財産の管理にあたって、自己の財産を管理する以上に注意を払わなければなりません。

ここが問われた!

成年後見制度、未成年後見制度について出題されました(令4-後-17、令5-後-14、令6-前-14)。社会福祉における権利擁護に関し成年後見制度について出題されました(令3-前-5)。

ここが問われた!

児童福祉施設の長と親権の関係性が出題されました(令1-後-4)。

さらに深める

未成年後見人は後見する対象が未成年であることを鑑み、重い責任が課せられています。後見人に後見の任務に適さない事由があるときには、家庭裁判所が後見人解任の審判をすることがあります。一方、未成年後見人は家庭裁判所に相談できると同時に、後見監督人による監督も受けることができます。

6　保育所における自己評価ガイドライン

「保育所における自己評価ガイドライン」は、保育所保育指針第１章「総則」の「３　保育の計画及び評価　⑷ 保育内容等の評価　ア　保育士等の自己評価」において「(ア) 保育士等は、保育の計画や保育の記録を通して、自らの保育実践を振り返り、自己評価することを通して、その専門性の向上や保育実践の改善に努めなければならない」と示されたことを受けて作成されました。

■保育内容等の評価の目的と意義

保育内容等の評価は、子どもの豊かで健やかな育ちに資する保育の質の確保・向上を目的として行われます。保育の過程の一環として、継続的に実施されることが重要です。また、各保育所が自園の保育に関する現状や課題をどのように捉え、どのような方向性や姿勢をもって保育の改善・充実に取り組もうとしているのかといったことを取りまとめて発信することは、保護者や地域住民等の関係者からの理解や協力を得ることにつながります。

表４　保育所における自己評価ガイドライン（2020 年改訂版）の概要

目的	保育所における保育内容等の評価による保育の改善
評価の基本的な考え方	・保育所保育指針に基づく保育内容等の評価 ・保育内容等の評価の目的と意義 ・保育内容等の評価の全体像と多様な視点の活用
保育士等による自己評価	・保育士等が行う保育内容等の自己評価の流れ ・保育における子どもの理解 ・保育の計画と実践の振り返り
保育所による自己評価	・評価の観点や項目の設定 ・現状や課題の把握と共有
保育所における自己評価の展開	・保育の記録とその活用 ・自己評価の方法とその特徴 ・自己評価に当たって考慮すべき事項
保育所における自己評価に関する結果の公表	・自己評価の結果を公表する意義、方法 ・自己評価の結果の公表に当たって留意すべき事項

○×チェック問題

1　保育所は３年に一度、第三者評価を受けなければならない。

2　児童福祉法第10条で「市町村は、この法律の施行に関し、児童及び妊産婦の福祉に関し、必要な情報の提供を行うこと」を規定している。

3　保育所においては、地域住民に向けての情報提供について努力義務を課している。

4　福祉サービス利用援助事業の利用にあたっては本事業の契約内容を理解し、契約する能力が必要である。

5　成年後見人の選任（法人が選任される場合もある）、補助開始の審判を担っているのは地方裁判所である。

6　成年後見制度の中には日常の介護等は含まれない。

7　未成年後見制度とは、未成年者の法定代理人を配置する制度である。

8　福祉サービス利用援助事業は、第一種社会福祉事業である。

9　老人の福祉に関し情報提供が市町村の義務になったのは、1994（平成６）年の社会福祉法改正であった。

10　運営適正化委員会は市町村の社会福祉協議会に置かれている。

答え

1 ×　保育所は任意受審
2 ○
3 ○
4 ○
5 ×　「地方裁判所」ではなく「家庭裁判所」
6 ○
7 ○
8 ×　第二種社会福祉事業である（社会福祉法第２条第３項第12号）。
9 ×　「社会福祉法」ではなく「老人福祉法」
10 ×　市町村ではなく、「都道府県社会福祉協議会」に置かれている。

テーマ8 地域福祉の推進

日本は過去にない急激なスピードで少子高齢化が進んでいます。総務省統計局の推計によると、65歳以上の人口は2040（令和22）年に約3920万人となり、その後も75歳以上の人口の割合は増加し続けるという予測もあります。このような背景から、国は、病院や施設福祉から地域・在宅福祉へ、「住み慣れた地域の中で最後まで自分らしい生活」のために「地域包括ケアシステム」の構築を推進しています。

keyword 自立支援、地域包括支援、子育て世代包括支援、主任介護支援専門員

1 地域福祉という考え方

日本の社会福祉は、施設を利用する「施設福祉」と在宅福祉を中心とした「地域福祉」との大きく２つの流れがあります。それまでの社会福祉のシステムを見直した「社会福祉基礎構造改革」を経て、2000（平成12）年に社会福祉事業法が改正・改称され「社会福祉法」が制定されました。第１条では「この法律は、（中略）福祉サービスの利用者の利益の保護及び地域における社会福祉（以下「地域福祉」という。）の推進を図るとともに、（中略）もって社会福祉の増進に資することを目的とする」とされ、地域での福祉の推進が図られるようになりました。

ここが問われた！
社会福祉法第４条（地域福祉の推進）の条文について出題されました（令4-後-20、令5-後-18）。

2 地域福祉を推進する施策や機関

社会福祉法第４条では、「地域住民、社会福祉を目的とする事業を経営する者及び社会福祉に関する活動を行う者（以

下「地域住民等」という。)は、相互に協力し、(中略)地域福祉の推進に努めなければならない」と規定されています。地域福祉を具現化するために、様々な施策や機関が設置されています。

表 1　地域福祉を担う制度や機関等

①　民生委員・児童委員(民生委員法・児童福祉法) 民生委員には給与を支給しない。任期は3年で児童委員を兼ねる。
②　地域福祉計画の策定(社会福祉法第107条・第108条) 「市町村地域福祉計画」「都道府県地域福祉支援計画」の策定
③　社会福祉協議会の設置(社会福祉法第109条～第111条) 市区町村と都道府県の社会福祉協議会(社協)、全国単位の社会福祉協議会連合会が社会福祉法人(民間団体)として設置する。
④　共同募金事業(社会福祉法第113条　第一種社会福祉事業) 「都道府県共同募金会」が設置され、厚生労働大臣の定める期間での募金活動を行う。集まった募金の配分先については「配分委員会」の承認が必要。
⑤　市町村障害者虐待防止センター(障害者虐待の防止、障害者の養護者に対する支援等に関する法律第32条) 養護者による障害者虐待の防止及び養護者による虐待を受けた障害者の保護のため、障害者及び養護者に対して、相談、指導及び助言を行う。 障害者虐待の防止及び養護者に対する支援に関する広報その他の啓発活動を行う。
⑥　こども家庭センター(児童福祉法第10条の2) 市町村に設置の努力義務がある。
⑦　児童家庭支援センター(児童福祉法第44条の2) 子ども、家庭、地域住民等からの相談に応じ、必要な助言、指導、児童相談所、児童福祉施設など関係する機関との連絡調整を行い、児童相談所を補完するものとして、児童福祉施設等に設置。

ここが問われた!

- 地域福祉推進のための制度について(令2-後-19)
- 地域福祉推進の拠点とその根拠法について(令2-後-20)
- 地域福祉の推進に関して地域福祉計画について(令3-後-20)
- 地域福祉を推進しようとする専門職や団体の対応について(令6-前-4)

第5章 社会福祉⑧

3 地域包括ケアシステム

地域包括ケアシステムとは、高齢者の尊厳の保持と自立生活の支援の目的のもとで、可能な限り住み慣れた地域で生活を継続することができるような包括的な支援・サービス提供体制の構築を目指し、「介護」「医療」「予防」という専門的なサービスと、その前提としての「住まい」と「生活支援・福祉サービス」が相互に関係・連携しながら在宅の生活を支えるシステムです。

「包括(インクルージョン)」はキーワードだよ

4 地域包括ケアシステムの構築

さらに深める

地域包括ケアシステムは地域性によりニーズが異なります。都市部では、強い「互助」を期待することが難しい一方、民間サービス市場が大きく「自助」によるサービス購入が可能です。都市部以外の地域は、民間サービス市場が限定的ですが「互助」の役割が大きくなっています。

■地域包括ケアシステムを構築するために必要な4つのポイント

今日の地域福祉・在宅福祉の時代に、地域包括ケアシステムは地域で支え合うという方向性の中で最適なシステムです。そのシステムを構築するために4つのポイントがあります。

①在宅介護と在宅医療の切れ目ない提供体制
②認知症についての正しい理解を深める
③地域の多様な関係者が参加する地域ケア会議の開催
④ボランティアや民間企業も含めた多様な主体の参入

■「自助、互助、共助、公助」からみた地域包括ケアシステム

これらの連携によって様々な生活課題を解決していく取り組みが求められています。

表2　自助、互助、共助、公助

自助	自分のことを自分でする
互助	相互に支え合っているという意味で「共助」と共通点があるが、費用負担が制度的に裏づけられていない自発的なもの
共助	介護保険などリスクを共有する仲間（被保険者）の負担
公助	税による公の負担

5 地域包括支援センター

地域包括支援センターは、高齢者を支える「総合相談窓口」として機能します。

■地域包括支援センターができた社会的背景

2015（平成27）年には団塊の世代が全員高齢者（65歳以上）の仲間入りをし、その人口は2022（令和4）年10月1日時点（推計）で3624万人、総人口比は29.0%となっています。それに対して、厚生労働省は2025（令和7）年に向け、高齢

者の自立支援の目的のもと、可能な限り住み慣れた地域で暮らし続けることができるよう、地域の包括的な支援・サービス提供体制(地域包括ケアシステム)の構築を推進しています。

■地域包括支援センターの役割と業務

地域包括支援センターは、地域の高齢者の総合相談、権利擁護や地域の支援体制づくり、介護予防の必要な援助などを行い、高齢者の保健医療の向上及び福祉の増進を包括的に支援することを目的とし、地域包括ケア実現に向けた中核的な機関として市町村が設置しています。

ここが問われた！
地域包括支援センターの支援内容、人員配置について出題されました(31-前-7、令1-後-15)。

■配置されている専門職

保健師、看護師、社会福祉士、主任介護支援専門員などの専門職が、介護や介護予防に関する相談に応じるほか、地域の高齢者サービスや介護保険の要介護認定の申請を受け付けています。

表3　地域包括支援センターの包括的支援事業の4つの業務

①介護予防ケアマネジメント	・支援を要する高齢者に対する介護予防ケアプランの作成 ・状況の把握、課題の分析
②総合相談支援業務	・高齢者の困ったことに対して、必要なサービスや制度を紹介し、解決に導く
③権利擁護業務	・金銭的搾取や詐欺から身を守るための日常生活自立支援事業や成年後見制度の活用をサポート ・虐待被害の対応、防止、早期発見
④包括的・継続的ケアマネジメント支援業務	・地域全体の医療・保健・介護分野の専門家から地域住民まで幅広いネットワークづくり

6　こども家庭センター

2022(令和4)年6月の児童福祉法の改正により、「子育て家庭総合支援拠点」と「子育て世代包括支援センター」の見直しが行われ、市町村に「こども家庭センター」の設置の努力義務が課されました(詳しくは第4章テーマ7❺を参照)。

○×チェック問題

1 地域包括ケアシステムを構築するために、「要保護児童対策地域協議会」での会議が求められる。

2 地域包括ケアシステムの「公助」とは、税による公の負担である。

3 「互助」とは、相互に支え合っているという意味で「共助」と共通点があるが、費用負担が制度的に裏づけられていない自発的なものをいう。

4 児童家庭支援センターは、障害児を家から通わせる施設である。

5 地域包括支援センターには保育士を置かなければならない。

6 都道府県に、こども家庭センターの設置の努力義務が課された。

7 共同募金事業は第二種社会福祉事業である。

8 社会福祉協議会は、地域福祉を推進する公的機関である。

答え

1× 「要保護児童対策地域協議会」は保護を必要とする児童への対策である。

2○

3○

4× 障害児の通所施設は「児童発達支援センター」である。

5× 保育士の設置要件はない。

6× 「都道府県」ではなく「市町村」

7× 第一種社会福祉事業に位置づけられている。

8× 公的機関ではなく、社会福祉法人等の民間団体である。

テーマ9 日本の社会福祉事業

社会福祉事業が存在する理由は、日本国憲法第25条の生存権を保障するという規定を具現化するためです。さらに、その事業を国家責任として進めることが民主主義国家としての命題です。

公益事業と収益事業、第一種・第二種社会福祉事業、共同募金配分委員会

1 日本の社会福祉事業について

2000(平成12)年に社会福祉事業法が社会福祉法に改正され、多様な福祉活動を総合的に推進することが意図されました。社会福祉事業の分野として①最低生活保障、②児童福祉、③母子・父子及び寡婦福祉、④障害児者福祉、⑤高齢者福祉、⑥医療福祉、⑦地域福祉があります。実際には、複雑化している生活問題から7つが相互に緊密につながっています。

日本の社会福祉は「福祉行政」といわれるように行政の政策に基づいています。また、社会福祉事業を実施する組織として、国及び地方公共団体の行政機関、社会福祉法人を主要主体とする民間組織に分かれています。中でも民間組織として地域福祉の推進を図ることを目的として全国、都道府県、市区町村、地区からなる「社会福祉協議会」(社会福祉法第109条～第111条)や、都道府県の区域を単位として、毎年1回、厚生労働大臣の定める期間内に実施される「共同募金」(社会福祉法第112条)があげられます。

ここが問われた！
社会福祉協議会について出題されました(令4-後-19、令5-前-7)。

2 社会福祉事業の定義

社会福祉法第１条(目的)で「この法律は、社会福祉を目的とする事業の全分野における共通的基本事項を定め、社会福祉を目的とする他の法律と相まって、福祉サービスの利用者の利益の保護及び地域における社会福祉の推進を図るとともに、社会福祉事業の公明かつ適正な実施の確保及び社会福祉を目的とする事業の健全な発達を図り、もって社会福祉の増進に資することを目的とする」と定められています。

また、社会福祉法人が行う事業は、社会福祉法の規定に基づき、社会福祉事業、公益事業及び収益事業に分けられます。

表１　社会福祉法人が行う事業

社会福祉事業	主な地位を占める事業：第一種社会福祉事業と第二種社会福祉事業
公益事業	公益を目的とする事業として、社会福祉事業に支障を来さない範囲
収益事業	法人税が課税される事業として、収益を社会福祉事業及び公益事業の財源にあてる事業

3 第一種社会福祉事業と第二種社会福祉事業

福祉サービスの基本理念として、福祉サービスは「良質かつ適切なものでなければならない」と定められ、福祉サービスの経営主体について一定の規制を設ける必要性があることから、第一種と第二種とに分類しています。

表２　第一種社会福祉事業と第二種社会福祉事業の比較

第一種社会福祉事業	第二種社会福祉事業
利用者への影響が大きいため、経営安定を通じた利用者の保護の必要性が高い事業(主として入所施設サービス)です。	利用者への影響が比較的小さいため、公的規制の必要性が低い事業(主として在宅サービス)です。
経営主体 行政及び社会福祉法人が原則です。施設を設置して第一種社会福祉事業を経営しようとするときは、都道府県知事等への届出が必要になります。 その他の者が第一種社会福祉事業を経営しようとするときは、都道府県知事等の許可を得ることが必要になります。	経営主体 制限はありません。すべての主体が届出をすることにより事業経営が可能となります。

ここが問われた！

児童福祉施設と第一種・第二種社会福祉事業の組み合わせが出題されました(令1-後-5、令4-後-8、令5-後-6)。第一種社会福祉事業に定められているものについて出題されました(令4-前-7)。「社会福祉法」における施設の種別と事業の組み合わせについて出題されました(令5-後-6)。

主な社会福祉施設 生活保護法：救護施設 児童福祉法：乳児院、母子生活支援施設、児童養護施設、障害児入所施設、児童心理治療施設、児童自立支援施設 障害者総合支援法：障害者支援施設	主な社会福祉施設 助産施設、保育所、児童厚生施設、児童家庭支援センター、母子・父子福祉センター、母子・父子休養ホーム

表 3　主な第二種社会福祉事業とその根拠法令

社会福祉事業名	根拠法令
母子家庭日常生活支援事業	母子及び父子並びに寡婦福祉法
父子家庭日常生活支援事業	母子及び父子並びに寡婦福祉法
寡婦日常生活支援事業	母子及び父子並びに寡婦福祉法
生活困窮者家計改善支援事業	生活困窮者自立支援法
認定生活困窮者就労訓練事業	生活困窮者自立支援法
乳児家庭全戸訪問事業	児童福祉法
地域生活支援事業	障害者の日常生活及び社会生活を総合的に支援するための法律
身体障害者生活訓練等事業	身体障害者福祉法
手話通訳事業	身体障害者福祉法
介助犬／聴導犬訓練事業	身体障害者福祉法

4 共同募金

共同募金は、戦後間もない1947（昭和22）年、戦災孤児を預かる民間福祉施設などの資金不足を補うためにスタートした民間の募金活動を制度化したものです。現在では、社会福祉を目的とする事業活動を幅広く支援することを通じて地域福祉の推進を図る募金活動として位置づけられています。また、共同募金は第一種社会福祉事業として位置づけられています（社会福祉法第113条）。

ここが問われた！

・共同募金会の根拠法令の組み合わせ（31-前-4）
・共同募金についての記述の正誤（令6-前-19）

共同募金とは、社会福祉法第112条に「都道府県の区域を単位として、毎年１回、厚生労働大臣の定める期間内に限って行う寄附金の募集であって、その区域内における地域福祉の推進を図るため、その寄附金をその区域内において社会福祉事業、更生保護事業その他の社会福祉を目的とする事業を経営する者(国及び地方公共団体を除く。)に配分することを目的とする」と定められています。

■募金期間

共同募金活動は、毎年定められた期間(10月1日〜翌年3月31日)に、すべての都道府県で行われるものであり、その実施主体は各都道府県に設立された社会福祉法人の各都道府県の共同募金会です。

■配分委員会

共同募金事業の公正性を担保するため、各都道府県の共同募金会には配分委員会が設置されており、配分委員会の承認なしには、その年の募金目標額や配分計画を策定することができず、集められた寄附金の配分を行うこともできない規則になっています。

■配分先

各都道府県内で集められた寄附金は、災害等のための準備金にあてる場合を除き、各都道府県内の「社会福祉を目的とする事業を経営する者」(社会福祉協議会、ＮＰＯ法人などの団体・グループ、福祉施設等)に配分されることになっています。

共同募金は第一種社会福祉事業、
保育所は第二種社会福祉事業だよ

○×チェック問題

社会福祉事業に関する記述について、正しいものに○、誤ったものに×で答えなさい。

1　社会福祉事業は利用者の利益保護と施設福祉の推進のために存在する。

2　社会福祉法人は公共性が高いことから収益事業はできないことになっている。

3　社会福祉事業を展開する社会福祉法人の所轄庁は厚生労働大臣である。

4　共同募金活動で集まった募金の助成先については、配分委員会が決定する。

5　保育所は第一種社会福祉事業である。

6　日本の社会福祉は「民間福祉」といわれるように民間が主体となっている。

7　2000（平成12）年の社会福祉事業法から社会福祉法への改正で、多様な福祉活動が総合的に推進されるようになった。

8　乳児家庭全戸訪問事業は母子保健法に基づいている。

答え

1 ×　「施設福祉」ではなく「地域での福祉」

2 ×　主たる事業に差しさわりのない程度であれば認められている。

3 ×　所轄庁は都道府県知事である。

4 ○

5 ×　第二種社会福祉事業である。

6 ×　「福祉行政」といわれるように行政の政策に基づいている。

7 ○

8 ×　「母子保健法」ではなく「児童福祉法」

テーマ10 日本の少子化対策と子育て支援

我が国の年間の出生数は、200万人以上の時代から、1991(平成3)年以降は増加と減少を繰り返しながら、減少傾向となっています。2019(令和元)年の出生数は86万5239人となり、90万人を割り込みました。この少子化が進行する中、政府はおおよそ5年ごとに政策を立ててきました。併せて、子育て支援の充実も同時に進めていくことが課題です。

1.57ショック、エンゼルプラン、少子化社会対策基本法、母子の健康水準

ここが問われた!

子ども・子育て支援の施策について問われました(令5-後-17)。

用語解説

1.57ショック
前年(1989(平成元)年)の合計特殊出生率が1.57と、「ひのえうま」という特殊要因により過去最低であった1966(昭和41)年の合計特殊出生率1.58を下回りました。

1 エンゼルプランに始まる少子化対策

■これまでの主な少子化対策

1990(平成2)年の1.57ショックを受けて、以下のプラン等が策定されました。

表1 主な少子化対策

年度	政策名と主な内容
1995 〜 1999	エンゼルプラン(1995(平成7)年度〜1999(平成11)年度) 「今後の子育て支援のための施策の基本的方向について」(エンゼルプラン)が策定された。
2000 〜 2004	新エンゼルプラン(2000(平成12)年度〜2004(平成16)年度) 「重点的に推進すべき少子化対策の具体的実施計画について」が策定された。 新エンゼルプランは、従来のエンゼルプランと緊急保育対策等5か年事業を見直したもので、雇用、母子保健、相談、教育等の事業も加えた幅広い内容となった。
2005 〜 2009	少子化社会対策大綱(2004(平成16)年6月〜2010(平成22)年1月) 子ども・子育て応援プラン(2005(平成17)年度〜2009(平成21)年度) 就労と出産・子育ての二者択一構造の解決として「働き方の見直しによる仕事と生活の調和(ワーク・ライフ・バランス)の実現」「包括的な次世代育成支援の枠組みの構築」「家庭における子育て」を同時並行

	的に行うこととした。また、2008(平成20)年2月には「新待機児童ゼロ作戦」が発表された。
2010 ～ 2014	子ども・子育てビジョン(2010(平成22)年1月～2015(平成27)年3月) 　2010(平成22)年1月、少子化社会対策基本法に基づく新たな大綱(子ども・子育てビジョン)が閣議決定された。その中で、子ども・子育て支援施策を行っていく際の3つの大切な姿勢として「1　生命(いのち)と育ちを大切にする」「2　困っている声に応える」「3　生活(くらし)を支える」を示すとともに、これらを踏まえ、「目指すべき社会への政策4本柱」と「12の主要施策」に従って、具体的な取り組みを進めることとなった。
2015 ～ 2019	少子化社会対策大綱～結婚、妊娠、子供・子育てに温かい社会の実現をめざして～ ①結婚や子育てしやすい環境となるよう、社会全体を見直し、これまで以上に少子化対策の充実を図る。 ②個々人が結婚や子どもについての希望を実現できる社会をつくることを基本的な目標とする。 ③結婚、妊娠・出産、子育ての各段階に応じた切れ目のない取り組みと地域・企業など社会全体の取り組みを両輪として、きめ細かく対応する。 ④集中取組期間を設定し、政策を集中投入する。 ⑤長期展望に立って、継続的かつ総合的な少子化対策を推進する。
2020 ～ 2023	少子化社会対策大綱～新しい令和の時代にふさわしい少子化対策へ～ ①結婚・子育て世代が将来にわたる展望を描ける環境をつくる。 ②多様化する子育て家庭の様々なニーズに応える。 ③地域の実情に応じたきめ細かな取り組みを進める。 ④結婚、妊娠・出産、子ども・子育てに温かい社会をつくる。 ⑤科学技術の成果など新たなリソースを積極的に活用する。
2024 ～	こども大綱 　こども大綱が目指す「こどもまんなか社会」とは、全てのこども・若者が、日本国憲法、こども基本法及びこどもの権利条約の精神にのっとり、生涯にわたる人格形成の基礎を築き、自立した個人としてひとしく健やかに成長することができ、心身の状況、置かれている環境等にかかわらず、ひとしくその権利の擁護が図られ、身体的・精神的・社会的に将来にわたって幸せな状態(ウェルビーイング)で生活を送ることができる社会。 ・こども施策に関する基本的な方針 　①こども・若者を権利の主体として認識し、その多様な人格・個性を尊重し、権利を保障し、こども・若者の今とこれからの最善の利益を図る 　②こどもや若者、子育て当事者の視点を尊重し、その意見を聴き、対話しながら、ともに進めていく 　③こどもや若者、子育て当事者のライフステージに応じて切れ目なく対応し、十分に支援する 　④良好な成育環境を確保し、貧困と格差の解消を図り、全てのこども・若者が幸せな状態で成長できるようにする 　⑤若い世代の生活の基盤の安定を図るとともに、多様な価値観・考え方を大前提として若い世代の視点に立って結婚、子育てに関する希望の形成と実現を阻む隘路(あいろ)の打破に取り組む 　⑥施策の総合性を確保するとともに、関係省庁、地方公共団体、民間団体等との連携を重視する

2 少子化に対処するための総合的な施策

ここが問われた!

少子化社会対策基本法第２条(施策の基本理念)の穴埋めが出題されました(令1-後-20)。

少子化社会対策基本法第１条(目的)に、「この法律は、我が国において急速に少子化が進展しており、その状況が21世紀の国民生活に深刻かつ多大な影響を及ぼすものであることにかんがみ、このような事態に対し、長期的な視点に立って的確に対処するため、(中略)少子化に対処するための施策を総合的に推進し、もって国民が豊かで安心して暮らすことのできる社会の実現に寄与することを目的とする」と定められています。

表２　少子化社会対策基本法の概要

目的及び施策の基本理念	少子化に対処するための施策を総合的に推進し、もって国民が豊かで安心して暮らすことのできる社会の実現に寄与すること。
責務	国、地方公共団体、事業主及び国民の責務について規定。
政府が講じるべき施策	①施策の指針として、総合的かつ長期的な少子化に対処するための施策の大綱を定めること。 ②必要な法制上、財政上の措置等を講じること。

表３　少子化社会対策基本法の主な見出し

条項	見出し	具体的な例文(要旨)
第１条	目的	国民が豊かで安心して暮らすことのできる社会の実現に寄与すること。
第２条	施策の基本理念	次代の社会を担う子どもを安心して生み、育てることができる環境を整備すること。
第３条	国の責務	施策を総合的に策定し、及び実施する責務。
第４条	地方公共団体の責務	当該地域の状況に応じた施策を策定し、及び実施する責務。
第５条	事業主の責務	必要な雇用環境の整備に努めるものとする。
第６条	国民の責務	安心して子どもを生み、育てることができる社会の実現に努める。
第10条	雇用環境の整備	多様な就労の機会の確保、必要な雇用環境の整備のための施策を講ずる。
第11条	保育サービス等の充実	子育てに関する情報の提供及び相談の実施その他の子育て支援に必要な施策を講ずる。
第12条	地域社会における子育て支援体制の整備	子どもを生み、育てる者を支援する地域社会の形成のための環境の整備を行う。
第13条	母子保健医療体制の充実等	安心して子どもを生み、育てることができる母子保健医療体制を講ずる。

3 白書・統計調査・ガイドライン等

■少子化社会対策白書（内閣府）

『少子化社会対策白書』は少子化社会対策基本法第９条の「少子化の状況及び少子化に対処するために講じた施策の概況に関する報告書」であり、政府が毎年国会に提出しなければならないとされているものです。

2020（令和２）年の主な数値目標は表４の通りです。

表４　主な少子化対策の数値目標

認可保育所等の定員	第２期市町村子ども・子育て支援事業計画における「量の見込み」の結果等を踏まえ設定 現状：306万人（2019年４月１日）
⇒待機児童	解消をめざす 現状：１万6772人（2019年４月１日）
放課後児童クラブ	152万人（2023年度末）
⇒待機児童	解消をめざす 現状：１万8261人（2019年５月）
地域子育て支援拠点事業	第２期市町村子ども・子育て支援事業計画における「量の見込み」の結果等を踏まえ設定 現状：7431か所（2018年度）
利用者支援事業	第２期市町村子ども・子育て支援事業計画における「量の見込み」の結果等を踏まえ設定 現状：1095か所（2018年度）
一時預かり事業	第２期市町村子ども・子育て支援事業計画における「量の見込み」の結果等を踏まえ設定 現状：延べ479万人（2018年度確定ベース）
病児保育	第２期市町村子ども・子育て支援事業計画における「量の見込み」の結果等を踏まえ設定 現状：延べ101万人（2018年度確定ベース）
養育支援訪問事業	全市町村での実施をめざす（2025年） 現状：1476市町村（2017年４月１日）

資料：内閣府資料より

■厚生労働白書（厚生労働省）

厚生労働省が出している『厚生労働白書』は、毎年、厚生労働行政の現状や今後の見通しなどについて、広く国民に伝えることを目的にとりまとめられています。

ここが問われた！
『令和４年版　厚生労働白書』による社会福祉制度等に関する記述について出題されました（令6-前-5）。

ここが問われた！
『令和４年版　男女共同参画白書』における男女共同参画の実態について出題されました(令6-前-17)。

■ 男女共同参画白書(内閣府)

男女共同参画社会基本法に基づき作成している年次報告書であり、男女平等の社会を実現するために政府が行うことを記した報告書です。

ここが問われた！
厚生労働省「国民生活基礎調査」の概要から世帯の動向について出題されました(令3-前-19、令3-後-18、令5-後-19)。

■ 国民生活基礎調査(厚生労働省)

この調査は、保健、医療、福祉、年金、所得等国民生活の基礎的事項を調査し、厚生労働行政の企画及び運営に必要な基礎資料を得ることを目的としています。

○2022(令和４)年の調査結果

2022(令和４)年６月２日現在における全国の世帯総数は5431万世帯です。

①　世帯構造

ここをチェック！
65歳以上の者のいる世帯では「夫婦のみの世帯」が最も多い。

「単独世帯」が1785万2000世帯(全世帯の32.9％)で最も多く、「夫婦と未婚の子のみの世帯」が1402万2000世帯(同25.8％)、「夫婦のみの世帯」が1333万世帯(同24.5％)となっています。

②　世帯類型

「高齢者世帯」は1693万1000世帯(全世帯の31.2％)となっています。

ここが問われた！
厚生労働省「人口動態統計」による少子化の現状について出題されました(令1-後-18、令3-前-19、令3-後-18)。

■ 人口動態統計(厚生労働省)

この統計は日本の人口動態事象を把握し、人口及び厚生労働行政施策の基礎資料として発行されています。中でも、出生数や合計特殊出生率についての記載に注目しておきましょう。

ここが問われた！
総務省の「人口推計」での人口の状況について出題されました(令3-前-19)。

■ 人口推計(総務省)

日本の人口の実態については、総務省が５年ごとに実施する国勢調査によって明らかにされますが、この推計は、国勢調査の実施間の時点においての各月、各年の人口の状況を把握するために行われます。

ここが問われた！
調査やガイドラインに示されている多様化する地域生活課題について問われました(令5-後-20)。

■ 児童生徒の問題行動・不登校等生徒指導上の諸課題に関する調査結果(文部科学省)

毎年度、暴力行為、いじめ、不登校、自殺等の状況等について調査がされています。

■ 自殺統計に基づく自殺者数(厚生労働省)

自殺の状況、概要、内訳についてまとめられています。

■ ひきこもりの評価・支援に関するガイドライン

定義、こどもや青年の実数、長期化を防ぐための視点、評価、支援について示されています。

4 健やか親子21

「健やか親子21」は、2001(平成13)年から始まった母子の健康水準を向上させるための様々な取り組みを、みんなで推進する国民運動計画です。

母子保健はすべての子どもが健やかに成長していく上での健康づくりの出発点であり、次世代を担う子ども達を健やかに育てるための基盤となります。また、2015(平成27)年度からは、現状の課題を踏まえ、新たな計画(～2024(令和６)年度)が始まっています。

「健やか親子21(第２次)」では、10年後にめざす姿を「すべての子どもが健やかに育つ社会」として、すべての国民が地域や家庭環境等の違いにかかわらず、同じ水準の母子保健サービスが受けられることをめざしています。

表５　３つの基盤課題と２つの重点課題

基盤課題A	○切れ目のない妊産婦・乳幼児への保健対策 ・妊娠・出産・育児期における母子保健対策の充実 ・各事業間や関連機関間の連携体制を強化
基盤課題B	○学童期・思春期から成人期に向けた保健対策 ・健康の維持・向上に取り組めるよう、様々な分野が協力し、健康教育の推進と次世代の健康を支える社会の実現
基盤課題C	○子どもの健やかな成長を見守り育む地域づくり ・社会全体で子どもの健やかな成長の見守り ・子育て世代の親を孤立させないよう支えていく地域づくり
重点課題①	○育てにくさを感じる親に寄り添う支援 ・育てにくさサインを受け止める ・子育てに寄り添う支援を充実させる
重点課題②	○妊娠期からの児童虐待防止対策 ・できるだけ早期に発見・対応する ・新生児訪問等の母子保健事業と関係機関の連携強化

資料：厚生労働省「健やか親子21(第２次)について」

○×チェック問題

1 国民生活基礎調査によると、世帯構造は「単独世帯」が最も多い。

2 「働き方の見直しによる仕事と生活の調和（ワーク・ライフ・バランス）の実現」が提唱されたのは、子ども・子育てビジョン（2010（平成22）年1月～2015（平成27）年3月）である。

3 「健やか親子21（第2次）」では、5年後にめざす姿を「すべての子どもが健やかに育つ社会」としている。

答え

1 ○

2 × 提唱されたのは、その前の子ども・子育て応援プラン（2005（平成17）年度～2009（平成21）年度）。

3 × 「5年後」ではなく「10年後」

第6章

保育の心理学

頻出テーマ

テーマ1 発達の概念
令4-前-2,10,13 令4-後-1,2 令5-前-1,2 令5-後-12
令6-前-5,12

テーマ2 心理学の基礎理論
令4-前-3,5,7,11 令4-後-5,6,8,10,11
令5-前-3,4,7,8,9,20 令5-後-2,6,8,9,11,13 令6-前-1,6,19

テーマ3 胎児期から児童期
令4-前-12 令4-後-3 令5-前-6 令5-後-4
令6-前-2,3,9,13

テーマ4 青年期から老年期
令4-前-8,9 令4-後-11,15 令5-前-11
令5-後-10,11,13,15 令6-前-10,11

テーマ5 社会性の発達
令4-前-1,4,14,17 令4-後-4,5,6,7,8,9 令5-前-3,5,19
令5-後-1,6,7,19 令6-前-4

テーマ6 発達に応じた保育・精神保健
令4-前-19 令4-後-16,17,19,20 令5-前-10,17,18,19
令5-後-3,5,17 令6-前-17,18

テーマ7 子育て家庭に関する現状
令4-前-12,16,18 令4-後-12,13,18
令5-前-12,13,14,15,16 令5-後-13,14,18 令6-前-15,16

基礎理論及び各発達段階の特徴については、知識をしっかり身につけよう。最近は子育て家庭に関する現状についての出題も多くなったよ。社会の動向にもアンテナを張っておこう！

テーマ1 発達の概念

人の発達には、身体面、精神面、社会面など、いろいろな側面があります。人が成長していく上で、知的に、情緒的に、あるいは社会的にどのように変化していくかを研究するのが発達心理学です。人は環境に適応しながら自らを変化させ続けています。つまり、人の一生すべてが「発達」の過程といえます。こうした捉え方を「生涯発達」と呼びます。「生涯発達心理学」としてバルテスによって提起されました。今では主流の考え方になっています。

レディネス、相互作用説、生理的早産説、発達観、生態学的理論、環境移行

1 発達の規定因

人の発達を規定するものは何かということです。子どもの持つ能力や性格は生得的なものなのか、それとも生まれてからの経験によってつくられているものか、といった議論は古くからなされてきました。主な理論は以下の通りです。

■遺伝説

古くはフランスの思想家のルソーが唱えました。また、ゲゼルは「成熟優位説」を唱えました。環境は発達を促進させるものではあるが、ある行為が可能になるには、それにふさわしい準備状態が必要であると述べました。この準備状態のことを、ゲゼルは「レディネス」と呼びました。

■環境説

イギリスのロックは、人間は白紙の状態で生まれてくるといいました。また、アメリカのワトソンも環境的要因を強調しました。ワトソンの言葉に次のものがあります。

用語解説

生得的
「せいとくてき」あるいは「しょうとくてき」と読みます。「生まれながらにそなわっている」という意味です。

ここをチェック!

最近では、レディネスは「待つ」だけのものではなく、「つくる」という考え方が注目されるようになりました。教育方法の工夫次第で、もっと早い時期に可能になるものがあるのではないか、とする考え方です。

「私に1ダースの子どもを預けてください。医師、法律家、芸術家、そして乞食や泥棒にでもしてみせます。」

後天的な学習によって人の発達が形成されるというワトソンの提唱は、行動主義とよばれています。

白紙の状態

「タブラ・ラサ」(ラテン語)と呼ばれています。

■ 輻輳説(ふくそうせつ)

シュテルン、ルクセンブルガーが唱えました。発達は遺伝と環境の両者が加算的に働き合って進行するという考え方です。つまり、遺伝と環境のどちらかが多ければ、どちらかが少ないという、足し算的な考え方です(図1参照)。

輻輳説について遺伝要因と環境要因が「足し合わされて」という表現が使われました(令2-後-1)。

図1　ルクセンブルガーの図式

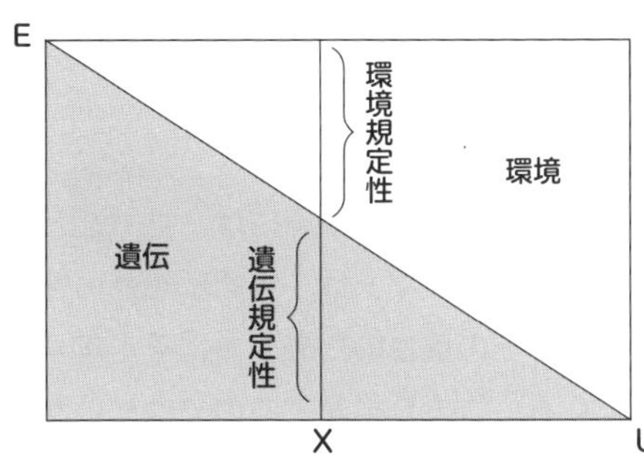

■ 相互作用説

ジェンセンやヘッブが唱えました。これは遺伝と環境は相互に影響し合い、単なる加算的効果以上の相乗的効果を含む(つまり掛け算的)とする説です。現在ではこの相互作用説が、最も支持されています。

ジェンセンの環境閾値(いきち)説について、図2で示しています。例えば特性Aは、身長、顔立ちなどの身体的特性などがあてはまります。極度に不適な環境でない限り、ほぼ完全に発達が現れるものを示します。

環境閾値説の考え方が問われました(令4-後-2、令5-前-2)。

特性Bは、中程度の環境要因によって顕在化するものを示します。特性Cは、環境条件と発達の顕在化がほぼ比例しています。学業成績などがあてはまります。特性Dは、きわめて好環境下な条件や教育があって初めて顕在化するもので、絶対音感などがあてはまります。

図２　環境閾値説

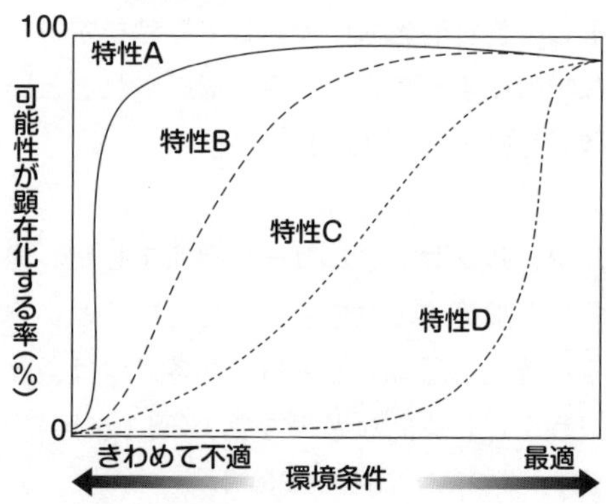

2 発達の原理原則

哺乳類は就巣性と離巣性に分類されます。ポルトマンは人間の状態を「二次的就巣性」と呼びました。

就巣性	離巣性
未熟な状態で産まれる	発育した状態で産まれ、生後短時間で歩ける
一度に多くの子どもを産む	一度に１～２匹産む
ネズミ、ネコ、イヌなど	ウマ、サルなどの高等な哺乳類

ここが問われた！

- ヒトの出生時の特徴に関する記述として、ポルトマンの理論について（令4-前-13）
- 乳児の発達の原則について（令6-前-5）

■ 生理的早産説

人間の赤ちゃんは生まれてすぐには、立つことも、歩くこともできません。ポルトマンは、人間は知能の進化とともに脳が大きくなり、その重さのため、およそ１年早く未熟な状態で生まれてくる、つまり早産するのではないかと考えました。これを生理的早産説といいます。その意味で、乳児期のことを「子宮外の胎児期」と呼ぶこともあります。

■ 発達の原則

乳幼児は以下のような原則によって、成長していきます。

・連続性：発達は途中で途切れたりせず、連続性を保っている

・順序性：首がすわる、よちよち歩きができる、など一定の順序がある

・方向性：頭部から尾部、粗大から微細、中心部から周辺部へと進んでいく

・相互関連性：すべての要素が作用し合っている

・個人差：一人一人に成長の差がみられる

■ 発達観

発達観とは、「発達とはこういうものである」といった発達のイメージや、あるいは「１歳だから歩ける頃だろう」といったような、年齢に合わせた発達の見方のことをいいます。

同じように、保育観、子ども観と呼ばれるものもあります。それぞれにその人なりの考え方があり、また文化や時代により少しずつ変化しています。

3 気質

気質とは、新生児がもともと持っている個人特性のことをいいます。これに対し、性格とは、生まれた後にまわりの影響を受けて形成されるものであり、用語は区別されています。

トマスとチェスは、気質には活動水準、順応性、反応の強度、気分の質(機嫌)、注意の範囲と持続性(集中性)など、9つの側面(次元)があることを見出しました。そしてこの9つの側面の程度をまとめて、気質タイプを以下の3つに分類しました。

ここが問われた！
トマスの研究について出題されました(令3-後-7、令6-前-12)。

表1　3つの気質タイプ

扱いやすい子どもたち	生理的リズムが規則的 変化への順応性が高い 気分が安定している　など
扱いにくい子どもたち	寝起きや排泄などの生理的リズムが不規則 周囲の環境の変化に馴染むのが遅い　など
エンジンのかかりにくい(出だしの遅い)子どもたち	行動開始に時間がかかる 新規な状況への順応が悪い　など

子どもが扱いにくい気質を持っている場合、対応が難しく、親が育児に自信を失う場合もあります。しかし親の側の特質(特に敏感性と呼ばれます)によっては、子どもの反応を理解し、タイミングよく反応できる場合もあり、安定した愛着関係が形成されるといえます。

4 環境とのかかわり

■生態学的発達理論

ブロンフェンブレンナーは、生態学的環境システム(生態学的発達理論)を唱えました。子どもを取り巻く環境を4つの基準(マイクロシステム、メゾシステム、エクソシステム、マクロシステム)で示しました。さらに、クロノシステム(時間軸)を加えて5つの基準とすることもあります。

ここが問われた！
ブロンフェンブレンナーを選択する人名を問う問題で、「4つのシステムに時間経過を付け加え、5つのシステムとした」と記述された選択肢が出題されました(31-前-2)。5つの基準の名前とその内容や人名について出題されました(令3-前-17、令4-前-10、令5-前-2、令5-後-12)。

図3　生態学的環境システム

■環境移行

保育所等への入園、転居、家族構成の変化など、子どもの環境が変わることを、環境移行といいます。環境移行は、子どもにとって大きな出来事です。新たな成長のきっかけであることもある反面、不安や混乱をもたらすことがあります。

○×チェック問題

1　生涯発達の考え方を示した人物はバルテスである。
2　発達の方向は、微細から粗大である。
3　発達の速度については、個人差が認められる。
4　ルクセンブルガーの図式は、環境説を表す。

答え

1○
2×「微細から粗大」ではなく「粗大から微細」
3○
4×「環境説」ではなく「輻輳説」

テーマ2 心理学の基礎理論

発達を理解するために、いくつかの段階に分けて、それぞれの特徴を捉えていく方法があります。それが発達理論です。試験ではピアジェやエリクソンの発達理論が頻出です。また、学びに関する理論として、学習理論や動機づけ理論も注目されています。

keyword ピアジェ、エリクソン、発達の最近接領域、モデリング、動機づけ

1 ピアジェの発達段階説

スイスの心理学者ピアジェは、認知の発達について、以下の4つの段階に分けました。認知とは、ものの捉え方、あるいは考え方のことです。

■感覚運動期：出生～2歳頃

感覚器官を通して外の世界を受け入れ、そして働きかけようとする段階です。指しゃぶりなど、同じ動作を繰り返す循環反応がみられます。6か月～8か月頃にはものの永続性が形成されます。目の前から物が隠れても存在するということが理解できること、つまり心の中で思い浮かべることができるようになります。頭の中でイメージが描けるようになることを表象(ひょうしょう)といいます。

■前操作期：2歳頃～7、8歳

言葉の発達がめざましい時期です。事象をイメージで捉えるため、保存の概念は未熟です。保存の概念とは、対象の形や大きさを変化させると、見かけの変化に惑わされ、重さや数や量が変わってしまうと考えてしまうことをいいます。こ

ここが問われた！

ピアジェの発達段階説に関して出題されました(令3-後-3,8、令4-前-3、令4-後-5、令5-前-9)。

さらに深める

感覚運動期には、さらに6つの段階があります。循環反応も3段階あります。第一次循環反応は、指しゃぶりなど、自分の体について快感を得たことを繰り返す段階。第二次循環反応は、主に物について、楽しむために繰り返す段階(例：太鼓をたたく)。第三次循環反応は、様々な行為で変化に注目していく段階(例：太鼓を強くたたいたり弱くたたいたりして音の違いに気づく)。

のほかにもアニミズム的思考、自己中心性などが特徴としてあげられます（テーマ３参照）。

図１　保存の概念

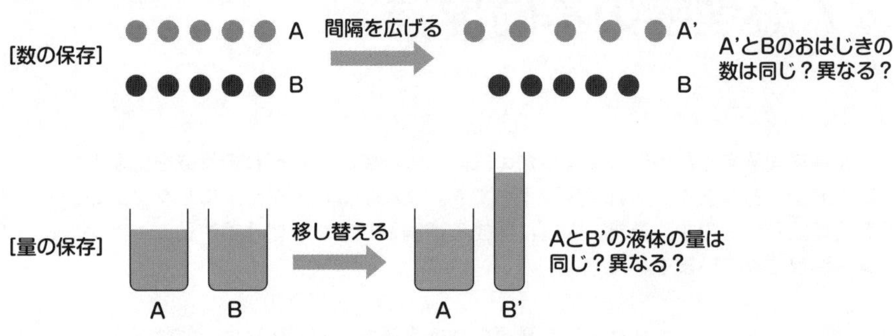

■具体的操作期：７、８歳～11、12歳

具体的な事象については、論理的に思考したり推論したりすることができるようになります。また、保存の概念を獲得します。

■形式的操作期：11、12歳以降

「もし～なら、～だろう」といった架空のことがらや抽象的な概念について、論理的な考え方ができるようになります。

以上がピアジェの発達段階です。

この他にもピアジェの理論には、重要なキーワードがあります。

① 同化

自分の認知構造（シェマという）に、外の世界を取り込み、消化すること。つまり物の見方を変えることなく、新しい経験や情報を解釈すること。

② 調節（調整）

新しい経験や情報を取り込むことが、既に持っている

もの の永続性

「対象の永続性」「物体の永続性」などとも呼ばれています。

自己中心性に対して、他者の視点に立って考えられるようになることを、「脱中心化」と呼びます。

さらに深める

このほか「長さの保存」もあります。同じ長さの棒を少しずらすと、長さは同じでないと感じるのが、前操作期の特徴です。

ここが問われた！

「同化」「調節」について問われました（令4-後-8、令5-前-3）。

シェマでは対応できない場合、シェマを新しく変えていくことをいう。

③ 均衡化（体制化）

同化と調節を繰り返していくこと。環境に適応していくためにバランスをとっていくこと。

ここが問われた！
ピアジェの理論とその後の展開について出題されました（令1-後-2）。

2 エリクソンの発達段階説

エリクソンは人生を8段階に分けました。ライフサイクル論と呼ばれています。それぞれの段階について発達課題（心理社会的危機あるいは発達危機ともいう）を設けたことが特徴です。以下に各時期の発達課題を示します。○○対○○という対立の表現となっています。これは、成長・健康に向かうポジティブな面（肯定的な目標）とネガティブな面（否定的な危機）の両方に直面し、ポジティブな面を獲得していくことが発達課題の克服となるという考え方です。

ここが問われた！
ライフサイクルについて出題されました（令6-前-19）。

■ 乳児期：0～1歳頃

信頼 対 不信。

「自分は大切にされているんだ。愛されているんだ」といった感覚が身につくこと、つまり基本的信頼感の獲得がこの時期の発達課題となります。

■ 幼児期前期：1～3歳頃

自律性 対 恥・疑惑。

自分の欲望を少しずつコントロールできるという、自律性を身につける時期です。

ここが問われた！
・児童期と青年期の発達課題について（令3-前-11）
・乳児期の発達課題について（令5-前-4）

■ 幼児期後期：3～6歳頃

積極性（自主性、自発性） 対 罪悪感。

体も成長し、好奇心も高まり、行動範囲も広がります。大人から禁止ばかりされていると、罪悪感を生じてしまうことがあります。

さらに深める
ライフサイクルの各段階は順番に出現し、前段階の発達課題を達成しなければ次の段階に進むことができないとされており、それらは漸成原理と呼ばれます。

■ 児童期：6～12歳頃

勤勉性 対 劣等感。

学校の勉強を始め、多くを学び吸収する勤勉性を身につける時期です。

■ 青年期：12～20歳頃

同一性（アイデンティティ、自我同一性）の確率 対 同一性拡散（役割の混乱）。

自分らしさや、「自分とは何者か」を見出すことが、同一性（アイデンティティ）の確立です。確立に至るまでの模索の期間をモラトリアムと呼びます。同一性を確立できないことは、同一性拡散といい、自分の進むべき方向を決められないなどの混乱が生じることがあります。

ここが問われた！

「親密性」対「孤立」の時期について問われました（令5-後-13）。

■ 成人初期（成人期）：20～30歳頃

親密性（親密、親密さ）対 孤立。

就職や結婚をすることで、他者と人間関係をつくる時期です。親密性とはただ親しくなるということではなく、互いを尊重し、認め合うという意味を含んでいます。

ここが問われた！

中年期の発達課題について出題されました（令4-後-11）。

■ 成人期（中年期、壮年期、成人後期）：30～65歳頃

世代性（生殖性）対 停滞（自己陶酔、自己吸収）。

人生で一番脂が乗っている時期です。経験を次の世代に教えたり伝えたりすることが、発達課題になります。

ここが問われた！

老年期の発達課題について出題されました（令5-後-11）。

■ 老年期（成熟期）：65歳頃～

統合性 対 絶望（嫌悪）。

これまでの人生を振り返り、自分の人生に意味を見つける「統合」が、生涯最後の発達課題になります。

表1　発達段階の対比

エリクソン	ピアジェ
乳児期：0～1歳頃 幼児期前期：1～3歳頃 幼児期後期：3～6歳頃 児童期：6～12歳頃 青年期：12～20歳頃 成人初期：20～30歳頃 成人期：30～65歳頃 老年期：65歳頃～	感覚運動的段階：出生～2歳頃 前操作的段階：2歳頃～7、8歳 具体的操作段階：7、8歳～11、12歳 形式的操作段階：11、12歳以降

エリクソンは、各段階の発達課題を示すと同時に、その心理社会的な危機を解決した結果、得られる強さ（活力）も提示しました。それは以下の通りです。

表２　各段階に獲得される活力

	段階	獲得される活力
1	乳児期	希望
2	幼児期前期	意志
3	幼児期後期	目的（目的感）
4	児童期	能力（有能感）
5	青年期	忠誠（忠誠心）
6	成人前期	愛
7	成人期	世話（ケア）
8	老年期	知恵（英知）

3 レビンソンの発達段階説

レビンソンの理論の特徴は、安定期と過渡期が交互に現れて進んでいくというところにあります（図２参照）。

図２　成人前期と中年期の発達段階

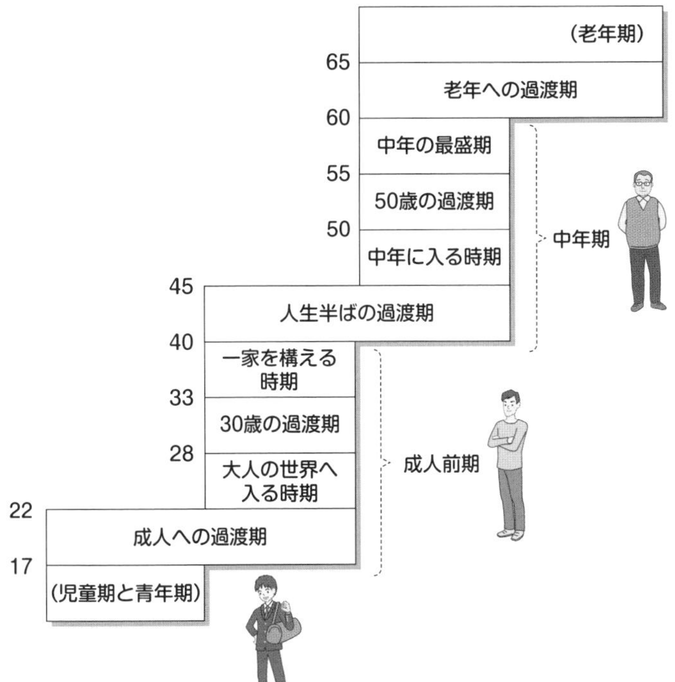

発達理論は、このほかにはハヴィガーストが、乳幼児期、青年期について発達課題を示しています。また、マーシアは青年期のアイデンティティの確立について、その段階を示しています（テーマ４参照）。

特に40～50歳の人生半ばの過渡期は、人生の目標の喪失や体力の衰えなど、葛藤が生じやすい時期とされています（テーマ4参照）。

4 発達の最近接領域

ロシアのヴィゴツキーが唱えた理論です。図3を参照ください。今、一人でできるレベルを「現在の発達水準」とします。そして、明日、一人でできるかもしれない、あるいは今、援助を受ければできるであろうレベルが、上のラインです（いわば「明日の発達水準」といえます）。この間の領域を、発達の最近接領域と呼びます。一人一人の領域を見きわめ、この領域に適切に働きかけることが大切だとヴィゴツキーは考えました。つまり、難しすぎず、簡単すぎない課題に接したとき、子どものモチベーションは最も高まるのです。ヴィゴツキーの理論は、教育と発達を結びつけたものでもあり、学校現場でも大変注目されています。

ここが問われた！
ヴィゴツキーの発達の最近接領域について出題されました（令4-後-6、令5-後-9、令6-前-6）。

図3 発達の最近接領域

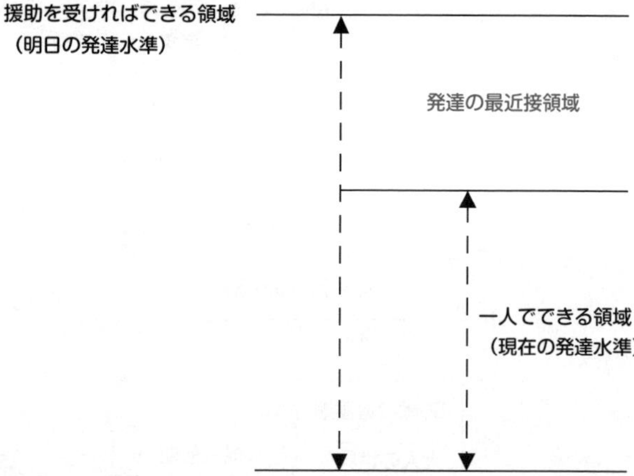

5 学習理論

ここが問われた！
・学習のメカニズムについて（令5-前-7）
・幼児の学びの過程に関する記述として「古典的条件づけ」について（令5-後-8）

心理学において、「学習」とは、経験の結果として起こる比較的永続的な行動の変容と定義されています。学校の勉強でいう算数や国語といった学習とは意味が異なります。学習には複数の種類があります。

■古典的条件づけ（レスポンデント条件づけ）

パブロフの犬を使った実験として有名です。犬に餌を与える際、メトロノームの音を聞かせます。これを何度も繰り返します。やがて、メトロノームの音を聞いただけで、唾液が出るようになります。

このように、経験によって、刺激（条件刺激）と反応（条件反応）の新しい結合が生まれることを、学習が成立したといいます。

・レスポンデント条件づけについて（令6-前-6）

学習理論を応用した心理療法を、行動療法と呼びます。たとえば小さな行動を少しずつ積み重ねて（スモールステップ）、望ましい行動に変容していく方法などがあります。

図4　パブロフの古典的学習の実験風景

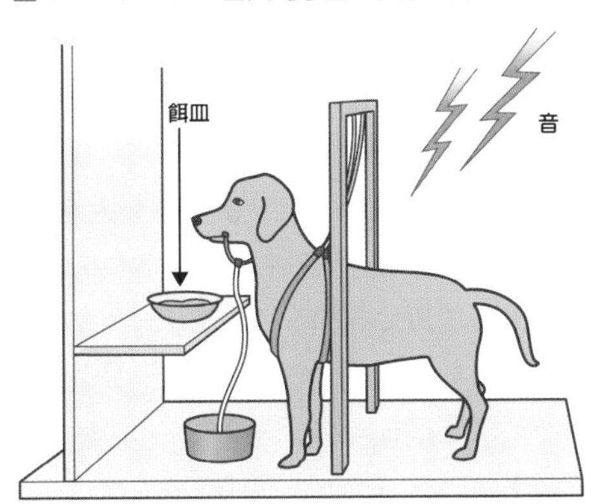

■道具的条件づけ（オペラント条件づけ）

スキナーによる、ねずみを使った実験が有名です。空腹のねずみを箱の中に入れます。箱の中に取り付けられたレバーを押すと、餌が出るしかけになっています。偶然押したレバーから餌が出ることを経験したねずみは、やがてレバーを押して餌を出すようになります。

こうして行動の変化、すなわち新しい学習が成立したといえます。古典的条件づけとの違いは、自発的な行動であるかどうかです。たとえば「ほめられてうれしかったから、その行動をまたしよう」などはオペラント行動といえます。

これらの手続きを「正の強化」と呼び、この場合、餌を「正の強化子」と呼びます。

図5　スキナーボックス

■観察学習(モデリング)

ここが問われた!
観察学習(モデリング)について出題されました(令2-後-10、令5-前-8、令5-後-2、令6-前-6)

バンデューラが唱えました。他人の行動を見ることによる学習です。彼が行った実験の概要は以下の通りです。

子どもたちに対し、映像を見せます。大人が人形に対し、攻撃行動を行うものです。子どもたちは3つの群に分けられていて、その大人が罰せられるストーリー、報酬が与えられるストーリー、そして何もないストーリーがありました。映像を見せたあと、子どもに同じ人形を与え、自由に遊ばせました。その結果、もっとも大人の真似(模倣)をしたのは、「報酬あり」のグループで、模倣が少なかったのは「罰」のグループでした。

バンデューラの理論は社会的学習理論と呼ばれています。

■試行錯誤学習

ソーンダイクによる猫を使った実験が有名です。問題箱と呼ばれる箱に猫を入れます。レバーを押せば扉が開き、外に出られるしかけになっています。何度も試行錯誤をしたのち、脱出できる方法を学習し、結果として、効率的に扉を開けることができるようになりました。これを効果の法則と呼びます。こうした学習のことを試行錯誤学習といいます。

■洞察学習

ここが問われた!
洞察について出題されました(令5-前-8)。

ケーラーによる実験が有名です。試行錯誤を経ず、認知構造の変化によって課題を解決する学習をいいます。

檻の中にチンパンジーを入れ、檻の外にバナナを置きました。バナナは手が届かないところにあります。棒を檻の外に置いたところ、最初は道具として使うことに気づかない様子だったチンパンジーが、ある偶然から棒を使い、バナナを取ることに成功しました。つまり棒を道具として使う、ということをひらめいたのです。こうした認知の仕組みの変化を「場の再体制化」と呼んでいます。

6 動機づけ理論

人の行動を開始させる意欲のもとになるものとして、動機づけがあります。動機づけとはいわゆる「やる気」のことです。モチベーション(motivation)とも呼ばれます。動機づけには次の2種類があります。

■ 外発的動機づけ

報酬や罰など、外からの働きかけで行動すること、つまり動機づけられることです。例えばゲームを買ってもらうためにテストを頑張る、叱られるのがいやで掃除をするといったことです。

■ 内発的動機づけ

面白いからやる、楽しいからやってみる、というように、そのこと自体に興味を持ち、行動することをいいます。

子どもの知的好奇心は、この考え方がもとになっているといえます。

7 記憶のしくみ

記憶は、覚えるという段階(記銘あるいは符号化という)、覚えておく段階(保持あるいは貯蔵)、思い出す段階(想起あるいは検索)の3つの段階に区分できます。

思い出すための処理として、何の手がかりもなく思い出すことを再生、手がかりがある場合(ヒントがあること)を再認と呼びます。

記憶の段階としては、感覚記憶、短期記憶、長期記憶の3段階に分けられます。それぞれの保持時間と保持容量は表3の通りです。幼児の場合は、記憶容量が未発達です。そのた

自分の力でコントロールできないような不快な経験が繰り返されると、やがて無力感に陥ってしまうことがあります。これを学習性無力感といいます。セリグマンの理論です。

ここが問われた!

- 動機づけについて(令4-後-10、令5-後-8)
- 動機づけ理論の中で、セリグマンについて(令4-前-5)

さらに深める

内発的動機づけで行っていた行動が外発的に変わってしまうことを、アンダーマイニング現象といいます。たとえば、好きで絵を描いていたのに、それに対し、ご褒美をもらってしまったがために、ご褒美がないとやる気がでなくなってしまった、といったことです。

ここが問われた!

子どもの行動について、記憶に関する用語との正しい組み合わせが問われました(令3-後-5)。

め一度に覚えられる容量は、大人が5～9個であるのに対して、だいたい「年齢マイナス1個」といわれています。

短期記憶から長期記憶へ情報を転送するには、忘れないために復唱することなどを行いますが、これをリハーサルと呼びます。

さらに深める

チャンクとは「まとまり」という意味です。語呂合わせなどをすることにより、記憶容量を増やすことができます。ミラーはこの数値をマジカルナンバー(不思議な数)と呼びました。

表3　記憶の保持時間と保持容量

	保持時間	保持容量
感覚記憶	約1秒	無限大
短期記憶	約18秒	7±2チャンク
長期記憶	生涯	無限大

また、長期記憶については、図6のように分類されます(スクワイアによる分類)。図の中のプライミングとは、先行の刺激を処理することが後続の処理に何らかの影響を与えることを指しています。

さらに深める

プライミングについては、「ピザを10回言って」という遊びがよく知られています。その後「ひじ」を指して呼び名を聞き、つい「ひざ」と言ってしまうのは、「ピザ」を唱えたことが影響しているのです。

図6　スクワイア(1987)による記憶の分類(Atkinson et al., 1996を一部改変)

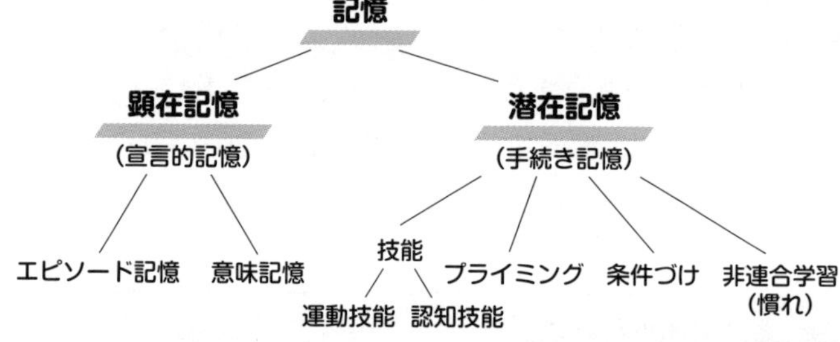

※　ただし、意味記憶は潜在的に検索されるとする考え方もある(Schacter & Tulving, 1994)。

参考文献：Atkinson,R.L.,Smith,E.E.,Bem,D.L. & Nolen-Hoeksema,S.,Hilgard's Introduction to Psychology,Harcourt Brace College Publishers,1996.,Schacter,D.L., & Tulving,E.,What are the memory systems of 1994？　In Schacter,D.L., & Tulving,E.(Eds.),Memory Systems,The MIT Press,pp.1-38,1994.

出典：山内光哉・春木豊編著『グラフィック学習心理学 行動と認知』サイエンス社，p.211，2001．を一部改変

ここが問われた!

エピソード記憶について出題されました(令5-後-8)。

このほか、記憶については以下の用語があります。

・ワーキングメモリ(作業記憶・作動記憶ともいう)

短期記憶の発展的なモデルとして知られています。例えば暗算をする場合など、作業に必要な情報を一時的に保持

ここが問われた!

加齢によるワーキングメモリの衰退について問われました(令3-後-9)。

し、処理を行っていくときに働きます。ワーキングメモリは加齢の影響を受けやすいことも知られています。

・展望記憶

「3時になったら薬を飲む」など、将来のある時点まで覚えておかなければならないような記憶のことをいいます。

8 愛着(アタッチメント)形成

■ボウルビィの理論

ボウルビィは、愛着とは、特定の人との間に形成される、情緒的な結びつきであると定義しました。つまり、愛着形成には特定の養育者との一定以上の相互作用が必要ということです。ボウルビィは愛着の形成を以下の4つの段階で示しました。

・第1段階(誕生～3か月頃)

特定の相手を選ばない段階

・第2段階(3～6か月頃)

1人または数人の特定の相手に選択的に愛着行動を向ける段階

・第3段階(～2歳頃)

特定の人物に対する愛着形成が明確になる段階

・第4段階(2歳頃～)

目標修正的な協調性の形成。養育者の行動の意図が理解できるようになり、それに合わせて子どもは自分の行動目標を柔軟に修正できるようになる。

また、ボウルビィは、母性的な愛着形成が阻害されている状態を、母性剥奪(マターナルディプリベーション：Maternal Deprivation)と呼びました。

子どもの心の中に形成された愛着対象の人物に対するイメージを内的ワーキングモデルといいます。内的ワーキングモデルは、他者との関係性に影響を及ぼすことがわかっています。

愛着は愛着行動によって支えられています。愛着行動には、定位行動(注視する、後追いをするなど)、信号行動(泣き叫ぶ、微笑むなど、母親の関心を得ようとする行動)、接近行動(しがみつく、抱き着くなど)の3つがあります。

ここが問われた！

・愛着の形成過程について(令2-後-3、令5-前-20)
・ボウルビィのアタッチメント理論について(令6-前-1)

ここが問われた!

エインズワースの愛着の分類A～C群等について出題されました(31-前-8、令3-前-1)。

さらに深める

ストレンジ・シチュエーション法では、愛着のタイプははじめはA、B、C群の3つでした。その後、3つのいずれにも該当しないものが観察され、今では4つに分類されています。

■エインズワースの理論

ボウルビィの弟子であったエインズワースは、愛着形成の質を評価する実験を行いました。この実験は、ストレンジ・シチュエーション法(新奇場面法、SSP)と呼ばれています。実験の概要は、初めての場所、見知らぬ人の出現、母親の不在といった状況をつくり、その際の子どもの反応を観察するものです。

以下の4つのタイプに分類されます。

- A群(回避型)…分離時に不安を示さない。見知らぬ人に対しても関心をあまり示さない。
- B群(安定型)…分離時に多少不安を示す。母親といっしょのときならば見知らぬ人とも遊ぶことができる。
- C群(アンビバレント型)…分離時に強い不安を示す。再会時には身体接触を強く求めるが、同時に母親をたたく、反抗するなどの怒りの感情を示す。
- D群(無秩序・無方向型)…A、B、Cのいずれにも分類できない群。虐待を受けた子どもにみられることがある。

■愛着が形成されないことについて

さらに深める

ホスピタリズムは施設病ともいいますが、これは以前の劣悪な環境のもとにあった施設からきている用語です。家庭で育てられていても育児放棄や虐待など、同様の状態があれば、やはり発達上に障害がみられるリスクがあります。

① ホスピタリズム(施設病)

スピッツは、環境が整わない病院や施設の子どもについて研究を行いました。そして、母性的な養育が不十分だったときに発達上の障害がみられることをホスピタリズムと呼びました。

② 愛着障害

愛着形成が正常になされなかったときに生じる様々な問題のことを愛着障害と呼びます。例えば、初対面の人に必要以上に馴れ馴れしくくっつくこと、逆に特定の人との間で親密な関係を結べない、自傷行為、万引きなどの犯罪行為など、様々な症状がみられます(p.362参照)。

9 インプリンティング(刷り込み、刻印づけ)

ローレンツは、孵化(ふか)直後のひな鳥が最初に見た動くものを、親鳥と認識し、後追いをする現象について研究し、これをインプリンティングと呼びました。刷り込み、あるいは刻印づけとも呼ばれます。生まれてから数時間限定の、一生に一回限りの学習です。一定時間を経過すると、インプリンティングは起こりません。この短い期間を臨界期と呼びます。臨界期は、人においては、愛着形成や母国語習得などにみられるといわれています。

ただ、人については、可塑性があり、必ずしも決定的な要因にはならないという考え方から、「敏感期(感受期あるいは感受性期)」と呼ばれることがあります。

10 ハーロウの実験

ハーロウは、生後間もないアカゲザルを母ザルから引き離し、代理母を使った実験を行い、行動を観察しました。代理母は、「針金でつくった母ザル」と「毛布でつくった母ザル」です。針金の母ザルにのみ、哺乳瓶がついていて、ミルクが出るつくりになっています。

実験結果は、アカゲザルの赤ちゃんは、ミルクを飲むとき以外は、毛布でつくった母ザルのもとで過ごしました。

この結果からいえることは、愛着形成には心地よい接触や温もり、つまりスキンシップが重要ということです。ただ感触がよいだけではなく、不安や恐怖から逃れるための安全基地の役割をしているということもいえます。

11 移行対象

乳児期の子どもは、ぬいぐるみやタオル、毛布の切れ端などを肌身離さず持っていることがあります。ウィニコットは

キーワードとその意味をおさえよう！

用語解説

安全基地

不安や恐怖を感じるときに、すぐ戻れる場所や人のことをいいます。安全基地の確信があるからこそ、探索行動、つまり興味のある場所へ積極的に行くことができるのです。

これを「移行対象」と呼びました。養育者(母親)の代わりとして、安心感を得ようとしていると考えられています。スヌーピーに出てくる「ライナスの毛布」が、例としてよく挙げられます。

○×チェック問題

1 ピアジェの発達段階で、抽象的な思考ができるのは、具体的操作段階である。
2 エリクソンは、人生を7段階に分類した。
3 自我同一性のことを、アイデンティティと呼ぶ。
4 観察学習はモデリングともいう。
5 「お小遣いがもらえるので手伝いをする」は内発的動機づけである。
6 ストレンジ・シチュエーション法は、ボウルビィが行った。
7 アカゲザルの実験を行ったのは、ハーロウである。
8 「ホスピタリズム」は施設病とも呼ばれる。

答え

1 × 「具体的操作段階」ではなく「形式的操作段階」
2 × 「7段階」ではなく「8段階」
3 ○
4 ○
5 × 「内発的」ではなく「外発的」動機づけ
6 × 「ボウルビィ」ではなく「エインズワース」
7 ○
8 ○

テーマ3 胎児期から児童期

各発達段階にみられる特徴をみていきましょう。それぞれの特徴を表す用語が多く出てきます。どれも子どもを適切に理解していくために必要な用語です。子ども独特のものの見方、捉え方がたくさん出ています。受験勉強としてだけでなく、保育現場でも大いに役立つ内容ばかりです。

原始反射、自己中心性、心の理論

1 胎児期

■母体の影響について

アルコールやタバコなど、妊婦が長期にわたり摂取することで、胎児に害があることはよく知られています。

アルコールについては、胎児性アルコール症候群（FAS）と呼ばれ、身体的発育障害や顔面の形成障害、中枢神経系障害を引き起こす可能性があります。

タバコについてはニコチンの作用により、胎児への酸素や栄養の供給が低下します。低体重児が生まれる頻度が高いといわれています。また、乳幼児突然死症候群（SIDS）の要因の１つともいわれています。

この他にもストレスの影響や、抑うつ的な状態になることもあり、できるだけ精神的な安定を保てるよう、周囲の配慮も必要となります。

妊娠期からの親の心理について出題されました（31-前-15）。

乳児保育と関連しているね

■マタニティブルーズ（マタニティブルー）

出産直後から数日後までの一時的な気分の変調や、イライラしたり、涙もろくなるなど、精神的に不安定になる状態をいいます。全体の25～30％の人が経験するといわれていますが、２週間程度で改善します。

■ 産後うつ（産後うつ病）

ここが問われた！
・産後うつの期間や状態について（令3-後-19、令6-前-13）
・産後うつ病とマタニティブルーズの違いについて（令4-前-12）

産後に発症するうつ病で、全体の約10～20％に生じるといわれています。気分が沈む、食欲がない、体重が減少する、睡眠障害などが症状で、２週間以上続く場合をいいます。産後うつは、長期化する場合は子どもの発達にも影響を及ぼします。この場合は医療機関や保健所など、関係機関と連携をとっていくことが必要です。

2 新生児期・乳児期

生後約１～1.5か月を新生児期、生後１か月頃から１歳（あるいは１歳半頃）までを乳児期と呼びます。

■ 原始反射

吸啜は「きゅうせつ」とも読みます。

新生児期にのみみられる生得的な反射行動のことを原始反射といいます。新生児反射ともいいます。生後数か月（５、６か月）で消失するのが特徴です。

主なものは表１の通りです。

表１　原始反射

反射の名前	内　　　容
口唇探索反射	口唇の周辺に乳首やベビー服の袖などが触れたときに、その方向に首を回して乳首などを探す。
吸啜（きゅうてつ）反射	唇に触れたものに吸いつこうとする。母乳を吸うために必要な反射。
モロー反射	抱きつき反射とも呼ぶ。抱いている新生児を胸から離したり、寝ているベッドを強くたたいたときなどに、驚いたように両手を広げて抱きつこうとする。
把握反射	ダーウィン反射ともいう。手の内側をそっと撫でると、つかもうとするかのように手を握る。
バビンスキー反射	足裏反射ともいう。足裏に刺激を受けた足の親指がそり返ったり、他の４本の指が扇状に開く。
自動歩行	原始歩行とも呼ぶ。新生児の体を両脇で支えた状態で両足を床に触れさせると、歩くように足を前後に動かす。
緊張性頸（けい）反射	仰向けに寝かせ、顔を左右のどちらかへ向かせると、顔が向いている側の上下肢を伸ばし、反対側の上下肢を曲げるフェンシングポーズに似た姿勢をとる。

■ ファンツの実験

ファンツは、生後5日以内の新生児と生後2～6か月の乳児に対し、視覚刺激を提示し、その注視の様子を観測しました。この実験を選好注視法といいます。

この結果、人の顔についての理解や知識がないはずの新生児でも、人の顔が書いてある円盤を長い間注視することがわかりました。このことから、人は生まれながらにして「人の顔」に対して明らかに選り好みの傾向を持っている、つまり選好注視を行うことがわかりました。

図1　ファンツの選好注視法

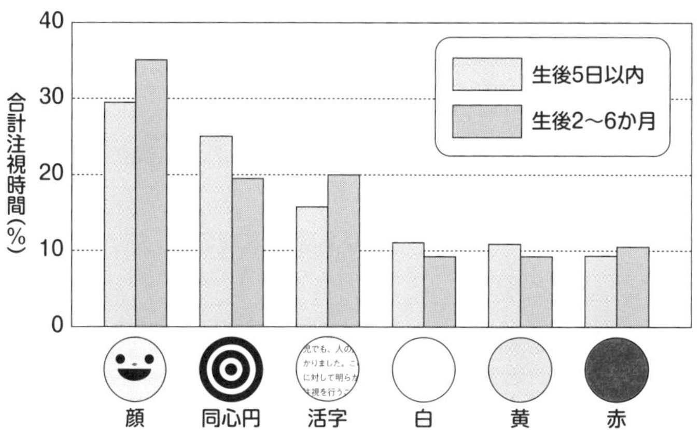

選好注視の例としては、ベビーカーに乗っている赤ちゃんにじっと見つめられることが挙げられるよ

ここが問われた!

「人の顔」を好んで注視することについて、社会的認知に関する記述として出題されました(令3-後-2)。

■ その他の特徴

新生児の睡眠は、1日に何回も睡眠と覚醒を繰り返します(多相性睡眠といいます)。また、**レム睡眠**(浅い眠り)と**ノンレム睡眠**(深い眠り)については、成人に比べ、レム睡眠の比率がはるかに多いことも特徴です。

子どもの寝相が悪いのは、眠りのサイクルが多く、そのたびに寝返りを打つことが要因の1つといわれています。

視力は、生後1か月以下で0.01～0.1、6か月で0.1～1.0といわれています。また、眼前20～30cmの距離のものに焦点が固定されているといわれています。また奥行き知覚もあることがわかっています(テーマ5「視覚的断崖」参照)。

聴覚は既に胎生6～7か月で、体内で音を聴くことができるといわれています。新生児は音や声に対する選択的聴取機能もある程度、備えています。男性よりも女性の高い声を好むとされています。

乳児の音の好み(聴覚的選好)について出題されました(令6-前-2)。

3 幼児期

幼児期は、１歳頃から小学校入学までの期間をいいます。３歳までの前期と３～６歳までの後期に分けることもあります。ピアジェのいう前操作的段階にあたります(テーマ２参照)。

■ 認知の特徴

幼児独特のものの捉え方には、それぞれ呼び名があります。主なものは以下の通りです。

- 自己中心性…自分の立場や視点から離れてものごとを客観的に認識することができないこと(図２参照)。
- アニミズム…すべてのものに生命や意識があると考える。
- 相貌(そうぼう)的知覚…ものを人間に見立てて知覚する。
- 実念論…夢や心の中で生み出されたものが、実際に存在すると考える。実在論ともいう。
- 人工論…山や海など、自然やあらゆる事象は、人間がつくったものだと考える。
- フェノメニズム…見かけで判断してしまい、実際の判断ができないことをいう。例えば絵の具でつくった色水を、眺めているうちにジュースだと思う。
- 知的リアリズム…机の４本の脚を放射状に描くといったように、自分が知っていることに惑わされ、正しく描けないことをいう。

図２　３つの山課題

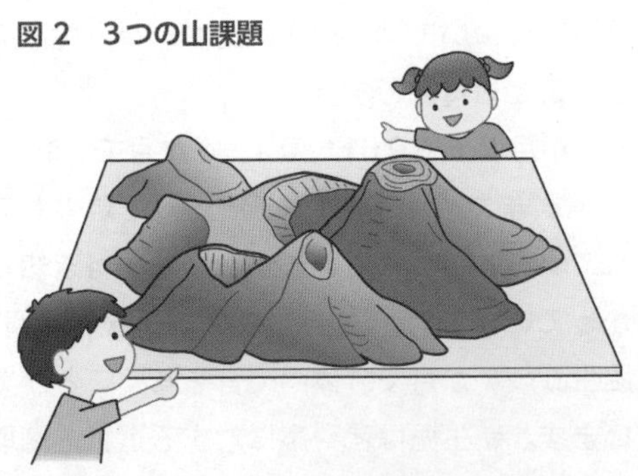

自分が見えている山と、向かいの子どもから見える山の風景が同じであると答える場合、自己中心性、つまり他者の視点で考えることができない状態にあるといえる。

ここをチェック!

平成29年改定の保育所保育指針では、保育の内容について、乳児、３歳未満児、及び３歳以上児に分けられています。以前は「おおむね６か月未満」から「おおむね６歳」までの８分類で、発達の過程が記述されていました。

用語解説

自己中心性
「わがまま、自分中心」という間違った解釈をしやすいので注意してください。

ここが問われた!

幼児の認知発達として、表象、自己中心性、心の理論、保存などの用語の理解が問われました。テーマ２も参照(令2-後-8)。

■心の理論

他者の心の動きを理解したり、類推したりする能力に関する考え方のことを心の理論といいます。心の理論に関する課題を、誤信念課題といいます。「サリーとアンの課題」などが有名です。なお、心の理論は、４歳頃に理解できるようになると考えられています。

図３　サリーとアンの課題

①
サリー
アン
②
サリーはビー玉を自分のカゴに入れる。
③
サリーは出かける。
④
アンはビー玉を自分の箱に入れる。
⑤
サリーは戻ってきてビー玉で遊びたいと思う。どこを探す？

> **ここが問われた！**
> 心の理論について出題されました（令5-前-6、令6-前-3）。

> **ここが問われた！**
> ・誤信念課題について、「サリーとアン」をアレンジした内容（令4-後-3）
> ・誤信念課題を正答できるようになる年齢について（令5-前-6、令6-前-3）

> **さらに深める**
> 誤信念課題について、自閉症などの発達障害がある場合は、正しく答えられないこともあるといわれています。

4　児童期

児童期は、小学校入学から第二次性徴が現れる頃までをいいます。学童期とも呼ばれます。ピアジェの理論では具体的操作期にあたります。

> **ここが問われた！**
> 児童期の発達について出題されました（令1-後-7、令3-前-10、令4-後-15、令6-前-9）。

■自己理解

児童期は、エリクソンの発達理論が示す心理・社会的危機のうち、4段階目の「勤勉性 対 劣等感」にあたります。やればできるという気持ち(有能感)を身につけられるかどうかが発達課題となります。仲間と自分を比較することにより、劣等感を感じることも増え、劣等感が強すぎた場合、努力の放棄、現実からの逃避といった不適応行動が引き起こされることがあります。また、道徳性を獲得していく時期でもあります(テーマ5参照)。

用語解説

ギャンググループ
「悪いことをする集団」という意味ではありません。結束が固く、徒党を組むという特徴からきています。

■ギャングエイジ

児童期中期から後期になると、仲間の影響力が強くなります。子どもたちは遊びをはじめとした様々な活動を集団で行うようになります。この時期に現れる凝集性の高い、ほぼ同性の同年齢の仲間集団をギャンググループ(徒党集団)と呼びます。そして、この時期を「ギャングエイジ」と呼んでいます。特に男児にみられるといわれています。ただ最近は、社会変化の中で、ギャンググループは消失しつつあるといわれています。

さらに深める

中学生頃は、チャム・グループといい、共通の趣味や関心でつながる仲間関係がみられます。高校生頃は、ピア・グループと呼ばれ、互いの相違点も認め合い、生き方や価値観を語り合うような友人関係がみられます。

○×チェック問題

1 選好注視法の実験を行った人物は、ファンツである。
2 自己中心性とは、子どものわがままな特徴のことである。
3 「コップさん汗をかいている」と表現するのは、アニミズムである。
4 心の理論は、3歳頃に理解できるようになる。
5 小学校の低学年の仲間関係を持つ時期を、ギャングエイジと呼ぶ。

答え

1 ○
2 × わがままではなく、他者の視点から捉えられないことをいう。
3 ○
4 × 「3歳頃」ではなく「4歳頃」
5 × 「低学年」ではなく「中高学年」

テーマ4 青年期から老年期

保育士試験では、乳幼児期から児童期までに重点をおいています。しかし、青年期以降、つまり成人期や老年期についての出題もあります。中年の危機や8050問題など、社会問題として話題にのぼることも多くなっています。人間の一生を意識して取り組んでいきましょう。

keyword アイデンティティ、中年の危機、サクセスフルエイジング

1 青年期

青年期の始まりは第二次性徴の出現を指標にしています。この時期は特に思春期と呼ばれ、身体の発達が急激になり、男女の性的差異が明確になっていきます。

これらの変化は社会的影響も受けており、発達加速現象として知られています。つまり、発達や成熟の低年齢化、前傾化です。

エリクソンの発達課題では「同一性の確立 対 同一性拡散」の時期にあたります。自分はどうやって生きるべきか、自分は何者なのかなど、自分のことについて考える時期です。アイデンティティが確立するまでの時期をモラトリアム(猶予期間)といいます(アイデンティティについてはテーマ2参照)。

青年期にアイデンティティが確立したからといって、その後も安定が続く(つまり固定したものとなる)というわけではありません(中年の危機については後述)。

さらに深める

マーシアは、アイデンティティの状態(アイデンティティステイタス)について、「同一性達成」「早期完了(権威受容)」「モラトリアム」「同一性拡散」の4種類に分類しました。

ここが問われた！

思春期について出題されました(令4-前-8)。

ここが問われた！

エリクソン、マーシアの理論について用語が問われました(令3-後-10、令5-後-10、令6-前-10)。

ここが問われた！

中高年期における心理について、出題されました(令3-後-11、令4-後-11、令5-後-15)。

2 成人期

25歳くらいから65歳くらいまで(厳密な区切りはない)を指します。成人初期と成人後期に分ける場合もあります。以前は安定した時期といわれていましたが、今では安定した時期とそうでない時期が交互に現れるといわれています。レビンソンの図式(テーマ2の図2　p.331参照)では、階段状に交互に現れることを示しています。

エリクソンはこの時期の心理社会的危機を「親密性 対 孤立」「世代性(生殖性) 対 停滞」としています。

ここをチェック!

8050問題とは、50代で無職の子どもの生活を80代で年金生活の親が支える状況のことです。

■中年の危機

この時期の心理社会的な問題として、最近取り上げられるようになったことの1つが、「中年の危機」です。中年クライシスと呼ばれることもあります。青年期に獲得したアイデンティティが、社会情勢の変化により、揺らぐこともあります。「危機」という言葉は「分岐点」の意味も含んでいます。これまでの人生の見直しと、これからの生き方を模索し、再び納得できる生き方を獲得できることを、アイデンティティの再構築と呼んでいます。

ここが問われた!

成人期について出題されました(令1-後-11、令2-後-11)。

① 空の巣症候群

40歳代から50歳代の女性に多くみられます。子育てが終わり、子どもが進学や就職で家を出た後に、うつ症状に陥ってしまうことをいいます。

② 燃え尽き症候群

バーンアウトともいいます。今まで仕事などに熱心に打ち込んでいた人が、急に無気力になる状態をいいます。慢性的なストレスが原因といわれています。

ここが問われた!

- 高齢者を対象とした調査の「別居している子どもとの接触頻度」について、データを読み取る問題(令3-前-18)
- 高齢期について(令4-前-9、令5-後-11、令6-前-11)
- サクセスフルエイジングについて(令5-前-11)

3 老年期

おもに60歳代後半以降を指します。75歳を区切りに前期、後期と分ける場合もあります。エリクソンの発達段階では、8段階目の「統合性 対 絶望」の時期です。

この時期の特徴は、仕事をしている人は定年を迎える時期でもあり、役割の変化が挙げられます。加齢にともない、疾病や老化現象が増加します。配偶者や身近な人と死別するなどの喪失体験もあります。これまでの人生を整理すると同時に、これからどのように生きていこうかと多様な生き方について考える時期です。老年期を順調に送り、人生を全うすることはサクセスフルエイジングと呼ばれています。

■ 老年期の知的機能について

知能については、キャッテルが唱え、ホーンが拡張した流動性−結晶性理論が有名です。流動性知能は新しい環境に適応することに関わる能力で、計算力、暗記力、思考などの情報処理能力です。結晶性知能はこれまでの経験や教育によって学んだことを活かす能力で、洞察力、判断力、コミュニケーション能力などです。

ここが問われた！
・知的機能の発達について、流動性知能、結晶性知能の理解（令3-後-9、令6-前-11）

流動性知能は脳の神経生理学的機能に直結しているため青年期にピークを迎え、その後加齢によって低下するとされています。これに対し結晶性知能は経験に依存しているため、加齢によって低下せず、生涯を通じて発達し続けるといわれています。

1　青年期にアイデンティティが確立したとしても、その後の人生で揺らぐこともある。
2　青年期の終わりあたりを思春期と呼ぶ。
3　空の巣症候群は老年期の女性に多くみられる。
4　老年期は、エリクソンの発達段階では8段階目に相当する。

答え

1 ○
2 × 終わりではなく、始まりの頃をいう。
3 × 老年期ではなく40～50歳代である。
4 ○

テーマ5 社会性の発達

子どもは人との関わりの中で成長していきます。養育者とのやりとりは、新生児期から始まっています。つまり言葉を話す以前から社会性は芽生えているといえます。乳児の発するサインを敏感に感じとり、適切に反応していくことが、愛着の形成へとつながっていきます。

エントレインメント、情動伝染、三項関係、クーイング、微笑の変化、遊びの分類

1 社会性の芽生え

新生児は養育者が声をかけると、それに反応するかのように、手足を動かしたり、声を出したりすることがあります。これをエントレインメントまたは同期行動といいます。

> **ここが問われた!**
> 「エントレインメント」の用語の理解が問われました(令5-後-1)。

スターンは乳児の感情や行動の意味を読みとり、それに呼応して養育者が応答するような相互作用を情動調律と呼び、これが愛着形成の重要な要因であると考えました(繁多進監『新 乳幼児発達心理学――もっと子どもがわかる好きになる』福村出版, p.19, 2010.)。

また、赤ちゃんは他の赤ちゃんの泣き声につられて泣くことがあります。これを情動伝染といいます。また、大人が舌を出したり、口を開けたりすると、同じ表情を真似ることがあります。これを共鳴動作(新生児模倣)といいます。

> **ここが問われた!**
> 他者の顔の動きを無意識に模倣する行動である「共鳴動作」の用語の理解が問われました(令4-後-4、令6-前-4)。

こうしたやりとりは、人との関わりの始まり、つまり社会性の芽生えといえます。乳児は人との関わりを通して、人への関心を育むことになります。例えば「いないいないばあ」

のように、周囲の人からの働きかけに、乳児が応じる形で始まります。また、乳児からの働きかけに周囲の人が応じるというやり取りもあらわれ、やがて言葉のやり取りへとつながっていきます。こうしたやりとりで獲得するものをターン・テーキングと呼びます。日本語で順番取得という意味です。

乳児期後半になると、他者が指差した物を見たり、相手の注意をこちらに向けようとするなどの共同注意の成立が見られるようになります。指差しや身振りを用いて自分の気持ちを表現したり伝えようとしたりするようになっています。相手(他者)と対象物を共有すること、つまり「自分－物－他者」との関係を三項関係と呼びます。コミュニケーションの基礎となる大切な力といえます。１歳半頃になると、たとえば「○○どれ？」と聞かれ、そのものを指差しで答えられるようになる「応答の指差し(可逆の指差し)」ができるようになります。

図１　三項関係

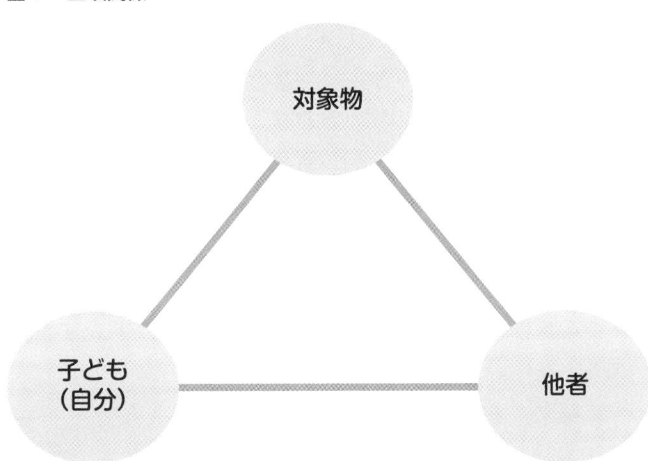

2 感情の発達

感情の発達には、大きく２つの考え方があります。１つは誕生時に既に基本的感情が備わっていて、抑制や制御する側面が加わっていくという考え方です。もう１つは、運動や認

ここが問われた！
言語発達に関し「ターン・テーキング」について問われました(令3-後-4)。

ここが問われた！
共同注意、三項関係などの用語の理解が、事例問題の形式で出題されました(令3-後-15)。

ここが問われた！
「指差し」を通して保育者とコミュニケーションをとっていく過程が問われました(令2-後-6、令5-後-6)。

ここをチェック！
子どもが何かを見つけて「見つけたよ」と伝えようとする指差しを、「叙述の指差し」といいます。

ここをチェック！
自分と他者(例えば母親)、自分と対象物(例えばおもちゃ)といった、１対１の関係を二項関係と呼びます。

さらに深める
感情の発達については、このほかにブリッジェスの理論も有名です。新生児は、快・不快といった単純な興奮状態から始まり、やがて喜び、愛情、怒り、おそれといった感情に分化していくと考えました。

知能力の発達にともなって分化していくという考え方です。後者の考え方について、ルイスの理論が有名です。

ルイスは、子どもは満足、苦痛、興味という3つの原初的感情を持って生まれると考えました。3か月頃までに、喜び、悲しみ、嫌悪の感情が見られるようになり、6か月頃までに驚き、怒り、おそれの感情が見られるようになるとしました。これらを一次的感情と呼びます。その後、1歳半頃から、照れ、共感、憧れ、誇り、罪、恥といった感情が見られるようになり、それを二次的感情と呼びます。

ここが問われた!

ルイスの理論について出題されました(令6-前-4)。

3 言葉の発達

① クーイング

新生児が最初に発するのは産声(叫喚発声ともいう)ですが、泣き声以外の「あ～」「う～」といった発声が生後1～2か月頃から見られます。これをクーイングと呼びます。話し言葉の源である発声です。

用語解説

クーイング

クーイングは鳩の鳴き声に似ているところからきています。このほか、「ゴロゴロ」といった、のどを鳴らすような発声をガーグリングと呼びます。うがいのような音に似ています。

② 喃語

生後4か月頃から見られます。「マッマ」「アーアー」といった不完全な喃語から聞き取りやすい喃語へ変わっていきます。子音と母音の組み合わせで、聞きやすくなっていく規準喃語(基準喃語)、同じ音を反復する反復喃語があります。

喃語は、最初のうちは世界共通の音声ですが、やがて母国語に近づいてきます。例えば「どうぞ」を「タータ」と発するように、母国語をしゃべっているかのように聞こえてきます。この音声のことを、ジャルゴン(ジャーゴン)と呼びます。

③ 初語

1歳頃から見られます。一語文(一語発話ともいう)とは、1つの単語でありながら文と同じような機能を果たす言葉のことをいいます。

④ 二語文、多語文

1歳後半以降。「ワンワン　キタ」「ママ　スキ」など。ただ単語をつなげて発語しているのではなく、文法的な構造が現れ、質的に大きく転換します。また、2歳代は語彙の爆発期ともいわれ、単語の量が飛躍的に増大していきます。「これは何？」としきりにたずねることが多く、命名期ともいわれます。

⑤　言葉の完成

4～5歳頃。日常的な言葉であれば、言葉だけで大人とコミュニケーションが図れるようになります。

■一次的ことばと二次的ことば

言語活動は2種類に分けられます。幼児期は一次的ことばによって言語を展開していきます。

①　一次的ことば

特定の人とのおもに1対1のコミュニケーションのことです。話し言葉による伝達が中心です。

②　二次的ことば

一方向的な発話で、児童期以降に発達します。書き言葉も含まれます。

■内言と外言

①　外言

コミュニケーションとしての言葉です。

②　内言

思考の言葉です。

ピアジェは、幼児のひとり言（内言（ないげん）、あるいは自己中心言語という）は、やがて人とのコミュニケーションの道具となっていく（外言（がいげん））としました。

ヴィゴツキーはピアジェの理論に異を唱えたことでも知られています。ヴィゴツキーは、外言、つまり社会とやりとりする道具が、自身の思考をするための道具（つまり内言）になっていく、と説明しました。この論争は、ヴィゴツキーの死後、ピアジェが受け入れるという形で幕を閉じています。

■生成文法理論

アメリカの言語学者チョムスキーは、人間はもともと遺伝的情報に言葉を習得する仕組みをもっていると考える普遍文法の存在を考えました。つまり、まわりから教えられて学ばされるものではなく、子ども自身に言葉をつくり出す能力があると考えたのです。これを生成文法理論といいます。

チョムスキーは言語獲得装置（LAD）をモデルに、言葉獲

ここが問われた！

・一語文、クーイングなど言語発達に関する用語（令3-後-4、令5-前-5）
・「語彙爆発」「命名期」について（事例問題）（令4-後-8）

さらに深める

養育者（主に母親）が子どもに話しかけるときの抑揚のある高めの声のことをマザリーズといい、ゆっくりとしたこのような話し方は子どもが好むといわれ、言語の習得に影響を与えているといえます。

ここをチェック！

二次的ことばは、小学校からの学校教育の中で習得していきます。二次的ことばを習得すると、言葉は公共性や抽象度が増してきます。言葉だけで想像や考えることができるようになります。

ここをチェック！

ヴィゴツキーは発達の最近接領域を唱えたことでも有名です（テーマ2参照）。

ここが問われた！

ヴィゴツキーの唱えた外言から内言へと発達していく過程について問われました（令4-後-6）。

得の仕組みを説明しました。言葉という情報が入力されると、装置が働き、言葉を獲得していく能力が発揮され、言葉を獲得していくというものです。

図2　言語獲得装置(LAD)

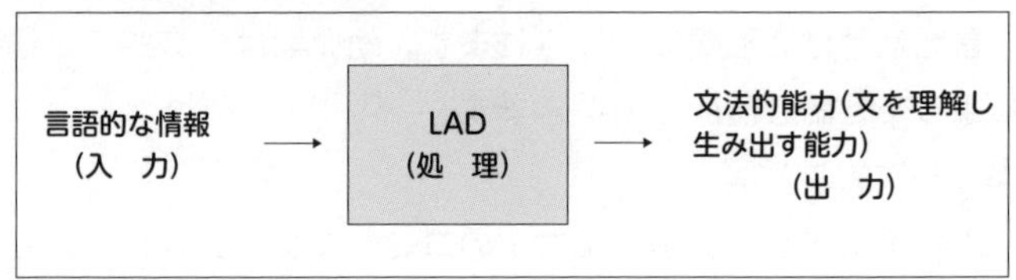

ここが問われた!

子どもの読み書きについて出題されました(令4-前-4、令5-前-19)。

■リテラシー

リテラシーとは読み書き能力のことをいいます。3歳頃になると、文字に興味を持つ子どもも出てきます。初めは点や線を書くなど、遊びの中で読み書きの「ふり」をする姿が見られます。これを萌芽的リテラシー(プレリテラシー、エマージェントリテラシー)と呼びます。表音文字である「ひらがな」「カタカナ」を習得するには、音韻意識が必要です。例えば、「きりん」という単語が「き」と「り」と「ん」と音節分解できるようなことです。

4　微笑について

微笑には様々な呼び名がつけられています。発達過程によって変化していきます。

■自発的微笑

生後間もない頃から、微笑んで見えたりすることがありますが、これは自発的微笑(生理的微笑、新生児微笑)と呼ばれます。

■３か月微笑

さらに深める

「3か月微笑」「8か月不安」を唱えたのは、スピッツです。

生後2か月頃を過ぎると、養育者と目を合わせて笑うようになります。この頃の微笑は3か月微笑と呼ばれます。玩具や人形など、外からの刺激に反応して微笑むので、外発的微笑とも呼ばれています。また、何を見ても笑うので普遍的微笑とも呼ばれます。

■ 社会的微笑

生後5か月頃になると、もう何を見ても笑うのではなく、相手を区別して微笑むようになります。親しい人には自分から笑いかけるようになります。これを社会的微笑と呼びます。

■ 8か月不安

8か月不安とは、いわゆる人見知りのことです。見知らぬ人に対して乳児が不安やおそれを感じていることを意味します。これは対人認知が発達し、自分にとって身近な人とそれ以外のものとの区別ができていることを意味します。

5 社会的参照

ギブソンとウォークは、図3のような装置を用いて、乳児の奥行き知覚について実験しました。台の上に乳児を座らせたところ、透明なガラスのほうへは進もうとしません。このことから、乳児には奥行き知覚があることがわかります。

この実験では、もう1つのことがわかりました。それは、養育者がガラスの向こうから微笑んで声をかけたところ、怖がらずに母親のほうへ行こうとしたのです。このことから、乳児は、信頼する他者の表情から行動を判断することがわかりました。これを社会的参照と呼びます。

ここが問われた！

「社会的参照」の用語の理解が問われました（令4-後-4、令5-後-19）。

図3　視覚的断崖実験

6 遊びの変化

遊びの発達については、パーテンの分類が有名です。

① 2～3歳頃

・傍観的行動…他児を見ているが、遊びには入らない。

・ひとり遊び…他児には無関心で、一人で遊ぶ。

・並行遊び(平行遊び)…他児と同じ場所にいながら、各自が独自の遊びをしている。

② 4～5歳頃

・連合遊び…他の子どもといっしょに遊ぶ。やりとりがある。

・協同遊び…共通の目的があり、ルールや役割分担がある遊びをする。5歳くらいにみられる。

■機能発達からみた分類

心身の機能発達からみた遊びの分類では、ビューラーの4つの分類があります。

・機能遊び…つかむ、投げる、跳ぶ、のぼるなど、体の感覚や運動機能を使った遊び。

・想像遊び…買い物ごっこ、ままごと遊びなど、身近な人をモデルとして、しぐさや行動を真似して再現する遊び。

・受容遊び…童話を読む、テレビや紙芝居を見るなど。

・構成遊び…積み木、粘土、ブロック、砂、段ボール等を使った遊びなど。

ここが問われた！

遊びの分類について出題されました(31-前-9、令2-後-7、令4-後-7、令5-前-3)。

ここが問われた！

5歳頃でも集団で遊ぶよりも一人で遊ぶことを好む子どももいます。これが必ずしも「未熟」というわけではありません。令4-前-17で問われました。

用語解説

ごっこ遊び

ごっこ遊びは、初期段階は「連合遊び」という形態が多いです。つまり、同じ内容の遊びを行っていても、組織化されていません。それがやがて役割分担も明確な「協同遊び」に変化していくといえます。

7 道徳性の発達

■コールバーグの考え方

アメリカの心理学者コールバーグは、道徳性の発達を3つの水準、6段階で表しました。コールバーグの理論は、男性をモデルにしたものであり、女性はこれとは異なるという批判もあります。

ここが問われた！

・コールバーグの道徳性理論について(令4-前-1)
・ピアジェの道徳性の考え方について(令4-後-5)

さらに深める

女性は他者との関係性の中で道徳性を重視するとするギリガンの理論もあります。

表1　コールバーグの道徳性の発達段階

水準	段階	内容
水準Ⅰ 前道徳的水準	第1段階	服従し、罰をさけることに価値がある。 叱られなければよい。
	第2段階	単純な快楽主義の段階。 報酬や行為を得るために同調する。
水準Ⅱ 慣習的な役割に従う水準	第3段階	他者への同調、「よい子」志向段階。
	第4段階	法や秩序維持志向段階。 正しいことは法秩序を守ること。
水準Ⅲ 自律的、道徳的原理による判断の水準	第5段階	契約と民主的に受容された法による道徳性の段階。
	第6段階	普遍的な道徳原理、良心に基づく道徳性の段階。

■ピアジェの考え方

ピアジェは、行為の善悪について、行為の結果や親や先生など大人の権威による判断を重視する他律的道徳性の段階から、7・8歳以降は、行為の意図や動機、平等や因果関係を配慮して判断する自律的道徳性の段階に入っていくと考えました。

例えば、いたずらをしようとして、コップを1つ割ってしまったAと、お手伝いをしようとして、うっかりコップを5つ割ってしまったBがいたとします。4・5歳頃はBのほうを悪いと判断する（結果論的判断）子どもが多いのに対し、年齢が上がるにつれ、Aのほうが悪いと判断する（動機論的判断）子どもが増えてくるとされています。

8 いざこざ

子ども同士の関わりの中で、「いざこざ」は日常的にみられます。自分という意識、つまり自我意識が芽生え、「自分でやりたい」という気持ちが強くなるのです。こうして「自己主張」のぶつかりあいが生じます。2歳から4歳頃は第一反抗期とも呼ばれています。

やがて、自分の欲求や行動を抑えていくこと、つまり「自己抑制」も身につけていきます。自己主張や自己抑制を経験し、自分の気持ちに折り合いが付けられるようになっていく

ここが問われた！

・幼児期の「いざこざ」について（令3-前-15）
・自己主張や自己抑制を通した社会的スキルの育みについての事例問題（令3-後-6）

のです。こうした心の働きを自己制御(あるいは自己統制、自己調整力など)と呼びます。

なお、自己抑制については、男児よりも女児のほうが強いという調査結果も示されています。

○×チェック問題

社会性の発達について、正しいものに○、誤ったものに×で答えなさい。

1　養育者の話しかけに対して、乳児が手や足を動かして同調するようになることを、エントレインメントという。

2　語彙の爆発期は、４歳頃である。

3　書き言葉は二次的ことばに含まれる。

4　内言とは、コミュニケーションの言葉である。

5　生後間もない頃、まどろんでいるときなどにみられる微笑を生理的微笑という。

6　ドッジボールやサッカーなど、ルールのある遊びを楽しむのは、連合遊びである。

7　DVDでアニメ映画を見るのは機能遊びである。

8　ブロックで遊ぶのは、構成遊びである。

答え

1○

2×「４歳頃」ではなく「２歳頃」

3○

4×「内言」ではなく「外言」

5○

6×「連合遊び」ではなく「協同遊び」

7×「機能遊び」ではなく「受容遊び」

8○

テーマ6 発達に応じた保育・精神保健

保育現場では「気になる子」と呼ばれる子どもがいます。ストレスなど何らかの原因で、言語や習癖異常や睡眠異常などが起こることがあります。すべてに深刻さがあるわけではありませんが、原因が心の問題であったり、あるいは発達障害であったりすることもあります。

keyword 選択性緘黙、PTSD、愛着障害、発達障害、アセスメント

1 乳幼児期から思春期にみられる心の問題

■言語に関する問題

① 吃音（きつおん）

どもることをいいます。言葉の出だしが重複したり、伸びたりするなどです。男児が女児の3～4倍多いといわれています。重症の場合は成人まで続くこともありますが、軽症の場合は自然に治ることが多いです。

保育現場での対応は、意識させたり、無理に直させようとしたりしないことが大切といえます。

② 選択性緘黙（かんもく）

言語能力に問題がないのに、場面によって話したり、話さなかったりします。男女とも発症頻度は同じです。例えば家族や友達の前では話せるが、学校では話せない、あるいはその逆のパターンもあります。

保育現場での対応は、無理に話をさせようとしないことが大切です。心理的に大きな困難をかかえていると考えられます。一般的には遊戯療法や行動療法といった心理療法

ここが問われた！

選択性緘黙の特徴について出題されました（令3-前-19、令5-後-17）。

ここをチェック！

選択性緘黙は場面緘黙症ともいいます。特定の場面ではなく、あらゆる場面で話すことのできない症状を全緘黙症といいます。

が用いられます。

■習癖障害

習癖障害とは、無意識に行う病的な癖のことです。習癖異常ともいいます。心理的な葛藤や養育環境が背景にあると考えられます。

保育現場での対応について共通していえることは、叱ったりしないこと、他のことに関心を向けさせること、親へのカウンセリングを行うこと、そして、子どものストレスを和らげる、といったことです。主なものを挙げます。

① 指しゃぶり

以前は止めさせるべきとされていましたが、今ではさびしさや不安を和らげるためにする自然な行為であり、幼児期はそのままにしておいてもよいとする考え方が主流です。

② 爪かみ

指しゃぶりと連続した現象と考えられます。子どもの内面にイライラ感や不安や、緊張がある場合に起こると考えられます。成人にもみられることがあります。

③ 抜毛症

髪の毛や体毛(眉毛やまつ毛)だけでなく、じゅうたんやセーターの毛を抜くこともあります。女児のほうに多くみられ、２歳頃から思春期の頃まで、いろいろな年代で発症します。

④ チック

体の一部が自分の意思とは無関係に動くことをいいます。運動チックと音声チックに分かれます。前者は、首を振ったり、まばたきをしたりなどです。後者は声を出したりすることをいいます。無理に直させようとしないことが大切です。長期にわたる重症の多発性チックは、トゥレット障害と呼ばれています。

ここが問われた！

チックはDSM-5(p.362用語解説参照)では「神経発達症群／神経発達障害群」のカテゴリーに含まれます(令6-前-18)。

⑤ 性器いじり

性的な意味はなく、発達上の悪影響はないとされ、そのままにしておいてもよいとされています。

■排泄についての障害

排泄が自立する時期以降に、夜間や昼間に尿を漏らしてしまうことを遺尿症、便を漏らしてしまうことを遺糞症と呼びます。

遺尿症の原因は睡眠覚醒リズムの障害、また赤ちゃん返りといった心理的なものなど、様々なものが考えられます。子どもの自尊心が傷つかないよう、叱ることは避けるべきです。

遺糞症は遺尿症ほど頻度は高くありません。適切なトイレットトレーニングがなされなかったことや、あるいは情緒的な発達の問題が背景になっていると考えられています。

■睡眠障害

① 悪夢障害

怖い夢を見ることをいいます。比較的浅い睡眠時(レム睡眠時)が多いです。夢の内容を思い出すことができます。

② 夜驚症

睡眠時驚愕症ともいいます。寝ついて数時間の深い睡眠時(ノンレム睡眠時)に発症することが多いです。恐怖の叫び声とともに突然起きますが､意識ははっきりしておらず、夢の内容を思い出せないのが特徴です。小学校入学前後あたりの時期によくみられます。

③ 睡眠時遊行症(夢遊病)

夜驚症と同様、寝ついて数時間の深い睡眠時(ノンレム睡眠時)に発症することが多いです。睡眠状態のまま起き上がって歩くこともあります。夢の内容を思い出せないのが特徴です。

④ ナルコレプシー

居眠りとして現れます。突然強い眠気が襲い掛かり、大笑いしたり、興奮したり、怒ったときに突然脱力するのも特徴です。

⑤ 起立性調節障害

自律神経失調症の一種で、思春期の女子に多いとされます。だるさやめまいなどの症状があり、朝、なかなか起きられなくなることもあります。

ここが問われた!

起立性調節障害について、正しい知識が問われました(令5-後-17)。

■その他の心の問題

①　心的外傷後ストレス障害(PTSD)

強いショックを受けたり、生命の危機にさらされるような出来事にあったことがきっかけで、心身に支障をきたすストレス障害のことです。パニックを起こしたり、退行現象(赤ちゃん返りなど)、イライラ、不眠など様々な症状として現れます。児童虐待による被虐待児童の症状としてみられることもあります。

②　分離不安症

親から離れることの不安から泣き叫んだり、後を追ったりすることをいいます。登園拒否などがみられます。成長の段階では異常ではないとされていますが、極端に激しい場合などは専門機関との連携が必要です。

③　愛着障害

長期にわたる虐待など、不適切な養育環境などが原因で、愛着が形成されないことによる深刻な障害を愛着障害といいます。DSMあるいはICDの診断基準において、反応性アタッチメント障害(反応性愛着障害)と脱抑制型対人交流障害(脱抑制性愛着障害)に分類しています。反応性愛着障害とは、情緒的に引きこもった行動形式で、甘えたくても甘えられない、苦痛を感じても慰めを求めない行動をいいます。脱抑制型対人交流障害とは、あまりよく知らない大人に対して不自然なほど親しげにふるまったり甘えたりする行動をとることをいいます(虐待についてはテーマ7参照)。

④　不登校

文部科学省は不登校について、「何らかの心理的、情緒的、身体的あるいは社会的要因・背景により、登校しないあるいはしたくともできない状況にあるために年間30日以上欠席した者のうち、病気や経済的な理由による者を除いたもの」と定義しています。原因は様々で、無気力、不安など情緒的混乱、生徒間あるいは教師との人間関係などが挙げられます。

ここが問われた!

乳幼児期の心の問題に関する事例問題が出題されました(31-前-20)。

ここが問われた!

・乳幼児期から児童期の心的外傷(トラウマ)体験について(令4-前-19)
・心理的環境要因が主な原因と考えられるものとして、「反応性アタッチメント障害」「心的外傷後ストレス障害」を選択する出題(令4-後-20)
・災害後の子どもの反応について(令5-前-18)

用語解説

ICD
国際疾病分類の英語略で世界保健機関(WHO)によって作成されたものです。2018年にはICD-11に改訂されました。

用語解説

DSM
アメリカ精神医学会によって作成された、精神障害の診断基準の示された診断統計便覧(マニュアル)のことです。2013年にはDSM-5に改訂されました。

ここが問われた!

不登校やいじめについて出題されました(令5-前-10)。

⑤ 子どもの「うつ病」

あまり知られていませんが、子どもにもうつ病があります。大人と違って、言葉で気持ちをうまく表現できない分、行動や身体面に表出が多いことが特徴です。たとえば、悲しそうな表情、イライラ感、攻撃性を示したり、遊びや勉強に集中できなかったり、不眠、食欲減退、体重減少といった症状が挙げられます。こうした症状が続くようであれば、専門家の診断を受け、適切に対処していくことが必要です。

2 発達障害

発達障害者支援法において、「発達障害」は「自閉症、アスペルガー症候群その他の広汎性発達障害、学習障害、注意欠陥・多動性障害その他これに類する脳機能障害であってその症状が通常低年齢において発現するもの」と定義されています。

■自閉スペクトラム症(ASD)

対人的コミュニケーションの障害、限局された反復する行動や興味(こだわり)といった特徴があります。

スペクトラムとは連続体という意味です。これまでは、自閉症のうち、知的な障害がみられないものをアスペルガー症候群、高機能自閉症などと分類していました。DSM-5(p.362用語解説参照)では、そのような分類をなくし、連続線上にあるもの、とする考え方になっています。

短くわかりやすい言葉で、繰り返し声をかけてあげることが大切です。また、指示をするときは、わかりやすい絵や写真を用いるなどの工夫をします。何をするのかが明確なプログラムを提示することや、少しずつ段階的に行動を修正していくなどの工夫も必要です。

治療教育的アプローチには、行動論的アプローチ、TEACCH(ティーチ)プログラム、ソーシャル・スキル・トレーニング、感覚統合療法、遊戯療法などがあります。ただこれらは主に専門機関で専門職が実施するアプローチであり、保育現場に取り入れる場合には、十分習得した上で、行

ここをチェック!

発達障害については、「親のしつけ」や「愛情不足」が原因と誤解を受けることがあります。

ここが問われた!

・自閉スペクトラム症について(令5-後-17)
・発達障害はDSM-5では「神経発達症群/神経発達障害群」のカテゴリーに含まれます(令6-前-18)

ここをチェック!

ソーシャル・スキル・トレーニングとは、コミュニケーションや人とうまく関わっていくための方法を学習させる技法のことです。基本的な事柄として、たとえば、挨拶、お礼の言い方、謝り方、断り方などがあります。

うことが大切です（伊藤健次編『新時代の保育双書 保育に生かす教育心理学』みらい，pp.123-125，2008.）。

ここをチェック！
注意欠如・多動症は、以前は注意欠陥・多動性障害と呼ばれていました。

■ 注意欠如・多動症（ADHD）

1つのことに集中できず、気が散りやすいといった注意力の欠如（不注意）、順番を守れなかったり、思いつきで行動する衝動性、じっとしていられなかったり、授業中、座っていられなかったりする多動性といった3つの行動特徴があります。集中しやすい環境に整えてあげることが大切です。また、薬物療法や適切な対人関係を築くソーシャル・スキル・トレーニング（SST）といった介入も行われています。

ここが問われた！
限局性学習症について知識が問われました（令5-後-17）。

■ 学習障害（LD）

最近は限局性学習症（SLD）と呼ばれることが多くなりました。全般的な知的発達に遅れはないが、聞く、話す、読む、書く、計算するまたは推論する能力のうち、特定のものに困難を示す状態をいいます。小学校入学以降に気づかれる場合が多いです。

■ 知的障害

発達障害には、知的な障害を伴う場合と伴わない場合があります。精神遅滞と呼ばれることもあります。知的機能に制約があること、コミュニケーション、自己管理、安全についてなど適応スキルに制約があること、発達期に生じる障害である、という3点で定義されます。

3 環境設定に関する理論

ここが問われた！
人と環境の関係性について、アフォーダンス理論が出題されました（令6-前-17）。

■ アフォーダンス理論

発達に応じた保育を考えていくことの1つに、環境設定が挙げられます。ギブソン（Gibson, J. J.）の「アフォーダンス理論」が注目されています。環境が人に対して行為を与えている、つまりアフォードするという考え方です。たとえば、心地よさそうなソファを見ると、思わず座りたくなる、といったことです。保育士は、子どもと環境との相互作用を考え、環境を工夫していくことが大切といえます。

（注：アフォーダンス理論のギブソンは、テーマ5の「視

覚的断崖実験」を行ったギブソンとは別人物です。テーマ5のギブソンは、妻のGibson, E. J. です。)

■スクリプト

園生活が日々ルーティンとして繰り返される中で、子どもも見通しを持って生活できるようになります。こうした生活の流れの見通しを持つことをスクリプトの獲得と呼んでいます。生活リズムを整える働きがあり、また、子ども自身が安心して過ごせることにもつながります。

4 アセスメント

適切な支援をするためには、まずは子どもの状態を正しく理解しなくてはなりません。そのために行われるのがアセスメントです。アセスメントには「査定」「評価」といった意味があります。アセスメントの方法は、大きく3つに分けられます。

■観察法

自然観察法と実験観察法があります。前者は、日常の行動をそのまま観察することをいい、後者は、目的を定めて、特定の行動や特定の場面での様子を観察する方法をいいます。

また、観察形態としての分類では、観察者が関わりながら観察する参加観察法と、ワンウェイミラー越しやビデオなどを通して観察する非参加観察法があります。

■面接法

主に養育者に対して、日頃の家での様子を聞くなどして、子どもの理解を進めます。

■検査法

大きく発達検査と知能検査に分けられます。

① 発達検査

子どもの心身の発達の状態を測定・診断するための検査です。検査項目は運動機能や、言語、社会性などの分類があり、一般的な子どもの発達基準とされる発達年齢をもとに発達指数(DQ)を算出します。おもな検査名は、「新版K式発達検査2020」「津守式乳幼児精神発達検査」「遠城寺

ここが問われた!

スクリプトについて出題されました(令2-後-17、令5-前-19)。

ここが問われた!

子どもを理解する方法として、観察法の種類等が問われました(令2-後-15、令3-前-8、令4-後-16、令5-後-3)。

さらに深める

面接法には、次の3種類があります。

①構造化面接
あらかじめ質問項目が決められている

②半構造化面接
あらかじめ質問項目は決められているものの、流れによっては変更が可能なもの

③非構造化面接
会話の流れに沿って、柔軟に進めていくもの

ここが問われた!

発達検査と知能検査について出題されました(令4-後-17)。

さらに深める

発達検査には、子どもに実施することが中心のもの(例:新版K式発達検査2020)と、保護者などからの聞き取りを中心に行うもの(例:津守式乳幼児精神発達検査)があります。

ここが問われた！
遠城寺式・乳幼児分析的発達検査に関して、発達過程の順序が問われました(令5-後-5)。

式・乳幼児分析的発達検査」「KIDS乳幼児発達スケール」などがあります。

② 知能検査

有名なものとしてウェクスラー式とビネー式があります。前者は幼児を対象としたWPPSI(ウィプシ)、児童を対象としたWISC(ウィスク)、成人を対象にしたWAIS(ウェイス)の3種類があります。WISC-Ⅳでは、全体的な知能水準に加えて、「言語理解」「知覚推理」「ワーキングメモリー」「処理速度」といった4つの指標得点を算出することができ、個人の得意・不得意を明らかにすることができます。後者は田中ビネー知能検査Ⅴとして知られています。年齢ごとに検査課題が設定されていて、全般的な知的能力を測定するものです。

なお、いずれも知能指数(IQ)を算出しますが、ウェクスラー式のIQは偏差知能指数(偏差IQ)と呼ぶこともあります。同年齢集団の中で、平均(IQ＝100)からどの程度離れているかを示しています。

○×チェック問題

心の問題や発達障害に関する記述について、正しいものに○、誤ったものに×で答えなさい。

1　吃音がみられる子どもに対しては、その都度言い直しをさせるのがよい。

2　選択性緘黙とは、園でのみしゃべるが、家では全くしゃべらないことをいう。

3　PTSDは、生命の危機に関わるような場面を経験した人なら、誰にでも起こりうるものであるといえる。

4　ADHDの特徴は、衝動性、不注意、多動性の３つである。

5　発達障害の原因の１つに、親のしつけがある。

6　観察法には、自然観察法と実験観察法がある。

答え

1 × かえって子どもを緊張させる関わりはよくない。

2 × 場面によるため、必ずしも園でのみしゃべるとは限らない。

3 ○

4 ○

5 × 脳の機能障害が原因。

6 ○

テーマ7 子育て家庭に関する現状

子育てを取り巻く社会的な状況や多様な家族の理解について、出題されることが増えてきました。この数年、データから数値を読み取る問題も必ず出題されています。ニュースなどで報道される情報にも関心を持っておきましょう。さらに社会的な状況を反映して、養育者や保育者のメンタルヘルスについても様々な影響が考えられます。心の健康についての知識も併せて身につけましょう。

keyword 晩婚化、少子化、ダブルケア、ワンオペ育児

1 子育てを取り巻く社会的状況

■晩婚化・非婚化

日本では晩婚化が進んでいます。さらに、結婚をしない人の割合も増えています。その背景の１つに「結婚資金が足りない」という理由が挙げられます。これは非正規雇用の増加という社会の状況も要因といえます。

また、晩婚化の影響として、ダブルケアの問題も注目されるようになりました。ダブルケアとは、子育てと親の介護の両方のケア役割を担うという意味です。

ここが問われた！
ダブルケアを行う者の年代について問われました(令3-前-13)。

内閣府の調査によると、ダブルケアを行う者の全体の年齢構成別割合は、40～44歳が最多の27.1%、次いで35～39歳の25.8%、30～34歳の16.4%、45～49歳の12.5%と、30歳～40歳代で全年齢層の約８割を占めています(図１)。平均年齢は39.65歳で、男女別にみると、女性で38.87歳、男性で41.16歳となっています(表１)。

図1　ダブルケアを行う者の割合(年齢構成別)

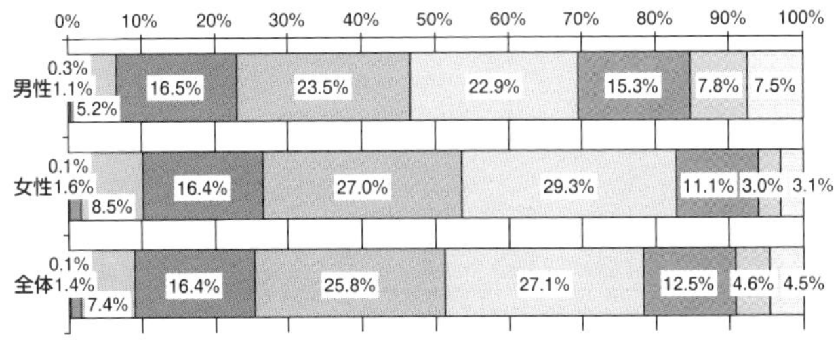

出典：内閣府男女共同参画局「育児と介護のダブルケアの実態に関する調査報告書」2016.

表1　ダブルケアを行う者の平均年齢

	男性	女性	全体
ダブルケアを行う者	41.16歳	38.87歳	39.65歳

出典：内閣府男女共同参画局「育児と介護のダブルケアの実態に関する調査報告書」2016.

■少子化

少子化の傾向は依然として続いています。合計特殊出生率については、2022(令和４)年は1.26でした。2040年の推計では1.43となっています。

「第16回出生動向基本調査」によると、「妻の年齢別にみた、理想の子ども数を持たない理由」として、最も多いのは、「子育てや教育にお金がかかりすぎる」(総数 52.6%)であり、妻の年齢35歳未満の夫婦では８割近くの高い割合となっています。妻の年齢35歳未満の夫婦では経済的理由(子どもにかかる養育・教育費、住居、仕事)の選択率が高い傾向にありますが、妻が35歳以上の夫婦では、「高年齢で生むのはいやだから」「ほしいけれどもできないから」といった身体的な理由の選択率が高くなります(図２)。

ここが問われた!

少子化対策白書のデータを読み取る問題が出題されました(令2-後-18)。

ここが問われた!

- 「夫婦が理想の子ども数を持たない理由」のデータを読み取る問題(令3-後-18)
- 「夫婦が理想の子ども数を持たない理由」の最も多い回答について(令4-後-13)

図2　調査・妻の年齢別にみた、理想の数の子どもを持たない理由（予定子ども数が理想子ども数を下回る夫婦）

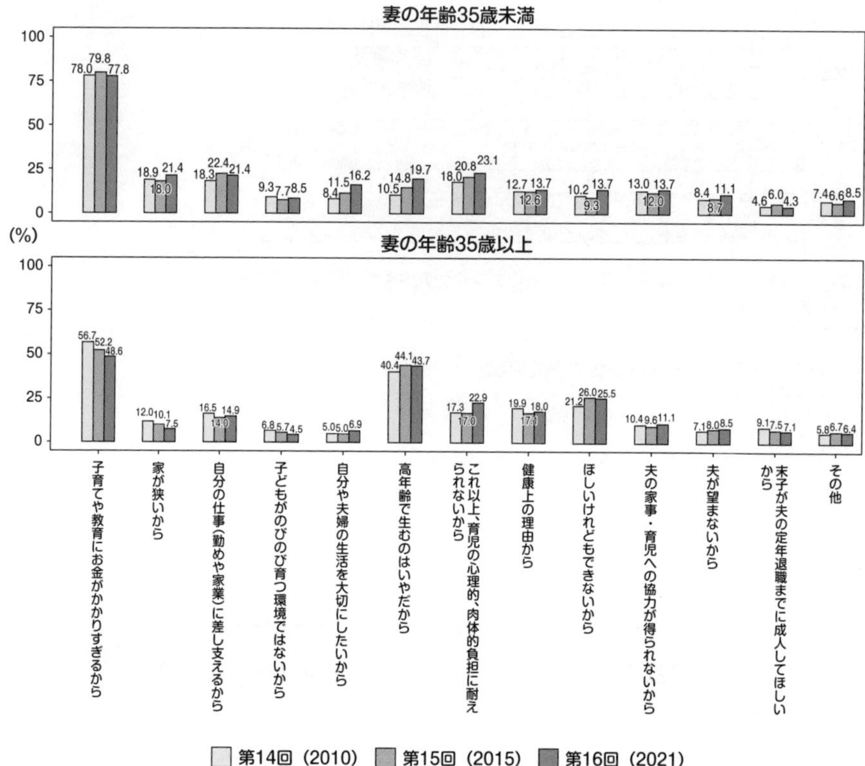

注：対象は予定子ども数が理想子ども数を下回る、妻の調査時年齢50歳未満の初婚どうしの夫婦。不詳を含まない選択率。複数回答のため合計値は100％を超える。客体数（35歳未満、35歳以上）は、第14回（323、1,512）、第15回（183、1,070）、第16回（117、737）。

出典：国立社会保障・人口問題研究所「第16回出生動向基本調査」2023年

ここが問われた！

・保育所における保護者の子育ての状況に配慮した個別の支援について（令3-後-12）

・男性の育児に関する統計について（令5-前-12）

■ 子育ての孤立化

核家族が多くなっている今、子育ての孤立化が広くいわれています。また、夫の家事や育児に関わる時間が諸外国に比べて短いことも特徴です。このような状況は、「ワンオペレーション（ワンオペ）育児」と呼ばれるようになりました。

子育ての負担感については、図3のような調査結果があります。「子育てに対して感じる肉体的・精神的負担について、周囲で助けてくれる人がいる割合」について、配偶者が最も多く、次いで、自分の親または配偶者の親となっています。

図3　子育てに対して感じる肉体的・精神的負担について、周囲で助けてくれる人がいる割合

（複数回答）

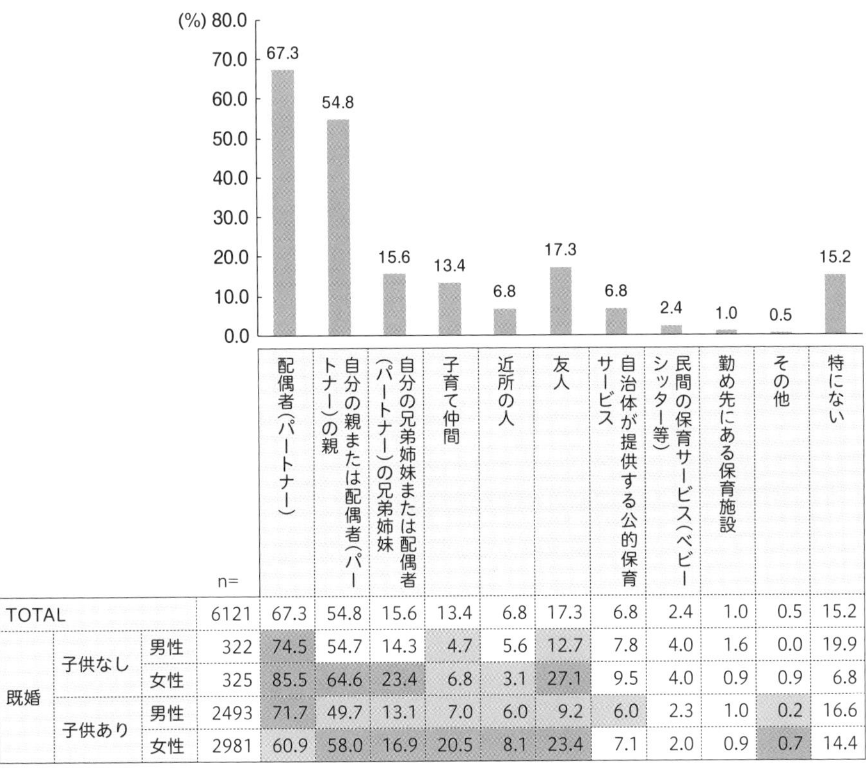

			n=	配偶者（パートナー）	自分の親または配偶者（パートナー）の親	自分の兄弟姉妹または配偶者（パートナー）の兄弟姉妹	子育て仲間	近所の人	友人	自治体が提供する公的保育サービス	民間の保育サービス（ベビーシッター等）	勤め先にある保育施設	その他	特にない
TOTAL			6121	67.3	54.8	15.6	13.4	6.8	17.3	6.8	2.4	1.0	0.5	15.2
既婚	子供なし	男性	322	74.5	54.7	14.3	4.7	5.6	12.7	7.8	4.0	1.6	0.0	19.9
		女性	325	85.5	64.6	23.4	6.8	3.1	27.1	9.5	4.0	0.9	0.9	6.8
	子供あり	男性	2493	71.7	49.7	13.1	7.0	6.0	9.2	6.0	2.3	1.0	0.2	16.6
		女性	2981	60.9	58.0	16.9	20.5	8.1	23.4	7.1	2.0	0.9	0.7	14.4

出典：内閣府「少子化社会対策に関する意識調査」平成31年3月

2　多様な家庭の理解

従来の「稼ぎ手の夫、専業主婦」という家族形態は変化してきました。その分、子どもの理解と関わり方について、適切な知識を持つ必要性も出てきました。

■外国籍の子どもや海外から帰国した子どもについて

日本社会とは異なる文化、宗教、生活習慣に親しんでおり、子どもだけでなく親も生活のしづらさを感じていることが考えられます。日本語が理解できない場合もあります。日本の生活様式に早く適応させていくのではなく、保育所保育指針にあるように、「子どもの国籍や文化の違いを認め、互いに尊重する心を育てるようにすること」が大切です（第２章４

ここが問われた！
外国籍の子どもと家庭への支援について出題されました（令2-後-14、令5-前-15）。

「保育の実施に関して留意すべき事項」(1)オ)。保育所と家庭との連携を密にし、家庭が孤立せず地域とつながっていけるよう、サポートしていくことが重要です。

■ 子どもの貧困

現在では、7～8人に1人の子どもが相対的貧困であるといわれています。貧困の問題は、子どもの教育や様々な経験の機会を奪うことにもつながるため、貧困の連鎖をもたらしやすいといえます。

3 児童虐待

2021(令和3)年度のデータでは、最も多いのは、心理的虐待、次いで身体的虐待となっています。

ここが問われた!

・心理的虐待に関する記述を選ぶ問題(令1-後-19)
・児童虐待の種類、最も多い種別、虐待を受けた子どもの年齢構成について(令4-後-19)
・虐待のリスク要因(危険因子)や被虐待体験の影響について(令5-前-17)

■ 虐待の種類

児童虐待は、①身体的虐待、②性的虐待、③心理的虐待、④ネグレクトの4つに分けられます。

■ 児童虐待の主な要因

児童虐待の主な要因(リスク要因)として、以下のものが挙げられます。ただし、これらはあくまでもリスクとして挙げられているものであり、当てはまるものがあるからといって必ず虐待が生じるわけではありません。

① 保護者側の要因

・妊娠そのものを受容することが困難(望まぬ妊娠、10代の妊娠)
・子どもへの愛着形成が十分に行われていない(妊娠中あるいは出産後、何らかのトラブルがあった。長期入院などで子どもと離れた　など)
・マタニティブルーズや産後うつ病等精神的に不安定な状況
・元来性格が攻撃的・衝動的
・医療につながっていない精神障害、知的障害、慢性疾患、アルコール依存、薬物依存
・被虐待経験
・育児に対する不安やストレス(保護者が未熟である場合蓄積しやすい)

② 子ども側の要因

・乳児期の子ども、未熟児、障害児、何らかの育てにくさを持っている子ども

③ 養育環境の要因

・経済的に安定感が持てない家庭

・多様な家族形態を持つ家庭

・家庭内に何らかの問題が認められる家庭(夫婦関係の不仲、配偶者からのＤＶ被害等)

・親族や地域社会から孤立した家庭

・定期的な健康診査を受診しない

■ 保育所の役割

保育所でできる役割としては、早期発見、そして虐待を受けた子どもの心のケアがあります。被虐待児に一般的にみられる問題行動(睡眠障害、注意・集中力の低下、多動、情緒的不安定、愛着障害など)を理解することも大切です。

ここをチェック!
愛着障害については p.362参照

児童虐待については、第３章テーマ５もあわせて確認しておきましょう。

4 養育困難をかかえる保護者への支援

養育困難のリスク要因をかかえる保護者に対しての、保育所としての関わり方は、「チームでサポート」が原則となります。すべての職員が組織の一員として協力することが大切です。日々の保育の様子や子どもの成長を伝えるなど、保育を共有し、信頼関係を築いていくことが求められます。場合によっては外部の専門機関との連携も必要です。その際も、情報共有はとても大切です。

5 養護性(ナーチュランス)

弱い存在や生きとし生けるものに対して、慈しみ、育てようとする心と行動のことをいいます。幼い頃からその準備が始まっているという説もあり、男女問わず、子どもと関わる立場となったときに有効に働くといわれています。

ここが問われた!
養護性についての正しい知識が問われました(令4-前-12、令5-後-13)。

家族を理解する視点について出題されました（令 4- 後 -12、令 6- 前 -15,16）。

さらに
深める

家族を多世代的に把握する方法として、ジェノグラムを作成することがあります。家族を支援する専門家の間で広く使われています。

6 家族を理解する視点

■家族ライフサイクル論

エリクソンのライフサイクル論と同様に、家族にもライフサイクルがあるとする考え方です。親元からの独立から始まり、結婚、子育て、子どもの独立、老年期へと続きます。

■家族システム論

システムとは、あるまとまりをもった全体のことを指し、家族も１つのシステムとして捉える考え方です。たとえば、子どもに何らかの問題行動が生じた場合、たまたまその子どもにおいて、問題が表面化したが、その問題の背景には、その個人だけでなく、家族あるいは社会というシステムが関わっていると考えることができます。

家族をシステムとみなし、家族に対して行う心理療法を家族療法といいます。家族療法では、問題行動や症状をみせている個人をIP（Identified Patient）と呼びます。“患者とみなされる人”という意味です。

7 保育者のメンタルヘルス

保育者は日々、多くの人間関係の中で仕事をしています。子どもとの関係、保護者との関係、そして職場での人間関係もあります。どこかにトラブルをかかえてしまい、がんばってもうまくいかないことが続いてしまうと、心や体のバランスを崩してしまうこともあります。燃え尽き症候群（バーンアウト）は、一生懸命働いていた人が、エネルギーを使い果たし、無力感に陥ってしまう状態をいいます。

保育者が心の健康を保つには、次のようなことが挙げられます。

・個々の子どもを受け入れる心の広さを持ち、子どもとともに楽しんだり成長できること。
・保護者の様々な考えに寄り添い、理解し合って子育てできる関係を持つこと。
・保育所内で相談でき、支援できる体制をつくること。

また、ストレスへの対処や解消の方法を持つことも役に立ちます。たとえば、趣味、遊び、リラクゼーションなど、自分にとって快適なことを実践したり、人に相談したりすることなどです。友人や家族だけでなく、カウンセラーなど、利害関係のない第三者に相談することも有益といえます。

○×チェック問題

1 ダブルケアは、その背景に晩婚化が考えられる。
2 2022（令和４）年の合計特殊出生率は、1.5を上回った。
3 10人に１人の子どもが相対的貧困である。
4 児童虐待は身体的虐待、心理的虐待、性的虐待の３種類がある。
5 児童虐待のうち、最も多いのは、ネグレクトである。

答え

1 ○
2 × 2022（令和４）年は1.26
3 × 「10人に１人」ではなく「７～８人に１人」
4 × ネグレクトを含めた４種類。
5 × 心理的虐待（2021（令和３）年度）。

第7章

子どもの保健

頻出テーマ

テーマ1　子どもの心身の健康と保健の意義
令4-前-1,2,3,15 令4-後-1,8,13 令5-前-1,3,13,16,20 令5-後-1 令6-前-1,2,3

テーマ2　子どもの身体的発育・発達
令4-後-14 令5-前-7,17,18 令5-後-2,6 令6-前-4,5

テーマ3　子どもの心身の平常時の健康状態とその把握
令4-前-4 令4-後-9 令5-前-4,8 令5-後-3,4,10 令6-前-6

テーマ4　子どもの体調不良等に対する適切な対応
令4-前-18,20 令4-後-2,4,5,6,16 令5-前-9,10,19
令5-後-5,8,15,18,20 令6-前-13,14,16,18,19

テーマ5　子どもの疾病の予防及び適切な対応
令4-前-11 令5-前-2,6 令6-前-20

テーマ6　感染症対策
令4-前-5,6,7,9,19 令4-後-3,7,10,11,12,17 令5-前-14,15
令5-後-7,9,11,13,16,17 令6-前-8,9,10,15

テーマ7　個別的な配慮を必要とする子どもへの保健的対応
令4-前-13,14,20 令4-後-20 令6-前-17

テーマ8　保育における環境・衛生及び安全管理
令4-前-8,10,16,17 令4-後-18,19 令5-前-5,11,12
令5-後-12,14,19 令6-前-11,12

テーマ9　健康及び安全管理の実施体制
令4-後-15 令6-前-7

「子どもの保健」は、医療分野だけでなく危機管理や安全対策に関する領域も含まれるよ。感染症・アレルギーについて、また、防災についてもしっかり勉強しよう。

テーマ1

子どもの心身の健康と保健の意義

「子どもの保健」を学ぶ上での基本は、健康の概念を理解し、我が国の保健指標について把握することです。また、子どもたちが心身ともに健やかに成長するための施策が保育所保育指針の数か所に記されていますので、しっかり確認しましょう。

健康の概念、人口統計、母子保健法、保育所保育指針

1 健康の概念

WHOは1948年４月７日に、国連機関の１つとして設立されました。世界を６つに分け健康の増進と保護を行っています。

WHO憲章の健康の定義について出題されました（令3-後-2、令5-前-13）。

健康に関する概念について、世界保健機関（WHO）は、1948年に「健康とは、病気ではないとか、弱っていないということではなく、肉体的にも、精神的にも、そして社会的にも、すべてが満たされた状態にあること」と定義しました。

その後、世界ではヘルスプロモーションやウェルビーイングなどいくつかの考え方が示されています。また、日本においても2000（平成12）年以降、健康づくりの具体的な施策として「健康日本21」（第一次～第三次）、さらにヘルスプロモーションに基本理念をおいた「健やか親子21」「健やか親子21（第２次）」などを策定し、すべての国民が心身ともに健やかであるための努力がなされています。

2 保育所保育指針における子どもの健康

保育所保育指針第３章には下記のような記載があります。

子どもの健康及び安全の確保は、子どもの生命の保持と健やかな生活の基本であり、一人一人の子どもの健康の保持及び増進並びに安全の確保とともに、保育所全体における健康及び安全の確保に努めることが重要となる。
　また、子どもが、自らの体や健康に関心をもち、心身の機能を高めていくことが大切である。

子どもの健康、安全を守るための保育の基本が保育所保育指針より問われる出題がありました(31-前-1、令5-前-1,16、令5-後-1、令6-前-1)。保育所保育指針において子どもの保健に関する箇所は、第1・2・4章にもあり、しばしば出題があります(第1章：令4-前-2、令4-後-13、第2章：令5-前-3、第4章：令4-前-1)。

　また、子どもの健康支援について下記のように記されています。

(1)　子どもの健康状態並びに発育及び発達状態の把握
　ア　子どもの心身の状態に応じて保育するために、子どもの健康状態並びに発育及び発達状態について、定期的・継続的に、また、必要に応じて随時、把握すること。
　イ　保護者からの情報とともに、登所時及び保育中を通じて子どもの状態を観察し、何らかの疾病が疑われる状態や傷害が認められた場合には、保護者に連絡するとともに、嘱託医と相談するなど適切な対応を図ること。看護師等が配置されている場合には、その専門性を生かした対応を図ること。

　日々の保育の中で、子どもたち一人一人の健康状態を把握し、感染症の予防及び慢性疾患の発見、障害児の早期発見、早期の療育につなげることも大切な保育士の責務です。

3　保健統計指標

　代表的な保健統計指標は、人口統計(動態・静態)です。人口動態統計は、出生・死亡・婚姻・離婚・死産の5つについて国民の動向を示し、人口静態統計は、一時点での国民の状況を示します。ともに社会的指標として大切です。人口動態統計の代表例として「人口動態調査」(厚生労働省)、人口静態統計の代表例として「国勢調査」(総務省統計局)があります。ここでは出生と死亡について子どもに関する統計を示します。

日本の人口は、2024(令和6)年で約1億2400万人ですが、毎年約80万人減少しています。この割合で減少すると、2050年には1億人を切ると推定されます。

　出生に関しての統計で留意したいことは、2023(令和5)年には出生数は約75万人となり、調査開始以来最低数になったことです。また死亡に関しては、乳児死亡・幼児死亡ともに世界的に低い死亡水準であることです。

表１　子どもの出生に関する指標

	2005（平成17）	2010（平成22）	2020（令和２）	2022（令和４）	定義
出生率	8.4	8.5	6.8	6.3	人口千人あたりの出生数
合計特殊出生率	1.26	1.39	1.34	1.26	15～49歳の女性の年齢別出生率の合計
出生数	106万	107万	84万	77万	

資料：厚生労働省「人口動態統計」をもとに作成

表２　子どもの死亡に関する指標

	2000（平成12）	2010（平成22）	2020（令和２）	2022（令和４）	定義
周産期死亡率	5.8	4.2	3.2	3.3	出生＋妊娠満22週以後の死産1000に対しての妊娠満22週以後の死産＋生後１週未満の死亡
新生児死亡率	1.8	1.1	0.9	0.8	出生1000に対しての生後４週未満の死亡
乳児死亡率	3.2	2.3	1.8	1.8	出生1000に対しての生後１年未満の死亡

資料：厚生労働省「人口動態統計」をもとに作成

表３　子どもの死因に関する統計

	0歳	1～4歳	5～9歳
1位	先天奇形、変形及び染色体異常	先天奇形、変形及び染色体異常	悪性新生物〈腫瘍〉
2位	周産期に特異な呼吸障害など	不慮の事故	先天奇形、変形及び染色体異常
3位	不慮の事故	悪性新生物〈腫瘍〉	不慮の事故

資料：厚生労働省「令和４年(2022)人口動態統計(確定数)」をもとに作成

ここが問われた！

出生率や子どもの死亡率等に関して出題されました（令3-後-1、令4-後-1）。

ここが問われた！

母子保健に関して、母子保健法や児童福祉法等に関して出題されました（令2-後-1,4、令3-前-20、令3-後-20、令6-前-2）。

さらに深める

母子保健法では、新生児：出生後28日以前の乳児、乳児：１歳未満の者、幼児：満１歳から小学校就学前の者。

4　母子保健の意義

母性保健と子どもの健康支援をともに考え、実践していく活動を母子保健といいます。母子保健活動は妊娠期から周産期、新生児期、乳幼児期を通して行われます。

母子保健関連の施策として、母子保健法に基づく妊娠の届け出により母子健康手帳が交付されます。また保健事業として、妊婦訪問、母親学級、両親学級、妊婦健診が行われます。さらに、医療的療育支援として、低出生体重児の届出の義務があり、新生児訪問事業が行われます。１歳６か月児と３歳児には健康診査が義務づけられておりチェック項目が定められています（テーマ９参照）。

5 現代における子どもの健康に関する現状と課題

多様化・複雑化する現代において、子どもの健康問題も肥満・痩身、メンタルヘルスの問題、アレルギー疾患の増加など多様な課題が生じています。少子化の影響を受け、親自身が乳幼児との接触経験が少なくなり、自分が親として子育てすることに不安を持っていることや、夫婦と子どもだけで生活する核家族化や共働きが当たり前になり、子どもの生活リズムが乱れていることもその背景にあります。

近年、外国籍の子どもたちや障害のある子どもたちを定型発達の子どもたちといっしょに保育する**インクルーシブ保育**が求められるようになりました。

また、周産期の先進医療により超低出生体重児（1000ｇ未満）や先天的に重い病気を持った子どもたちも生存できるようになりました。このように生後も恒常的に医療を受ける必要のある子どもは新しいカテゴリーとして「医療的ケア児」と呼ばれています（テーマ７参照）。

さらに、「子どもの貧困」は、健康面での格差に結びつき多くの問題を生じています。

子どもが健康に育つためには、保護者と保育者だけでなく多職種や地域との連携をしながら、**子どもの状況把握、子育て支援、成長の見守り**をすることが大切です。

子どもをめぐる環境が大きく変わる中で、保育士の役割として、子どもの置かれた状況を把握し、適切な子育てアドバイスをすることがいっそう重要になっています。

子どもの貧困は、**健康格差**にも関連しています。必要な生活費がないことで十分な食事がとれない、病気になっても保険がないため医療機関で適切な治療が受けられないなどの問題が生じています。

6 地域における保健活動と子ども虐待

厚生労働省は親子の健康を目的として、2015（平成27）年度に2024（令和６）年度まで行われる「健やか親子21（第２

次)」を開始しました。また、小児病棟で長期入院している子どもたちに対して保育士を配置する病棟保育士配置促進モデル事業や、子ども・子育て支援法に基づく地域子ども・子育て支援事業である病児保育事業として病児対応型、病後児対応型、体調不良児対応型、非施設型(訪問型)などがあります(テーマ7を参照)。

また、子どもの成長・発達のために保育士は虐待のサインを早期に発見し、通告しなければなりません(通告義務)。

保育所保育指針第3章1の(1)には、不適切な養育の兆候が見られる場合には、市町村や関係機関と連携し、虐待が疑われる場合には、速やかに市町村または児童相談所に通告し適切な対応を図ること、との記載があります。

虐待は、2010(平成22)年〜2020(令和2)年の10年間で通報件数が4倍になっています。

ここをチェック!

ニュースで取り上げられ、社会的に問題になっている虐待について頻回に出題されています。虐待の種類、子どもたちへの影響をしっかりおさえましょう。

ここが問われた!

- 児童虐待について定義や制度など(令2-後-6、令3-前-1、令5-前-20、令6-前-3)
- 被虐待児の心身への影響(令4-前-3)や虐待事例への援助の方法(令4-後-8)など1つの関連項目を掘り下げる出題
- 児童虐待に関して事例問題(令3-前-14、令4-前-15)

表4　虐待の分類と影響

	虐待による影響
身体的虐待	・打撲、骨折などのけが ・やけど、擦過傷などの外傷 ・脳挫傷、内臓損傷 ・身体的虐待の後遺症による知的障害
性的虐待	・妊娠 ・性感染症 ・長期にわたる心的外傷
ネグレクト	・栄養失調 ・成長障害 ・不潔からくる皮膚疾患や虫歯 ・年齢不相応の基本的な生活習慣の欠如
心理的虐待	・心的外傷 ・集中力、落ち着きのなさ ・反抗的・暴力的行為 ・自己肯定感が低い、自虐的な自己否定感 ・良好な人間関係を築きにくい

資料：厚生労働省ホームページを参照

事故によるけがと虐待によるけがは負傷する箇所が違います。早期発見の手がかりにしましょう。

図1　事故によるけがと虐待によるけがの違い

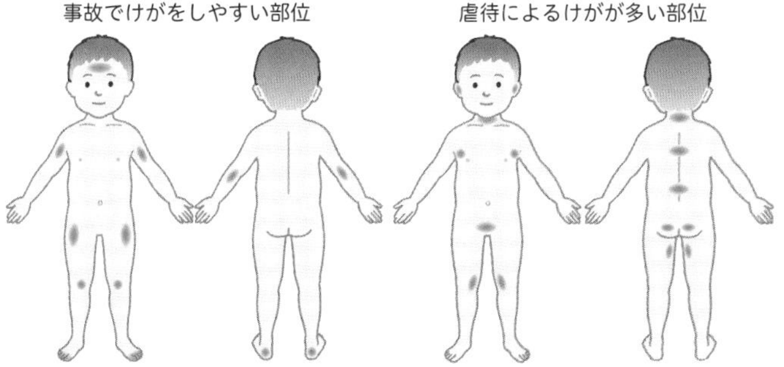

出典：文部科学省『養護教諭のための児童虐待対応の手引』を参考に作成

■ 虐待による成長障害

虐待を受けた子どもは、うつ状態を示し、不安やおびえなどの心理的な問題や反応性愛着障害、脱抑制型対人交流障害、愛情遮断症候群が見られることがあります（テーマ5 ❸「心の病気」を参照）。

反応性愛着障害について出題されました（31-前-11）。

○×チェック問題

1　世界保健機関（WHO）による健康の定義は、「肉体的および精神的に満たされた状態」である。

2　2022（令和４）年の日本の出生数は、80万人を切り、調査開始以来最低数となった。

3　子どもの健康問題は、肥満・痩身およびアレルギー疾患など多様な課題が生じている。

答え

1 × 「肉体的にも、精神的にも、そして社会的にも、すべてが満たされた状態」を指す。
2 ○
3 ○

テーマ2 子どもの身体的発育・発達

子どもの発育・発達を理解することはよりよい保育につながります。身体の測定方法と評価、発達・発育を評価し、子どもの成長・発達を支援していきましょう。

発育、発達、発育曲線、発育の評価、運動機能、原始反射

ここが問われた！

発育・発達の原則、スキャモンの発育曲線を読み取る問題が出題されました（31-前-2）。

スキャモンの発育曲線は、以下の４種で示される。

①一般型…身長・体重、呼吸器、消化器などの発育。
②神経型…脳神経の発育。０～６歳の期間に飛躍的に発達。
③リンパ型…免疫に関する器官の発達。12～13歳頃、成人レベルを超える発達をし、その後、成人レベルに戻る。
④生殖型…生殖器の発達。

1 子どもの発育と発達

発育とは、身長や体重のように量的に大きく育つことです。一方、発達は、人間の内部の目に見えない機能の成長を示します。

子どもの発育・発達には以下のような４つの原則がありま

図１ スキャモンの発育曲線

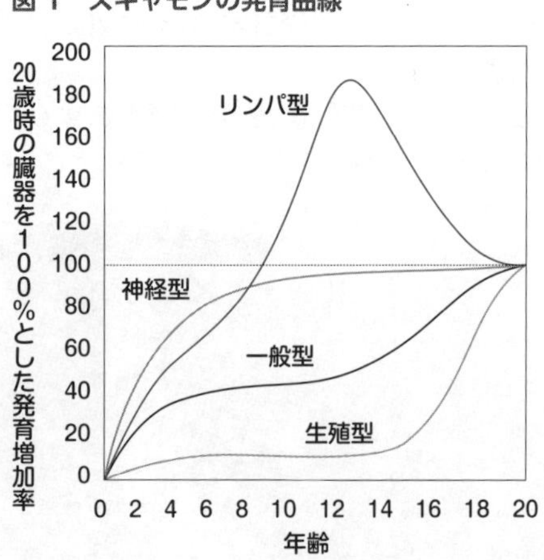

す。

① 順序性と方向性：成長・発達には一定の順序があり、方向性も決まっている。

② 速度の多様性：組織・器官によって成長・発達する時期が異なる。

③ 敏感期の存在：器官や精神機能現象にはそれぞれ決定的な時期がある。

④ 相互作用の影響：細胞や臓器、生活の場における刺激や情報によって作用が影響し合っている。

2 発育・発達の把握

■健康診断

保育所を含む児童福祉施設では児童福祉施設の設備及び運営に関する基準第12条により、入所時の健康診断、年２回以上の定期健康診断及び臨時の健康診断を行わなければならないと定めています(テーマ９を参照)。

■身体測定

子どもの身体発育の評価は、身体測定を正しく行うことが大切です。身長の測定方法は、２歳未満児は仰向けに寝て頭部から足底までの水平身長を測ります。２歳以上は立位で、後頭部、背部、臀部、かかとを身長計の尺柱に密着させて計測します。１mm単位まで計測します。

体重の計測方法は、感度が10g単位以内の体重計を使用します。乳児は寝かせるか、お座りの状態で計測します。

ここが問われた！
身体測定を行う際の準備や留意点について問われました(令5-前-18)。

図２ 身体測定

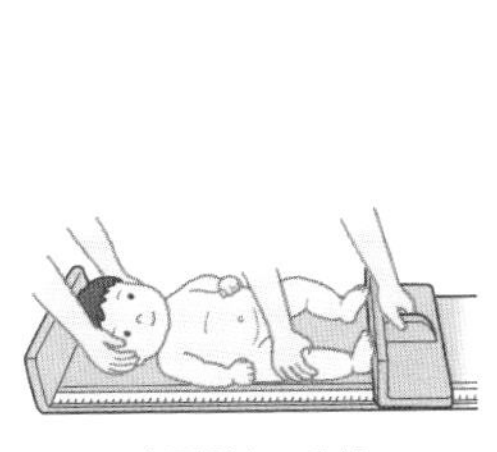

身長測定 乳児

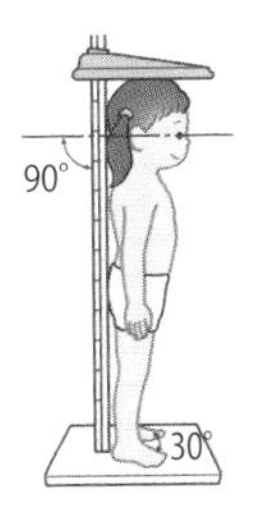

幼児

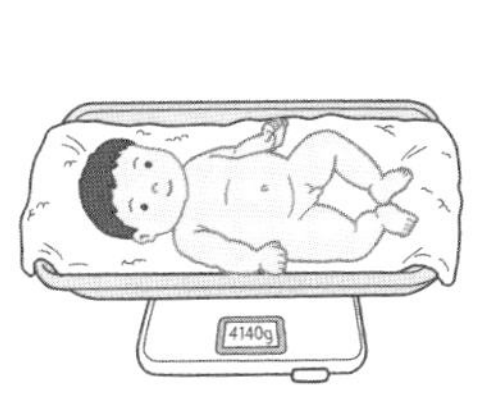

体重測定 乳児①

乳児②

さらに深める

出生時の平均体重は約3000gです。男児が3050g、女児2960g(2022(令和4)年)と、性別によって若干の差があります。昭和の時代から出生時の体重は3000gというイメージがありましたが、平均はそのままの結果になっています。

■出生時の体重

近年、出生体重が2500ｇ未満の「低出生体重児」が増加しています。1500ｇ未満を「極低出生体重児」、1000ｇ未満を「超低出生体重児」といいます。身体発育を評価する際は、出生時の体重も考慮していきましょう。

予定より早い出生は、新生児の死亡原因として多く見られます。未熟な状態で生まれた新生児は、自分の力で臓器を良好に機能させることができるようになるまでNICU(新生児集中治療室)に入院します。正期産児より、発育の遅れ、脳性麻痺、聴覚障害、視覚障害、注意欠如多動性障害(ADHD)や学習障害(LD)などの発達障害が多く見られますが、大半の低出生体重児は長期的な問題を抱えることなく成長していきます。

■発達スクリーニング検査

発達の状態を評価する方法として、遠城寺式乳幼児分析的発達検査法やデンバー式発達スクリーニング検査(DDST：Denver Developmental Screening Test)があります。

遠城寺式乳幼児分析的発達検査法は、乳幼児の発達を「運動」「社会性」「言語」の３つの分野から把握しようとするものです。「運動」は移動運動と手の運動、「社会性」は基本的習慣と対人関係、「言語」は発語と言語理解の６つの領域に分けて分析し、把握することで子どもの全体的な発達の特徴を明らかにすることができます。この検査の適応年齢は生後０か月から４歳８か月までです。

デンバー式発達スクリーニング検査は、乳幼児の発達について、「個人—社会」「微細運動—適応」「言語」「粗大運動」の４領域、104項目を全体的に捉え評価します。この検査の適応年齢は生後16日から６歳までです。

3 身体発育と保健

ここが問われた！

新生児の出生後の生理的体重減少について出題されました(令3-後-3)。

■乳幼児期の身体発達の概要

① 体重

新生児の体重は、出生後生理的体重減少で５～８％ほど減少します。その後体重は増え続け生後３～４か月で出生時の２倍、１歳で３倍ほどになります。

② 身長

身長は生後１年で出生時の1.5倍になります。４歳で２倍の身長になります。幼児期は１年間に７cm程度伸びます。年間の身長の伸びが４cm以下のときは成長障害があると考えます。

③ 頭囲・胸囲

出生時は胸囲より頭囲が大きく、生後１年でほぼ等しくなり、２歳以降は頭囲より胸囲が大きくなります。

④ 体型

身長と頭の比はおおよそ、出生時で４頭身、２歳で５頭身、６歳で６頭身、12歳で７頭身、成人で８頭身です。

⑤ 大泉門

図３ 体型の変化および脳の構造

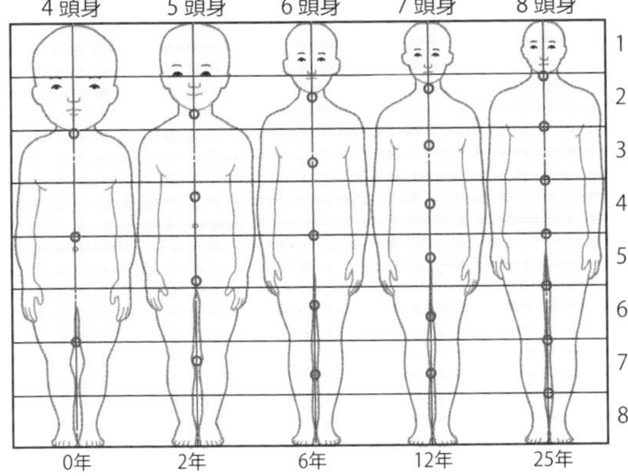

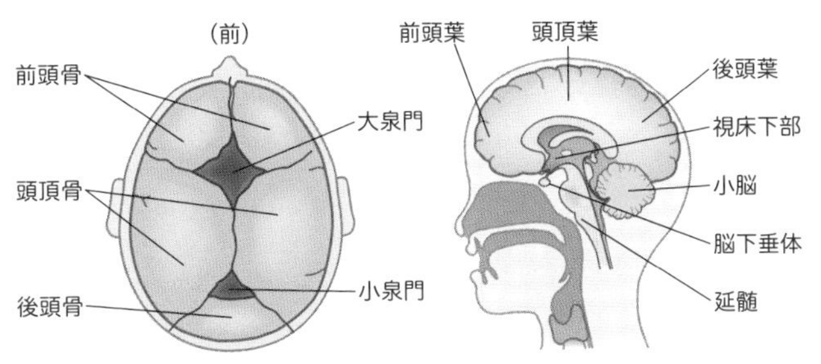

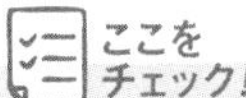

ここが問われた！

・子どもの発育について（令3-前-15、令5-前-17）
・身体測定について（令5-前-18）

ここをチェック！

脳が司る睡眠や脳の構造と機能について問われる問題が選択問題や組み合わせ問題で出題されています。

さらに深める

脳の仕組みを覚えましょう。
前頭葉…運動に関する領域と神経に関する領域を司る
側頭葉…聴覚や嗅覚、記憶、感覚性言語などの中枢
延髄…呼吸や生命循環などの生命維持に関係する
小脳…身体の姿勢や運動の制御、眼球運動

ここが問われた！

・脳の仕組みや役割等について（令3-前-3、令6-前-4,5）
・頭囲の測定法について（令5-後-6）
・大泉門について（令6-前-4）

新生児から乳児期に見られる前頭骨と頭頂骨の間のひし形の隙間は大泉門といいます。1歳を過ぎると触れてもわかりにくくなります。後頭部の小さな三角の隙間を小泉門といいます。生後2～3か月で閉じます。大泉門がなかなか閉じない場合は水頭症や脳炎が疑われ、陥没した場合は脱水症などが疑われます。

■発育区分

出生後の子どもたちの発育区分は下記のようになります。

表1　出生後の発育区分

区　分	年　齢
新生児	生後28日未満
乳　児	新生児期以降1歳未満
幼　児	満1歳以降、小学校就学前まで
学　童	小学校就学後、卒業まで
生　徒	中学校就学後、卒業まで

「小児」は15歳までなので、病院を受診する際は内科ではなく小児科を受診することを求められる場合があります。「青年」は20歳までとして扱うことがあります。児童福祉法は「少年」を小学校就学から満18歳になるものとしています。

4 乳幼児の発育評価

ここが問われた!

母子健康手帳に図示されているパーセンタイル曲線について出題されました(令3-後-3)。

乳幼児の発育評価は、厚生労働省の乳幼児身体発育曲線を

表2　標準身長体重曲線による評価

区分	呼称
+30%以上	ふとりすぎ
+20%以上+30%未満	ややふとりすぎ
+15%以上+20%未満	ふとり気味
−15%超+15%未満	ふつう
−20%超−15%以下	やせ
−20%以下	やせすぎ

用います(図4参照)。この表はパーセンタイル値で示され、100人中小さいほうから数えて前から何人目にあたるのかを示しています。中央値は50パーセンタイル値で、97パーセンタイル値以上、及び3パーセンタイル値未満の場合は発育の偏りの原因を探します。

図4　乳幼児身体発育曲線(平成22年調査値)

乳児（男子）身体発育曲線

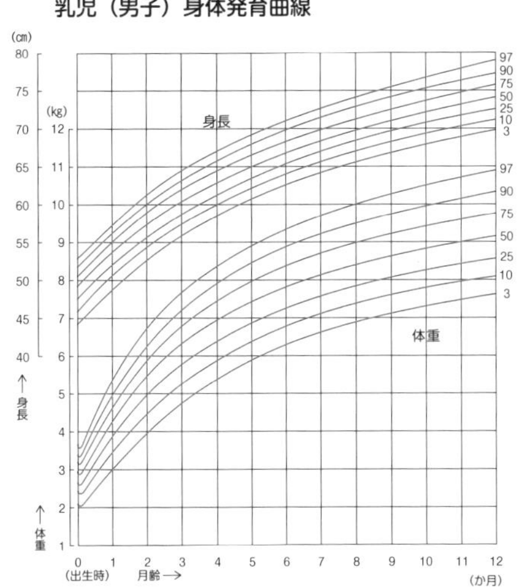

幼児（男子）身体発育曲線

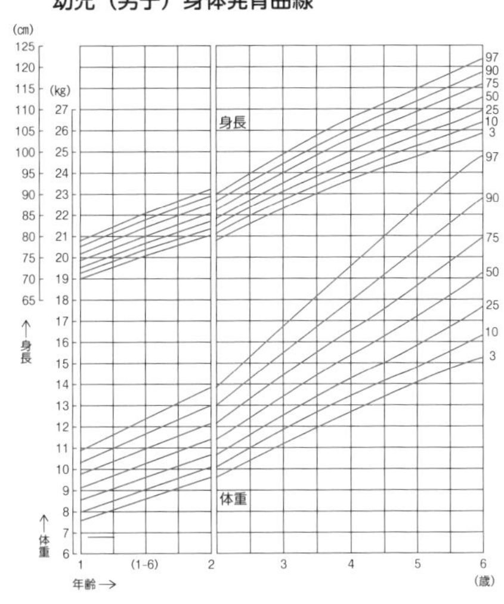

乳児（女子）身体発育曲線

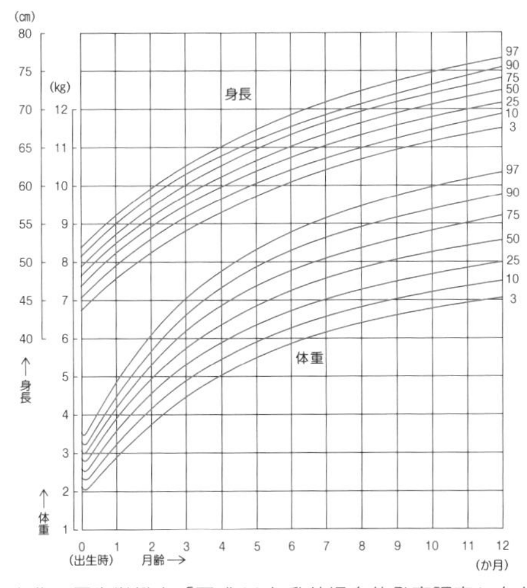

幼児（女子）身体発育曲線

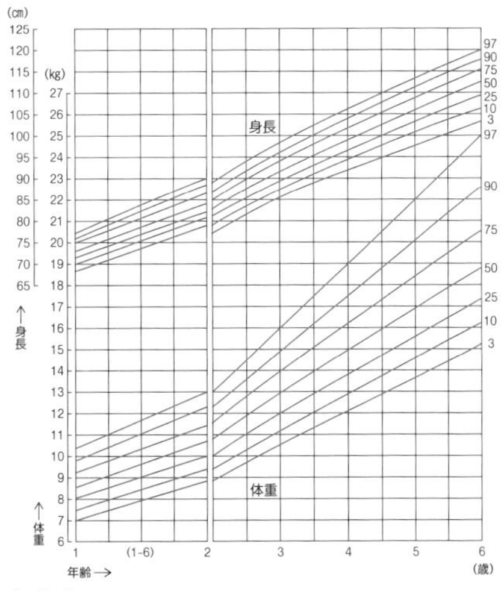

出典：厚生労働省「平成22年乳幼児身体発育調査」をもとに作成

体格指数は身長と体重のバランスをみます。乳幼児期はカウプ指数、学童期はローレル指数を用います。

カウプ指数＝体重(g)/身長(cm)^2×10、で計算されます。

ローレル指数＝体重(kg)/身長(m)^3×10、で計算されます。

ここが問われた！
カウプ指数について出題されました(令1-後-5、令3-後-3、令5-前-7)。

近年、肥満の子どもが増えています。高カロリー、高脂肪、高たんぱく質摂取の増加と、消費カロリーが低下していることが原因と考えられます。

やせは体重が著しく減少した状態です。先天性心疾患、消化管疾患、甲状腺などの内分泌疾患などで起こる場合と、ネグレクトなどの養育環境が原因で起こる場合があります。

低身長は標準身長からマイナス2標準偏差以下の場合が当てはまります。原因として家族性、低出生体重児、染色体異常、甲状腺機能低下症、成長ホルモン分泌不全が挙げられます。成長ホルモン分泌不全と診断された場合は、成長ホルモンによる治療を行います。

5 運動機能の発達

ここが問われた！
乳幼児の運動機能について出題されました(31-前-7、令3-前-15、令4-後-14、令6-前-4)。

乳幼児期の運動発達を評価し運動機能の遅れを発見することは、全身性の筋や神経の疾患を発見することにつながります。

表3　運動機能の発達(90％の子どもが可能)

月齢	運動	年齢	運動
4～5か月	首のすわり	1歳前半	転ばないで歩く
6～7か月	寝返り	1歳後半	走る
9～10か月	ひとり座り、はいはい	2歳頃	両足で跳ぶ
11～12か月	つかまり立ち	4歳頃	片足ケンケン
15～16か月	ひとり歩き	5歳頃	スキップ、でんぐり返し

6 原始反射

ここが問われた！
・原始反射の発現から消失時期について(令2-後-7、令6-前-4)
・原始反射の種類について(令5-後-2)

原始反射とは、特定の筋肉などが無意識に動く現象をいいます。原始反射は最低限生きるために赤ちゃんが必要とする反射といわれています。原始反射は随意運動が発達することで消失していきます。現れるべき時期に出現しない、消失する時期に消失しない場合は、神経系や脳に異常がある場合があります。

表 4　原始反射

反射名	特徴	発現時期	消失時期
モロー反射	大きな音やびっくりしたときに、両手を広げて抱きしめるような動き	出生時	4 か月頃
探索反射	口のまわりに触れるとそちらに顔を向けて乳首を探す動き	出生時	4 か月頃
吸啜反射	口唇に触れると乳を吸おうとする動き	出生時	4 か月頃
緊張性頸反射	頭を一方向に向けると、顔の向いた側の手は伸び、反対側の手足は曲がっている姿勢をとる動き	出生時	5 か月頃
バビンスキー反射	足の裏を刺激すると、足の指を扇状に広げる動き	出生時	24 か 月頃
歩行反射	身体を支えて足を床につけると、両足を交互に屈曲伸展する動き	出生時	1 か月頃
把握反射	手に触れるものをつかもうとする動き	出生時	3、4 か月

不随意運動とは自らの意思に関係なく身体が動く運動をいいます。随意運動は自らの意思で身体を動かすことをいいます。

○×チェック問題

1　発育とは、身長や体重のように量的に大きく育つことであり、発達とは人間の内部の目に見えない機能の成長を示す。
2　３歳までの子どもの身体測定は、すべて仰向けに寝て測る。
3　体重の増加は、生後３～４か月で３倍、１歳で５倍ほどになる。
4　身長の増加は、生後１年で1.5倍、４歳で２倍が標準である。

答え

1 ○
2 ×　２歳まで仰向け、その後は立位で測定する。
3 ×　生後３～４か月で２倍、１歳で３倍ほどになる。
4 ○

原始反射とその説明について適切なものに○、不適切なものに×で答えなさい。

1　モロー反射―足の裏を刺激すると、足の指を扇状に広げる動き
2　吸啜反射―口のまわりに触れるとそちらに向けて顔を向けて乳首を探す動き
3　探索反射―手に触れるとつかもうとする動き
4　歩行反射―身体を支えて足を床につけると、両足を交互に屈曲伸展する動き

答え

1 ×　大きな音やびっくりしたときに、両手を広げて抱きしめるような動き
2 ×　口唇に触れると乳を吸おうとする動き
3 ×　口のまわりに触れるとそちらに向けて顔を向けて乳首を探す動き
4 ○

テーマ3

子どもの心身の平常時の健康状態とその把握

子どもの心身の状態を把握し、保育することは保育士の大切な役目です。登園時・遊び・食事・排泄・午睡・降園時に様々なポイントで健康観察を行うことで、些細な子どもの体調の変化に気づき、的確な対応ができます。

バイタルサイン、健康観察

1 バイタルサイン

子どもの健康状態を観察する上で必要なことはバイタルサインの把握です。バイタルサインは、「呼吸」「体温」「脈拍」「血圧」の4項目を基本とします。

さらに子どもの場合、機嫌、食欲、顔色、活動性などの子どもに共通した項目に着目する一方、一人一人の固有の先天的な健康状況にも留意しなければなりません。

バイタルサインに関連する出題がされました(令4-前-4、令5-前-8、令5-後-3)。

2 健康観察時のポイント

元気なときの様子を知り、身体の動き、食欲、機嫌など、違和感(何かいつもと違う)を感じたら、観察をこまめに行いましょう。前日の子どもの様子(体温、食欲、機嫌、遊び方、排便や排尿)も貴重な情報となります。

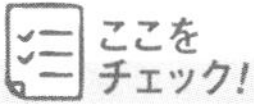

体格評価並びに肥満についてよく出題されています。

図1　子どもの症状を見るポイント

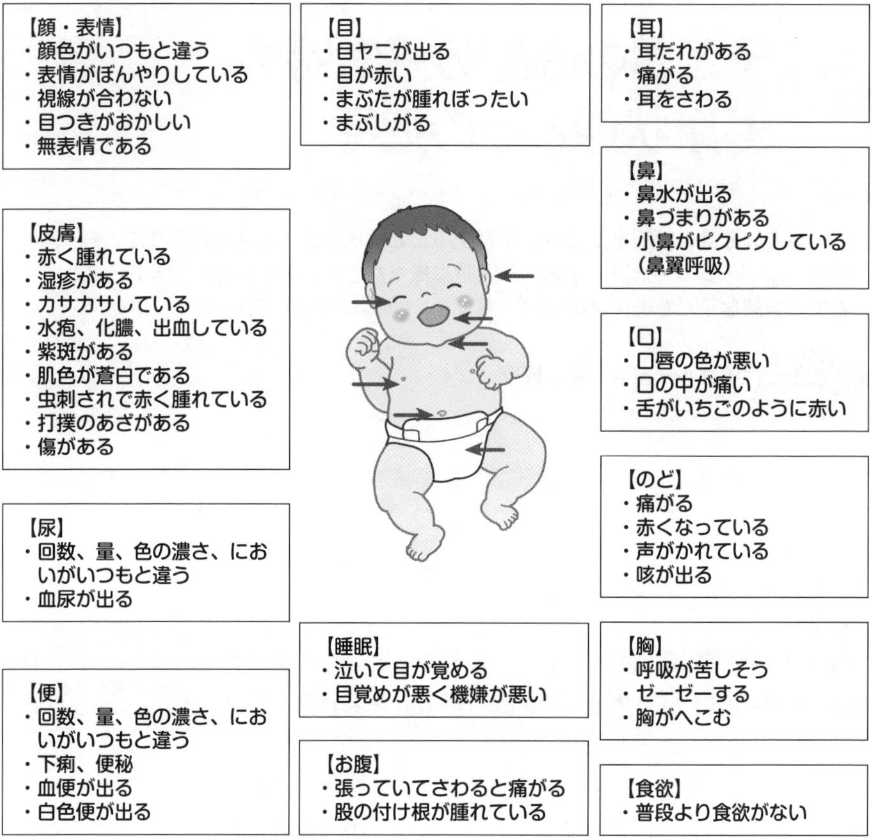

【顔・表情】
・顔色がいつもと違う
・表情がぼんやりしている
・視線が合わない
・目つきがおかしい
・無表情である

【目】
・目ヤニが出る
・目が赤い
・まぶたが腫れぼったい
・まぶしがる

【耳】
・耳だれがある
・痛がる
・耳をさわる

【鼻】
・鼻水が出る
・鼻づまりがある
・小鼻がピクピクしている（鼻翼呼吸）

【皮膚】
・赤く腫れている
・湿疹がある
・カサカサしている
・水疱、化膿、出血している
・紫斑がある
・肌色が蒼白である
・虫刺されで赤く腫れている
・打撲のあざがある
・傷がある

【口】
・口唇の色が悪い
・口の中が痛い
・舌がいちごのように赤い

【尿】
・回数、量、色の濃さ、においがいつもと違う
・血尿が出る

【のど】
・痛がる
・赤くなっている
・声がかれている
・咳が出る

【睡眠】
・泣いて目が覚める
・目覚めが悪く機嫌が悪い

【胸】
・呼吸が苦しそう
・ゼーゼーする
・胸がへこむ

【便】
・回数、量、色の濃さ、においがいつもと違う
・下痢、便秘
・血便が出る
・白色便が出る

【お腹】
・張っていてさわると痛がる
・股の付け根が腫れている

【食欲】
・普段より食欲がない

資料：厚生労働省「保育所における感染症対策ガイドライン（2018年改訂版）」をもとに作成

体温を測る場合、腋下、舌下、耳、直腸で測ることができる。このうち腋下での体温が一番低い。

いつもと違う子どものサインに気づくためのポイント（保育所における感染症対策ガイドライン（2018年改訂版））について出題されました（令2-後-9）。

表1　体温・脈拍・呼吸数の測り方

	測り方
体温	汗を拭きとり、腋のくぼみに45度の角度にはさみ、しっかり腋を閉じる。検温中は身体を動かさない。
脈拍	手のひらを上に向け、手首の内側にある橈骨（とうこつ）動脈で、1分間測る。難しい場合は30秒測定して、2倍にする。
呼吸数	仰向けに寝かせ、胸の上下数を測る。呼吸数を数えながら、肩の上げ下げ、小鼻をふくらませて呼吸、ゼイゼイする音、苦しくて横になれない、などの観察を併せて行う。

図2　体温・脈拍・呼吸数の測り方

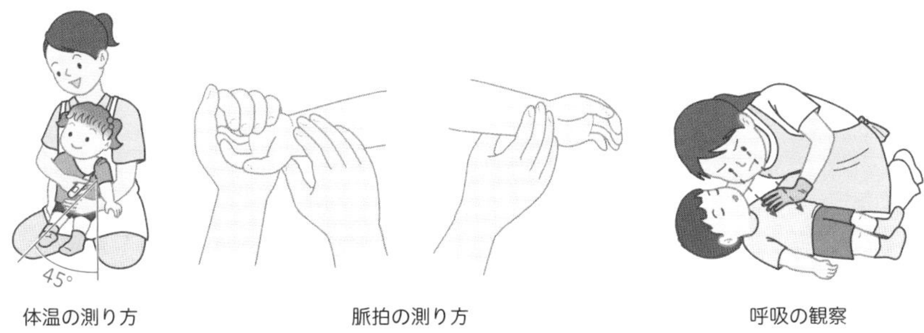

体温の測り方　　脈拍の測り方　　呼吸の観察

3 子どもの生活習慣と発達援助

健やかな育ちは、睡眠、食事、排泄、清潔、活動の生活リズムを整えることでよりよい成長発達を促します。集団生活の中での基本的生活習慣を身につけるための支援は、保育士の大切な役目です。

■睡眠

子どもの睡眠は成長とともに短くなります。新生児期の寝たり起きたりの生活リズムから、昼夜の区別がつくようになると深い眠りのノンレム睡眠、浅い眠りのレム睡眠を繰り返すようになります。成長ホルモンはノンレム睡眠のときに分泌されるホルモンです。コルチゾールは早朝に分泌が増え、血圧の維持や血糖の代謝に関わるなど、生命維持に不可欠なホルモンです。

生活環境の変化により、子どもの生活時間が夜型化しています。子どもの睡眠には「記憶を整理する」「脳や心身を休ませる」「脳や心身を発達させる」という大切な役割があります。

睡眠時間が短いことで生じるデメリットは、「集中力が低下する」「論理的思考ができなくなる」「意欲が低下する」「記憶力が低下しイライラする」などが挙げられます。

■食事

「哺乳」「離乳食」「幼児食」「普通食」と食事の形態を変化さ

ここが問われた！

・睡眠について（令4-後-9）
・「保育所保育指針」で示された「午睡」について（令5-後-10）

せて大人と同じものが食べられるようになります。月齢に合わせた食べ方・食べさせ方をし、好き嫌いなく意欲を持って食事を楽しむ環境を整えましょう。

図3　歯の生え方

6か月頃
下の前歯が2本生える

10か月頃
上の前歯が2本生える

1歳頃
上下で8本になる

1歳半頃
第一乳臼歯が4本生える

・小児期の歯科保健について(令5-前-4)
・歯の生え方について(令5-後-4)

歯の生え方には個人差があります。生え方に合わせて離乳食の進め方も検討していきましょう。

■排泄

膀胱に尿が溜まったことを感じて、自らトイレで用を足し、後始末ができることを排泄の自立といいます。

排泄の自立について出題されました(令6-前-6)。

表2　排泄の自立

年齢	子どもの様子
0歳	排泄の快・不快がわかる。おむつの交換をしてもらう。排尿回数は1日10～20回程度。
1歳	排泄後をしぐさで示す。
2歳	排泄を知らせることができる。
3歳	排泄前に大人に知らせ自分でトイレに行き排泄をすませる。
4歳	自分でトイレに行き、排泄の処理ができる。
5歳	便の状態を伝えることができる。

さらに深める

手洗いは発達に合わせて自分で手洗いができるよう習慣づけ、衛生管理や感染予防に努めることが大切です。手洗いの仕方は動画で確認することができます。歌といっしょに覚えてみましょう。検索ワード「幼児手洗い」。

■清潔

暑い日には沐浴やシャワー等で汗を流し、皮膚の清潔を保ちます。その際の水やお湯で溺れることがないよう十分に安全に気をつけます。食事後はうがいや歯磨きで口腔内の清潔を保ちます。

歯磨き中の転倒、歯ブラシの接触による感染には注意が必要です。

■活動

子どもの遊びは発達を促す大切な活動です。子どもは遊びによって育ち、社会性を身につけていきます。子どもたちの発達に合わせた保育計画を立て、環境を整えることで、発達の支援につながります。

図４　遊びの発達構造図

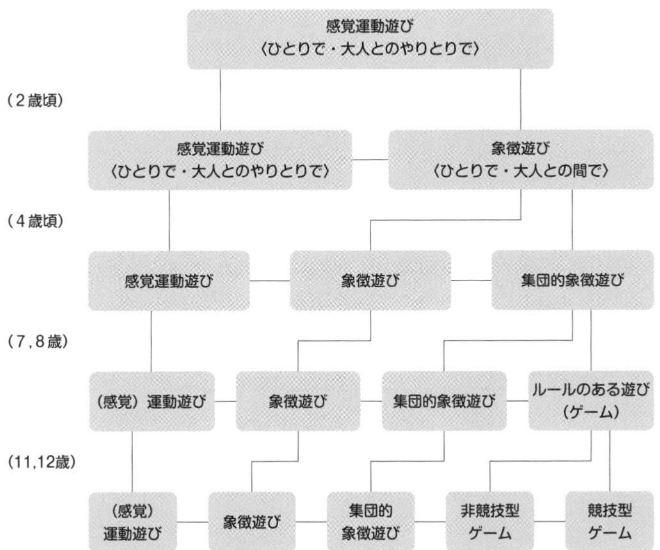

出典：清水美智子「遊びの発達と教育的意義」三宅和夫ほか編『児童心理学ハンドブック』金子書房，p.501，1983. を一部改変

図５　手洗いの方法

❶両手のひらをこすり合わせながら洗う

❷手の甲側から指の間を洗う

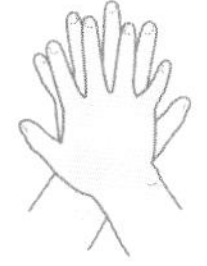

❸両手のひらを向かい合わせて、指の間を洗う

❹手のひらで爪を研ぐように動かしながら指先を洗う

❺バイクのアクセルをふかすように親指を洗う

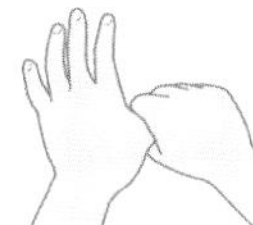

❻手首をつかんでよく洗う

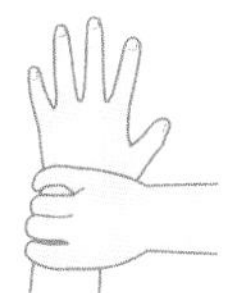

○×チェック問題

1　脈拍の測り方は、手首の内側の橈骨（とうこつ）動脈で1分間測るのが原則だが、難しい場合は、30秒測定して2倍してもよい。

2　睡眠は成長とともに短くなるが、深い眠りの「ノンレム睡眠」と浅い眠りの「レム睡眠」を繰り返している。

3　「耳だれがある」「痛がる」「耳をさわる」などによって子どもの耳の異常を発見する。

答え

1○
2○
3○

テーマ4 子どもの体調不良等に対する適切な対応

保育において子どもの健康状態を常に把握し、普段とは異なる状態を早期に発見することが大切です。また、アレルギーなどの基礎疾患についても理解しておくことも重要です。

発熱、てんかん、アレルギー、救急処置

1 子どもの体調不良に対する対応

子どもの体調不良への対応は、急速に悪化する傾向があるため、発熱や下痢、嘔吐(おうと)に限らず、普段とは異なる症状を早期発見することが大切です。

泣き方や顔色も体調を知る手がかりになります。観察のポイントとして見逃さないようにしましょう。

さらに、乳児の場合は、便の色や臭いでも把握することができます。

表1 体調不良時の便の色

便の色	疑われる疾病
赤い便	腸管出血性大腸菌感染症、腸重積症
黒い便(タール便)	胃や腸の上部からの出血
白い便	胆道閉鎖症、ロタウイルス感染症

※ トマトやスイカなど赤いものを食べた後に便が赤くなることがあります。

■ 発熱

発熱は身体の防御反応で起こるものですが、子どもは体温調節機能が不十分なので、元気にしていても発熱することが

ここをチェック!
体調不良時の対応(発熱、けいれん、下痢、嘔吐、過換気症候群など)について問われます。子どもに多い不調を中心に確認しましょう。

ここが問われた!
体調不良時の対応について出題されました(31-前-3、令1-後-8、令3-前-5、令4-後-2)。

ここが問われた!
便の色による疾病について出題されました(令3-前-8)。

ここが問われた!
・発熱について(31-前-3、令2-後-8、令4-後-16)

・発疹について（令5-後-5）

ここが問われた！

乳幼児への薬の飲ませ方について出題されました（令5-前-10、令5-後-8）。乳幼児への服薬は、必ず保護者の同意、時には医師の指示が必要です。

ここが問われた！

嘔吐した子どもの対応に関して出題されました（令1-後-9、令5-前-12）。

ここが問われた！

・けいれんについて（令2-後-8、令4-後-4、令6-前-13）
・てんかんについて（令5-前-9）。

さらに深める

てんかん発作とけいれんは違います。てんかんは脳の神経細胞が過剰な電気的興奮によって、意識障害やけいれんなどを発作的に起こす病気です。けいれんは自分の意思とは関係なく手足がピクピク動くなど筋肉が強く収縮する状態です。

ここが問われた！

過換気症候群について出題されました（31-前-15）。

あります。熱が高くてもすぐに解熱剤を使用せず、クーリングをして様子を見ます。嘔吐、下痢、咳、鼻水、発疹などの症状の有無を確認し、脱水に注意します。

■ 下痢

下痢はウイルスや細菌などが原因で現れます。原因がはっきりするまでは、感染のおそれがあるものとして扱います。

下痢の際は、痛みを和らげるためには安静にし、腹部を温めます。下痢の回数が多いときは臀部（でんぶ）を清潔に保ち、乾燥させるようにします。

■ 嘔吐

ウイルスや細菌が胃腸に入って起こるのが、感染性胃腸炎です。まれに髄膜炎（ずいまくえん）や脳症で起こる場合があります。乳幼児は心理的な影響を受けやすく、わずかな刺激で嘔吐することもあります。

嘔吐の後、うがいをしても吐き気がなければ徐々に水分補給を行い、脱水に気をつけます。

■ けいれん

けいれんは身体の筋肉が収縮することによって起こります。３歳未満児の乳幼児は発熱による熱性けいれんのほか、視覚や聴覚からの刺激でけいれんが起こる場合があります。

けいれんが起こった際は、落ち着いて様子を観察し、継続時間を測ります。衣類を緩め、吐物やよだれを誤嚥（ごえん）しないよう顔を横に向けます。

■ 過換気症候群（過呼吸）

精神的な不安によって呼吸が荒くなり、息が吸えない、胸痛、手足のしびれ、けいれんや動悸、めまい、嘔吐などが起こります。気持ちを落ち着かせて、深い呼吸を促します（ペーパーバック法は用いません）。

2 緊急を要する状況の処置

子どもは身体の発達が未熟なので、短時間で緊急を要する状況に陥ることがあります。子どもたちの健康と安全を守るためには必要な知識です。

■窒息

異物を飲み込んで気管に詰まった状態を指します。

窒息のサインは成人と5歳未満の幼児では異なります。子どもは身体を反らせて目を見開き、頭を後屈して口を開け、頭をガクガクさせます。成人と同じように喉元をおさえて胸をたたく仕草は5歳頃から見られます。

窒息時の対処法として、強制的に咳をしても、異物が取り除けない場合は直ちに異物の除去を行います。幼児の場合、はじめに**腹部突き上げ法**を行い、効果がなければ**背部叩打法**を行います。

図1　窒息のサイン

5歳未満の幼児　　5歳以上の幼児

図2　窒息時の対処法

(乳児)胸部突き上げ法

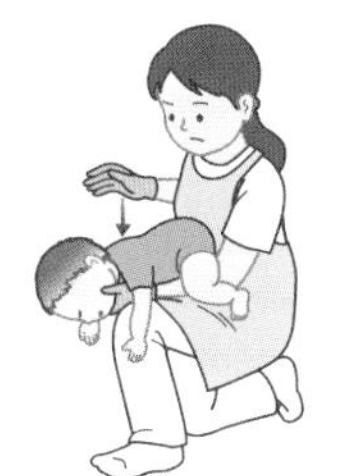

(乳児)背部叩打法

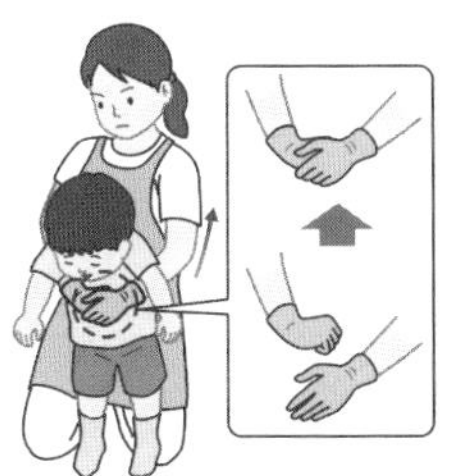

(幼児)腹部突き上げ法

(幼児)背部叩打法

ここが問われた!

気道異物による窒息の子どもへの対応について出題されました(令3-後-17)。

さらに深める

窒息への対応を動画で確認することができます。検索ワード「乳児胸部突き上げ法」「幼児腹部突き上げ法」「背部叩打法」。

さらに深める

リンゴでの乳幼児の窒息事故が保育園で多発しています。すりおろしたリンゴでも死亡例があります。

ここが問われた！

乳幼児のアレルギー疾患について出題されました（令2-後-16、令3-前-19）。

ここが問われた！

食物アレルギーについて出題されました（令5-前-19）。

ここが問われた！

エピペン®の使用について出題されました（令4-前-20、令6-前-18）。

さらに深める

「保育所におけるアレルギー対応ガイドライン」（2019改訂版）を確認しておきましょう。

ここが問われた！

「保育所におけるアレルギー対応ガイドライン」より出題されました（令3-後-8、令4-後-6、令5-後-15,18,20、令6-前-19）。

■アレルギー疾患

特定の物質が体内に入ることでショック症状が現れた状態を指します。特に特定の食品を摂取したときに皮膚、呼吸困難、消化器、あるいは全身に症状が現れることがあります。嘔吐、下痢、腹痛、じんましん、呼吸器障害等の症状が出ます。医師の指示の下、給食は除去食で対応します。血液検査で陽性を示した食品でも、アレルギーの症状が見られないこともあります。

アレルギーのショック症状が強くなり、全身の血液の循環が悪くなり血圧低下、呼吸困難、意識障害を起こした状態がアナフィラキシーショック症状です。迅速な対応が求められます。

アナフィラキシーショックへの対応の１つとしてエピペン®の使用があります。エピペン®はアドレナリンの自己注射で、医師の治療を受けるまでの応急処置に使われます。使用後は速やかに医師の診察を受けます。使い方の手順は図３のとおりです。

表２　アナフィラキシーのショック症状

全身の症状	呼吸器の症状	消化器の症状
・ぐったりしている ・意識がもうろう ・顔色、爪が青白い ・失禁する ・脈が触れにくい	・声がかすれる ・犬が吠えるような咳 ・喘鳴がある ・窒息のサイン ・強いせき込み	・嘔吐を繰り返す ・腹痛のため、のたうち回る

■熱中症

気温、湿度、日射、気流（多湿）の環境条件下での生体反応を指します（図４参照）。夏は、屋外だけでなく室内や車内でも生じるので十分な注意が必要です。こまめな水分補給によって脱水症状にならないように注意しましょう。

ここが問われた！

・心肺蘇生法について（令4-前-18）
・救急蘇生法について（令4-後-5）

3　救命手当及び救急蘇生法

心肺蘇生法（CPR）やAEDによる除細動などの救急法を一次救命処置といいます。保育に関わる職員は一次救命処置に習熟することが求められています。

図 3　エピペン®の使い方

◆それぞれの動作を声に出し、確認しながら行う

◆注射をするときには、必ず子どもに声をかける

①　ケースから取り出す

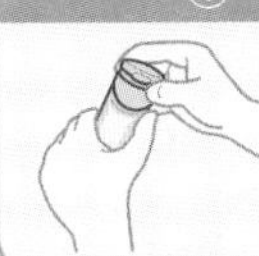

ケースのカバーキャップを開けエピペン®を取り出す

②　しっかり握る

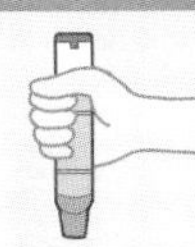

オレンジ色のニードルカバーを下に向け、利き手で持つ

"グー"で握る！

③　安全キャップを外す

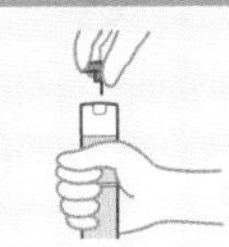

青い安全キャップを外す

④　太ももに注射する

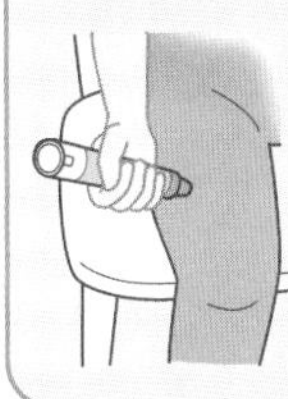

太ももの外側に、エピペン®の先端（オレンジ色の部分）を軽くあて、"カチッ"と音がするまで強く押しあてそのまま5つ数える

注射した後すぐに抜かない！押しつけたまま5つ数える！

⑤　確認する

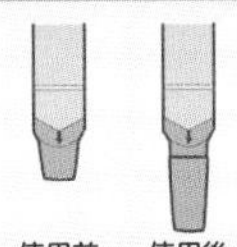

エピペン®を太ももから離しオレンジ色のニードルカバーが伸びているか確認する

伸びていない場合は「④に戻る」

⑥　マッサージする

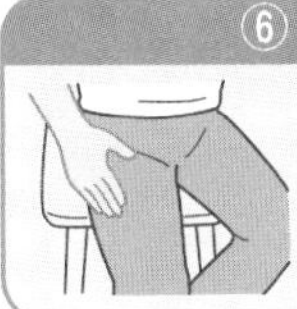

打った部位を10秒間、マッサージする

介助者がいる場合

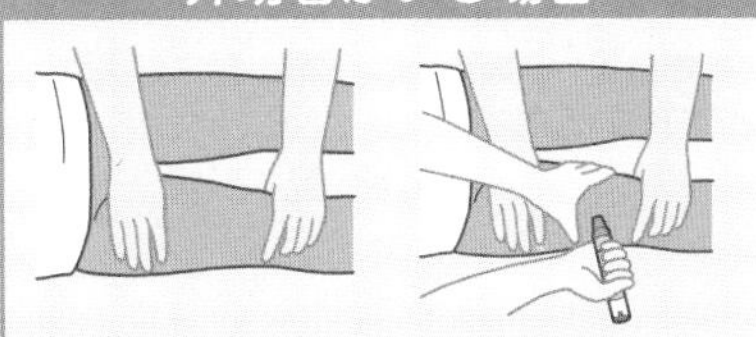

介助者は、子どもの太ももの付け根と膝をしっかり押さえ、動かないように固定する

注射する部位

- 衣類の上から、打つことができる
- 太ももの外側の筋肉に注射する（真ん中（Ⓐ）よりも外側で、かつ太ももの付け根と膝の間の部分）

あおむけの場合

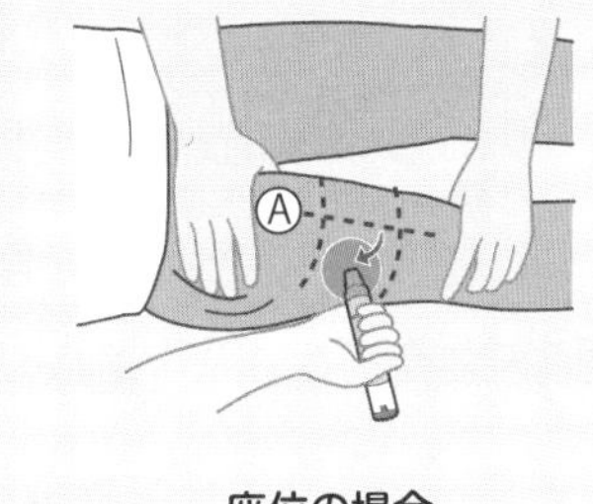

座位の場合

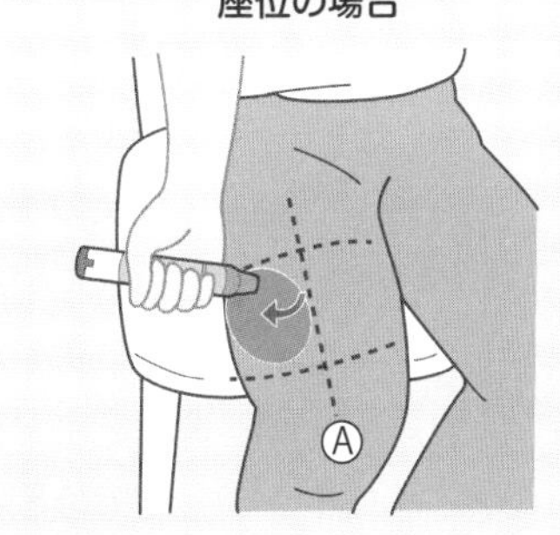

出典：環境再生保全機構 ERCA（エルカ）「ぜん息予防のためのよく分かる食物アレルギー対応ガイドブック2021改訂版」（https://www.erca.go.jp/yobou/pamphlet/form/00/archives_31321.html）を加工して作成

図４　日本救急医学会熱中症分類2015

	症状	重症度	治療	臨床症状からの分類
Ⅰ度 (応急処置と見守り)	めまい、立ちくらみ、生あくび 大量の発汗 筋肉痛、筋肉の硬直(こむら返り) 意識障害を認めない(JCS＝0)		通常の現場で対応可能 →冷所での安静、体表冷却、経口的に水分とNaの補給	Ⅰ度の症状が徐々に改善している場合のみ、現場の応急処置と見守りでOK 熱けいれん 熱失神
Ⅱ度 (医療機関へ)	頭痛、嘔吐、 倦怠感、虚脱感、 集中力や判断力の低下 (JCS≦１)		医療機関での診察が必要 →体温管理、安静、十分な水分とNaの補給 (経口摂取が困難なときには点滴にて)	Ⅱ度の症状が出現したり、Ⅰ度に改善が見られない場合、すぐ病院へ搬送する(周囲の人が判断) 熱疲労
Ⅲ度 (入院加療)	下記の３つのうちいずれかを含む (C)中枢神経症状(意識障害JCS≧２、小脳症状、痙攣発作) (H/K)肝・腎機能障害(入院経過観察、入院加療が必要な程度の肝または腎障害) (D)血液凝固異常(急性期DIC診断基準(日本救急医学会)にてDICと診断)⇒Ⅲ度の中でも重症型		入院加療(場合により集中治療)が必要 →体温管理(体表冷却に加え体内冷却、血管内冷却などを追加) 呼吸、循環管理DIC治療	Ⅲ度か否かは救急隊員や、病院到着後の診察・検査により診断される 熱射病

出典：日本救急医学会『熱中症診療ガイドライン2015』

一次救命処置は、①安全の確認、②反応の確認、③119番通報と協力者への依頼、④呼吸の確認、⑤胸骨圧迫の手順で行います。

① 安全の確認

倒れている人を発見した場合、近寄る前に周囲の安全を確認します。状況に合わせて自らの安全を確保してから近寄ります。

② 反応の確認

負傷者の耳元で「大丈夫ですか」「もしもし」などと声をかけながら、肩を優しくたたいて反応を確認します。

③ 119番通報と協力者への依頼

助けを求め、協力者に119番への通報、AEDを持ってきてもらうよう依頼をします。周囲に誰もいない場合は119番に通報します。その時に電話を切らずに通信司令員からの指示を受けます。

④　呼吸の確認

傷病者が「普段通りの呼吸」をしているかどうかを確認します。普段通りの呼吸がある場合は、様子をみながら応援や救急隊の到着を待ちます。

⑤　胸骨圧迫

傷病者に「普段通りの呼吸なし」と判断した場合、もしくはその判断に自信がない場合は心肺停止と判断し、危害を恐れることなく直ちに胸骨圧迫を開始します。

図5　一次救命処置のポイント

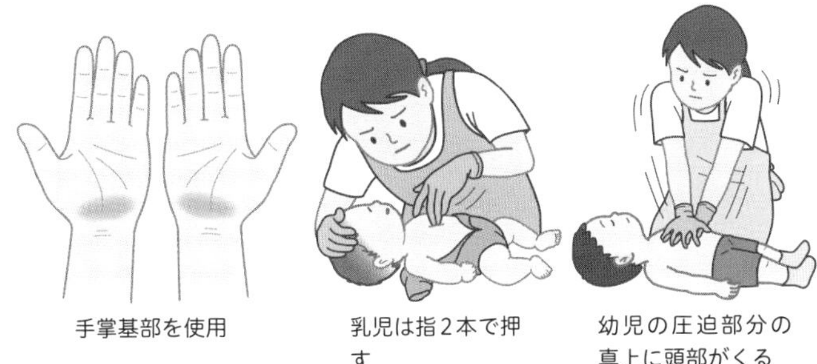

手掌基部を使用
乳児は指2本で押す
幼児の圧迫部分の真上に頭部がくる

AEDは6歳以上であれば成人と同じものが使用できます。6歳未満は切り替えスイッチやパッドの交換や貼る位置で対応します。

小児の胸骨圧迫は1分あたり100～120回のテンポで、胸の厚さの3分の1が沈むように行います。30回圧迫した後、人工呼吸を2回行います。乳児の人工呼吸は口と鼻を同時に覆います。吹き込みは、軽く胸が膨らむ程度で1回1秒をかけて行います。吐血があるなど人工呼吸がためらわれる場合は、胸骨圧迫のみを行います。胸骨圧迫は布団やベッドの上など、柔らかいところでは効果が半減します。畳や床の上、または傷病者の下に硬いものを敷いて行います。

大人用のAEDを小児に使用する場合は、電極パッドが重

ここが問われた！

保育所における体調不良や重大事故における対応について問われました（令2-後-5、令6-前-14）。

さらに深める

心肺蘇生法、AEDの使い方は動画で確認できます。検索ワード「心肺蘇生法」「AED使い方」。

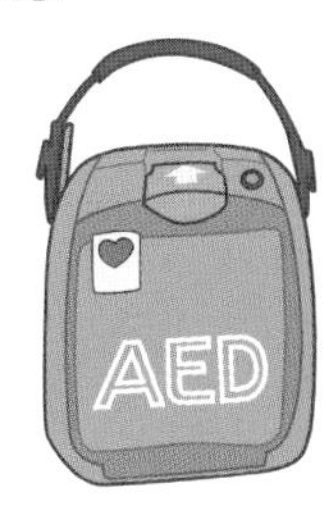

ならないように注意しましょう。AEDは2分を経過すると自動解析を行うので、パッドは外さずにそのままにします。

○×チェック問題

1　子どもは体温調節が不十分なために、元気にしていても発熱していることがある。

2　てんかんとけいれんは同じ病気である。

3　アレルギーは、特定の物質が体内に入ることでショック症状が現れた状態である。

答え

1○

2× てんかんは脳の神経細胞が過剰な電気的興奮によって意識障害等を起こす病気である。けいれんは、自分の意思とは関係なく起こる筋肉運動である。

3○

テーマ5 子どもの疾病の予防及び適切な対応

子どもは、身体機能及び精神機能が発達途中であるため、大人とは異なる病気に罹患します。環境による影響を受けやすいことも特徴の１つです。それぞれの疾患を理解し、適切な対応を心がけましょう。

keyword 先天性疾患、心の病気、SIDS

1 子どもの疾病とは

子どもの疾病は、先天性と後天性に分けて考える必要があります。先天性の病気は、生まれた時の体の形や臓器に異常がある疾患を指します。細胞の中にある染色体や遺伝子の異常、妊娠中の薬剤暴露、感染症など様々な原因が考えられます。重症度も様々です。一方、後天性の病気は、生まれてから後に生じる病気を指します。アレルギー疾患のように、先天的に遺伝子を持っていても、後天的な刺激状況によって発症するかしないかが決まる病気もあります。

用語解説

染色体
正常な人の染色体は、23対46本です。その内22対は常染色体で同じ形をしています。もう１対は性染色体です。性染色体がXXの時は女性、XYであると男性になります。

2 先天性疾患

ここが問われた！

・先天性疾患（ファロー四徴症）について（令3-後-4）
・血友病（遺伝性疾患）について（令6-前-20）

■ 先天性代謝異常

生まれた赤ちゃんの足のかかとから血液を１滴採取してマススクリーニング検査が行われます。検査は内分泌疾患と先天性代謝異常症の早期発見を目的とします。これらの疾患は放置すると身体発育障害、知的障害、運動機能障害、けいれんを引き起こすことがあります。

■染色体異常症

染色体の異常は2本で1対になる染色体が1本しかないモノソミー、3本ある染色体をトリソミーといいます。

① ダウン症候群

21番目の染色体が3本あります。特有の顔だち、低身長、筋緊張低下、精神発達・言語発達の遅れ、歯の異常、視力障害、聴力障害、などが見られます。

② ターナー症候群

通常は2本あるX染色体のうち1本が全部または一部が欠けています。極端に低身長です。

■先天性心疾患

先天性心疾患とは、心臓や血管の形に生まれつき異常がある状態をいいます。100人に1人の割合で発症するといわれていますが、症状の現れ方や病態は一人一人異なります。主な疾患に、心室中隔欠損症、心房中隔欠損症、ファロー四徴症、単心室症などがあります。原因として、ダウン症候群や18トリソミー等の1つの病状として発症することがあります。また、妊娠中の喫煙や薬剤、アルコールの摂取による影響も考えられますが、原因を特定できないこともあります。

ここが問われた!

・反応性愛着障害と脱抑制型対人交流障害について(令1-後-13)
・分離不安障害について(令3-前-13)

3 心の病気

反応性愛着障害は、人と目を合わせなかったり、養育者に近寄ったり、逃げたり、逆らったりして、不安定で複雑な行動を示します。これらの行動は、安定した環境で養育されると改善されていくことが多いようです。

脱抑制型対人交流障害は、特定の養育者に限らず、誰にでも初対面の人に対してもなれなれしい行動をとります。これらの行動は環境が変わっても改善されないこともあります。

この2つの障害は「心的外傷及びストレス因関連障害群」に分類され、「社会的ネグレクト(乳幼児期の適切な養育の欠如)」が診断の必須要件です。この点において、発達障害と大きく異なります。

愛情遮断症候群では家族の関係や母子の関係の問題がもと

ここが問われた!

事例問題で精神医学的問題が出題されました(令2-後-11、令3-前-14)。

用語解説

症候群

原因は不明、あるいは複数あるが、症状(病態)が同じ場合に使用する医学用語です。

になり、子どもが十分な養育を得られないまま育ってしまった結果、言葉の遅れや心や身体の成長に遅れが見られることがあります。

パニック障害は不安障害の中の１つです。「パニック発作」「予期不安」「広場恐怖」が三大症状です。

分離不安障害は自宅や愛着を持っている人（母親や家族等）から離れることに対して過剰な不安や恐怖を感じ、社会生活に支障が出る状態のことをいいます。生後６か月から３歳までの幼児には一般的にみられる兆候です。

強迫性障害は「強迫観念」と「強迫行為」の２つの症状があります。強迫観念は頭から離れない考えのことです。強迫行為とは強迫観念から生じた不安にかきたてられて行う行為をいいます。

選択性緘黙は家庭では話せるのに、学校では話すことができない疾患です。

トラウマとは「心的外傷」のことです。精神的な大きなショックや恐怖体験によってできた心の傷をいいます。長い期間その出来事にとらわれてしまう状態を指します。多くは虐待、性犯罪、事故、災害などの精神的なストレスからトラウマになります。

ここが問われた！

・トラウマについて（令3-前-12）
・選択性緘黙について（令4-前-11）
・強迫性障害に関する事例問題（令4-前-14）

「強迫観念」の例として細菌が気になりドアノブがさわれない等が挙げられます。「強迫行為」は必要以上に手を何度も洗ってしまう行為等をいいます。

4 その他の病気

子どもに多い「がん」として白血病が挙げられます。白血病は血液中の白血球が悪性化して増殖し、血液をつくり出す骨髄の機能が低下する病気です。神経芽腫は交感神経節から発生する「がん」です。白血病に次いで子どもに多い「がん」です。悪性リンパ腫は頸部や腹部のリンパ組織から発生します。

エイズ（AIDS：後天性免疫不全症候群）はHIVによる感染症です。母親がHIVに感染している場合、妊娠中や分娩時に赤ちゃんに垂直感染することがあります。

揺さぶられっこ症候群（シェイクンベイビー・シンドローム）は、乳幼児の身体を強く揺することにより、脳が頭蓋骨の中で動くことをいいます。強い揺さぶりにより脳内出血が起こることもあります。

メタボリックシンドロームは内臓脂肪型肥満により、様々な病気になりやすくなった状態をいいます。2021（令和３）年度の学校保健統計調査によると、肥満傾向児（肥満度＋20％以上）の割合は男女ともに小学校高学年が最も高く、特に男子は９歳以降１割を超えています。

ここが問われた！
・Ⅱ型糖尿病と川崎病について（令3-前-8）
・糖尿病について（令5-前-2）

糖尿病には、Ⅰ型とⅡ型があります。Ⅰ型は、子どもから若年層に発症し、膵臓（すいぞう）のインスリン分泌不足のため、インスリン治療が長期間必要です。Ⅱ型は、遺伝的な要因と生活習慣が発症の原因であり、中高年齢層に発症が多いです。

川崎病は乳幼児期に好発する後天性疾患です。発熱、目の充血、唇の発赤、発疹などが主な症状です。合併症として冠動脈瘤を生じることがあります。

ネフローゼ症候群は、たんぱく質が尿中に大量に漏れるために血液中のたんぱく質の濃度が低下する病気です。尿の量が減り、体がむくむ腎臓の病気です。

ヒルシュスプルング病は、腸を動かす腸管神経節細胞が生まれながらに欠損しているため、胎便の排泄がない、腹部膨満などが見られる消化器の病気です。

ここが問われた！
保育所で過ごす気管支喘息のある幼児の、生活上の留意点について出題されました（令3-後-5）。

クループ症候群は、咳や鼻水、発熱など風邪のような症状から始まり、「ケンケン」と聞こえる特徴的な咳が出る咽頭炎です。

小児気管支ぜんそくは、笛声喘鳴を伴う呼吸困難を繰り返す疾患です。多くの場合、室内の塵中のダニやそれ以外のアレルゲン、刺激物によって状態が悪化するので室内環境を適切に整えることが大切です。

ここが問われた！
乳幼児突然死症候群について出題されました（31-前-20、令3-前-6、令3-後-6、令5-前-6）。

１歳未満の乳児が突然死亡することを、乳幼児突然死症候群（SIDS）といいます。健康状態や既往症から死亡を予測することができず、死亡の原因も不明です。

保育所における乳幼児突然死症候群（SIDS）への対応
・うつぶせ寝を避ける。

・硬めの敷布団を使用し、掛布団は顔にかからないようにする。
・0歳児は5分に1回、1～2歳児は10分に1回体に触れて、呼吸を確認する。
・午睡中の部屋は、顔色が確認できる程度の明るさを保つ。
・保育者は救命講習を受け、心肺蘇生に備える。

用語解説

SIDS
乳幼児が睡眠中に突然死亡する疾患です。うつぶせ寝、養育者の喫煙、非母乳栄養等がリスク要因とされていますが、明確な原因ではありません。12月以降の冬季に発症しやすい傾向があるため、毎年11月は乳幼児突然死症候群の対策強化月間と定められています。

表1　その他の子どもに多く見られる疾病

疾病	特徴
急性虫垂炎	年少の子どもでは虫垂炎は少ないとはいえ、気がついた時にはすでに腹部に大きな損傷がある例が多く、4歳未満の70%がせん孔性といわれる。上腹部痛と吐き気が初期症状。
腸重積症	2歳以下、特に3～12か月の太った乳児に起こる傾向がある。原因としてはウイルス感染、腸管壁のリンパ組織の増殖、腸管運動の変化などが考えられる。激しい腹痛、粘血便、嘔吐がある場合は、12時間以内に医療機関へ受診が必要。
中耳炎	耳を頻繁に気にしている、または引っ張ると痛がることにより発見できる。耳漏が出ている場合は、急性中耳炎であり医療機関への受診が必要。
ドライアイ	まばたきが多くなった、目を頻繁にこする、目が充血しているなどの症状がある。特に空気の乾燥する冬は、発症・悪化しやすい。
先天性 股関節脱臼	股関節の開きが悪いなどに気づいた場合、この疾病を疑う。一般的に女児に多い。
先天性 甲状腺機能疾患	発症頻度は2,000～5,000人に1人程度といわれており、先天的疾患の内分泌疾患としては頻度が高い。低体温や何となく元気がないといった全身症状が現れる。

○×チェック問題

1 子どもの疾病は、先天性と後天性がある。

2 先天性心疾患は、心臓や血管の形に生まれつきの異常がある状態であり、10万人に1人の割合で発症する疾病である。

3 SIDSは、健康状態や既往症から発生が予想できるので、保護者から健康記録を聞いておくとよい。

答え

1 ○

2 × 100人に1人の割合で発症する。症状の現れ方は様々。

3 × SIDSは健康状態や既往症から死亡を予想することはできず、死亡の原因も不明である。

テーマ6 感染症対策

保育所内で感染症を防ぐことは難しいことです。しかし、感染経路を理解し正しい対応をすることで、拡大を防止し感染を最小にくい止める努力をしましょう。

keyword 感染症、予防接種、感染症対策ガイドライン

1 感染症とは

感染症とは、何らかの微生物(細菌・ウイルス・寄生虫など病原体)の一定数が人間(宿主)の体内に侵入し、定着・増殖後、宿主に対して何らかの影響を与える病気のことです。

感染症は、①感染源(何らかの微生物)をなくすこと、②感染経路(飛沫(ひまつ)・接触など)を遮断すること、③宿主の病原体への抵抗力(予防接種など)を高めることの3要因によって流行を抑えることができます。

ここをチェック!
感染症名、病原体、感染症の通称と医学的な診断名、感染症の症状、予防接種のスケジュール等が○×問題、選択問題で頻繁に出題されています。

2 知っておきたい子どもの感染症

厚生労働省から出された「保育所における感染症対策ガイドライン」には、個別の感染症の症状や予防、拡大防止策、感染後の登園時期についての記載があります。

ここが問われた!
「保育所における感染症対策ガイドライン」より出題されました(令1-後-18、令3-後-18、令4-前-5、令4-後-3,12、令5-後-16,17)。

表1 子どもに多い感染症の原因と症状

疾患	原因	症状
麻疹(はしか)	麻疹ウイルス(空気感染、飛沫感染、接触感染)	・潜伏期間10～14日 ・発熱、咳、目やに、コプリック斑 ・予防接種は1歳過ぎ

風疹（三日ばしか）	風疹ウイルス（飛沫感染、接触感染）	・潜伏期間16～18日 ・発熱、発疹、リンパ節の腫れ ・妊娠初期の感染は胎児に感染する
水痘（水ぼうそう）	水痘・帯状疱疹ウイルス（空気感染、飛沫感染、接触感染）	・潜伏期間２～３週間 ・発熱と同時に発疹が出現 ・水疱は乾燥して痂皮になる
伝染性紅斑（りんご病）	ヒトパルボウイルス（飛沫感染、経口感染、接触感染）	・潜伏期間４～14日 ・微熱程度のことが多い ・両頬、四肢伸側部にレース状紅斑
手足口病	コクサッキーウイルス、エンテロウイルス（飛沫感染、経口感染、接触感染）	・潜伏期間３～６日 ・掌、足裏に赤褐色の発疹や水疱 ・口の粘膜に水疱や腫瘍 ・まれに脳炎、髄膜炎を起こす
咽頭結膜熱（プール熱）	アデノウイルス（飛沫感染、接触感染、経口感染）	・潜伏期間２～14日 ・発熱、のどの腫れや痛み、結膜炎 ・感染力が強い
流行性耳下腺炎（おたふく風邪）	ムンプスウイルス（飛沫感染、接触感染）	・潜伏期間２～３週間（16～18日） ・有痛の耳下腺、顎下腺、舌下腺の腫れ ・嘔吐がある場合は髄膜炎の可能性
急性灰白髄炎（ポリオ）	ポリオウイルス（経口感染、飛沫感染）	・潜伏期間７～14日 ・風邪の症状、発熱後、麻痺が出現 ・近年は発症していない
突発性発疹	ヒトヘルペスウイルス６型、７型（飛沫感染など）	・潜伏期間９～10日 ・38℃以上の熱、解熱と同時に全身にバラ色の発疹
RSウイルス感染症	RSウイルス（飛沫感染、接触感染）	・潜伏期間４～６日 ・発熱、鼻水、咳 ・初期感染時に症状が重くなる

ここが問われた！

感染症名と症状や病原体について出題されました（31-前-6、令1-後-6、令3-前-7、令4-前-6、令4-前-9、令4-後-7,17、令5-前-14、令5-後-7、令6-前-8,9）。

感染経路

咳やくしゃみによる飛沫感染、空気中に漂っている病原を体に取り入れてしまう空気感染、感染源に直接または間接的に触れることで起こる接触感染、食べ物や飲み物から身体に取り入れる経口感染があります。

新型コロナウイルス感染症（COVID-19）は、2019（令和元）年より日本においても流行が始まりました。集団感染を防止するため、行動や活動が制限されました。感染すると命に関わる重篤な肺炎症状を引き起こすことがあります。感染の潜伏期間は１～12.5日（多くは５～６日）とされています。感染経路は飛沫感染、接触感染が考えられるので、マスクの着用と石鹸を使った流水による手洗い、換気が有効です。保育の現場では子どもたちのマスクの着用は難しいので、保育士が感染予防に努める必要があります。集団発生の防止として、「密閉空間」「密集場所」「密接場面」を避けましょう。

ここが問われた！

感染症に対しての予防策について出題されました（令3-前-16,18、令4-前-19、令4-後-10,11、令5-後-13、令6-前-10）。

3 感染症の基本的対策

感染症を発症した子どもの保護者には、体温、食欲、下痢や咳の状態を記録して正しく伝えるだけでなく、病気への対応法や、病院への受診の必要性を伝えることが大切です。必要がある場合は、別室保育も大切なことです。

■ 消毒

感染症の基本的対策は、消毒によって感染源をなくし、感染経路の遮断をすることが考えられます。

表 2　消毒薬の種類と用途

消毒薬	有効な病原体	消毒する場所・もの
次亜塩素酸ナトリウム	ノロウイルス、ロタウイルス、すべての微生物	調理器具、食器 歯ブラシ、哺乳瓶 衣類、シーツ 遊具 室内環境(テーブル、ドアノブ、トイレの便座等)
逆性石けん	一般細菌、真菌等	手指 家具、室内環境(テーブル、ドアノブ、トイレの便座、浴槽、洗面器等) 用具類(バケツ等)
消毒用アルコール	一般細菌、真菌、ウイルス等	手指 家具、室内環境(テーブル、ドアノブ、トイレの便座等)

ここが問われた!

消毒に関して出題されました(31-前-16、令3-前-17、令3-後-9、令4-前-7,16、令5-後-11)。

さらに深める

消毒液の希釈はその都度調整することが原則です。希釈した液を保管する場合は、アルミホイルなどで包んで光を遮り、直射日光が当たらないようにします。誤飲しないよう目立つように薬品名や濃度を記入しましょう。

■ 出席停止期間

インフルエンザの例で出席停止期間を把握しましょう。

小学校以上の場合、症状が出た次の日から数え5日が経過し(表3①参照)、かつ解熱後2日が出席停止期間となります。未就学児(幼稚園、保育園などの園児)は、解熱後3日が基準(表3②参照)となります。

ここが問われた!

感染症名と出席停止期間の組合せについて出題されました(令2-後-17)。

表 3　出席停止期間①

水曜日	木曜日	金曜日	土曜日	日曜日	月曜日	火曜日
発症	←				→	出席可能

②

日曜日	月曜日	火曜日	水曜日	木曜日	金曜日	土曜日
	解熱	←		→	出席可能	

第7章 子どもの保健⑥

表 4　感染症後の登園の目安

感染症名	登園の目安
麻疹	解熱後 3 日を経過。
インフルエンザ	発症後 5 日、かつ解熱後 2 日（幼児は解熱後 3 日）を経過。
水痘	すべての発疹が痂皮化している。
咽頭結膜熱	発熱、充血等の主な症状が消失後 2 日を経過。
流行性耳下腺炎	耳下腺、顎下腺、舌下腺腫脹が発現後、5 日を経過し、全身状態が良好な状態になっている。

4　予防接種

ここが問われた！
ワクチンについて出題されました（令2-後-18、令3-前-4、令5-後-9）。

ここをチェック！
予防接種後の注意事項として、当日の激しい運動は避けます。入浴は接種後 1 時間を経過してから、接種部位をこすらないようにします。全身の副反応であるアナフィラキシーショックは接種後30分以内に起こることがほとんどです。

体内に病原体（抗原）が侵入したときに戦う力（抗体）をつくるために、予防接種（ワクチン接種）を行います。投与の方法は、経口投与、皮下投与などがあり、ワクチンの種類も生ワクチン、不活性化ワクチン、トキソイドなど複数あります。

また、接種は定期接種と任意接種の 2 種類があり、国民の努力義務とされています。

生後 3 か月くらいまでの乳児は、母親からの初乳で得た免疫抗体を持っています。特に、3 か月以降に保育園で集団生活をする場合、病気に対する抵抗力が低いため、事前にしっかり予防接種をする必要があります。

表 5　定期接種と任意接種

	定期接種	任意接種
ワクチン名	四種混合ワクチン ＢＣＧ ＭＲ（麻疹、風疹）ワクチン 水痘（みずぼうそう）ワクチン 日本脳炎ワクチン ＨＰＶワクチン Ｈｉｂワクチン ロタウイルスワクチン Ｂ型肝炎ワクチン 小児用肺炎球菌ワクチン	おたふくかぜワクチン 三種混合ワクチン インフルエンザワクチン

表 6　予防接種スケジュール

予防接種名	接種対象年齢
四種混合	生後３か月以降に１回目、３〜８週間の間隔で３回、計４回
BCG	生後１歳までに１回
HPV	12〜16歳の女子に３回
おたふくかぜ	１歳〜
B型肝炎	１歳までに27日以上あけて２回、さらに１回目の接種から20週以上あけて１回、計３回
ロタウイルス	２か月〜、ワクチンは１価と５価がある
Hib感染症	生後２か月〜５歳未満が接種できる。４〜８週間の間隔で３回、３回目から７〜13か月あけて１回、計４回

ここが問われた！

予防接種スケジュールについて出題されました（令1-後-20、令5-前-15）。

1　感染症の流行を抑える３要因とは、感染源をなくすこと、感染経路を遮断すること、宿主の病原体への抵抗力を高めることである。

2　麻疹の感染経路は、飛沫感染のみである。

3　次亜塩素酸ナトリウムは、ノロウイルスやロタウイルスに有効である。

4　未就学児のインフルエンザの登園目安は、発症後５日、かつ解熱後２日である。

5　予防接種は、定期接種と任意接種があり、国民の義務である。

答え

1　○

2　×　麻疹の感染経路は、空気感染、飛沫感染、接触感染など多くの感染経路が考えられる。

3　○

4　×　解熱後３日である。

5　×　予防接種は、国民の努力義務である。

テーマ 7

個別的な配慮を必要とする子どもへの保健的対応

保育における保健的な対応は、保育所保育指針第３章が示すように一人一人の子どもの健康の保持と安全の確保、保育所全体における健康及び安全の確保に努めることが重要です。その際、個別的な配慮を要する子どもへの対応が必要になります。

keyword

発達障害児・医療的ケア児への対応、個別的な配慮、障害のある子どもへの対応、病児保育事業

1 保健的対応の意義

保健的対応とは、子どもたちの健康の保持と安全の確保を保育士として日常から行うことです。すべての子どもへの配慮が求められますが、特に３歳未満児、障害のある子ども等への対応は確かな知識を持つ必要があります。

保育所保育指針第
3章もチェック！

2 3歳未満児への対応

３歳未満児の成長発達は個人差が著しいので、一人一人の成長に合わせた保育が求められます。また、愛着を形成する大切な時期なので保育者との関わりは重要です。体調管理は、体温調節、水分調節、感染症への注意が必要になります。

表１　３歳未満児への対応

	発達段階に応じた対応
食事	離乳食から幼児食へ移行。 味覚、舌の動きを促す。

生活	生活のリズムを整える。 睡眠、排便の習慣、歯の健康に留意。
遊び	見る、聞く、話す、香る、味わう、触る等の五感が発達。 身体を使い、五感を刺激して脳の発達を促す。 遊びを通してアタッチメント(愛着)を形成する。
清潔	おむつの使用時は、清潔を心がける。 一人で手洗い、うがいを行うことができるよう支援する。
感染症	感染経路を絶ち、予防を心がける。 集団生活による予防接種の必要性を伝える。

3 保健的対応を必要とする子どもへの支援体制

病気(感染症を含む)やけがなどにより、保育所等の集団保育ができない場合に子どもを預かる支援体制があります。療養中であっても、病気の子どもの健康を守り、遊びによる発達を促すことが大切です。

表2 支援体制

保育の種類	保育の内容
病児保育	保育所に通っている子どもがけがや病気にかかり、集団保育ができないときに預かる。
病後児保育	けがや病気の回復期にある子どもを預かる。
家庭的保育	家庭的な雰囲気の中での保育が可能。保育ママの自宅を利用する。
居宅訪問型保育	ベビーシッターが依頼者の自宅に出向き、子どもの世話をする。

■病児保育事業

病児保育事業は、2012(平成24)年の子ども・子育て支援法の制定にともない児童福祉法が改正され、児童福祉法に規定されました。市町村から委託を受け事業を開始する病院や保育所などがあり、①病児対応型、②病後児対応型、③体調不良児対応型、④非施設型(訪問型)などに分かれています。対象年齢は、原則0歳から小学校6年生までです。

ここが問われた!
病児保育事業について問われました(令6-前-17)。

■医療的ケア児への対応

医療的ケア児とは、痰の吸引や経管栄養、酸素投与、導尿、気管切開部の衛生管理などの医療行為を日常的に要する子ど

ここが問われた!
医療的ケア児について出題されました(令3-後-19、令4-前-20、令4-後-20)。

ものことです。医療的ケアは医師の指示のもと看護師が行いますが、研修を受けた保育士や教員が行える医療的ケアもあります。

図 1　医療的ケア児

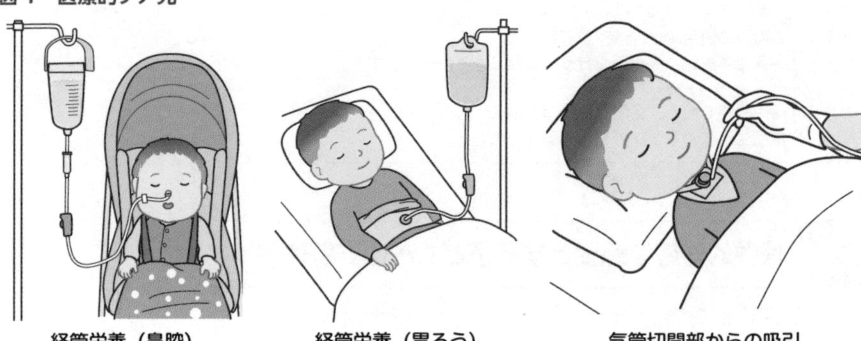

経管栄養（鼻腔）　経管栄養（胃ろう）　気管切開部からの吸引

表 3　研修を受けた保育士・教員が行える医療的ケアの例

ケアの種類	医療的ケア
栄養	・経管栄養（鼻腔に留置されている管からの注入） ・経管栄養（胃ろう・腸ろう）
呼吸	・喀痰吸引（口腔・鼻腔内。咽頭より手前まで） ・気管切開部（気管カニューレ内）からの喀痰吸引

4　個別的な配慮を要する子どもへの対応

けいれんやアレルギーなどの疾患を持つ子どもや性的マイノリティの子どもの保育には個別的な配慮が必要です。配慮をするあまりに、子どもの扱いが特別なものになったり、行動や活動が必要以上に狭められたりしない保育が求められます。

性的マイノリティとは、心の性と身体の性が一致しない人、性的指向が同性や両性に向いている人などを指します。

■ LGBT

LGBTとは様々な性的マイノリティのうち、レズビアン（女性同性愛者）、ゲイ（男性同性愛者）、バイセクシュアル（両性愛者）、トランスジェンダー（性同一性障害者を含む、心と出生時の性別が一致しない人）の頭文字の４つをとったものです。性差や個人差などによる固定観念にとらわれないことが重要です。

5 精神的障害のある子どもへの対応

■ 精神遅滞(知的障害)

明らかに平均以下の知的障害があり、18歳未満に発症し、適応行動が年齢基準より低いことを指します。発達障害と併せて知的障害のある子どもたちも少なくありません。

■ 発達障害(p.363参照)

① 自閉スペクトラム症(ASD)

自閉スペクトラム症は、対人関係の障害、コミュニケーション障害、強いこだわり、常同的な反復などがあります。感覚過敏があり、音や触覚に強く反応します。相手の行動を真似るのが苦手なことも、特徴として挙げられます。

② 注意欠如・多動症(ADHD)

極端な不注意、多動性、衝動性が特徴です。約束を忘れる、忘れ物が多いなどの不注意の面、落ち着きがない、相手の話を最後まで聞かないなどの多動の面、カッとなると手が出る、かんしゃくを起こす、突然走り出すなどの衝動性の面があります。

③ 学習障害(LD)

全般的な知的発達には遅れがありません。書く、聞く、話す、読む、計算する、推論する能力のいずれかの能力に困難があります。学校教育では個別の配慮が必要です。

④ 発達性協調運動障害(DCD)

発達性協調運動障害とは粗大運動(全身運動)や微細運動(手先の操作)、協調的な運動がぎこちないなど不器用さに困りごとのある障害です。日常生活(箸やはさみを使う、ボタンを留める、紐を結ぶなど)や運動(縄跳びが跳べない、スキップができない、階段の昇り降り等)、学習(定規やコンパスが上手に使えないなど)に及ぼす影響があります。

・発達障害等について(31-前-12、令1-後-12、令2-後-12,13、令3-前-11、令3-後-11,12,13)
・発達障害等について事例問題(令1-後-11、令2-後-11,14、令3-後-14,15、令4-前-13)

さらに深める

自閉スペクトラム症の療育には、子どもが望ましい行動を獲得するための応用行動分析、社会生活の困難を解決するための認知行動療法を基礎としてモデリング、ロールプレイ、実技リハーサルを行うソーシャルスキルトレーニング、視覚的な効果を活用して時間・空間・手順を構造化することで障害児が理解しやすくなる療法のTEACCH、遊びや運動を通して神経系機能に働きかける感覚統合、絵カードなどコミュニケーションツールとして言葉や会話を促すPECSがある。

○×チェック問題

1 子どもへの個別的な配慮として、性差や個人差など固定観念にとらわれないことが重要である。

2 3歳未満児の成長発達には、年少のため画一的な保育が求められる。

3 自閉スペクトラム症（ASD）は、不注意、多動性、衝動性が特徴である。

4 医療的ケア児とは、日常生活や社会生活を営むために、恒常的に喀痰吸引や経管栄養などの医療的ケアが必要な児童のことをいう。

答え

1 ○

2 × 個人差が著しいので、成長に合わせた保育が求められる。

3 × 対人関係の障害、コミュニケーション障害、強いこだわり、常動的な反復が特徴である。

4 ○

テーマ8

保育における環境・衛生及び安全管理

保育施設では子どもたちが集団で生活します。安心で心地よく過ごすための衛生環境は大切です。また、保育時間中の予期できない災害や事故に対しても、保育士として子どもを守るという責務があります。

保育の環境・衛生管理、危機管理、安全対策

1 保育の環境

保育所保育指針第３章３の(1)には「施設の温度、湿度、換気、採光、音などの環境を常に適切な状態に保持するとともに、施設内外の設備及び用具等の衛生管理に努めること」とあります。子どもたちを取り巻く環境によって成長・発達が左右されます。保育室外の環境についても子どもたちの健康及び安全を守る上で重要になります。

表１　室内の環境

	環境
室温	夏季26～28℃、冬季20～23℃。室温は季節に合わせて冷暖房で調節。
湿度	60％前後。インフルエンザ流行時は加湿器を使用。
換気	１～２時間おきに１回５分程度、窓を開けて空気の入れ替え。
採光	照明で調節。強い日差しはさける。午睡時は突然死の予防のため顔色等を観察できる明るさを保つ。
音	騒音を防ぎ、耳をすませる等の保育環境をつくる。

ここをチェック！
園内の生活環境に関する問題が出題されます。室内、室外の環境も併せて学習しましょう。

さらに深める
保育所保育指針第３章１で健康と安全について、その(1)で子どもの健康状態の把握、保護者からの情報をもとに子どもの健康状態の把握、対応について規定されています。

ここが問われた！
室内の環境について出題されました（令1-後-1、令3-後-5,7、令4-前-16）。

保育の環境は人的環境（親、保育士、幼稚園教諭等）、物的環境（遊具や施設）、自然環境、社会環境、家庭的環境など子どもに関わるすべてが保育の環境です。

表2　室外の環境

	環境
園庭	遊具は破損や使用時の危険がないか定期的に点検を行う。けがや事故が起こった場所は再発防止のため状況確認する。
砂場	定期的に30cmくらい掘り起こし日光に当てて乾燥させる。使用後は犬猫の侵入を防ぐためシートをかける。
プール	複数の園児が使用する場合は、遊離残留塩素濃度を0.4～1.0mg/Lに保つ。

ここが問われた！

保育施設の衛生管理について出題されました（令5-前-11）。

2 衛生管理

保育所には、調理室、調乳室、乳児の保育室、幼児の保育室、トイレ、手洗い場、事務室、医務室・保健室があります。子どもたちが健康的で心地よく、安全に過ごせることが必要です。

表3　施設の管理

	管理・留意点
調理室、調乳室	・衛生管理を十分行い、食中毒を起こさないよう配慮する。 ・害虫への対応、食材や食器の適切な保管を行う。
保育室	・毎日念入りな清掃を徹底する。
トイレ	・清潔さを保つ。床、壁、ドア、手すり等消毒も行う。
手洗い場	・手洗い用せっけん、個人用手拭きタオルを用意する。 ・細菌が繁殖しやすいので、清潔を保つ。
寝具・タオル	・午睡布団、タオル類は個人専用の物を使う。 ・尿、便、嘔吐したものはすぐに消毒する。
おもちゃ	・なめたり手で触るものなので、洗浄と消毒できるものを選ぶ。

さらに深める

血液、汗、唾液、尿などあらゆる体液に触れるときには、感染を予防するため必ず手袋を使用しましょう。嘔吐物の処理の仕方を動画で確認することができます。検索ワード「嘔吐の処理方法」。

3 下痢便や嘔吐物の処理

使い捨て手袋、マスク、使い捨てエプロンを常備します。手順は新聞紙などで広く覆い、汚物が飛び散らないようにしてから、ペーパータオルや使い捨てタオルで拭き取ります。拭き取ったものはビニール袋に入れて密封してから捨てるようにします。

4 事故防止及び安全対策

■保育所内の危険

子どもたちの興味や関心は大きく、成長・発達を理解していないと大きな事故につながる可能性があります。けがの部位は「頭部」「顔部」が大きな割合を占めています。時間帯は「登園時」「降園時」付近に多く発生しています。

表 4　子どもの特性と起こりやすい事故

特性	起こりやすい事故
口に入れる	窒息(誤嚥)、誤飲
触れる	やけど
走る	転倒、すり傷、ねんざ
跳ねる、飛び降り	転倒、転落、紐類による窒息
高い所にのぼる	転落、紐類による窒息
水が好き	溺れる

表 5　子どもの身体的特性と起こりやすい事故

身体的特性	起こりやすい事故
身体が自由に動かせない(乳児)	鼻や口が覆われると払いのけることができない(窒息)。
身体の表面積が小さい	やけどが重症化する(小さなやけどでも広いやけどの面積になる)。
皮膚が薄い	深い傷、深いやけど。
頭が重い・大きい	頭から落ちる。転倒しやすい。
筋力が弱い	のどに詰まらせる。転倒、転落。
視野が狭い	道路での飛び出し。ぶつかる。

5 危機管理

保育所における危機管理は、事故につながる危険を回避することにあります。事故につながる危険について点検して、問題を回避する方法をリスクマネジメントといいます。そして、事故につながる事例をヒヤリハット報告として話し合い、

ここが問われた！

・子どもの健康保持・増進のために整備すべき養育環境について(令2-後-2)
・食事の際の重大事故に関する注意事項について(令3-後-10)
・保育所での事故防止対策等について(令4-前-10、令5-前-5、令5-後-14,19)

さらに深める

誤飲…誤って異物を飲み込み、中毒を引き起こします。乳幼児の最大口径は39mm、赤ちゃんの口から喉の奥までは51mmとされています。誤飲防止の目安にしましょう。
誤嚥…口の中の物が誤って気管に入って窒息し、命の危険があります。

改善策を作成して実行していきます。安全管理には職員の協力体制や責任体制を明確化する対人管理と施設設備や遊具・用具の日々の点検、整備を行う対物管理があります。

表６　危機管理の種類

	危機管理
感染症の流行	流行状況の把握。汚物、吐しゃ物の適正な処理のためのマニュアル。
全身状態の悪化	食物アレルギーによるアナフィラキシーショック、けいれん、熱中症等への緊急搬送体制マニュアル。
食中毒	嘱託医、保健所へ連絡し、適切な指示を受ける。

危機発生時には危機意識を持ち、「何が必要か」「何をするべきか」という判断を迅速に行うことが大切です。職員が冷静に子どもたちと初動体制に取り組みましょう。何よりも人命を優先しなければなりません。

救急処置が必要な場合は看護師等の指示に従い、日頃の救急訓練を活かしましょう。職員及び子どもたちの安全を確保するために窓口を定め、保護者への連絡等の情報が混乱しないように対応することが大切です。

6　災害時の対応

ここが問われた！
保育所等における災害への備えについて出題されました（令4-前-17、令5-後-12、令6-前-11）。

自然災害への対応は保育所の地域性を考慮します。保育所の場所によって対応が変わります。保護者への引き渡し訓練も必要です。

表７　災害時の避難

	避難の仕方
地震	丈夫な机の下などに入り、丸くなる姿勢をとる。
火災	口をハンカチや袖口で覆い、煙を吸わないようにする。身体を低くして、きれいな空気を吸えるようにする。

ここが問われた！
児童福祉施設の設備及び運営に関する基準に規定されている避難訓練の実施について出題されました（令3-後-16、令6-前-12）。

児童福祉施設の設備及び運営に関する基準第６条において、軽便消火器等の消火用具を設け、非常災害に必要な設備を設けるとともに非常災害に対する具体的な計画を立て、避難訓練を月１回は行うことについて示されています。

地震、火災等の災害に加え、津波、風水害などの非常災害等、地域に応じた備えや準備が必要になります。施設設備や備蓄品、救急用品等が迅速に機能することが大切です。避難時には地域住民や関係機関が心強い援助者になるので、日頃から連携して組織化した運営を行います。

非常時には保育施設が地域の避難場所になることも考えられます。そのような場合への対応も念頭に置くことが求められます。

7 顕在危険と潜在危険

保育所において目に見えてはっきりわかる危険を顕在危険といい、通常の条件下では危険に気づきませんが、事故に結びつく可能性のある危険を潜在危険といいます。潜在危険には物的要因と人的要因があります。

表 8　潜在危険

物的要因	人的要因	
・施設、設備などの破損 ・整備の不十分 ・危険な物や場所 ・非機能的な配置 ・不安定な状態	【保育士等】 ○健康状態の問題 ・体調が悪い ・精神的な不安定 ○保育の方法の問題 ・指導上の配慮不足 ・子どもへの配慮や注意不足 ○服装などの問題 ・保育に適した服装をしていない	【子ども】 ○健康状態の問題 ・体調が悪い ・精神的な不安定 ○行動上の特性の問題 ・注意力の散漫 ・乱暴、環境に不慣れなど ○服装などの問題 ・着ぶくれ ・危険な装飾品

8 教育・保育施設等における事故防止及び事故発生時の対応のためのガイドライン

ガイドラインは2016(平成28)年３月に公表され、「事故発生時の対応」と「事故防止のための取組み」について記されています。「事故発生時の対応」では、死亡事故や重篤な事故に備えて予防と事故後の対応について記されています。死亡事故や重篤な事故は保育の現場においてあってはならないことですが、事故発生時の段階的な対応、事故発生直後の対応、事故直後以降の対応、事故状況の記録、保護者等への

保育所保育指針「第３章　健康及び安全」の４において、(1)安全の確保、(2)避難への備え、(3)関係機関等との連携について書かれています。

ここが
問われた！

潜在危険、顕在危険について出題されました(令2-後-3)。

乳幼児のマスク着用には、息苦しさ、熱がこもることによる熱中症、体調の異変に気づきにくい等の危険性があるため着用の際はまわりの大人が気をつけなければなりません。

ここが
問われた！

「教育・保育施設等における事故防止及び事故発生時の対応のためのガイドラインに関する問題が出題されました(31-前-10、令1-後-3,4、令3-前-9,10、令4-後-18,19)。

さらに
深める

AI(Autopsy imaging) は死因解明のために行われる画像診断です。保護者が死亡原因を明らかにすることを希望する場合、必要に応じて解剖に加えてAI(画像診断)を行います。

対応、報道機関への対応等、事故後の対応についての知識は必要です。「事故防止のための取組み」には重大事故が発生しやすい場面ごとの注意事項や緊急時の対応体制、参考事例として「誤嚥・窒息事故の防止」「食物アレルギーに関するマニュアル作成の例」等が詳しく記されています。保育士の知識としてガイドラインを熟読し、身につけておきましょう。

表 9 「事故発生時の対応」の重要箇所

事故発生後の段階
事故発生直後の対応
事故直後以降の対応（関係者）
事故直後以降の対応（教育・保育の継続）
事故状況の記録
保護者等への対応
報道機関への対応

表 10 「事故防止のための取組み」の重要箇所

重大事故が発生しやすい場面等
窒息のリスク
プール活動・水遊び
食事介助
食物アレルギー（人的エラー）
緊急時の役割分担
事故防止に係わる通知等
窒息時の対応

○×チェック問題

1　保育室内の室温は、季節にかかわらず20～25℃に設定する。
2　保育所では、午睡布団やタオル類は、個人専用の物を使用する。
3　子どものけがで多い部位は、手足である。
4　保育所では、地震や火災などの災害に対する避難訓練を、月１回は行わなければならない。

答え

1 × 夏は26～28℃、冬は20～23℃に設定する。
2 ○
3 × 「頭部」「顔部」が多い。
4 ○

テーマ9

健康及び安全管理の実施体制

子どもの健康と安全は、「子どもの生命の保持と健やかな生活の基本である」と保育所保育指針に示されています。健康と安全を守るには、日頃から保護者との連絡及び関連するほかの職種との連携が必要です。どのような関連職種があるかしっかり把握しましょう。

保護者との連携、職員間、他職種との連携、健康診査、母子保健

1 保護者との情報共有

子どもに何らかの疾病や傷害が認められた場合には、保護者に連絡するとともに、嘱託医と相談するなど適切な対応を図る必要があります。看護師等が配置されている場合はその専門性を生かした連携を図っていきます。

また、感染症やその他の疾病の発生予防に努め、必要に応じて嘱託医、市町村、保健所等に連絡し指示に従うとともに、保護者や全職員に連絡し、地域関係機関と協力し合い、連携を深めていきます。

■保育所保育指針―保護者との連携

保護者との連携について、保育所保育指針の第3章の1の「(1)　子どもの健康状態並びに発育及び発達状態の把握」には、下記のような記載があります。

イ　保護者からの情報とともに、登所時及び保育中を通じて子どもの健康状態を観察し、何らかの疾病が疑われる状態や傷害が認められた場合には、保護者に連絡するとともに、嘱託医と相談するなど適切な対応を図ること。

■保育所保育指針―地域との連携

地域との連携について、保育所保育指針の第３章の１の「⑶　疾病等への対応」には下記のような記載があります。

> イ　感染症やその他の疾病の発生予防に努め、その発生や疑いがある場合には、必要に応じて嘱託医、市町村、保健所等に連絡し、その指示に従うとともに、保護者や全職員に連絡し、予防等について協力を求めること。

その後、保護者と情報共有することは、保育を行う中でとても重要です。日々の子どもの様子は連絡帳等を利用して家庭と保育所で共有します。また、感染症の流行の兆しがある場合も、保護者に予防策や注意事項を保健だより等で情報を提供します。感染症が疑われて子どもが医療機関を受診したときには、結果を保育所に報告してもらい、保護者と情報を共有します。家庭内で感染症が発生し、子どもが罹患する場合もあります。地域や家族の情報も提供してもらい、保育所と共有します。

子どもの発育・発達の状態を共通認識するために、健康診断後は結果を健康診断報告書等で保護者に伝えることが大切です。

保護者会は情報共有の機会となります。保護者会を利用して、体調不良時の対応の仕方などを積極的に伝えるようにしましょう。

2　職員間の連携・協働

保育所や各施設における保健活動の充実を図るためには、職員同士の連携、家庭との連携、地域との連携は大切です。保育所においては保育士、嘱託医、看護師、栄養士、調理師等が相互に連携し、情報の共有が重要です。

保育士は心の育ちと日々の成長「心情」を大切にした保育を行いますが、看護職の専門性は命を預かる保健の業務「健康」に重きを置きます。互いの専門性から意見の相違が生じることがありますが、相互理解し、「子どもの育ち」という同じ目標に向かって日々の保育を協働していくことが求めら

児童福祉施設の設備及び運営に関する基準第12条では「健康診断」、母子保健法第12条では「健康診査」の用語が使われているよ

れます。

3 他職種との連携

保育所における他職種には栄養士があります。栄養士は食育の計画・実践・評価、食事・おやつの提供や栄養管理、食物アレルギーの子どもの指導や相談などで連携します。嘱託医は常勤ではありませんが、健康診断や、予防接種に関する指導、子どものけがや病気、感染症への対応や助言など多岐にわたって指導します。嘱託医が行った健診の結果は、連絡帳を利用するなどして保護者に伝えます。

4 専門機関・地域の連携

ここが問われた!
保育所が連携や協働する地域の関係機関について出題されました(令3-後-20)。

保健所は、地域保健法に基づいて都道府県や指定都市などに置かれ広域・専門的なサービスを行います。保健センターは、住民に身近なサービスとして乳幼児健康診査などを行います。各市町村で行う乳幼児健康診査で発見された疾患は医療機関を紹介したり、精密検査や治療を受けたりできるよう連携を図ります。発達に問題がある場合は子育て相談や心理発達相談などを行います。

また、子育て世代包括支援センターは、市町村などに設置され、身近な相談窓口となっていましたが、2022(令和4)年に児童福祉法及び母子保健法が改正され、子育て世代包括支援センターは子ども家庭総合支援拠点と一体化してこども家庭センターとなりました(2024(令和6)年4月施行)。2023(令和5)年4月には、こども家庭庁が設立されました。これにより法律及び実際の機関についての見直しが一層進むと期待されています。

保育所や幼稚園と専門機関が学校と連携して情報を共有することは、子どもたちと家族に長期にわたった支援を行うことを可能にします。

5 母子保健・地域保健と保育

■ 地域保健活動

乳児家庭全戸訪問事業（こんにちは赤ちゃん事業）は生後4か月までの乳児のいる家庭を訪問し、子育ての不安や悩みについて保健師等が支援します。育児相談は子どもの発育や育て方、様々な悩みや疑問に保健師、栄養士が答えてくれます。

？ここが問われた！
健康診査に関して出題されました（31-前-4、令6-前-7）。

■ 健康診査

乳幼児健康診査は、母子保健法に基づき市町村が行うもので、1歳6か月児健診と3歳児健診が義務化されています。病気や障害の早期発見と早期の治療や療育、養育状態の確認、生活習慣の確認、近年増えている虐待の予防、保護者の心配事や悩みへの対応を目的にしています。

表1　健康診査の内容

年齢	検査の内容
1か月健診	病院から家庭に戻った後、順調な育ちか初めてのチェックになる。哺乳ができているか、体重の増えを確認。
3～4か月健診	体重は出生時の2倍、身長約60cmになる、首のすわり、追視、反応性の笑い、人の顔に反応するか、股関節脱臼、斜頸、先天性心疾患のチェック。
9～11か月健診	周囲に関心を示すか、ハイハイやつかまり立ちのチェック。歯みがきの習慣づけ。
1歳6か月児健診	身長、体重、頭囲などの身体計測。内科健診。転ばないで歩く、単語を話す、積み木が積める等のチェック。
3歳児健診	集団生活に必要な社会性や生活習慣、言語、運動、基本的発達が達成できているかのチェック。
5歳児健診	軽度の発達上の問題や社会性の問題をチェック。およそ6％前後の児が軽度発達障害と診断されている。

■ 保育所での健康管理

子ども一人一人の健康と安全を守るためには、定期的・継続的に健康状態及び発育・発達状態を把握する必要があります。健康診断は、児童福祉施設の設備及び運営に関する基準第12条等で、入所時並びに少なくとも1年に2回、及び必要に応じて臨時の健康診断を行わなければならず、また入所時の健康診断は入所前、年度初回の健康診断は6月30日までに行うとされています。嘱託医と連携して健康診断の結果は保護者に伝えられます。

表 2　定期健診

時期	健診の内容
春季	内科健診。身体の発育や運動機能・言葉の発達など。
プール前	内科健診。皮膚、耳、目。
秋季	内科健診。春からの身体発育や運動機能、言葉の発達、保護者からの相談や問題点。
歯科健診	むし歯、かみ合わせ、歯のみがき具合。

表 3　1歳6か月児健診のチェック項目

1　身体発育状況
2　栄養状態
3　脊柱・胸郭の疾病及び異常
4　皮膚の疾病
5　歯・口腔の疾病及び異常
6　四肢運動障害
7　精神発達の状況
8　言語障害
9　予防接種の実施状況
10　育児上の問題となる事項
11　その他の疾病及び異常

※　母子保健法施行規則第 2 条より。3 歳児健診では上記に「眼の疾病及び異常」「耳、鼻及び咽頭の疾病及び異常」の 2 項目が加わります。

■医療・療養援護

出生時に体重が2000g 以下、黄疸、呼吸器疾患、循環器疾患など入院して養育を受けることが必要な未熟児は、母子保健法に基づき未熟児養育医療費制度により、医療費が援助されます。

また、児童福祉法に基づき、小児慢性疾患のうち、小児がん等の特定疾患においては、小児慢性特定疾病医療費を受給して医療費の負担を軽減することができます。

B 型肝炎母子感染防止事業では、B 型肝炎ウイルスを有する妊婦から出生した場合、B 型肝炎ワクチンや免疫グロブリンを接種して母子垂直感染を防ぎます。

自立支援医療では、18 歳未満の肢体不自由、視覚障害、

用語解説

嘱託医
嘱託医とは、保育所や学校からの依頼を受けて健康診断や健康管理を行う医師のことです。必要に応じて、医療機関の受診や療育機関の支援が受けられるよう連携します。

用語解説

母子健康手帳
妊娠から出産までの経過、小学校入学前までの健康状態や発育・発達、予防接種の記録をします。また、市区町村の任意で記録する部分もあります。

「自立支援医療」は障害者総合支援法に定められているよ

循環器障害、腎障害など手術によって改善が見込まれる場合、医療費の自己負担分が軽減されます。

在宅医療は、家庭生活を送りながら慢性的な疾病や障害がある場合に継続した治療管理を家族の介護や患者自身で進める医療です。医師の指導のもと、家庭で行う介護の種類は毎年増加しています。

6 保健活動の計画及び評価

保育の質の向上のため、保健の現状を把握し子どもの健康を維持するために情報を収集します。保健活動計画は年齢や季節などを考慮し企画・立案することが大切です。保健活動計画は年齢別配慮が保育計画と連動し、職員全員で情報の共有をします。

保健の活動は保育日誌・行事記録・インシデント、アクシデント記録・保健日誌・健康記録など保育所によって様々な書類に記録されます。記録は後で見返し評価し、改善し、次の計画へと引き継がれ、実践するというサイクル(PDCAサイクル)によってよりよい活動の展開になります。

国は、社会福祉事業において福祉サービスの質を評価することを求めています。保育における評価は「保育所における自己評価ガイドライン」や「幼稚園における学校評価ガイドライン」に定められています。

保育所の保健活動では、子どもの健康及び安全を守る活動になっているか等を評価します。

また、国は保育施設を客観的かつ専門的な立場から評価する第三者評価により、質の向上に努めることを求めています。第三者評価を受けることにより、保護者や地域住民に保育施設の運営や保育内容について十分説明することができます。

保健活動計画はPDCAサイクルによって立案(計画)・実践・評価・改善を行います。保健活動の記録は後から見返すことで、次の活動の展開に活かすことが大切です。

さらに深める

インシデントとは事故につながらなかったミスをいいます。アクシデントとは事故につながったミスのことです。

ここが問われた!

保健活動計画について出題されました(令4-後-15)。

図 1　保健活動の計画

健康教育
生活習慣及び生活リズムの形成、体力づくり、健康・安全教育

健康管理
発育の把握、健康観察、健康診断、病気の予防、救急処置、食育

子どもの健康

図 2　保健活動計画のPDCAサイクル

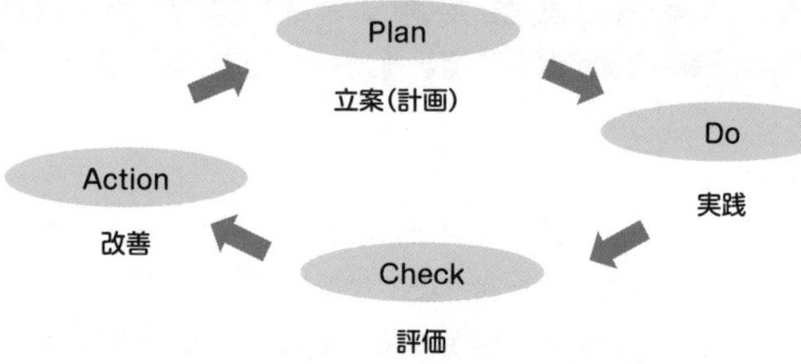

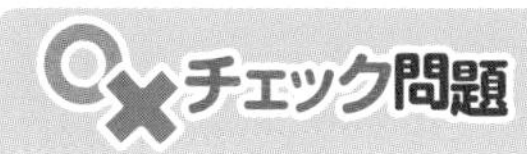

1 子どもに何らかの疾病や障害が認められた場合、保護者にのみ連絡すればよい。

2 保健所は、母子保健法に基づき都道府県や指定都市に設置されている。

3 3歳児の健康診査では、集団生活で必要な社会性や生活習慣を確認する。

4 保育所での健診は、少なくとも1年に2回行う。

5 保健活動計画において、PDCAサイクルを活用する。

答え

1 × 嘱託医との相談も必要である。
2 × 地域保健法である。
3 ○
4 ○
5 ○

第 8 章

子どもの食と栄養

頻出テーマ

テーマ1 食生活の現状と食事バランス
令4-前-1,10 令4-後-1,3,8 令5-前-2,9 令5-後-1,5,8

テーマ2 栄養の基本的知識（炭水化物・脂質・たんぱく質）
令4-前-3,9 令4-後-4 令5-前-3 令5-後-2 令6-前-1

テーマ3 栄養の基本的知識（ビタミン・ミネラル・水分）
令4-前-2 令4-後-5 令5-前-4 令6-前-2

テーマ4 食事摂取基準2020
令4-前-9,10,20 令4-後-13 令5-前-6,11 令5-後-2,3
令6-前-3,11

テーマ5 食の基礎、献立作成
令4-前-4,14 令4-後-2,15,17 令5-前-1,5,14,16
令5-後-18,19 令6-前-16

テーマ6 妊娠期、授乳期の食生活
令4-前-11 令4-後-13 令5-前-12 令5-後-11 令6-前-11

テーマ7 乳児期、幼児期の食生活
令4-前-6,7,8,19 令4-後-3,8,9 令5-前-7,8,16,17,20 令5-後-7 令6-前-5,6,7,8,17,19

テーマ8 学童期、思春期、生涯発達と食生活
令4-前-10,20 令4-後-11,12 令5-前-11 令5-後-9,10
令6-前-9

テーマ9 体調不良・特別な対応を必要とする子どもへの対応
令4-前-16,17,18 令4-後-19,20 令5-前-19 令5-後-18,20
令6-前-20

テーマ10 食育、家庭や施設における食
令4-前-12,13 令4-後-10,14,16 令5-前-10,13,15 令5-後-9,10,12,13,14,16,19 令6-前-8,12,13,14

毎年すべての分野から出題されていて、特に近年は「食育」の分野からの出題が多くなってきているよ。概要を理解した上で関連資料や、保育所保育指針などもしっかりおさえよう。

テーマ1 食生活の現状と食事バランス

栄養の学習をする上で、まずは日本人の食生活の現状を知り、どのような点が問題なのか把握することが重要です。朝食欠食や「こしょく」等、子どもの食生活は乱れています。なぜ起こっているのか、背景も考えながら把握しましょう。このような子どもの食生活の現状について調べた「平成27年度乳幼児栄養調査」から出題される可能性は高いと考えられます。

朝食欠食、国民健康・栄養調査、平成27年度乳幼児栄養調査、こしょく

用語解説

欠食
次の3つがあてはまります。
- 食事をしなかった場合
- サプリメントや栄養ドリンクのみの場合
- 菓子・果物・乳製品・嗜好飲料などの食品のみの場合

ここが問われた!
- 朝食を欠食する子どもの割合について(令3-後-1)

1 朝食欠食、国民健康・栄養調査

「平成27年度乳幼児栄養調査」によると、朝食欠食をはじめとした、食生活の乱れが現代の日本人の課題だということがわかります。

- 毎日朝食を「必ず食べる」子どもは93.3%、保護者は81.2%です。
- 朝食欠食の影響は、集中力や注意力の低下です。また、母親が欠食の場合、子どもも朝食欠食になりやすい傾向にあります。

■「令和元年国民健康・栄養調査」

国民の身体の状況、栄養摂取量及び生活習慣の状況等について調査している資料です。

- 肥満者の割合は男性33.0%、女性22.3%で、この10年間でみると、女性では有意な増減はみられませんが、男性では2013(平成25)年から2019(令和元)年の間に有意に増加しています。

・やせの者の割合は男性3.9%、女性11.5%で、この10年間でみると、男女とも有意な増減はみられません。また、20歳代女性のやせの者の割合は20.7%です。

・食塩摂取量の平均値は10.1gで、男性10.9g、女性9.3gです。この10年間でみると、男性は減少、女性では2009(平成21)から2015(平成27)年は減少、2015(平成27)から2019(令和元)年は増減はみられません。年齢階級別にみると、男女とも60歳代で最も高いです。

・野菜摂取量の平均値は280.5gで、男女ともに20～40歳代で少なく、60歳以上で多いです。

・運動習慣のある者の割合は、この10年間でみると、男性では有意な増減はなく、女性では有意に減少しています。男性では40歳代、女性では30歳代で最も低く、それぞれ18.5%、9.4%です。

・食生活に影響を与えている情報源は、総数では「テレビ」と回答した者の割合が最も高いです。

・外食を週１回以上利用している者の割合は、20歳代の男性が最も高いです。

・健康食品を摂取している者の割合は、男女ともに60歳代で最も高いです。

・生活習慣病のリスクを高める量を飲酒している者の割合は、男性では40歳代、女性では50歳代が最も高いです。

・食習慣改善の意思について、「関心はあるが改善するつもりはない」と回答した者の割合が男女ともに最も高いです。

2 平成27年度乳幼児栄養調査

近年の乳幼児の食生活の現状と母親の悩みについてまとめた資料です。多い回答を中心におさえましょう。次にまとめた項目はすべて過去に出題されています。

国民健康・栄養調査

・野菜摂取量の平均値について(31-前-12、令4-前-10、令4-後-1)

・食塩の摂取量の平均値について(令4-後-1)

・女性のやせの割合について(令2-後-2、令3-前-11)

・外食の利用頻度、健康食品の摂取、飲酒など食習慣について(令3-後-12)

・食習慣改善の意思について(令4-後-1)

「令和元年国民健康・栄養調査結果の概要」

ここが問われた!

「乳幼児栄養調査」は、毎年１～２問出題されています(31-前-7,9,15、令1-後-8、令2-後-1、令3-後-1,6、令4-前-1、令4-後-3,8、令5-前-2,9、令5-後-1,5,8)。

■乳汁栄養

・妊娠中に、母乳で育てたいと思っていた妊婦は93%です。
・母乳育児について、10年前と比べて、母乳で育てている母親は増えています。
・授乳について困ったことは、「母乳が足りているかどうかわからない」が最も多いです(40.7%)。
・母乳を与えている割合は、混合栄養も含めると生後1か月で96.5%、3か月では89.8%です。
・出産後1年未満の就業状況は10年前より増加しています。

ここが問われた！

・むし歯の有無別の間食の与え方について(令3-後-1)
・「離乳食について困ったこと」のうち最も割合が高かったものについて(令3-後-6、令5-後-1)
・離乳食の開始時期について(令4-前-1)
・母乳を与えている割合について(令4-後-8)
・「授乳について困ったこと」について(令5-前-9、令5-後-5)
・間食の与え方について(令5-後-8)

ここが問われた！

「現在子どもの食事で困っていること」について出題されました(令2-後-1、令3-前-7、令4-後-3)。

■離乳食・食事

・離乳食の開始時期は「6か月」の割合が最も多く、また、月齢を目安に開始する割合が最も高いです。
・離乳食について困ったことは、「作るのが負担、大変」が最も多いです(33.5%)。
・離乳食を学ぶ場所は「保健所・市町村保健センター」が最も多いです。
・間食(2～6歳児)は、「時間を決めてあげることが多い」が最も多いです(56.3%)。
・むし歯の有無別に間食の与え方をみると、「時間を決めてあげることが多い」と回答した者の割合は、むし歯のない子どものほうが高いです。
・現在子どもの食事で困っていることは、2歳～3歳未満では「遊び食べをする」、3歳以上は「食べるのに時間がかかる」が最も多いです。「特にない」と回答した保護者の割合から約8割の保護者が子どもの食事について困りごとを抱えていることがわかります(図1参照)。
・子どもの共食の状況(2～6歳児)について、家族そろって食事をする割合は朝食(24.1%)より夕食(48.0%)が多いです。
・子どもの食事で特に気をつけていることは、「栄養バランス」が最も多く、「特にない」が最も少ないです(図2参照)。
・穀類、お茶など甘くない飲料、野菜、牛乳・乳製品は「毎日2回以上」と回答した者の割合(2～6歳児)が最も高いです。
・朝食を必ず食べる子どもの割合(2～6歳児)について、子どもの起床時刻別にみると、平日、休日とも「午前6時前」が最も高いです。毎日、朝食を「必ず食べる」と回答した子どもの割合は93.3%です。

図1　現在子どもの食事で困っていること（回答者：２～６歳児の保護者）

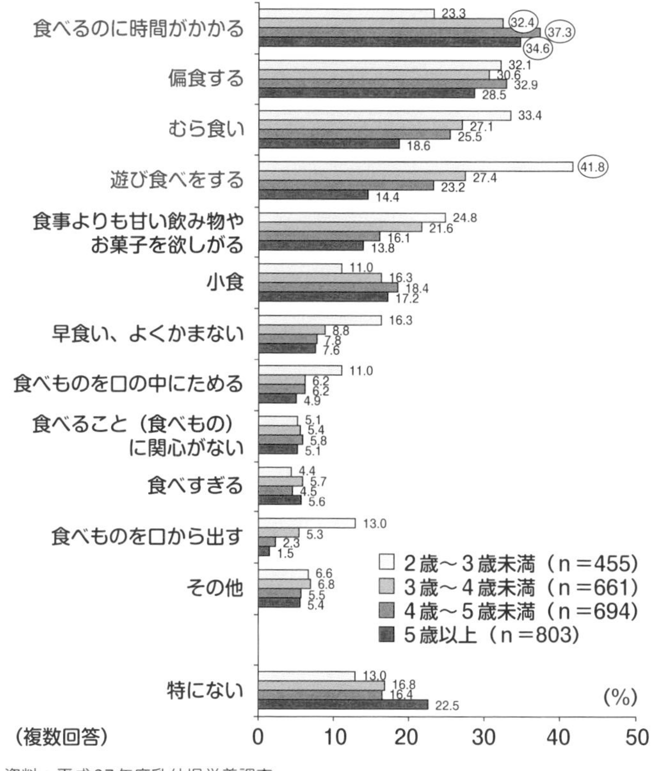

資料：平成27年度乳幼児栄養調査

ここをチェック！

・「３歳～４歳未満」「４歳～５歳未満」「５歳以上」では、「食べるのに時間がかかる」が最も多い。
・約８割の保護者が困りごとを抱えている。

「平成27年度乳幼児栄養調査結果の概要」

■起床・就寝時刻

・起床時刻については、子どもは平日、休日とも「午前７時台」と回答した割合が最も高いです（平日43.5%、休日46.3%）。

・子どもは午後９時台、保護者は午後11時台に就寝する割合が最も高く、保護者の就寝時刻が遅いと子どもの就寝時刻も遅くなる傾向がみられます。

さらに深める

午後10時以降に就寝する子どもの保護者は深夜１時以降に就寝していることが多い。

ここが問われた！

「こしょく」の説明文の正否や組み合わせについて出題されました（令3-前-15）。

3 こしょく

子どもの食生活の現状と課題に、７種類の「こしょく」も挙げられます。暗記ではなく理解するようにしましょう。

図２　子どもの食事で特に気をつけていること（回答者：２～６歳児の保護者）

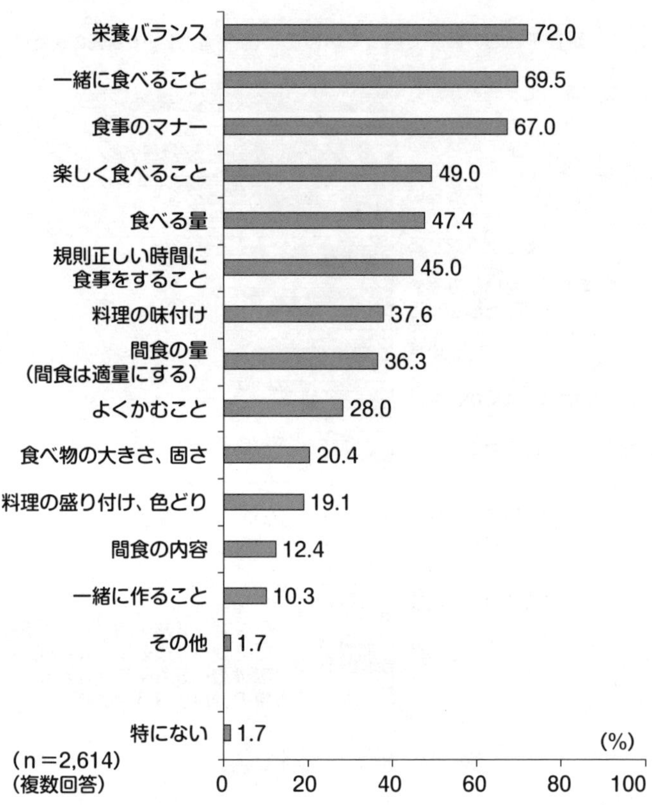

資料：厚生労働省「平成27年度乳幼児栄養調査」

・孤食…食事を一人で食べることをいう。孤独なので「孤」。

・個食…家族が同じ食卓についているが別々のものを食べることをいう。個々に食べるので「個」。

・固食…同じものばかり食べること。メニューが固まっている点から「固」。

・粉食…パン・麺など粉からつくられたものばかり食べることをいう。小麦粉の「粉」。

・濃食…味の濃いものばかり食べること。濃いので「濃」。

・小食…少ししか食べないこと。小量（少量）なので「小」。

・子食…子どもだけで食べること。子どもの「子」。

「孤食」の対語として、「共食」があります。共食とは一人

ここが問われた！
子どもの共食の状況について出題されました（令3-後-1）。

で食べるのではなく、家族や友人など誰かと一緒に食事をすることをいいます。

共食には、

・コミュニケーションの活性化
・楽しく食べることができる
・栄養バランスのよい食事を摂ることができる
・挨拶やはしの使い方など食事マナーが身につく

など、たくさんの利点があります。できるだけ一緒に食事を摂る機会を増やすようにすることが大切です。

○×チェック問題

「平成27年度乳幼児栄養調査」に関する記述について、正しいものに○、誤ったものに×で答えなさい。

1　午後10時以降に就寝する子どもの割合（0～6歳）では、平日・休日ともに保護者の就寝時刻が「深夜1時以降」が最も高率であった。
2　「子どもの共食の状況」（2～6歳）で、家族そろって食事をする子どもの割合は、朝食よりも夕食が多かった。
3　毎日朝食を「必ず食べる」と回答した子どもの割合は、約60％であった。
4　「子どもの間食の与え方」（2～6歳児）で、「欲しがるときにあげることが多い」と回答した保護者の割合が最も高率であった。
5　「子どもの食事で特に気をつけていること」（2～6歳児）は、「特にない」と回答した保護者の割合は約5割であった。
6　「現在子どもの食事について困っていること」（2～3歳未満）では、「遊び食べをする」と回答した保護者の割合が最も高率であった。

答え

1 ○
2 ○
3 ×「約60%」ではなく「93.3%」
4 ×「時間を決めてあげることが多い」が最も高率。
5 ×「約5割」ではなく「1.7%」
6 ○

テーマ2

栄養の基本的知識（炭水化物・脂質・たんぱく質）

栄養の基本的知識は、子どもの食と栄養の範囲の中で最も重要な項目です。今後のテーマの基礎固めにもなり、正確な知識が求められます。例年、種類・生理作用・消化酵素など、幅広い範囲から出題されています。これらの知識を身につけると、子どもへの対応や保護者へのアドバイスだけでなく、普段の食生活にも役立つでしょう。

三大栄養素と五大栄養素、炭水化物（糖質）、脂質、たんぱく質、食物繊維

炭水化物

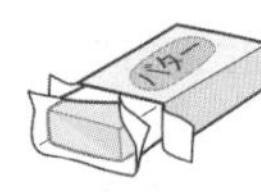

脂質

たんぱく質

ビタミン

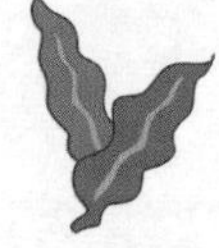

ミネラル

1　三大栄養素と五大栄養素

ヒトにとって必要な栄養素５つをまとめて五大栄養素といいます。その中でも、エネルギー源となる３つをまとめて三大栄養素といいます。エネルギー源になるということは、カロリーがあると考えると分類しやすくなると思います。三大栄養素に関しては１ｇあたりのkcal数など細かい数字も出題されています。

■五大栄養素――ヒトにとって必要な栄養素５つ

・炭水化物（糖質）　　　エネルギー源（黄）
・脂質
・たんぱく質　　　　　　体をつくる（赤）
・ビタミン
・ミネラル（無機質）　　体を調整する（緑）

―― 主な働き（重要）
……… 補助的な働き

■ 三大栄養素――五大栄養素のうちエネルギー源となる3つ

kcal/gとは、1gあたりに生じるエネルギー量のことです。

・炭水化物(糖質)… 4 kcal/g

・脂質… 9 kcal/g

・たんぱく質… 4 kcal/g

■ 三大栄養素の構成元素

・炭水化物…炭素・酸素・水素

・脂質…炭素・酸素・水素

・たんぱく質 …炭素・酸素・水素＋約16%窒素

2 炭水化物

主にエネルギー源となる栄養素です。糖質、食物繊維の関係や、糖質の種類、消化と吸収等、幅広い範囲から出題されています。

炭水化物＝糖質(エネルギー源になる)＋食物繊維(消化吸収されず、エネルギー源にならない)

■ 糖質

糖質の性質や特徴を表す最小単位のことを単糖といいます。おもちゃのブロックの1ピースをイメージするとわかりやすいかと思います。この単糖というブロックをつなげて砂糖やでんぷんなど様々な身近な糖質ができます。

■ 糖質の種類

(1) 単糖類

1つ

① ブドウ糖(グルコース)

・生体内で最も重要。血液中に血糖として約0.1%含まれています。

・野菜や果物に含まれています。

② 果糖(フルクトース)

・果実やはちみつに多く含まれています。

・糖質の中で最も甘いです。

ここが問われた!

三大栄養素の1gあたりのエネルギー量について出題されました(令2-後-4、令3-前-20、令4-前-3、令5-前-3、令6-前-1)。

ここをチェック!

構成元素の覚え方

炭水化物と脂質は、炭酸水(炭素・酸素・水素)

たんぱく質は、炭酸水(炭素・酸素・水素)に窒素色々(イロ)(16%)足す

ここが問われた!

・脂質の構成元素について(令4-前-3)

・たんぱく質の構成元素について(令2-後-4、令4-後-4)

・炭水化物の構成元素について(令5-前-3)

ここが問われた!

炭水化物の分類について出題されました(令2-後-4、令6-前-1)。

③　ガラクトース

・乳糖の構成成分です。

・乳幼児の大脳の発育に関わります。

⑵　少糖類

単糖が2～10個程度結合したもの。オリゴ糖のことです。

ここが問われた!

糖質の種類や構成成分、含まれる食材について出題されました(令5-前-3)。

⑶　二糖類

少糖類のうち、単糖が2つ結合したもの。

2つ

①　ショ糖(スクロース)

・ブドウ糖(グルコース)+果糖(フルクトース)

・砂糖のこと。さとうきびなどに存在します。

②　麦芽糖(マルトース)

・ブドウ糖(グルコース)+ブドウ糖(グルコース)

・水あめなどに存在します。

③　乳糖(ラクトース)

・ブドウ糖(グルコース)+ガラクトース

・乳汁に含まれます。

⑷　多糖類

数百～数千分子の単糖が結合したもの。

ここをチェック!

直線に結合するので、アミロ――――スと、伸ばす音の"－"は(ブドウ糖)が直線に並んでいると覚えましょう。

……たくさん

①　でんぷん

ブドウ糖が多数結合したもの。植物性の貯蔵多糖。

ⅰ　アミロース

ブドウ糖が直鎖状に結合。うるち米に含まれます。

唾液に含まれる酵素について出題されました(31-前-1)。

ⅱ　アミロペクチン

ブドウ糖が分枝状(ぶんしじょう)(枝分かれの状態)に結合。

もち米はほぼアミロペクチンで構成されています。

麦芽糖の消化酵素について出題されました(31-前-1)。

②　グリコーゲン

ブドウ糖が多数結合したもの。動物性の貯蔵多糖。構造は分枝状。

図1　アミロースとアミロペクチンの構造

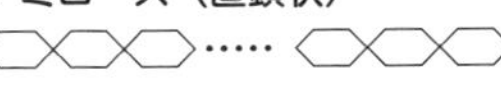

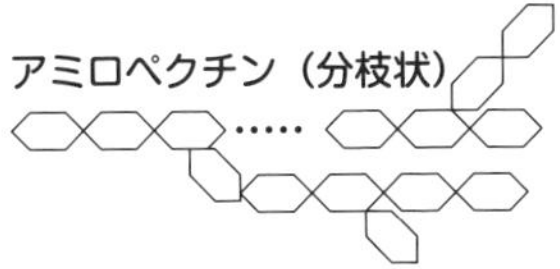

⬡ ＝ブドウ糖

③　デキストリン

でんぷんから分解される過程でできるもの。でんぷんと麦芽糖の中間。

■糖質の消化と吸収

糖質の消化酵素…アミラーゼ

・口から摂取された糖質は、唾液に含まれる消化酵素「唾液アミラーゼ」により、分解が始まります。

・十二指腸では、膵（すい）アミラーゼにより分解されます。

・小腸では、マルターゼ、スクラーゼ、ラクターゼなどの消化酵素により単糖まで分解され、小腸粘膜から吸収されます（膜消化）。

・肝臓に運ばれ、ブドウ糖はエネルギー源になり、または、グリコーゲンとして蓄えられます。余剰分は脂肪として蓄積されます。

■食物繊維

食物繊維には、水溶性と不溶性の２種類があります。どちらもヒトの消化酵素では消化されず、エネルギー源にはなりません。

①　水溶性食物繊維

水に溶けます。果物やこんにゃく、海藻などに多く含まれます。血糖値やコレステロールの上昇を抑えます。グルコマンナン・ペクチンなど。

②　不溶性食物繊維

水に溶けません。豆類やこんにゃく、野菜に多く含まれ

？ここが問われた！
小腸粘膜で分解される消化について出題されました（31-前-1）。

？ここが問われた！
糖質の消化と吸収について出題されました（令3-前-20、令6-前-1）。

ここをチェック！
食物繊維は、ヒトの消化酵素で消化されない食品中の難消化性成分の総体と定義されます。

？ここが問われた！
食物繊維の定義や種類について出題されました（令4-前-9）。

？ここが問われた！
脂質の1gあたりのエネルギー量について問われました（令4-前-3、令5-後-2）。

ます。便秘予防に役立ちます。セルロース・キチンなど。

3 脂質

さらに深める

脂溶性ビタミン
ビタミンのうち油に溶けるビタミン(他に水溶性ビタミンもあります)で、油と一緒に摂取すると吸収がよくなります。詳しくはテーマ3を参照してください。

脂質は9 kcal/gと、効率のよいエネルギー源です。また、水に溶けない性質を持つので、消化も工夫されています。糖質、たんぱく質と比較して混同しないように気をつけましょう。脂質の種類、脂肪酸、コレステロールなど広い範囲から出題されています。

■脂質の特徴

効率のよいエネルギー源(9 kcal/g)で、細胞膜や脳などの構成成分となり、脂溶性ビタミンの吸収に関わります。

ここをチェック!

食物中の脂質の大部分は単純脂質(中性脂肪)です。

■脂質の種類

・単純脂質…中性脂肪など。グリセロールと脂肪酸という単純な構造なので単純脂質といいます。
・複合脂質…単純脂質にリンや糖が付いた構造。いろいろ付いているので複合脂質といいます。
・誘導脂質…コレステロールなど。単純脂質や複合脂質から加水分解されてできる脂質のことです。

さらに深める

コレステロールは性ホルモンや、ステロイドホルモンの材料になります。

■脂肪酸

脂質を構成している成分で、体内で合成できる脂肪酸と、合成できない脂肪酸があり、合成できない脂肪酸は食物から摂取しなければならないので必須脂肪酸といいます。代表的なものにリノール酸とα-リノレン酸があります。

さらに深める

多価不飽和脂肪酸は二重結合の位置でn-3系、n-6系に分かれます。n-3系は魚に含まれるEPA・DHAなどや菜種油に含まれるα-リノレン酸、n-6系はごま油などに含まれるリノール酸などがあります。n-3は魚の"さん"と覚えましょう。

図2　脂肪酸の分類

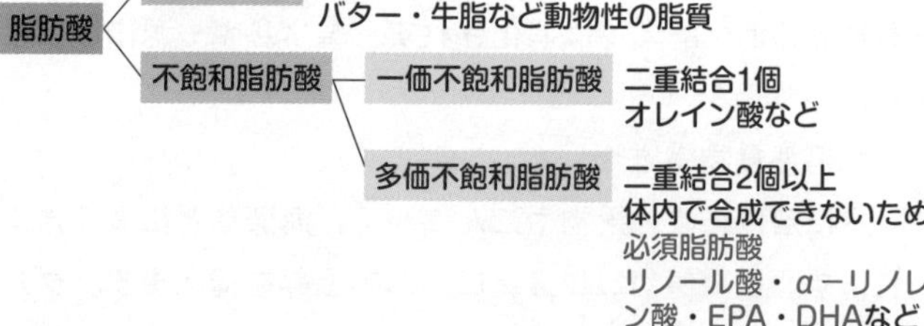

ここが問われた!

脂肪酸の分類について問われました(令4-前-3)。

■脂質の消化と吸収

脂質の消化酵素…リパーゼ

消化を助ける乳化作用…胆汁

・摂取した脂質は、十二指腸で胆汁により乳化(水となじみやすくする)され、さらに消化酵素リパーゼによって、脂肪酸とモノグリセリドに分解されます。

・小腸から吸収されます(一部はリンパ管から入ります)。

・肝臓へ運ばれます。

4 たんぱく質

筋肉や酵素・ホルモンなど様々なものがたんぱく質からつくられています。エネルギー源が不足する際には4 kcal/gのエネルギーを産生します。たんぱく質を構成しているアミノ酸や消化酵素などが問われますので正確に覚えましょう。

■たんぱく質の特徴

炭素・水素・酸素・約16%の窒素で構成されています。

筋肉や酵素・ホルモンなどの主成分です。

4 kcal/gのエネルギーを産生します。

■アミノ酸

たんぱく質は多数のアミノ酸が結合したものです。ヒトは20種類のアミノ酸からできています。

・必須アミノ酸…アミノ酸のうち体内で合成できないため、食物から摂取しなければならないもの。不可欠アミノ酸ともいわれます。次の9種類があります。

バリン、ロイシン、イソロイシン、スレオニン、メチオニン、フェニルアラニン、トリプトファン、リジン、ヒスチジン。

※乳幼児は、アルギニンも必須アミノ酸に含まれます。

■アミノ酸価(アミノ酸スコア)

必須アミノ酸の含有量を点数化したものです。すべての必須アミノ酸が満たされていると100となります。100は牛乳・鶏卵・肉など、良質なたんぱく質といわれているものが多いです。一番少ないアミノ酸を第一制限アミノ酸といいま

ここが問われた!

中性脂肪を分解する消化酵素について出題されました(31-前-1)。

ここが問われた!

・アミノ酸の種類数について(令4-後-4)

・第一制限アミノ酸について(令4-後-4)

ここをチェック!

必須アミノ酸は、脂質や糖質などたんぱく質とは違う範囲での選択肢に出てくることもあります。

覚えておくことで、選択肢をより絞りやすくなると思います。

「ふろばいすひとりじめ」頭文字をとって覚えましょう。

ふ…フェニルアラニン
ろ…ロイシン
ば…バリン
い…イソロイシン
す…スレオニン
ひ…ヒスチジン
と…トリプトファン
りじ…リジン
め…メチオニン

す。

■たんぱく質の消化と吸収

消化酵素…ペプシン、トリプシン、キモトリプシン

・たんぱく質の消化は胃から始まります。胃液中の消化酵素ペプシンによって分解されます。

⬇

・十二指腸で、膵液に含まれるトリプシン・キモトリプシンなどの消化酵素によって分解されます。

⬇

・最終的にアミノ酸まで分解され、小腸で吸収されます。

⬇

・肝臓に運ばれたのち、アミノ酸から新しいたんぱく質がつくられます。

たんぱく質は分解と合成を繰り返し、不要なものは尿素として尿中に排泄されます。

○×チェック問題

1　ガラクトースは、単糖類である。
2　ブドウ糖（グルコース）は、ショ糖、乳糖、麦芽糖などの構成成分である。
3　麦芽糖（マルトース）は、さとうきびに存在する。
4　果糖（フルクトース）は、ショ糖の構成成分である。
5　二糖類の麦芽糖は、マルターゼによって消化される。
6　食物繊維は、ヒトの消化酵素で消化されない食品中の難消化性成分の総体と定義される。
7　中性脂肪の消化は、主に小腸において膵液中のペプシンによって行われる。
8　糖類は、口腔内において唾液中のリパーゼによって部分的に消化される。
9　炭水化物は、糖質と食物繊維に分類される。
10　脂質の1gあたりのエネルギー量は4kcalである。
11　たんぱく質は、炭素、酸素、水素、窒素を含む。

答え

1 ○
2 ○
3 ×「麦芽糖」ではなく「ショ糖」
4 ○
5 ○
6 ○
7 ×「ペプシン」ではなく「リパーゼ」
8 ×「リパーゼ」ではなく「アミラーゼ」
9 ○
10 ×「4kcal」ではなく「9kcal」
11 ○

テーマ3

栄養の基本的知識（ビタミン・ミネラル・水分）

三大栄養素（炭水化物・脂質・たんぱく質）の働きを助ける役割を持つものとして、ビタミン・ミネラルがあります。エネルギー源にはなりませんが、子どもの成長にも欠かせません。ここで学ぶ知識は他の項目とも深いつながりがありますので、何度も復習し、理解していきましょう。

ビタミン、ミネラル（無機質）、水分

1 ビタミン

ビタミンは、毎年のように出題されています。生理作用、欠乏症などについて、組み合わせや、○×など多様な出題方法で問われています。覚えた分だけ得点につながると思いますので、表1を正確に把握しましょう。

■ビタミンの定義

三大栄養素の代謝に必要な微量栄養素です。体内で合成されないか、必要量に満たないため食物から摂取しなければならない有機化合物です。

■ビタミンの種類

① 脂溶性ビタミン

油に溶けるビタミン。過剰症あり。

ビタミンA、ビタミンD、ビタミンE、ビタミンK。

② 水溶性ビタミン

水に溶けるビタミン。基本的には過剰症なし。

ビタミンB_1、ビタミンB_2、ビタミンB_6、葉酸、ビタミンB_{12}、ナイアシン、パントテン酸、ビオチン、ビタミ

ここをチェック！

油に溶けるビタミンの覚え方

並べかえて、DAKE（だけ）と覚えましょう。油に溶けるビタミンは4つだけ！

用語解説

ビタミンA

レバーやうなぎなど、動物性食品のビタミンAと、緑黄色野菜など、植物性食品のβカロテンがあります。ビタミンAの場合、とりすぎると過剰症になりますが、βカロテンの場合、体内で必要量のみビタミンAに変わるので、過剰症にはなりません。

ンC。

表1　主なビタミンの生理作用や欠乏症など

	種類	生理作用	欠乏症	供給源	その他重要ポイント
脂溶性ビタミン	ビタミンA	視覚作用に関わる 皮膚やのど等の粘膜を正常に保ち、免疫力を維持する	夜盲症	レバー うなぎ 緑黄色野菜	妊娠初期の過剰摂取は胎児の形態異常
	ビタミンD	カルシウムの吸収を促進させ、骨形成を促進する	小児…くる病、成人…骨粗しょう症	魚介類 きのこ類 卵	紫外線を浴びると皮膚でつくられる
	ビタミンE	過酸化防止作用に関わる	血行障害など	ナッツ類	
	ビタミンK	血液凝固に関わる	新生児頭蓋内出血症、新生児メレナ	納豆	母乳にあまり含まれていないため、経口摂取させる
水溶性ビタミン	ビタミンB_1	糖質の代謝に関わる	脚気	豚肉	
	ビタミンB_2	成長促進、三大栄養素の代謝に関わる	成長障害 口内炎	レバー うなぎ	
	葉酸	胎児の神経管閉鎖障害のリスク低減	神経管閉鎖障害	緑黄色野菜	妊娠前から初期に十分摂取すべき
	ビタミンC	抗酸化作用 コラーゲンの生成に関わる	壊血病	新鮮な果物・野菜	鉄の吸収を助ける

ここが問われた！
ビタミンの生理作用や欠乏症、種類等について問われました(令2-後-3、令3-後-3、令4-後-5、令6-前-2)。

さらに深める
ビタミンDは腸管や腎臓でのカルシウムの吸収を高め、骨を丈夫にします。

2 ミネラル(無機質)

炭素・水素・酸素・窒素以外の元素で、人体の4％を占めます。生理作用と欠乏症について出題されています。ミネラルという項目だけでなく、子どもの成長過程の項目での出題もあります。暗記ではなく理解して覚えるようにしましょう。

ここが問われた！
鉄の分類(微量ミネラル)について問われました(令3-後-2)。

■ミネラルの種類

ミネラルには、多量ミネラルと微量ミネラルがあります。

① 多量ミネラル

カルシウム、リン、カリウム、マグネシウム、ナトリウム。

② 微量ミネラル

鉄、マンガン、ヨウ素、銅、亜鉛、セレン、クロム、モリブデン。

表2 主なミネラルの生理作用と欠乏症、供給源

		生理作用	欠乏症	供給源
多量ミネラル	カルシウム	骨や歯の構成成分 筋肉の収縮、神経伝達	小児：くる病 成人：骨粗しょう症	牛乳、乳製品、小魚
	リン	骨や歯の構成成分	骨や歯の脆弱化	魚、肉、牛乳
	マグネシウム	骨の成分、神経伝達	成長遅延	豆類、種実類
	カリウム	浸透圧の調節	筋力の低下	野菜、果実類
	ナトリウム	浸透圧の調節	疲れやすくなる	食塩、醤油
微量ミネラル	鉄	ヘモグロビンの成分	鉄欠乏性貧血	レバー、貝類、大豆
	亜鉛	たんぱく質の合成に関わる	味覚障害	種実類、貝類
	ヨウ素	甲状腺ホルモンの成分	甲状腺腫	海藻類、魚介類
	銅	鉄の代謝に関わる ヘモグロビンの生成に関与	貧血	レバー、貝類

3 水分

水分は栄養素には含まれませんが、栄養素の消化・吸収、老廃物の運搬、体温保持など、様々な役割があります。体内の水分が多量に失われると脱水症になります。

特に子どもは脱水になりやすいため、こまめに水分補給させることが大切です。

■体内に占める水分の割合

乳幼児…約70～75%。

成人…約65%。

■脱水症の起因

発熱・嘔吐・下痢など。テーマ9で詳しく学びましょう。

さらに深める

ナトリウムの場合、欠乏症よりも過剰症のほうを気にしなければなりません。ナトリウムの過剰症は高血圧症です。また、マグネシウムの主な過剰症は下痢です。

用語解説

鉄

鉄は、レバーやうなぎなどの動物性食品に含まれるヘム鉄と、ほうれん草や小松菜などに含まれる非ヘム鉄に分けられます。ヘム鉄のほうが体内への吸収がよいです。また、ビタミンCと一緒に摂取すると吸収率が上がります。

ここが問われた！

・ヨウ素、鉄、マグネシウムの生理作用と供給源、亜鉛の欠乏症について（令5-前-4）
・亜鉛の欠乏症について（令3-前-20）
・鉄の生理作用、欠乏症などについて（令3-後-2）
・マグネシウム、カリウム、ナトリウム、カルシウム、鉄の生理作用、欠乏症、供給源などについて（令4-前-2）

○×チェック問題

1 ビタミンCは脂溶性ビタミンであり、食品では新鮮な果実や緑黄色野菜に多く含まれている。
2 ビタミンCは皮膚や細胞のコラーゲンの合成に必須である。
3 ビタミンCは欠乏すると脚気となる。
4 ビタミンKの不足・欠乏症は神経管閉鎖障害である。
5 ビタミンAの不足・欠乏症は夜盲症である。
6 葉酸の不足・欠乏症は新生児の頭蓋内出血症である。
7 ビタミンDの不足・欠乏症は小児のくる病である。
8 ビタミンB_1は水溶性ビタミンである。
9 ビタミンEは腸管や腎臓でのカルシウムの吸収を高め骨を丈夫にする。
10 ヨウ素は甲状腺ホルモンの構成成分であり、昆布に多く含まれる。
11 鉄はヘモグロビンの成分であり、レバーに多く含まれる。
12 マグネシウムは骨や歯の構成成分であり、乳製品に多く含まれる。
13 亜鉛が不足すると、味覚障害の一因となる。

答え

1 ×「脂溶性」ではなく「水溶性」
2 ○
3 ×「脚気」ではなく「壊血病」
4 ×「神経管閉鎖障害」ではなく「新生児の頭蓋内出血症」
5 ○
6 ×「新生児の頭蓋内出血症」ではなく「神経管閉鎖障害」
7 ○
8 ○
9 ×「ビタミンE」ではなく「ビタミンD」
10 ○
11 ○
12 ×「マグネシウム」ではなく「カルシウム」
13 ○

テーマ4

食事摂取基準2020

「日本人の食事摂取基準」は2020年版に改定されました。そのため、以前の2015年版と異なる点や追加された点については確認が必要です。過去問や問題集を解く際には正答が異なる場合がありますので気をつけましょう。

「日本人の食事摂取基準」(2020年版)、設定指標

1 日本人の食事摂取基準(2020年版)

「日本人の食事摂取基準は、健康増進法に基づき、国民の健康の保持・増進、生活習慣病の予防を目的とし、エネルギー及び各栄養素の摂取量の基準を定めたものであり、5年ごとに改定を行っている」とあります。

■ 策定方針

健康の保持・増進、生活習慣病の発症予防及び重症化予防に加え、高齢者の低栄養予防やフレイル予防も視野に入れて策定されました。それに伴い高齢者の年齢区分が変わりました。

■ 指標の目的と種類

栄養素の指標は3つの目的からなる5つの指標で構成されています。

① 推定平均必要量

摂取不足の回避を目的として設定されたもので、半数の人が必要量を満たす量です。

② 推奨量

推定平均必要量を補助する目的として設定されたもの

ここをチェック!

5年ごとに改定を行っていますが、2020年版は令和2年度から令和6年度に使用します。

ここが問われた!

- 根拠法や改定の頻度について(令5-前-6、令5-後-3)
- フレイルについて(令4-前-10、令5-前-6)
- 5つの指標について(令5-前-6、令5-後-3、令6-前-3)

フレイル予防

フレイルとは、加齢とともに運動機能や認知機能が低下し心身が弱まることをいいます。2020年版から新たに盛り込まれた方針です。

で、ほとんどの人が充足している量。

③　目安量

十分な科学的根拠が得られず、推定平均必要量と推奨量が設定できない場合に設定された量。

④　耐容上限量

過剰摂取による健康障害の回避を目的として設定された量。

⑤　目標量

生活習慣病の発症予防のために現在の日本人が当面の目標とすべき摂取量として設定された量。

図１　栄養素の指標の目的と種類

〈目　的〉	〈指　標〉
摂取不足の回避	推定平均必要量、推奨量 ＊これらを推定できない場合の代替指標：目安量
過剰摂取による健康障害の回避	耐容上限量
生活習慣病の発症予防	目標量

※十分な科学的根拠がある栄養素については、上記の指標とは別に、生活習慣病の重症化予防及びフレイル予防を目的とした量を設定

出典：「日本人の食事摂取基準（2020年版）」策定検討会報告書

■ 年齢区分

- １～17歳を小児、18歳以上を成人とします。
- １歳未満のエネルギー、たんぱく質の基準は０～５（月）、６～８（月）、９～11（月）の３区分に分けています。他の栄養素はすべて０～５（月）、６～11（月）の２区分に分けています。
- 幼児期の年齢区分は１～２（歳）、３～５（歳）の２区分です。
- 学童期の年齢区分は６～７（歳）、８～９（歳）、10～11（歳）の３区分です。
- 50歳以上の年齢区分に関して、50～64（歳）、65～74（歳）、75（歳）以上の区分に変わりました。

2015年版との違いに関しては特に気をつけましょう。

- 学童期の年齢区分について（令3-前-9、令4-前-20）
- 小児と成人の年齢区分について（令5-前-6、令5-後-3）

2 資料（主な摂取基準など）

エネルギーの指標にBMIを採用し、成人期を４つの区分に分け、目標とするBMIの範囲を設定しました。

表１　目標とするBMIの範囲（18歳以上）

年齢（歳）	目標とするBMI（kg/㎡）
18～49	18.5～24.9
50～64	20.0～24.9
65～74	21.5～24.9
75以上	21.5～24.9

ここが問われた！

推定エネルギー必要量が最大となる年齢について問われました（令4-前-20）。

表２　推定エネルギー必要量（kcal/日）

性別	男性			女性		
身体活動レベル[1]	Ⅰ	Ⅱ	Ⅲ	Ⅰ	Ⅱ	Ⅲ
0～5（月）	—	550	—	—	500	—
6～8（月）	—	650	—	—	600	—
9～11（月）	—	700	—	—	650	—
1～2（歳）	—	950	—	—	900	—
3～5（歳）	—	1,300	—	—	1,250	—
6～7（歳）	1,350	1,550	1,750	1,250	1,450	1,650
8～9（歳）	1,600	1,850	2,100	1,500	1,700	1,900
10～11（歳）	1,950	2,250	2,500	1,850	2,100	2,350
12～14（歳）	2,300	2,600	2,900	2,150	2,400	2,700
15～17（歳）	2,500	2,800	3,150	2,050	2,300	2,550
妊婦（付加量）[2] 初期 中期 後期				＋50 ＋250 ＋450	＋50 ＋250 ＋450	＋50 ＋250 ＋450
授乳婦（付加量）				＋350	＋350	＋350

[1] 身体活動レベルは、低い、ふつう、高いの３つのレベルとして、それぞれⅠ、Ⅱ、Ⅲで示した。

[2] 妊婦個々の体格や妊娠中の体重増加量及び胎児の発育状況の評価を行うことが必要である。

注１：活用に当たっては、食事摂取状況のアセスメント、体重及びＢＭＩの把握を行い、エ

ネルギーの過不足は、体重の変化又はＢＭＩを用いて評価すること。
注２：身体活動レベルⅠの場合、少ないエネルギー消費量に見合った少ないエネルギー摂取量を維持することになるため、健康の保持・増進の観点からは、身体活動量を増加させる必要がある。

表３　炭水化物の食事摂取基準（%エネルギー）

性　別	男　性	女　性
年齢等	目標量[1, 2]	目標量[1, 2]
０～５（月）	—	—
６～11（月）	—	—
１～２（歳）	50～65	50～65
３～５（歳）	50～65	50～65
６～７（歳）	50～65	50～65
８～９（歳）	50～65	50～65
10～11（歳）	50～65	50～65
12～14（歳）	50～65	50～65
15～17（歳）	50～65	50～65
妊　婦		50～65
授乳婦		50～65

[1] 範囲に関しては、おおむねの値を示したものである。
[2] アルコールを含む。ただし、アルコールの摂取を勧めるものではない。

１～17歳の身体活動レベル（PAL）の区分について出題されました（令2-後-5）。

表２のポイント
１歳未満は０～５（月）、６～８（月）、９～11（月）の３区分、６歳から身体活動レベルをⅠ、Ⅱ、Ⅲの３つに分けているよ

表３のポイント
総エネルギーに占める割合について、１歳以上は幼児期、学童期、思春期、妊婦、授乳婦のすべてにおいて50～65%だよ

第８章 子どもの食と栄養④

表4　たんぱく質の食事摂取基準（推定平均必要量、推奨量、目安量：g/日、目標量：%エネルギー）

性　別	男　性				女　性			
年齢等	推定平均必要量	推奨量	目安量	目標量[1]	推定平均必要量	推奨量	目安量	目標量[1]
0～5（月）	—	—	10	—	—	—	10	—
6～8（月）	—	—	15	—	—	—	15	—
9～11（月）	—	—	25	—	—	—	25	—
1～2（歳）	15	20	—	13～20	15	20	—	13～20
3～5（歳）	20	25	—	13～20	20	25	—	13～20
6～7（歳）	25	30	—	13～20	25	30	—	13～20
8～9（歳）	30	40	—	13～20	30	40	—	13～20
10～11（歳）	40	45	—	13～20	40	50	—	13～20
12～14（歳）	50	60	—	13～20	45	55	—	13～20
15～17（歳）	50	65	—	13～20	45	55	—	13～20
妊婦（付加量） 初期 中期 後期					 +0 +5 +20	 +0 +5 +25	—	 —[2] —[2] —[3]
授乳婦（付加量）					+15	+20	—	—[3]

1　範囲に関しては、おおむねの値を示したものであり、弾力的に運用すること。
2　妊婦（初期・中期）の目標量は、13～20%エネルギーとした。
3　妊婦（後期）及び授乳婦の目標量は、15～20%エネルギーとした。

表5　脂質の食事摂取基準（%エネルギー）

性　別	男　性		女　性	
年齢等	目安量	目標量[1]	目安量	目標量[1]
0 ～ 5（月）	50	—	50	—
6 ～11（月）	40	—	40	—
1 ～ 2（歳）	—	20～30	—	20～30
3 ～ 5（歳）	—	20～30	—	20～30
6 ～ 7（歳）	—	20～30	—	20～30
8 ～ 9（歳）	—	20～30	—	20～30
10～11（歳）	—	20～30	—	20～30
12～14（歳）	—	20～30	—	20～30
15～17（歳）	—	20～30	—	20～30
妊　婦			—	20～30
授乳婦			—	20～30

1　範囲に関しては、おおむねの値を示したものである。

脂質の目標量について出題されました（令2-後-5、令5-後-2）。

表4のポイント
総エネルギーに占める割合は、1歳以上は13～20%だよ。1歳未満は0～5（月）、6～8（月）、9～11（月）の3区分だよ

表5のポイント
総エネルギーに占める割合について、1歳以上は20～30%だよ

第8章　子どもの食と栄養④

表6　エネルギー産生栄養素バランス（%エネルギー）

性別	男性				女性			
	目標量[1, 2]				目標量[1, 2]			
		脂質[3]				脂質[3]		
年齢等	たんぱく質	脂質	飽和脂肪酸	炭水化物[4, 5]	たんぱく質	脂質	飽和脂肪酸	炭水化物[4, 5]
0～11（月）	—	—	—	—	—	—	—	—
1～2（歳）	13～20	20～30	—	50～65	13～20	20～30	—	50～65
3～5（歳）	13～20	20～30	10以下	50～65	13～20	20～30	10以下	50～65
6～7（歳）	13～20	20～30	10以下	50～65	13～20	20～30	10以下	50～65
8～9（歳）	13～20	20～30	10以下	50～65	13～20	20～30	10以下	50～65
10～11（歳）	13～20	20～30	10以下	50～65	13～20	20～30	10以下	50～65
12～14（歳）	13～20	20～30	10以下	50～65	13～20	20～30	10以下	50～65
15～17（歳）	13～20	20～30	8以下	50～65	13～20	20～30	8以下	50～65
妊婦　初期					13～20	20～30	7以下	50～65
中期					13～20			
後期					15～20			
授乳婦					15～20			

1　必要なエネルギー量を確保した上でのバランスとすること。
2　範囲に関しては、おおむねの値を示したものであり、弾力的に運用すること。
3　脂質については、その構成成分である飽和脂肪酸など、質への配慮を十分に行う必要がある。
4　アルコールを含む。ただし、アルコールの摂取を勧めるものではない。
5　食物繊維の目標量を十分に注意すること。

表7　食物繊維の食事摂取基準(g/日)

性別	男性	女性
年齢等	目標量	目標量
0～5(月)	―	―
6～11(月)	―	―
1～2(歳)	―	―
3～5(歳)	8以上	8以上
6～7(歳)	10以上	10以上
8～9(歳)	11以上	11以上
10～11(歳)	13以上	13以上
12～14(歳)	17以上	17以上
15～17(歳)	19以上	18以上
妊婦		18以上
授乳婦		18以上

表7のポイント
3歳以上で設定されているよ

ここが問われた!

食物繊維の目標量の設定(3歳以上で目標量が示されている)について出題されました(令4-前-9)。

表8　鉄の食事摂取基準(mg/日)

性　別	男　性				女　性					
					月経なし		月経あり			
年齢等	推定平均必要量	推奨量	目安量	耐容上限量	推定平均必要量	推奨量	推定平均必要量	推奨量	目安量	耐容上限量
0 ～ 5(月)	—	—	0.5	—	—	—	—	—	0.5	—
6 ～11(月)	3.5	5.0	—	—	3.5	4.5	—	—	—	—
1 ～ 2(歳)	3.0	4.5	—	25	3.0	4.5	—	—	—	20
3 ～ 5(歳)	4.0	5.5	—	25	4.0	5.5	—	—	—	25
6 ～ 7(歳)	5.0	5.5	—	30	4.5	5.5	—	—	—	30
8 ～ 9(歳)	6.0	7.0	—	35	6.0	7.5	—	—	—	35
10～11(歳)	7.0	8.5	—	35	7.0	8.5	10.0	12.0	—	35
12～14(歳)	8.0	10.0	—	40	7.0	8.5	10.0	12.0	—	40
15～17(歳)	8.0	10.0	—	50	5.5	7.0	8.5	10.5	—	40
妊婦(付加量) 初期 中期・後期					 + 2.0 + 8.0	 + 2.5 + 9.5	 — —	 — —	 — —	 — —
授乳婦(付加量)					+ 2.0	+ 2.5	—	—	—	—

表9　カルシウムの食事摂取基準(mg/日)

性　別	男　性				女　性			
年齢等	推定平均必要量	推奨量	目安量	耐容上限量	推定平均必要量	推奨量	目安量	耐容上限量
0 ～ 5(月)	—	—	200	—	—	—	200	—
6 ～11(月)	—	—	250	—	—	—	250	—
1 ～ 2(歳)	350	450	—	—	350	400	—	—
3 ～ 5(歳)	500	600	—	—	450	550	—	—
6 ～ 7(歳)	500	600	—	—	450	550	—	—
8 ～ 9(歳)	550	650	—	—	600	750	—	—
10～11(歳)	600	700	—	—	600	750	—	—
12～14(歳)	850	1,000	—	—	700	800	—	—
15～17(歳)	650	800	—	—	550	650	—	—
妊婦(付加量)					+0	+0	—	—
授乳婦(付加量)					+0	+0	—	—

ここが問われた!

- 3～5歳と他の年代での推奨量の比較について(令2-後-5)
- 12～14歳と他の年代での推奨量の比較について(令5-前-11)
- 妊婦のカルシウム付加量について(令3-後-10、令4-後-13、令6-前-11)

表8のポイント
女性は10～11歳から月経ありと月経なしに分類されるよ

表9のポイント
推奨量の数値に注目しよう。妊婦、授乳婦はカルシウムの吸収率が上がるので、付加量は0だよ

表10　ナトリウムの食事摂取基準(mg/日、(　)は食塩相当量［g/日］)[1]

性　別	男　性			女　性		
年齢等	推定平均必要量	目安量	目標量	推定平均必要量	目安量	目標量
0～5(月)	—	100(0.3)	—	—	100(0.3)	—
6～11(月)	—	600(1.5)	—	—	600(1.5)	—
1～2(歳)	—	—	(3.0未満)	—	—	(3.0未満)
3～5(歳)	—	—	(3.5未満)	—	—	(3.5未満)
6～7(歳)	—	—	(4.5未満)	—	—	(4.5未満)
8～9(歳)	—	—	(5.0未満)	—	—	(5.0未満)
10～11(歳)	—	—	(6.0未満)	—	—	(6.0未満)
12～14(歳)	—	—	(7.0未満)	—	—	(6.5未満)
15～17(歳)	—	—	(7.5未満)	—	—	(6.5未満)
妊　婦				600(1.5)	—	(6.5未満)
授乳婦				600(1.5)	—	(6.5未満)

[1] 高血圧及び慢性腎臓病(CKD)の重症化予防のための食塩相当量の量は、男女とも6.0g/日未満とした。

○×チェック問題

「日本人の食事摂取基準（2020年版）」の栄養素の指標に関する（　）の語句について、正しいものに○、誤ったものに×で答えなさい。

1　摂取不足の回避を目的として（ **目安量** ）を設定する。これは、半数の人が必要量を満たす量である。

2　過剰摂取による健康障害の回避を目的として、（ **耐容上限量** ）を設定する。

3　生活習慣病の予防のために現在の日本人が当面の目標とすべき摂取量として（ **推奨量** ）を設定する。

答え

1 × 推定平均必要量

2 ○

3 × 目標量

「日本人の食事摂取基準（2020年版）」の小児（1～17歳）に関する記述について、正しいものに○、誤ったものに×で答えなさい。

1　身体活動レベルは2区分である。

2　3～5歳におけるカルシウムの推奨量は、他の年代に比べて高い。

3　脂質の目標量は男女で異なる。

答え

1 × 「2区分」ではなく「3区分」

2 × 1～2歳よりは高いが8歳以降よりは低い。

3 × 同じで「20～30%」である。

テーマ5

食の基礎、献立作成

栄養の基礎知識の項目に関連した資料（過去に何度も出題されたものや近年出題されたもの）をまとめました。どの資料も大切なものなので、一つ一つ理解をしながら覚えましょう。食中毒に関しては資料ではありませんが、保育士の現場でも特に必要な知識ですので間違えないように注意しましょう。

３色食品群、６つの基礎食品、食事バランスガイド、食生活指針、行事食、食中毒の三原則

ここが問われた！
３色食品群の赤・緑・黄にあてはまる食品を組み合わせる問題が出題されました（令5-前-5）。

ここをチェック！
いもにはでんぷん（糖質）が多く含まれているため、３色食品群では黄、６つの基礎食品では５群にあてはまります。

ここが問われた！
・６つの基礎食品群に関して、２群の食品、３群、４群、６群の栄養素をあてはめる問題（令1-後-5）
・緑黄色野菜の分類に

1　３色食品群

食物を体内でのおおまかな働き３つに分類したものです。

表１　３色食品群の分類

色	働き	主な食材
赤	体をつくる	肉、魚、卵、小魚、牛乳、大豆　など
緑	体の調子を整える	野菜、果物　など
黄	エネルギー源となる	米、パン、めん類、油、バター、いも類　など

2　６つの基礎食品群

多数の食品を栄養成分の類似した食品ごとに６群に分類したものです。３色食品群よりさらに細かく、６つに分類します。

表2　基礎食品群の分類

	主な働き	主な栄養素	食品の例
1群	体をつくるもとになる	たんぱく質	魚、肉、卵、大豆・大豆製品
2群		カルシウム	牛乳・乳製品、海藻、小魚
3群	体の調子を整える	カロテン	緑黄色野菜
4群		ビタミンC	その他の野菜、果物
5群	エネルギー源となる	糖質性エネルギー	米、パン、めん類
6群		脂肪性エネルギー	油脂

ついて(令4-前-14)
・果物の分類について(令5-後-18)

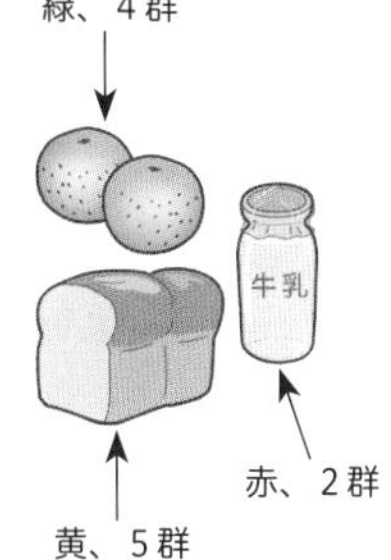

3 食事バランスガイド

「食事バランスガイド」は、2005(平成17)年に厚生労働省・農林水産省によって策定されました。1日に「何を」「どれだけ」食べたらよいかが一目でわかる食事の目安です。

「主食」「副菜」「主菜」「牛乳・乳製品」「果物」の5グループの料理や食品を組み合わせてとれるよう、コマにたとえてそれぞれの適量をイラストでわかりやすく示しています(巻頭カラー頁参照)。

ここが問われた！
「食事バランスガイド」の内容について出題されました(令2-後-6、令5-後-18)。

- 想定エネルギー量は1日2200kcal ± 200kcal。
- 「主食」「副菜」「主菜」「牛乳・乳製品」「果物」の5区分で、菓子や水などはこの区分に含まれません。
- 軸は水分(水・茶)を表しています。
- 主食は、ごはん・パン・麺などの炭水化物。
- 副菜は、野菜・きのこ・いも・海藻料理。
- 主菜は、肉・魚・卵・大豆製品。
- コマを回すヒモは菓子・嗜好飲料を表しています。
- 運動することによってコマが回ります。
- 食事の提供量の単位は「つ(SV)」と数え、SVはサービングといいます。

ここが問われた！
主食、主菜、副菜の主材料を問う問題が出題されました(令3-後-4)。

4 食生活指針

「食生活指針」は2000(平成12)年に文部省・厚生省・農林水産省共同により策定されました。国民が食生活の改善に

ここが問われた！
食生活指針の内容について出題されました(令1-後-12、令3-前-1、令4-後-2、令5-前-1)。

取り組めるようにつくられた指針です。

食物や栄養以外のことも示されているよ

表3　食生活指針(全文)

食事を楽しみましょう。
・毎日の食事で、健康寿命をのばしましょう。
・おいしい食事を、味わいながらゆっくりよく噛んで食べましょう。
・家族の団らんや人との交流を大切に、また、食事づくりに参加しましょう。

1日の食事のリズムから、健やかな生活リズムを。
・朝食で、いきいきした1日を始めましょう。
・夜食や間食はとりすぎないようにしましょう。
・飲酒はほどほどにしましょう。

適度な運動とバランスのよい食事で、適正体重の維持を。
・普段から体重を量り、食事量に気をつけましょう。
・普段から意識して身体を動かすようにしましょう。
・無理な減量はやめましょう。
・特に若年女性のやせ、高齢者の低栄養にも気をつけましょう。

主食、主菜、副菜を基本に、食事のバランスを。
・多様な食品を組み合わせましょう。
・調理方法が偏らないようにしましょう。
・手作りと外食や加工食品・調理食品を上手に組み合わせましょう。

ごはんなどの穀類をしっかりと。
・穀類を毎食とって、糖質からのエネルギー摂取を適正に保ちましょう。
・日本の気候・風土に適している米などの穀類を利用しましょう。

野菜・果物、牛乳・乳製品、豆類、魚なども組み合わせて。
・たっぷり野菜と毎日の果物で、ビタミン、ミネラル、食物繊維をとりましょう。
・牛乳・乳製品、緑黄色野菜、豆類、小魚などで、カルシウムを十分にとりましょう。

食塩は控えめに、脂肪は質と量を考えて。
・食塩の多い食品や料理を控えめにしましょう。食塩摂取量の目標値は、男性で1日8g未満、女性で7g未満とされています。
・動物、植物、魚由来の脂肪をバランスよくとりましょう。
・栄養成分表示を見て、食品や外食を選ぶ習慣を身につけましょう。

日本の食文化や地域の産物を活かし、郷土の味の継承を。
・「和食」をはじめとした日本の食文化を大切にして、日々の食生活に活かしましょう。
・地域の産物や旬の素材を使うとともに、行事食を取り入れながら、自然の恵みや四季の変化を楽しみましょう。
・食材に関する知識や調理技術を身につけましょう。
・地域や家庭で受け継がれてきた料理や作法を伝えていきましょう。

食料資源を大切に、無駄や廃棄の少ない食生活を。
・まだ食べられるのに廃棄されている食品ロスを減らしましょう。
・調理や保存を上手にして、食べ残しのない適量を心がけましょう。
・賞味期限や消費期限を考えて利用しましょう。

「食」に関する理解を深め、食生活を見直してみましょう。
・子供のころから、食生活を大切にしましょう。
・家庭や学校、地域で食品の安全性を含めた「食」に関する知識や理解を深め、望ましい習慣を身につけましょう。
・家族や仲間と、食生活を考えたり、話し合ったりしてみましょう。
・自分たちの健康目標をつくり、よりよい食生活を目指しましょう。

5 献立作成と調理

献立を作成する際には、栄養バランス、味付けや調理法、食文化の伝承伝達など、様々な点に気をつける必要があります。「和食」はユネスコ無形文化遺産に登録されています。

■一汁三菜

日常食では、一汁三菜を基本とします。一汁三菜は、主食、汁物、主菜、副菜２品を示したものです。

図　一汁三菜の配置

■日本の主な行事食

行事	料理・食品
正月	おせち料理、雑煮
七草（人日の節句）	かゆ、せり、なずな、ごぎょう、はこべら、ほとけのざ、すずな、すずしろ
鏡開き	鏡餅
節分	いり豆、恵方巻

ここが問われた！
「和食」のユネスコ無形文化遺産登録について出題されました（令3-前-11）。

ここが問われた！
一汁三菜の配置について出題されました（令3-前-4）。

ここが問われた！
節句の種類と節句に食べる料理や食品について出題されました（令2-後-13、令4-後-15）。

さらに深める
人日の節句（１月７日）、上巳の節句（３月３日）、端午の節句（５月５日）、七夕の節句（７月７日）、重陽の節句（９月９日）を五節句といいます。

さらに深める
各都道府県には郷土料理があります。
三平汁：北海道
さんが焼き：千葉県
かきめし：広島県
ゴーヤーチャンプルー：沖縄県

ひな祭り(桃/上巳の節句)	はまぐりのお吸い物、ちらしずし、菱もち、白酒
春の彼岸	ぼたもち
こどもの日(端午の節句)	ちまき、柏餅
七夕(七夕の節句)	そうめん
お盆	精進料理、精霊馬(なす・きゅうり)
月見(重陽の節句)	栗ご飯、菊酒、月見団子
秋の彼岸	おはぎ
冬至	かぼちゃ
大晦日	年越しそば

6 食中毒予防

食に欠かせないのが衛生面です。消費期限や賞味期限だけでなく、食中毒を予防するための三原則「付けない」「増やさない」「やっつける(殺菌する)」を守りましょう。

「家庭でできる食中毒予防の6つのポイント」(厚生労働省)では、例えば、

- 冷蔵庫は10℃以下、冷凍庫は－15℃以下に維持することがめやすです。
- 肉、魚、卵などを取り扱う時は、取り扱う前と後に必ず手指を洗いましょう。
- 加熱して調理する食品は十分に加熱しましょう。めやすは中心部の温度が75℃で1分間以上加熱することです。

など、家庭から食中毒をなくすポイントをまとめています。

■主な食中毒

食中毒には様々な種類があります(表4)。症状も腹痛、嘔吐、下痢、発熱など様々です。嘔吐や下痢が続くと脱水症にも注意が必要です。食中毒予防の三原則を徹底し、予防しましょう。

他にも、ジャガイモの喫食によるソラニン類食中毒などもあり、ジャガイモの芽や日光に当たって緑化した部分を十分に取り除き調理するなど正しい知識を身につけることが求め

消費期限
弁当、惣菜、肉など劣化しやすい食品に表示される安全に食べられる期限のこと。

賞味期限
スナック菓子、缶詰、ペットボトル飲料など、比較的劣化しにくい食品に表示される、品質が変わらずにおいしく食べられる期限のこと。

ここが問われた!
- 食中毒の原因菌とその主な原因食品について(令3-前-14、令4-後-17、令5-前-16)
- 食中毒予防の三原則について(令5-前-16)
- 「家庭でできる食中毒予防の6つのポイント」について(令6-前-16)

厚生労働省「家庭でできる食中毒予防の6つのポイント」

さらに深める
ノロウイルスの予防として二枚貝などの食品の場合には中心部が85～90℃で90秒以上の加熱が有効です。

表4　食中毒と原因食品

食中毒	原因食品
サルモネラ菌	卵、生肉
カンピロバクター	肉
ウェルシュ菌	カレー、シチュー
腸炎ビブリオ	海産魚介類(生)
黄色ブドウ球菌	おにぎり、弁当など
ノロウイルス	かき
腸管出血性大腸菌	生肉、井戸水など
ボツリヌス菌	ビン詰、缶詰
セレウス菌(嘔吐型)	米飯、パスタなど

られます。

また、手指に化膿している傷があると、化膿創に存在する細菌(黄色ブドウ球菌)による食中毒を起こす可能性があります。食中毒予防のためには食品だけでなく、調理に関わる人の体調や傷などにも気をつけなければいけません。

? ここが問われた!

・ソラニン類食中毒の防止法について問われました(令5-後-19)。

? ここが問われた!

化膿した傷による食中毒について出題されました(令4-前-4、令5-前-16)。

○×チェック問題

「食事バランスガイド」に関する記述として適切なものに○、不適切なものに×で答えなさい。

1 食事の提供量の単位は、SV（サービング）である。
2 1食に「何を」「どれだけ」食べたらよいかが示されている。
3 コマのイラストで描かれている。
4 菓子、嗜好飲料は食生活の中の楽しみとしてとらえ、料理グループには含まれていない。
5 「主食」「副菜」「主菜」「牛乳・乳製品」「果物」の5区分の料理や食品で示されている。

答え

1○
2× 「1食」ではなく「1日」
3○
4○
5○

食中毒の原因菌とその原因食品の組み合わせとして適切なものに○、不適切なものに×で答えなさい。

	＜原因菌＞		＜原因食品＞
1	サルモネラ菌	―	しめさば
2	腸炎ビブリオ	―	あゆの塩焼き

答え

1× 卵・生肉など。
2× 海産魚介類の生物など。

テーマ6 妊娠期、授乳期の食生活

　妊娠期・授乳期は胎児・乳児のために食生活においても様々な注意点があります。積極的にとるべき栄養素や、過剰摂取に気をつけなければいけない栄養素など、以前学んだテーマとも関連していますので、あいまいな点については復習していきましょう。

妊娠期の区分、妊娠前からはじめる妊産婦のための食生活指針、妊娠中の体重増加量指導の目安、「日本人の食事摂取基準」(2020年版)(付加量)

1 妊娠期の区分と最重要ポイント

■妊娠初期(13週6日まで)

　神経管閉鎖障害のリスク低減のため妊娠前～妊娠初期に十分な葉酸を摂取することが推奨されています。ビタミンAの過剰摂取に注意します(胎児の奇形の予防)。

> ここが問われた！
> 神経管閉鎖障害発症リスク低減のために摂取すべき栄養素について出題されました(令3-後-10)。

■妊娠中期(14週0日～27週6日)

　貧血予防のため鉄の摂取不足に注意することが推奨されています。

■妊娠後期(28週0日以降)

　急激な体重増加、貧血、妊娠高血圧症候群、妊娠糖尿病に注意することが推奨されています。

2 妊娠前からはじめる妊産婦のための食生活指針

> ここが問われた！
> 「妊娠前からはじめる妊産婦のための食生活指針」について出題されました(令4-前-11、令5-前-12、令5-後-11、令6-前-11)。

　妊娠期及び授乳期における望ましい食生活の実現に向け、2006(平成18)年に厚生労働省でつくられた指針が2021(令和3)年に改定されました。妊娠前から食生活を整えることが重要です。

・妊娠前から、バランスのよい食事をしっかりとりましょう
・「主食」を中心に、エネルギーをしっかりと
・不足しがちなビタミン・ミネラルを、「副菜」でたっぷりと
・「主菜」を組み合わせてたんぱく質を十分に
・乳製品、緑黄色野菜、豆類、小魚などでカルシウムを十分に
・妊娠中の体重増加は、お母さんと赤ちゃんにとって望ましい量に
・母乳育児も、バランスのよい食生活のなかで
・無理なくからだを動かしましょう
・たばことお酒の害から赤ちゃんを守りましょう
・お母さんと赤ちゃんのからだと心のゆとりは、周囲のあたたかいサポートから

ここが問われた！
妊娠中、食べる際に注意が必要な食べ物について出題されました（令2-後-12、令3-前-10、令3-後-10）。

ここが問われた！
魚介類を通じた水銀摂取の影響について出題されました（令3-後-10）。

妊娠中、授乳中は特に食生活に気をつけることが推奨されています。バランスのよい食事を心がけ、鉄欠乏性貧血の予防のために鉄を摂取することが推奨されています。鉄は、植物性食品に含まれる非ヘム鉄よりも、動物性食品に含まれるヘム鉄のほうが吸収率は高いです。また、ビタミンCと一緒に摂取することで吸収率を高めることができます。

カジキマグロやキンメダイなどの魚には、水銀も含まれているため、食べすぎないよう気をつけましょう。イワシやサンマ、サバなどは問題ないです。

加熱していないナチュラルチーズや、肉や魚のパテ、生ハム、スモークサーモンもリステリア食中毒予防のため妊娠中は避けたほうがよいとされています。

さらに深める
BMI＝体重（kg）÷身長（m）^{2}。体格指数ともいいます。

ここが問われた！
妊娠期間中の推奨体重増加量の設定について出題されました（令6-前-11）。

3 妊娠中の体重増加量指導の目安

体重増加量指導の目安は妊娠前のBMIをもとに設定しています。

表1　妊娠中の体重増加量指導の目安

非妊娠時のBMI	BMI判定	体重増加量指導の目安
18.5未満	低体重（やせ）	12～15kg
18.5以上25.0未満	普通体重	10～13kg
25.0以上30.0未満	肥満（1度）	7～10kg
30.0以上	肥満（2度以上）	個別対応（上限5kgまでが目安）

4 日本人の食事摂取基準(2020年版)、付加量

付加量は初期に比べて中期、後期に高くなります。胎児の成長に必要な栄養素なので意識して摂取する必要があります。

カルシウムは、胎児にとっても必要な栄養素ですが、妊娠中は吸収率が上がるため、付加量は0です。

ここが問われた!

妊娠期のカルシウムの付加量について問われました(令3-後-10、令6-前-11)。授乳婦に付加量の設定がある栄養素について問われました(令4-後-13)。

表2 付加量

<table>
<tr><th></th><th>エネルギー(kcal/日)</th><th>たんぱく質(g/日)</th><th>カルシウム(mg/日)</th><th>鉄(mg/日)</th></tr>
<tr><td>妊娠初期</td><td>+ 50</td><td>+ 0</td><td rowspan="3">+ 0</td><td>+ 2.5</td></tr>
<tr><td>妊娠中期</td><td>+ 250</td><td>+ 5</td><td rowspan="2">+ 9.5</td></tr>
<tr><td>妊娠後期</td><td>+ 450</td><td>+ 25</td></tr>
<tr><td>授乳婦</td><td>+ 350</td><td>+ 20</td><td>+ 0</td><td>+ 2.5</td></tr>
</table>

※ たんぱく質、鉄の付加量は食事摂取基準2015年から一部変更されました。

○×チェック問題

「妊娠前からはじめる妊産婦のための食生活指針」の一部について、正しいものに○、誤ったものに×で答えなさい。

1 妊娠したら、バランスのよい食事をしっかりとりましょう
2 お母さんと赤ちゃんのからだと心のゆとりは、周囲のあたたかいサポートから
3 母乳育児も、バランスのよい食生活のなかで
4 たばことお酒の害から赤ちゃんを守りましょう
5 「副菜」を組み合わせてたんぱく質を十分に

答え

1 × 「妊娠したら」ではなく「妊娠前から」
2 ○
3 ○
4 ○
5 × 「副菜」ではなく「主菜」

テーマ7 乳児期、幼児期の食生活

乳汁栄養・離乳食は子どもの食と栄養の範囲の中でも最も重要な項目です。乳汁栄養は母乳と調製粉乳の違いを理解して、保育者としてどのように扱えばよいのか把握することが重要です。離乳食は「授乳・離乳の支援ガイド」を中心に出題されます。また、「乳幼児栄養調査」からも毎回出題されますので、資料全体に目を通すとよいでしょう。

乳汁栄養、離乳、手づかみ食べ、間食・偏食、平成27年乳幼児栄養調査

1 乳汁栄養(母乳栄養・人工栄養・混合栄養)

乳児は、出生時約50cm、約3000gで生まれてきます。乳児は乳汁を4つの哺乳反射で摂取します。

■ 哺乳反射

①探索反射…口角や頬に触れると反射的に母親の乳首を探して口を開く反射

②捕捉(ほそく)反射…乳首をくわえる反射

③吸啜(きゅうてつ)反射…乳汁を吸う反射

④嚥下(えんげ)反射…乳汁を飲み込む反射

さらに深める

母乳栄養の現状については、テーマ1の「平成27年度乳幼児栄養調査」の結果も確認しておきましょう(p.441～444)。

免疫グロブリンA(IgA)

母乳に含まれる感染防御因子のこと。IgG、IgEと間違えないように気をつけましょう。IgGは胎盤を通して胎児が受けとる感染防御因子のこと、IgEはアレルギーを起こす抗体です。

2 母乳栄養

・母乳中には免疫力を高める免疫グロブリンA(IgA)や、リゾチーム、ラクトフェリンなどが含まれます。特に初乳に多く含まれます。

・初乳は分娩後数日以内に分泌される黄色みをおびた粘りの

ある乳です。胎便を促す作用があります。

- 消化吸収がよいので、乳児の欲しがるタイミングで行う自律授乳で授乳できます。
- SIDSや、感染症の発症リスクが低下します。
- 人工栄養児に比べて肥満となるリスクが低いです。
- 母体の子宮収縮を促すため、母体が早く回復します。
- 愛着形成を育みます。
- 母乳にはビタミンKが少ないため、新生児頭蓋内出血症や新生児メレナ(消化管からの出血)等の予防法としてK_2シロップを投与します。

表1　母乳の成分

たんぱく質	・乳清たんぱく質とカゼインからなる。 ・普通牛乳より少ない。
脂質	・消化吸収のよい多価不飽和脂肪酸が多く含まれている。 ・牛乳には含まれないDHAが含まれている。
糖質	・乳糖を多く含む。
ミネラル	・カルシウム、ナトリウム、カリウムなどもミネラルは牛乳より少ないため、腎臓への負担は少ない。
ビタミン	・ビタミンKが少ないので、頭蓋内出血症予防のためにビタミンKを新生児に経口投与させている。

■冷凍母乳

① 母乳パックに母乳を入れ、名前を明記して冷凍します。冷凍庫で保管します。

② 温める場合は40℃程度のぬるま湯で温めます。高温で温めると、成分が壊れてしまうので、ぬるま湯で温めます。解凍、温めどちらも電子レンジは使用しません。

■母乳育児がうまくいくための10のステップ――「母乳育児成功のための10か条」2018年改訂版(WHO／UNICEF)より抜粋

母親が赤ちゃんを母乳で育てるために実行すべきことを具体的に示したものです。

- 母乳育児の重要性とその方法について、妊娠中の女性およびその家族と話し合う。
- 出産直後からのさえぎられることのない肌と肌との触れ合い(早期母子接触)ができるように、出産後できるだけ早く

用語解説

初乳
出産後1週間程度までの母乳のこと。その後、移行乳、成乳(成熟乳)と変化します。初乳にはたんぱく質が多く乳糖は少ないです。

胎便
生後すぐに出る便のこと。暗緑色で無臭。

SIDS
乳幼児突然死症候群のこと。睡眠中に突然亡くなってしまう病気。リスクを抑えるために、①あおむけ寝で寝かせる、②授乳はできるだけ母乳、③父母等の喫煙はやめる、などがあります。

ここが問われた!
- 母乳の成分について(令2-後-7、令5-前-7)
- 初乳と成乳の成分の比較について(令6-前-6)
- 母乳栄養児のSIDS発症リスクについて(令6-前-6)

ここが問われた!
冷凍母乳の扱い方について問われました(令2-後-7、令4-後-8)。

ここが問われた!
「母乳育児がうまくいくための10のステップ」の内容について出題されました(令3-後-5)。

母乳育児を開始できるように母親を支援する。

・医学的に適応のある場合を除いて、母乳で育てられている新生児に母乳以外の飲食物を与えない。

・母親と赤ちゃんがそのまま一緒にいられるよう、24時間母子同室を実践する。

3 人工栄養

人工栄養には、調製粉乳(育児用ミルク)や液体ミルクなどがあります。母乳の代替品です。

タウリンや、鉄、ビタミンK、DHAなど乳児の成長に必要な成分を添加しています。

ここが問われた!
育児用ミルクの特徴について出題されました(令2-後-8)。

ここが問われた!
・フォローアップミルクの使用開始月齢について(31-前-14)
・フォローアップミルクの位置づけについて(令4-前-6)

ここをチェック!
フォローアップミルクは母乳代替食品ではなく、離乳が順調に進んでいる場合は、摂取する必要はありません。

表2　主な育児用ミルクの種類と特徴

種類	名称	特徴
調製粉乳	乳児用調製粉乳	母乳の代替品として0か月から使用可能なミルク
	フォローアップミルク	生後9か月から使用可能。鉄やビタミンなどを添加したミルク
	ペプチドミルク	たんぱく質を分子量の小さいペプチドに分解したミルク
	低出生体重児用粉乳	出生体重が2500 g未満の場合に用いられるミルク。消化吸収に負担の少ない中鎖脂肪酸が用いられている。
市販特殊ミルク	アミノ酸混合乳	重篤なアレルギー児用のミルク
特殊ミルク(非市販)	治療乳	先天性代謝異常症用のミルク

■ 調乳

(1)　無菌操作法

家庭や保育所などで行う方法。

①　消毒した哺乳瓶に調製粉乳を入れます。

②　一度沸騰させて70℃以上に保った湯を入れて溶かします(調乳濃度は約12～14%)。

③　人肌まで冷まします。

④　飲まなかったものは2時間で廃棄します。

ここが問われた!
・無菌操作法の調乳で扱う湯の温度や、廃棄時間などについて(令4-後-9、令5-前-20、令6-前-5)
・調乳法の種類について(令5-前-20)

(2)　終末殺菌法

乳児院や病院などで多人数の乳児に、数回分のミルクをまとめてつくる方法。

① 調乳用鍋に湯と調製粉乳を入れ、哺乳瓶に移してから煮沸消毒します。

■乳児用液体ミルク

2018(平成30)年、厚生労働省が乳児用液体ミルクの規格基準を定めた省令を改正したことで、国内での製造販売が可能になりました。2019(平成31)年に日本で最初の液体ミルクが販売されました。母乳の代替用として、加熱・殺菌・希釈等することなくそのまま哺乳瓶に移して使用することができます。未開封であれば常温保存が可能なので、災害時や備蓄用、外出時など、様々な場面での使用が期待されています。

ここが問われた！

液体ミルクの保存について出題されました(令4-前-6)。

4 離乳

「授乳・離乳の支援ガイド」(2019年改訂版)(以下、支援ガイド)では、「離乳とは、成長に伴い、母乳又は育児用ミルク等の乳汁だけでは不足してくるエネルギーや栄養素を補完するために、乳汁から幼児食に移行する過程をいい、その時に与えられる食事を離乳食という」と定義されています。

ここが問われた！

離乳食の進め方の目安から、目安の時期、調理形態について出題されました(令4-前-19)。

さらに深める

離乳の開始前に果汁を与えることについては、栄養学的な意義は認められていません。

■離乳の開始(生後5～6か月頃目安)

支援ガイドでは、「離乳の開始とは、なめらかにすりつぶした状態の食物を初めて与えた時をいう」と定義されています。

表3 離乳開始の子どもの発達状況の目安

・首のすわりがしっかりして寝返りができる。
・5秒以上座れる。
・スプーンを口に入れても舌で押し出すことが少なくなる(哺乳反射の減弱)。
・食べ物に興味を示す。

ここをチェック！

離乳は、乳を離れると書きますが、乳汁を飲む飲まないは関係ありません。間違えやすいので注意しましょう。

■離乳の完了(生後12～18か月頃目安)

支援ガイドでは、「離乳の完了とは、形のある食物をかみつぶすことができるようになり、エネルギーや栄養素の大部分が母乳又は育児用ミルク以外の食物から摂取できるようになった状態をいう」「なお、離乳の完了は母乳又は育児用ミルクを飲んでいない状態を意味するものではない」と定義されています。

ここが問われた！

はちみつを与える時期について出題されました(令4-前-7、令5-前-16、令6-前-19)。

表4　離乳の進め方の目安

	離乳の開始 →			離乳の完了
	離乳初期 生後5~6か月頃	離乳中期 生後7~8か月頃	離乳後期 生後9~11か月頃	離乳完了期 生後12~18か月頃
食べ方の目安	・子どもの様子をみながら1日1回1さじずつ始める。 ・母乳や育児用ミルクは飲みたいだけ与える。	・1日2回食で食事のリズムをつけていく。 ・いろいろな味や舌ざわりを楽しめるように食品の種類を増やしていく。	・食事リズムを大切に、1日3回食に進めていく。 ・共食を通じて食の楽しい体験を積み重ねる。	・1日3回の食事リズムを大切に、生活リズムを整える。 ・手づかみ食べにより、自分で食べる楽しみを増やす。
調理形態	なめらかにすりつぶした状態	舌でつぶせる固さ	歯ぐきでつぶせる固さ	歯ぐきで噛める固さ
ポイント	つぶしがゆから始める。 すりつぶした野菜・豆腐・白身魚・卵黄などを試してみる。	卵は卵黄から全卵の順で。	鉄の不足に注意（フォローアップミルクは9か月から飲用可）。	はちみつは1歳未満禁止（ボツリヌス菌混入のおそれがあるため）。
摂食機能の目安	口を閉じて取り込みや飲み込みができるようになる。	舌と上あごで潰していくことができるようになる。	歯ぐきで潰すことができるようになる。	歯を使うようになる。

出典：「授乳・離乳の支援ガイド」（2019年改訂版）p.34参照

ここが問われた！
離乳の進め方の目安から、食べ方の目安、摂食機能の目安について出題されました（令3-前-5、令3-後-7、令4-前-7、令5-前-8、令6-前-7）。

ここが問われた！
食具の持ち方の変化の順番について問われました（令2-後-9、令3-前-7、令6-前-8）。

■手づかみ食べ

「手づかみ食べ」は、生後9か月頃から始まります。食べ物を触ったり、握ったりすることで固さや触感を体験し、食べ物への関心につながり、自らの意思で食べようとする行動につながります。

図1　食具の持ち方の変化

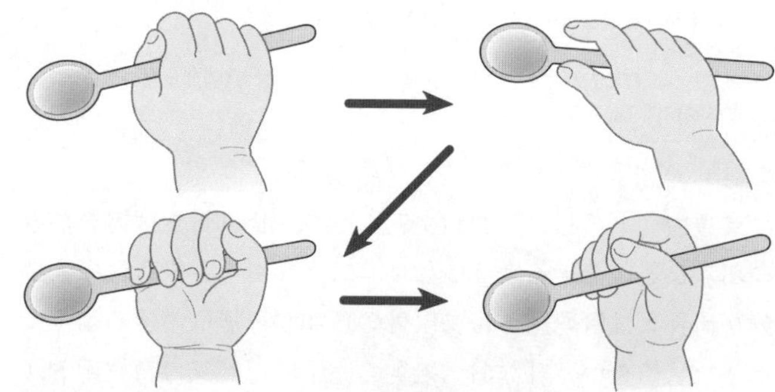

■食物アレルギーの予防について

食物アレルギーとは、特定の食物を摂取した後にアレルギー反応を介して皮膚・呼吸器・消化器あるいは全身性に生じる症状のことをいいます。食物アレルギーの発症を心配して、離乳の開始や特定の食物の摂取開始を遅らせても、食物アレルギーの予防効果があるという科学的根拠はないことから、生後5～6か月頃から離乳を始めるようにします。

食物アレルギーについては、テーマ9を参照しましょう。

■乳児の歯

乳児の歯は生後7～8か月頃に生え始め、1歳前後で前歯が8本生えそろい、3歳頃にはすべての乳歯が生えそろいます。

■ベビーフード（市販の離乳食）

離乳食は手づくりが好ましいですが、ベビーフード等の加工食品を上手に使用することにより、保護者の負担を軽減することができます。手軽に利用できますが、それに頼ることの課題も指摘されていますので、適切な活用方法を周知することが重要です。

ベビーフードを利用するときの主な留意点は、①子どもの月齢、固さの合ったものを選び、与える前には一口食べて確認する、②離乳食を手づくりする際の参考にするなどです。

5 幼児期の食生活

幼児期は体重よりも身長の伸びが大きいです。4歳で身長約100cm、体重約15kgになります。精神的・身体的に発達するので、体重1kgあたりのエネルギーやたんぱく質・鉄などは成人の2～3倍必要です。消化器官はまだ未熟なため、1日3食の食事だけではこれらの栄養が足りません。

■間食

幼児は胃の容量が小さく消化機能も未熟であり、1日3回の食事でとりきれないエネルギーや栄養素を補うために間食を与えます。

① 適した食材

穀類、いも類、牛乳・乳製品、果物などです。ケーキやあめなどは適していません。菓子・嗜好飲料は離乳期を完

ここが問われた！

食物アレルギーの予防効果について問われました（令3-前-18）。

ここが問われた！

ベビーフードを利用する際の留意点に関して出題されました（令3-前-6）。

さらに深める

離乳の現状については、テーマ1の「平成27年度乳幼児栄養調査」の結果も確認しておきましょう（p.441～444）。

ここが問われた！

幼児期に必要な栄養素、体重1kgあたりのエネルギー必要量について（成人との比較で）（令2-後-10、令3-後-19、令5-後-7）

ここが問われた！

- 幼児期の間食の量（摂取エネルギー）について（31-前-20、令1-後-9、令4-前-8）
- 幼児期の間食に与える食物について（令4-前-8）

ここが問われた！

3～5歳児の推定平均エネルギー必要量や間食の適量、乳歯が生えそろう時期について出題されました（令1-後-9、令2-後-18、令6-前-8）。

了してから与えるのが望ましいとされています。

② 適量

1～2歳児は総エネルギー量の10～15%。3～5歳児は総エネルギー量の15～20%。これらを1～2歳児は1日2回に分け、3～5歳児は1日1回与えます。一緒に水分補給もするとよいでしょう。

■ むし歯(う歯)

むし歯の主な原因菌は歯垢(しこう)の中に生息するミュータンス菌です。口の中の糖分を餌に酸をつくり歯のエナメル質を溶かしむし歯(う歯)を発生させます。

ここが問われた！
間食のむし歯予防について問われました(令4-前-8)。

■ 肥満

さらに深める
幼児期の食生活の現状については、テーマ1の「平成27年度乳幼児栄養調査」の結果も確認しておきましょう(p.441～444)。

幼児期の肥満は、学童期以降の肥満につながる可能性を持っています。肥満の幼児の食生活の特徴は、

・1回の食事の品数が少ない割には摂取エネルギーが多い。
・肉を中心としたたんぱく質摂取が多く、食物繊維摂取が少ない。
・甘い物を好み、ジュースや牛乳等を水代わりに飲む。
・孤食や外食の回数が多い。

などが挙げられます。

ここが問われた！
幼児期の肥満について問われました(令3-後-16,19)。

肥満の予防はこのような食生活を改善することであり、保護者と連携して家庭でも同様の対応ができるようにしていきます(厚生労働省「保育所における食事の提供ガイドライン」参照)。

ここが問われた！
食品の窒息・誤嚥(ごえん)事故防止に関して出題されました(令5-前-17、令6-前-17)。

幼児期の肥満への対応は、成長期であるため、極端な食事制限は行わないほうがよいとされています。

■ 食品による窒息・誤嚥事故防止

さらに深める
消費者庁「食品による子どもの窒息・誤嚥(ごえん)事故に注意！」

・豆やナッツ類は、小さく砕いた場合でも、気管に入ると肺炎や気管支炎のリスクになるため、5歳以下には食べさせないようにしましょう。
・ミニトマトやブドウ等の球状の食品は、乳幼児には、4等分する、調理してやわらかくするなどして、よく噛んで食べさせましょう。
・物を口に入れたままで、走ったり、笑ったり、泣いたり、

声を出したりすると、誤って吸引し、窒息・誤嚥するリスクがあります。食べているときは姿勢をよくし、食べることに集中させましょう。

○×チェック問題

「授乳・離乳の支援ガイド」Ⅱ「離乳編」の「離乳の進め方」に関する記述について、適切な記述に○、不適切な記述に×で答えなさい。

1 離乳が進むにつれて、卵は卵白（固ゆで）から全卵へ進めていく。
2 離乳開始の発達の目安として、つかまり立ちがあげられる。
3 離乳の開始前に果汁を与えることについては、栄養学的な意義は認められていない。
4 食事の量の評価は、成長の経過で評価する。

答え

1 × 「卵白」ではなく「卵黄」
2 × 首のすわりがしっかりしているなど。
3 ○
4 ○

幼児期の栄養と食生活に関する記述について、適切な記述に○、不適切な記述に×で答えなさい。

1 幼児期は消化吸収機能が未熟であり、3回の食事だけでは必要な栄養素を満たすことが難しいため、間食でエネルギーや栄養素、水分を補給する必要がある。
2 体重1kgあたりのエネルギー必要量は、幼児期のほうが成人よりも多い。
3 幼児期の間食の量は、通常1日のエネルギー摂取量の40％前後を目指すとよい。
4 幼児期の肥満への対応は、食事制限を中心に行う。

答え

1 ○
2 ○
3 × 間食の適量は10～20%である。
4 × 幼児期は成長期であるため、極端な食事制限は行わないほうがよい。

テーマ 8

学童期、思春期、生涯発達と食生活

学童期、思春期の心身の特徴や食生活、学校給食について学びます。食事摂取基準や国民健康・栄養調査、五大栄養素の知識も必要なので、これらの項目も一緒に確認しましょう。

keyword 心身の特徴、学校給食、鉄欠乏性貧血、生活習慣病

1 学童期・思春期の心身の特徴

ここが問われた！

- 乳歯の永久歯への生えかわり時期について(31-前-11)
- 第2発育急進期、永久歯が生えそろう年齢、学童期の肥満について(令3-前-9)
- 朝食欠食と生活習慣の関連について(令3-後-9)
- ローレル指数について(令4-前-20)
- カルシウムの摂取不足について(令4-前-20)

さらに深める

学童期の体格を評価する際に「ローレル指数」が用いられます。

- 小学校高学年から第2発育急進期となり、心身ともに生涯の中でも特に著しい発育が見られる時期です。男子より女子のほうが早く成長の変化が見られます。なお、第1発育急進期は乳児期の頃です。
- 乳歯20本の脱落が6歳前後から始まり、永久歯に生え変わります。12歳頃までに完了します。
- 思春期には、男女とも性腺が著しく発達して第二次性徴が出現し、身体的には大人の体型に近づきますが、精神面の発達が伴わないため、情緒不安定に陥ることもあります。
- 食行動の問題では、摂食障害、無理なダイエット、朝食欠食、小児生活習慣病、孤食、月経による失血が原因の鉄欠乏性貧血、などが挙げられます。
- 生活の夜型化は朝食の欠食につながりやすいです。
- 朝食を一人で食べるのは、小学生よりも中学生、高校生のほうが多いです。
- 学童期の肥満は成人期の肥満に移行しやすいです。
- 学童期は、成長に不可欠なカルシウムや鉄の摂取に留意し

ます。

2 学校給食

学校給食法に基づき学校給食は実施されています。日本の学校給食の起源は、明治時代に私立小学校で貧困児童を対象に無料で給食を実施したこととされています。

■目的

ここが問われた！

学校給食の目標について問われました（令3-前-8、令5-後-9,10、令6-前-9）。

学校給食法では、法の目的を「児童及び生徒の心身の健全な発達に資するものであり、かつ、児童及び生徒の食に関する正しい理解と適切な判断力を養う上で重要な役割を果たすものであること」「食育の推進を図ること」としています。

学校給食法（抜粋）
（学校給食の目標）
第2条
一　適切な栄養の摂取による健康の保持増進を図ること。
二　日常生活における食事について正しい理解を深め、健全な食生活を営むことができる判断力を培い、及び望ましい食習慣を養うこと。
三　学校生活を豊かにし、明るい社交性及び協同の精神を養うこと。
四　食生活が自然の恩恵の上に成り立つものであることについての理解を深め、生命及び自然を尊重する精神並びに環境の保全に寄与する態度を養うこと。
五　食生活が食にかかわる人々の様々な活動に支えられていることについての理解を深め、勤労を重んずる態度を養うこと。
六　我が国や各地域の優れた伝統的な食文化についての理解を深めること。
七　食料の生産、流通及び消費について、正しい理解に導くこと。

■学校給食の栄養基準

学校給食摂取基準について問われました（令2-後-11、令5-後-9）。

学校給食摂取基準をもとにつくられています。学校給食摂取基準については、厚生労働省が策定した「日本人の食事摂取基準」を参考としています。

食事摂取基準は1日で必要とされる量です。給食はそのうちの1食なので、学校給食摂取基準ではそれぞれの栄養素は33％に設定されています。ただ、家庭で不足しがちな栄養素に関してはその分を考慮し、給食では次のように多く摂取するよう設定されています。

エネルギー33％、ナトリウム33％未満、鉄33％、ビタミンA・B_1・$B_2$40％、カルシウム50％。

表1　児童または生徒一人1回あたりの学校給食摂取基準（令和3年改正）一部抜粋

区分	基準値			
	6～7歳	8～9歳	10～11歳	12～14歳
エネルギー（kcal）	530	650	780	830
たんぱく質	学校給食による摂取エネルギー全体の13～20%			
脂質	学校給食による摂取エネルギー全体の20～30%			
ナトリウム（g）（食塩相当量）	1.5未満	2未満	2未満	2.5未満
カルシウム（mg）	290	350	360	450
鉄（mg）	2	3	3.5	4.5
食物繊維（g）	4以上	4.5以上	5以上	7以上

ここが問われた！

小学校での学校給食実施率について問われました（令5-後-10）。

■給食の種類

給食の種類は次のようになります。

①完全給食（主食、おかず、牛乳）

②補食給食（おかず、牛乳）

③ミルク給食（牛乳のみ）

完全給食がほとんどですが、補食給食やミルク給食の学校もあります。「令和3年度学校給食実施状況等調査」（文部科学省）によると、国公私立学校において学校給食の実施率は95.6%です（小学校では約99%）。また、完全給食（主食、おかず及びミルクから成る給食）の実施率は94.3%であり、実施率については、小学校、中学校、中等教育学校（前期課程）において前回調査（平成30年度）より増加しています。

さらに深める

肥満

BMI25以上を肥満とします。

3　生涯発達

成人期、高齢期は生活習慣病に気をつけなければなりません。生活習慣病とは、日々の食生活の乱れから引き起こされる病で、糖尿病、高血圧、骨粗しょう症、肥満、脂質異常症などがあげられます。また、高齢期における低栄養はフレイル（虚弱）になりやすいので注意が必要です（p.458参照）。

ここが問われた！

20歳以上の者の野菜や食塩の摂取状況について問われました（令4-前-10）。

■ 食生活の傾向

朝食欠食は、男性・女性ともに20歳代が最も多いです(国民健康・栄養調査より)。テーマ1を復習しましょう。野菜の摂取量は20～40歳代は少ない傾向があります。食塩の摂取量は減少傾向であるものの、男女とも食事摂取基準の目標量を超えて摂取しています。

○×チェック問題

1 乳歯の永久歯の生え変わりは、9歳頃から始まる。
2 生活の夜型化は、朝食の欠食につながりやすい。
3 学童期は、成長に不可欠なカルシウムや鉄の摂取に留意する。
4 学童期の肥満は、成人期の肥満に移行しにくい。
5 第1発育急進期とは、主に乳児期を指す。
6 第2発育急進期とは、主に思春期を指す。
7 思春期には、男女ともに性腺が著しく発達し、第二次性徴が出現する。
8 摂食障害は、思春期の女子に初発することが多い。
9 思春期女子では月経による失血により、溶血性貧血を起こしやすい。

答え

1 × 「9歳頃から」ではなく「6歳頃から」
2 ○
3 ○
4 × 「移行しにくい」ではなく「移行しやすい」
5 ○
6 ○
7 ○
8 ○
9 × 「溶血性貧血」ではなく「鉄欠乏性貧血」

テーマ 9

体調不良・特別な対応を必要とする子どもへの対応

食物アレルギー児は増加傾向にあります。命にも関わるので、保育者としても正しい対応が求められています。この分野では、そのような食物アレルギーや、体調不良の子どもの食事、障害のある子について細かく学習しましょう。近年、食物アレルギーについては、深い知識まで必要とされる問題も出題されています。

keyword 脱水症、先天性代謝異常症、食物アレルギー

1 子どもの疾病の特徴

子どもは、大人に比べて免疫力が弱いため、疾病にかかりやすいです。おもな症状としては、発熱・嘔吐・下痢などで、そこから脱水を引き起こしやすいため、注意が必要です。脱水を防ぐためにも、水分補給を行う必要があります。水分補給に適した飲料は、水・茶・経口補水液などの水分です。

ここが問われた！
疾病または体調不良の子どもへの食事の留意点に関して出題されました(31-前-18、令2-後-19、令4-前-18)。

■ 下痢

下痢があるときには、吐き気、嘔吐、脱水に気をつけ、水分や電解質の補給を心がけます。食事は消化のよいものを選び、油や食物繊維など、消化の悪いものは避けましょう。

ここが問われた！
嘔吐物の処理に関して出題されました(令2-後-19)。

■ 嘔吐

嘔吐があるときは、嘔吐がおさまり水分が飲める状態になってから、食物を少量ずつ与えましょう。ノロウイルス感染症の嘔吐物の消毒には、次亜塩素酸ナトリウムや塩素系の漂白剤等を用います。嘔吐物の処理に使用した物(手袋、マスク、エプロン、雑巾等)はビニール袋に密閉して廃棄します。

乳児は胃の形状から嘔吐しやすいです。

■脱水症

脱水症は、体内の水分が減ってしまう状態を指し、排尿間隔が長くなり尿量が減ります。水分補給が大切です。

2 先天性代謝異常症

■フェニルケトン尿症

必須アミノ酸の1つ、フェニルアラニンの代謝に問題があります。治療用ミルクを与えます。

■メープルシロップ尿症

必須アミノ酸のバリン、ロイシン、イソロイシンの代謝に問題があります。特殊ミルクなどの食事療法を行います。

■ガラクトース血症

ガラクトースの代謝に問題がある状態です。乳糖を除いた無乳糖乳や大豆乳を用います。

3 食物アレルギー

原因食物を摂取した後に、湿疹、浮腫、腹痛、かゆみなど、体に不利益な症状を引き起こす現象を食物アレルギーといいます。また、食物アレルギーによって引き起こされる症状のうち、血圧低下、けいれん、意識障害など生命に関わる状態をアナフィラキシーショックといいます。

食物アレルギーのアレルゲンは、ほとんどが食品中に含まれるたんぱく質です。食物アレルギーに関与する主な抗体はIgEです。

■食物アレルギーの種類

乳児の食物アレルギーは、鶏卵・牛乳・小麦の順に多いです。魚卵、果物、ナッツ類、ピーナッツ、甲殻類は、幼児期以降に新規発症する傾向があります。食品表示法において、アレルゲンとなる食物のうち、症例の多いもの、重篤な症状になる8品目については特定原材料として加工食品への表示が義務づけられています。

用語解説

アレルゲン
アレルギーを引き起こす原因物質のことをいいます。

？ここが問われた！

・乳児の食物アレルギーの主要原因物質について(31-前-19、令4-後-19)
・食物アレルギーに関与する抗体について(令4-後-19)
・アレルギー表示義務について(令2-後-20、令3-後-15、令6-前-20)
・食物アレルギーの原因食品(果物)について(令5-後-18)

さらに深める

2025(令和7)年4月より、くるみにも表示義務が課されます。

表1　アレルギー表示の対象品目

表示義務	卵・乳・小麦・そば・えび・かに・落花生・くるみ
表示推奨	大豆・りんご・キウイフルーツ・豚肉・ゼラチン・もも等20品目

原因となる食物を摂取して2時間以内に運動をすることによりアナフィラキシー症状を起こす、食物依存性運動誘発アナフィラキシーなどもあります。

鶏卵アレルギーは卵白のアレルゲンが主原因であり、加熱によってアレルゲン性は低下します。また、鶏卵アレルギーでも鶏肉や卵殻カルシウムを摂取することができます。

■保育所での対応

食物アレルギー児へは、完全除去食で対応します。加工食品は、納入のたびに使用材料を確認します。原因物質を食べるだけでなく、吸い込むことや触れることも食物アレルギー発症の原因となるため、食事だけではなく、製作等でもアレルゲンに触れることがないように気をつける必要があります。

小麦アレルギーでも米や他の雑穀類は摂取することができます。牛乳アレルギーでも基本的に牛肉を摂取することができます。

小麦アレルギーの場合は小麦粉粘土、乳アレルギーの場合は牛乳パックを使った製作、落花生アレルギーの場合は節分の豆まき(大豆の代わりに落花生を使用する地域もあるので)など、食事以外にもアレルゲンに触れることがないように気をつけましょう。

ここが問われた！

食事以外で食材を使用するときの配慮について出題されました(令4-前-17)。

■保育所におけるアレルギー対応の基本原則

厚生労働省「保育所におけるアレルギー対応ガイドライン(2019年改訂版)」では、保育所におけるアレルギー対応の基本原則が示されているので、確認しておきましょう。

○全職員を含めた関係者の共通理解の下で、組織的に対応する
- アレルギー対応委員会等を設け、組織的に対応
- アレルギー疾患対応のマニュアルの作成と、これに基づいた役割分担
- 記録に基づく取組の充実や緊急時・災害時等様々な状況を想定した対策

○医師の診断指示に基づき、保護者と連携し、適切に対応する
- 生活管理指導表(※)に基づく対応が必須

(※)「生活管理指導表」は、保育所におけるアレルギー対応に関する、子どもを中心に据えた、医師と保護者、保育所の重要な“コミュニケーションツール”

○地域の専門的な支援、関係機関との連携の下で対応の充実を図る
- 自治体支援の下、地域のアレルギー専門医や医療機関、消防機関等との連携

○食物アレルギー対応においては安全・安心の確保を優先する
- 完全除去対応（提供するか、しないか）
- 家庭で食べたことのない食物は、基本的に保育所では提供しない

■ 重要なポイントまとめ

- アレルギーの診断は医師のみ。
- 食物アレルギーの診断の１つに特異的IgE抗体検査があります。
- 対応は完全除去が基本です。
- 職員、保護者、主治医、緊急対応医療機関が連携します。
- 家で食べたことのない食物は、基本的に保育所では与えないようにします。新規の食物は、家庭において可能であれば２回以上、何ら症状が誘発されないことを確認した上で、給食として提供することが理想的です。
- 食物摂取後２時間以内に症状が出る即時型と、２時間以上かかる遅延型に分けられます。
- アナフィラキシーが起こったときなど、緊急時にはエピペン®を使用します。

ここが問われた！
- 食物アレルギーの診断について（令3-前-18）
- 食物アレルギー対応（完全除去）について（令3-後-15、令4-前-17）
- 食物アレルギーの抗体検査について（令3-後-15）
- 鶏卵アレルギー、牛乳アレルギーについて（令4-前-16、令5-前-19）
- 小麦アレルギーについて（令5-前-19）

4 障害のある子どもへの対応

障害のある子どもは、障害の種類や程度など様々なので、一人一人の状態を理解して対応しましょう。

■ 視覚障害児・聴覚障害児

目や耳から情報が得られないため、食事に積極的になれず、少食になることが多いです。食事は少量で栄養価の高い食事を選ぶとよいでしょう。

■ 知的障害児

過食や偏食になりやすいです。ビタミンやミネラルが不足がちになってしまうので、気をつけましょう。

■ 身体障害児

食事用自助具の利用や工夫をして、できるだけ自立して食事ができるように支援しましょう。

ここが問われた！
- 食事用自助具について（令3-後-17）
- 飲み込みやすい食品について（令3-前-19）
- スプーンの幅について（令4-後-20）

■ 食事用自助具

・スプーンのボール部の幅は、口の幅より小さいものを選ぶとよいです。
・カットコップは、傾けても鼻にあたりにくく、飲みやすく工夫されています。
・食器は、縁の立ち上がっているもののほうがすくいやすいです。

■ 支援のポイント

・障害があっても、できるだけ普通食に近い状態にします。
・咀嚼能力や嚥下能力に障害がある場合は、とろみ等をつけ、飲み込みやすい状態にしましょう。なお、飲み込みやすい食品として、プリン、かゆ、ヨーグルトなどがあげられます。
・食事のときは仰臥位ではなく、床面に対して30～45度の角度にベッドを起こして姿勢を保ちましょう。
・水や酸味の強い食品など、誤嚥しやすい飲食物には特に注意しましょう。
・食事の援助をする場合は、子どもと同じ目の高さで行うことが基本です。

さらに深める

とろみ

とろみをつける調理法として、片栗粉、ゼラチン、寒天、とろみ調整剤などがあります。

用語解説

仰臥位

あおむけに寝ている姿勢のこと。

さらに深める

誤嚥しやすい食品

水・酸味の強いもの・のり・こんにゃくなども誤嚥しやすいので注意が必要です。

ここが問われた！

・障害のある子どもの食事の援助について(令3-後-17)
・誤嚥しやすい飲食物について(令4-後-20、令5-後-20)

○×チェック問題

下痢をしている子どもへ提供する食事として、適切なものに○、不適切なものに×で答えなさい。

1　かゆ
2　ごぼうの煮物
3　大根のやわらか煮
4　卵豆腐

答え

1○
2×　食物繊維が多く、消化が悪いため。
3○
4○

体調不良の子どもについて、適切なものに○、不適切なものに×で答えなさい。

1　下痢のときには、食物繊維を多く含む料理を与える。
2　乳児は、胃の形状から嘔吐しやすい。
3　嘔吐後に、吐き気がなければ、様子を見ながら経口補水液などの水分を少量ずつ摂らせる。
4　脱水症の症状として、排尿間隔が長くなり、尿量が減ることなどがある。
5　嘔吐物の処理に使用した物（手袋、マスク、エプロン、雑巾等）は、ビニール袋に密閉して、廃棄する。

答え

1×　下痢のときには食物繊維の多い料理は避け、消化のよい料理を与える。
2○
3○
4○
5○

障害のある子どもの食事に関する記述として、適切なものに○、不適切なものに×で答えなさい。

1　スプーンのボール部の幅は、口の幅より大きいものを選ぶとよい。
2　食事の援助をする場合は、子どもと同じ目の高さで行うことが基本である。
3　食器は、縁の立ち上がっているもののほうがすくいやすい。

答え

1 ×「大きいもの」ではなく「小さいもの」
2 ○
3 ○

テーマ10 食育、家庭や施設における食

食育基本法の施行から保育所でも食育に力を入れるようになりました。現在は第４次食育推進基本計画ですが、食育基本法の目的をしっかり把握し、その上で関連のある様々な資料にも目を通していきましょう。

食育基本法、第４次食育推進基本計画、保育所保育指針、「楽しく食べる子どもに～食からはじまる健やかガイド～」

1 食育基本法

食育基本法は2005(平成17)年に制定されました。現在及び将来にわたる健康で文化的な国民の生活と豊かで活力のある社会の実現に寄与することを目的としています。

食育基本法(前文)

子どもたちが豊かな人間性をはぐくみ、生きる力を身に付けていくためには、何よりも「食」が重要である。今、改めて、食育を、生きる上での基本であって、知育、徳育及び体育の基礎となるべきものと位置付けるとともに、様々な経験を通じて「食」に関する知識と「食」を選択する力を習得し、健全な食生活を実践することができる人間を育てる食育を推進することが求められている。もとより、食育はあらゆる世代の国民に必要なものであるが、子どもたちに対する食育は、心身の成長及び人格の形成に大きな影響を及ぼし、生涯にわたって健全な心と身体を培い豊かな人間性をはぐくんでいく基礎となるものである。

ここが問われた！

・「食育基本法」前文の一部の穴埋め問題(令3-後-20、令6-前-12)
・基本理念について(令5-後-12)

「食育基本法」

表1　食育基本法７つの基本理念

1	国民の心身の健康の増進と豊かな人間形成
2	食に関する感謝の念と理解
3	食育推進運動の展開
4	子どもの食育における保護者、教育関係者等の役割
5	食に関する体験活動と食育推進活動の実践
6	伝統的な食文化、環境と調和した生産等への配意及び農山漁村の活性化と食料自給率の向上への貢献
7	食品の安全性の確保等における食育の役割

・「第３次食育推進基本計画」の内容について（令2-後-14、令3-前-13）
・第４次食育推進基本計画について（令4-後-14）
・同計画の重点事項について（令5-前-13、令5-後-13、令6-前-13）
・同計画の目標について（令5-後-10）

さらに深める

食育推進基本計画
最初の食育推進基本計画は平成18年度～平成22年度用に、第２次計画は平成23年度～平成27年度用に、第３次計画は平成28年度～令和２年度用として作成されました。

SDGs
持続可能な開発目標。2030年までによりよい世界をめざす国際目標で、17のゴールがあります。

2　第４次食育推進基本計画

■ 第４次食育推進基本計画の概要

食育推進基本計画は「食育基本法」に基づき、食育の推進に関する基本的な方針や目標について定めています。都道府県は食育推進基本計画に基づき、食育推進計画を作成するよう努めなければなりません。

2021（令和３）年３月31日に、計画期間を令和３年度からおおむね５年間とする「第４次食育推進基本計画」が決定されました。３つの重点事項を柱にしています。概要は以下のとおりです。

1　基本的な方針（重点事項）
　①　生涯を通じた心身の健康を支える食育の推進（国民の健康の視点）
　②　持続可能な食を支える食育の推進（社会・環境・文化の視点）
　③「新たな日常」やデジタル化に対応した食育の推進（横断的な視点）
　　⇒これらをSDGsの観点から相互に連携して総合的に推進
2　食育推進の目標：16の目標と24の目標値
　・栄養バランスに配慮した食生活の実践
　・学校給食での地場産物を活用した取り組み等の増加
　・産地や生産者への意識
　・環境に配慮した農林水産物・食品の選択　等
3　推進する内容
　①　家庭における食育の推進
　　・乳幼児期からの基本的な生活習慣の形成
　　・在宅時間を活用した食育の推進

② 学校、保育所等における食育の推進
・栄養教諭の一層の配置促進
・学校給食の地場産物利用促進へ連携・協働
③ 地域における食育の推進
④ 食育推進運動の展開
⑤ 生産者と消費者との交流促進、環境と調和のとれた農林漁業の活性化等
⑥ 食文化の継承のための活動への支援等
⑦ 食品の安全性、栄養その他の食生活に関する調査、研究、情報の提供及び国際交流の推進

3 保育所保育指針

保育所保育指針は2017(平成29)年に改定されました。「食を営む力」は生涯にわたって育成されるもので、その基礎を培うことが乳幼児の目標とされています。また、養護と教育を一体的に行うことが保育所保育の特性とされています。

保育所保育指針
第3章 健康及び安全
2 食育の推進
(1) 保育所の特性を生かした食育
ア 保育所における食育は、健康な生活の基本としての「食を営む力」の育成に向け、その基礎を培うことを目標とすること。
イ 子どもが生活と遊びの中で、意欲をもって食に関わる体験を積み重ね、食べることを楽しみ、食事を楽しみ合う子どもに成長していくことを期待するものであること。
ウ 乳幼児期にふさわしい食生活が展開され、適切な援助が行われるよう、食事の提供を含む食育計画を全体的な計画に基づいて作成し、その評価及び改善に努めること。栄養士が配置されている場合は、専門性を生かした対応を図ること。
(2) 食育の環境の整備等
ア 子どもが自らの感覚や体験を通して、自然の恵みとしての食材や食の循環・環境への意識、調理する人への感謝の気持ちが育つように、子どもと調理員等との

・保育所保育指針の「食育の推進」の穴埋め問題(令1-後-16、令2-後-16、令3-後-13、令4-前-13、令4-後-16、令5-後-14)
・保育所保育指針の「食育の推進」の正誤問題(令5-前-15、令6-前-14)

保育所における食育の目標について出題されました(31-前-16)。

関わりや、調理室など食に関わる保育環境に配慮すること。

イ　保護者や地域の多様な関係者との連携及び協働の下で、食に関する取組が進められること。また、市町村の支援の下に、地域の関係機関等との日常的な連携を図り、必要な協力が得られるよう努めること。

ウ　体調不良、食物アレルギー、障害のある子どもなど、一人一人の子どもの心身の状態等に応じ、嘱託医、かかりつけ医等の指示や協力の下に適切に対応すること。栄養士が配置されている場合は、専門性を生かした対応を図ること。

ここが問われた！

・「楽しく食べる子どもに～保育所における食育に関する指針～」で掲げられている５つの子ども像の正誤について（令2-後-15、令5-後-16）
・５つの子ども像や食育の５項目について（令3-後-11）
・食育の５項目について、３歳以上児の食育のねらい及び内容について（令4-前-12）
・１歳３か月～２歳未満児の食育の内容について（令4-後-10）

4 楽しく食べる子どもに ～保育所における食育に関する指針～

■ ５つの子ども像

厚生労働省の「楽しく食べる子どもに～保育所における食育に関する指針～」（以下、指針）に楽しく食べる子どもに成長することを期待し、実現を目指すとして、５つの子ども像が掲げられています。

①お腹がすくリズムのもてる子ども
②食べたいもの、好きなものが増える子ども
③いっしょに食べたい人がいる子ども
④食事づくり、準備にかかわる子ども
⑤食べものを話題にする子ども

■ 食育の５項目

指針には食を営む力の基礎を養うために必要な経験の内容として、以下の５項目があげられています。

①　食と健康

食を通じて、健康な心と体を育て、自らが健康で安全な生活を作り出す力を養う。

②　食と人間関係

食を通じて、他の人々と親しみ支え合うために、自立心を育て、人と関わる力を養う。

③　食と文化

食を通じて、人々が築き、継承してきた様々な文化を理解し、つくり出す力を養う。

④　いのちの育ちと食

食を通じて、自らも含めたすべてのいのちを大切にする力を養う。

⑤　料理と食

食を通じて、素材に目を向け、素材に関わり、素材を調理することに関心を持つ力を養う。

5 楽しく食べる子どもに ～食からはじまる健やかガイド～

子どもの発育発達に応じた具体的な食の姿を示しています。これらを参考に保育の計画が立てられます。

授乳期・離乳期

安心と安らぎの中で食べる意欲の基礎づくり

・安心と安らぎの中で母乳（ミルク）を飲む心地よさを味わう。

・いろいろな食べ物を見て、触って、味わって、自分で進んで食べようとする。

幼児期

食べる意欲を大切に、食の体験を広げよう

・おなかがすくリズムが持てる。

・食べたいもの、好きなものが増える。

・家族や仲間といっしょに食べる楽しさを味わう。

・栽培、収穫、調理を通して、食べ物に触れ始める。

・食べ物や身体のことを話題にする。

学童期

食の体験を深め、食の世界を広げよう

・１日３回の食事や間食のリズムが持てる。

・食事のバランスや適量がわかる。

・家族や仲間といっしょに食事づくりや準備を楽しむ。

・自然と食べ物との関わり、地域と食べ物との関わりに関心を持つ。

・自分の食生活を振り返り、評価し、改善できる。

思春期

自分らしい食生活を実現し、健やかな食文化の担い手になろう

ここが問われた！

「楽しく食べる子どもに～食からはじまる健やかガイド」より、

・幼児期について（令2-後-10、令5-前-10、令6-前-8）

・学童期について（令3-前-9、令5-後-9）

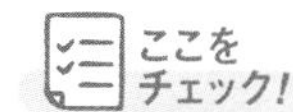

成長段階と発達目標を組み合わせる問題が出題されています。幼児期と学童期、学童期と思春期の比較は間違えやすいので気をつけましょう。

・食べたい食事のイメージを描き、それを実現できる。
・いっしょに食べる人を気遣い、楽しく食べることができる。
・食料の生産・流通から食卓までのプロセスがわかる。
・自分の身体の成長や体調の変化を知り、自分の身体を大切にできる。
・食に関わる活動を計画したり、積極的に参加したりすることができる。

6 食育の計画

PDCAサイクルに基づく活用を基本とします。

・P（Plan）計画 → D（Do）実施 → C（Check）評価 → A（Action）改善

食育は保育所だけではなく、家庭や地域と連携することも重要です。保育士・看護師・調理員・栄養士などの職員や、保護者と連携し一人一人の発育・発達に適した食育を推進しましょう。

7 家庭や施設における食

■家庭における食

朝食欠食にならないよう、普段から生活リズムを整えることが重要です。外食、中食（なかしょく）に気をつけ、内食で栄養バランスを整えるようにしましょう。

外食…外（家庭外）で調理されたものを外で食べること
中食…外で調理されたものを家庭で食べること
内食…家庭で調理されたものを家庭で食べること

■児童福祉施設における食

一人一人の発育・発達段階、健康・栄養状態に適したものであることにより、必要なエネルギー及び栄養素の補給につなげます。児童養護施設では、将来子どもたちが自立した生活ができるように自立支援を目的とした食育も行います。

児童福祉施設においては衛生管理を徹底しなければいけません。食中毒（テーマ5）をはじめ、すべての項目と関連がありますので、しっかり復習しましょう。

児童福祉施設の設備及び運営に関する基準
（食事）
第11条　児童福祉施設（助産施設を除く。以下この項において同じ。)において、入所している者に食事を提供するときは、当該児童福祉施設内で調理する方法(第8条の規定により、当該児童福祉施設の調理室を兼ねている他の社会福祉施設の調理室において調理する方法を含む。)により行わなければならない。

2　児童福祉施設において、入所している者に食事を提供するときは、その献立は、できる限り、変化に富み、入所している者の健全な発育に必要な栄養量を含有するものでなければならない。

3　食事は、前項の規定によるほか、食品の種類及び調理方法について栄養並びに入所している者の身体的状況及び嗜好を考慮したものでなければならない。

4　調理は、あらかじめ作成された献立に従つて行わなければならない。ただし、少数の児童を対象として家庭的な環境の下で調理するときは、この限りでない。

5　児童福祉施設は、児童の健康な生活の基本としての食を営む力の育成に努めなければならない。

■児童福祉施設における食事計画の実施上の留意点

①　子どもの健全な発育・発達をめざし、子どもの身体活動等を含めた生活状況や、子どもの栄養状態、摂食量、残食量等の把握により、給与栄養量の目標の達成度を評価し、その後の食事計画の改善に努めること。

②　献立作成、調理、盛りつけ・配膳、喫食等各場面を通して関係する職員が多岐にわたることから、定期的に施設長を含む関係職員による情報の共有を図り、食事の計画・評価を行うこと。

③　日々提供される食事が子どもの心身の健全育成にとって重要であることに鑑み、施設や子どもの特性に応じて、将来を見据えた食を通じた自立支援にもつながる「食育」の実践に努めること。

④　食事の提供に係る業務が衛生的かつ安全に行われるよう、食事の提供に関係する職員の健康診断及び定期検便、食品の衛生的取扱い並びに消毒等保健衛生に万全に期し、食中毒や感染症の発生防止に努めること。

■大量調理施設衛生マニュアルの概要(一部抜粋)

・加熱調理食品は中心温度計を用いるなどにより、中心部が

ここが問われた！

・ノロウイルスの予防のための加熱温度や時間について（令3-前-14、令3-後-14）
・調理後の喫食時間について（令3-後-14、令5-後-19）

75℃で１分間以上（二枚貝等のノロウイルス汚染のおそれのある食品の場合は85～90℃で90秒以上）またはこれと同等以上まで加熱されていることを確認するとともに、温度と時間の記録を行います。

・調理後の食品は調理終了から２時間以内に喫食することが望ましいです。
・調理従事者等は、下痢・嘔吐・発熱などの症状があったとき、手指等に化膿創があったときは調理作業に従事しないこととしています。

ここが問われた！

「保育所における食事の提供ガイドライン」の「評価のポイント」について出題されました（令元-後-18、令4-後-18）。

■保育所における食事の提供ガイドライン

2012（平成24）年に厚生労働省が公表した、子どもの心身の健やかな成長、保育の質の向上のために、保育所の食事の運営に関わる人々が保育所における食事をより豊かなものにしていくためのガイドラインです。

試験では「評価のポイント」について出題されることがあるので、押さえておきましょう。

厚生労働省「保育所における食事の提供ガイドライン」

○×チェック問題

「楽しく食べる子どもに～保育所における食育に関する指針～」で掲げられている食育の目標の一部について、正しいものに○、誤ったものに×で答えなさい。

1　嫌いなもの、苦手なものが少ない子ども
2　３回の食事をきちんと食べる子ども
3　いっしょに食べたい人がいる子ども
4　お腹がすくリズムのもてる子ども
5　食べたいもの、好きなものが増える子ども
6　食べものを大切にする子ども
7　食べものを話題にする子ども

答え

1 ×　このような記述はない。
2 ×　このような記述はない。
3 ○
4 ○
5 ○
6 ×　このような記述はない。他に「食事づくり、準備にかかわる子ども」がある。
7 ○

第 9 章

保育実習理論

頻出テーマ

<保育所保育等>
指針の内容はもとより、各施設に関する特徴や実習生としての振る舞いや対応も問われるよ。子どもや利用者の最善の利益を考えていくといいね。施設に関しては、関連法令等にも目を通しておこう！

<音楽>
音楽理論は数学と同じで、基礎から順番に理解する必要があるよ。公式と解き方を覚えれば、あとは応用！練習問題をたくさんこなして力をつけていこう。

<保育所保育等>

テーマ1 保育実習から見た子どもの育ちと保育所保育指針
令4-前-14 令4-後-13,14,18 令5-前-15
令5-後-15,16,17,18,19

テーマ2 幼児期の終わりまでに育ってほしい姿
令4-前-7 令5-後-13

テーマ3 保育所保育指針等にみる保育所運営
令4-前-13,15,17,19 令4-後-15,16,19
令5-前-15,16,18,19 令5-後-14 令6-前-17

テーマ4 自立支援計画
令4-前-19 令4-後-19,20 令5-前-19,20
令5-後-19,20 令6-前-19,20

テーマ5 障害児への対応
令1-後-14

<音楽>

テーマ1 基礎知識と楽語
令4-前-2 令4-後-2 令5-前-2,6
令5-後-2 令6-前-2,5

テーマ2 音程と移調
令4-前-4 令4-後-4 令5-前-4 令5-後-4
令6-前-4

テーマ3 和音とコードネーム
令4-前-3 令4-後-3 令5-前-3 令5-後-3
令6-前-3

テーマ4 伴奏和音と和音進行
令4-前-1 令4-後-1 令5-前-1 令5-後-1
令6-前-1

<造形>

テーマ 1　発達年齢と造形表現
令4-後-8 令5-前-8 令5-後-8 令6-前-8

テーマ 2　色彩の知識
令4-前-8 令4-後-10 令5-前-10
令5-後-9 令6-前-9

テーマ 3　表現技法
令4-前-9 令5-後-11

テーマ 4　表現活動の材料
令4-前-10 令4-後-9 令5-前-9
令5-後-10 令6-前-10

テーマ 5　形態と構成の理解
令4-前-12 令4-後-12 令5-前-12
令5-後-12 令6-前-12

<言語>

テーマ 1　幼児期の言語の特徴
令4-前-18 令5-前-13

テーマ 2　絵本その他の技法
令4-前-11 令4-後-17 令6-前-11,18

＜造形＞
理論を文章で暗記するだけでなく、実際に自分の手を動かして「表現」してみると、実感できてより理解が深まるよ。体験は何よりも大きな学習！小さくてもよいのでぜひやってみよう。

＜言語＞
絵本だけでなく、紙芝居などの環境についても問われるよ。ペープサートやパネルシアター等も問われるので、総合的におさえておこう！

<保育所保育等>
テーマ 1

保育実習から見た子どもの育ちと保育所保育指針

保育所保育指針(以下、指針)では、0歳～就学前までを3つのカテゴリに分けています。その各年齢別カテゴリにおいても個人差を考えると一律の保育ではなく、配慮する必要性が出てきます。これは集団保育の形をとっている場合でも、あくまでも個別的に保育するという考え方にのっとっています。

生育歴、探索活動、情緒の安定、性差・個人差

ここが問われた!

・指針第1章「総則」1「保育所保育に関する基本原則」より穴埋め及び○×問題(令2-後-15、令5-後-18)

・保育所保育指針解説第1章「総則」1「保育所保育に関する基本原則」より「保育士等」に含まれる職員について(令1-後-18)

1 保育所保育に関する基本原則

保育実習理論では、指針やそれに関わる法令等を総合的に踏まえた､保育の現場での対応や子どもの育ちが問われます。

■ 保育所の役割

保育所は、すべての子どもの最善の利益のために、安全や健康を確保し、発達過程を見通し、それぞれの保育内容を組織的・計画的に構成して、保育を実施します。

保育所は、入所する子どもの福祉を積極的に増進することに最もふさわしい生活の場であることが求められます。

指針第1章1の⑴保育所の役割

ア　保育所は、児童福祉法(昭和22年法律第164号)第39条の規定に基づき、保育を必要とする子どもの保育を行い、その健全な心身の発達を図ることを目的とする児童福祉施設であり、入所する子どもの最善の利益を考慮し、その福祉を積極的に増進することに最もふさわしい生活の場でなければならない。

イ　保育所は、その目的を達成するために、保育に関する専門性を有する職員が、家庭との緊密な連携の下に、子どもの状況や発達過程を踏まえ、保育所における環境を通して、養護及び教育を一体的に行うことを特性としている。

表1　保育所保育指針解説にみるポイント

専門性を有する職員による保育	保育に携わる全ての保育所職員(施設長・保育士・看護師・調理員・栄養士等)を「保育士等」としている。
家庭との連携	保護者の気持ちに寄り添いながら家庭との連携を密にして行わなければならない。
発達過程	ある時点で何かが「できる、できない」といったことで発達を見ようとする画一的な捉え方ではなく、それぞれの子どもの育ちゆく過程の全体を大切にしようとする考え方である。
環境を通して行う保育	・乳幼児期は、生活の中で興味や欲求に基づいて自ら周囲の環境に関わるという直接的な体験を通して、心身が大きく育っていく時期である。 ・好奇心や自分から関わろうとする意欲をもってより主体的に環境と関わるようになる。
養護と教育の一体性	・養護と教育を一体的に展開するということは、保育士等が子どもを一人の人間として尊重し、その命を守り、情緒の安定を図りつつ、乳幼児期にふさわしい経験が積み重ねられていくよう丁寧に援助することを指す。 ・子どもの傍らに在る保育士等が子どもの心を受け止め、応答的なやり取りを重ねながら、子どもの育ちを見通し援助していくことが大切である。

指針第1章2の(2)保育の目標

ア　保育所は、子どもが生涯にわたる人間形成にとって極めて重要な時期に、その生活時間の大半を過ごす場である。このため、保育所の保育は、子どもが現在を最も良く生き、望ましい未来をつくり出す力の基礎を培うために、次の目標を目指して行わなければならない。

(ア)～(カ)　略

2 乳児保育に関わる配慮事項

乳児期は、心身両面において、短期間に著しい発育・発達が見られる時期です。「健やかに伸び伸びと育つ」「身近な人と気持ちが通じ合う」「身近なものと関わり感性が育つ」という視点が導き出されるとともに、養護及び教育の一体性を特に強く意識して関わることが重要です。

ここが問われた！

・指針第２章「保育の内容」の１「乳児保育に関わるねらい及び内容」より穴埋め問題（令3-前-16、令4-後-13）

■「ねらい及び内容」のポイント

詳しくはp.46の表２「３つの視点とねらい、内容、内容の取扱い」を参照してください。

「ねらい」「内容」「内容の取扱い」をリンクさせおさえておきましょう。

３つの視点「ア　健やかに伸び伸びと育つ」「イ　身近な人と気持ちが通じ合う」「ウ　身近なものと関わり感性が育つ」は、後の５領域に接続をしています。主にアは「健康」、イは「人間関係」「言語」、ウは「表現」「環境」と大きく関わってきます。

■「保育の実施に関わる配慮事項」のポイント

詳しくはp.47の表３「保育の実施に関わる配慮事項（保育所保育指針「第２章１(3)」）」を参照してください。

表２　配慮事項のポイント

ア	健康状態に基づく保健的な対応が大切
イ	生育歴の違いに留意しつつ、特定の保育士が応答的に関わる
ウ	栄養士及び看護師等が配置されている場合は、その専門性を生かした対応を図る
エ	保護者からの相談に応じ、保護者への支援に努める
オ	担当の保育士が替わる場合には、子どものそれまでの生育歴や発達過程に留意する

〇保育のポイント

０歳～６か月未満では、子どものサインをしっかり受け止め、愛情のこもったスキンシップが重要です。６か月から１歳では、母体からの免疫力が下がってくる時期であることから、感染症に注意が必要です。

3　１歳以上３歳未満児の保育に関わる配慮事項

ここが問われた！

・２歳児クラスでの実習生の園児への対応について（令3-前-15）
・指針第２章「保育の内容」２「１歳以上３歳未満児の保育に関わるねらい及び内容」より〇×問題（令3-後-18）

この時期は、徐々に基本的な運動機能が発達し、自分の体を思うように動かすことができるようになってくることを踏まえ、養護と教育の一体性を強く意識し、一人一人の子どもに応じた発達の援助が重要です。

１歳３か月以上３歳未満児では、５領域に分かれており３歳以上児にもつながり、関連があります。５領域での「ねらい及び内容」を踏まえ総合的に問われています。

詳しくはp.48の表5「5領域」と表6「保育の実施に関わる配慮事項(保育所保育指針「第2章2(3)」)」、p.50以降の表10「「1歳以上3歳未満児」と「3歳以上児」の5領域のねらいの比較」、表11「「1歳以上3歳未満児」と「3歳以上児」の5領域の内容の比較」、表12「「1歳以上3歳未満児」と「3歳以上児」の5領域の内容の取扱いの比較」を参照してください。

◯保育のポイント

1歳から2歳は、好奇心が旺盛になることから、自発性の芽生えを踏まえてさりげない補助と危険への配慮が必要です。2歳になると全身運動や手指の操作性が高まってきますが、感染症等への注意もまだ必要です。

4 3歳以上児の保育に関わる配慮事項

この時期は、運動機能がますます発達し、一日の生活の流れを見通しながら、自分から進んで行動するようになります。養護の行き届いた環境の下、「現在を最もよく生き、望ましい未来をつくり出す力の基礎」が培われていくことが重要です。

1歳3か月以上3歳未満児と3歳以上児は同じ5領域が示されています。比較をして、関連性を確認しておきましょう。

詳しくはp.49の表7「基本的事項」、表8「5領域」、表9「保育の実施に関わる配慮事項(保育所保育指針「第2章3(3)」)」、p.50以降の表10「「1歳以上3歳未満児」と「3歳以上児」の5領域のねらいの比較」、表11「「1歳以上3歳未満児」と「3歳以上児」の5領域の内容の比較」、表12「「1歳以上3歳未満児」と「3歳以上児」の5領域の内容の取扱いの比較」を参照してください。

◯保育のポイント

幼児期の特性を踏まえ、「環境を通して行う」ことを基本として、「遊びを中心とした生活」を通して発達に必要な体験をし、「幼児期にふさわしい生活」が展開されるようにすることが重要です。

ここが問われた!

・指針第2章「保育の内容」3「3歳以上児の保育に関するねらい及び内容」の○×問題(令4-後-14、令4-後-18)

5 保育全般に関わる配慮事項

０歳～５歳という全時期を通した保育について配慮事項が定められています。園児の年齢などで切り分けた配慮事項を踏まえ、保育所で支援する園児の年齢及び発達に合わせた保育の展開が重要です。

詳しくはp.56の表13「保育全般に関わる配慮事項」、p.57の表14「小学校との連携」、表15「家庭及び地域社会との連携」を参照してください。

◯保育のポイント

人権に配慮した保育を心がけながら、保育士等自らが自己の価値観や言動を省察していくことが求められます。また、男女共同参画社会の推進とともに、子どもも、職員も、保護者も、一人一人の可能性を伸ばし、自己実現を図っていくことが求められます。

乳児、１歳以上３歳未満児、３歳以上児のそれぞれの内容を理解した上で、保育全般に関わる配慮事項をおさえよう

ここが問われた!

・指針での保育の実施についての留意事項についての正誤問題(令2-後-14)

・4、５歳児の遠足の事前打ち合わせについて(令4-前-14)

・小学校との連携について○×問題(令5-後-17)

さらに深める

子どもが安定し、充実感をもって生活するための保育士等の３つの配慮点(厚生労働省「保育所保育指針解説」より)。①子どもの発達は心身ともに個人差が大きいことに配慮、②子どもの活動における個人差に配慮、③一人一人の子どものその時々の気持ちに配慮

○×チェック問題

1 「一人一人の子どもの生育歴の違いに留意しつつ、欲求を適切に満たし、特定の保育士が応答的に関わるように努めること」は3歳以上児の保育に関わる配慮事項である。

2 「探索活動が十分できるように、事故防止に努めながら活動しやすい環境を整え、全身を使う遊びなど様々な遊びを取り入れること」は保育全般に関わる配慮事項である。

3 「子どもの性差や個人差にも留意しつつ、性別などによる固定的な意識を植え付けることがないようにすること」は保育全般に関わる配慮事項である。

4 「保護者との信頼関係を築きながら保育を進めるとともに、保護者からの相談に応じ、保護者への支援に努めていくこと」は3歳以上児の保育に関わる配慮事項である。

5 「「幼児期の終わりまでに育ってほしい姿」が、ねらい及び内容に基づく活動全体を通して資質・能力が育まれている子どもの小学校就学時の具体的な姿であることを踏まえ、指導を行う際には適宜考慮すること」は保育全般に関わる配慮事項である。

答え

1 ✕ 乳児保育に関わる配慮事項のイ
2 ✕ 1歳以上3歳未満児の保育に関わる配慮事項のイ
3 ○
4 ✕ 乳児保育に関わる配慮事項のエ
5 ✕ 3歳以上児の保育に関わる配慮事項のア

<保育所保育等>
テーマ 2

幼児期の終わりまでに育ってほしい姿

2017(平成29)年の改正で保育所保育指針に新しく盛り込まれた「幼児期の終わりまでに育ってほしい姿」はいわゆる10の姿として、保育現場での保育の方向性を定めるものとして創設されています。この「幼児期の終わりまでに育ってほしい姿」は保育での留意点であり、特に保育所の生活の中で見られるようになる子どもの姿であることに留意が必要であることを示唆しています。

発達や学びの個人差、幼小接続

1 創設された背景

幼稚園教育要領や保育所保育指針では、小学校学習指導要領と異なり、「～を味わう」「～を感じる」などのように、いわばその後の教育の方向づけを重視した目標で構成されています。しかし、このような違いがあることから、児童期については小学校学習指導要領において育つべき具体的な姿が示されているのに対し、幼児期については幼稚園教育要領や保育所保育指針からは具体的な姿が見えにくいという指摘がありました。それを受けて初めて創設されました。

「幼保連携型認定こども園教育・保育要領」にも示されているよ

2 幼児期の終わりまでに育ってほしい姿

「幼児期の終わりまでに育ってほしい姿」は、保育所保育指針第2章「保育の内容」のねらい及び内容に基づく保育活動全体を通して資質・能力が育まれている子どもの小学校就学時の具体的な姿であり、保育士等が指導を行う際に考慮するものです。

幼児期の発達の段階を踏まえれば、幼児期の教育において、学年ごとに到達すべき目標を一律に設定することは適切とはいえません。しかし、各幼稚園、保育所、認定こども園においては、幼児の発達や学びの個人差に留意しつつ、幼児期の終わりまでに育ってほしい幼児の姿を具体的にイメージして、日々の教育を行っていく必要があります。また、各小学校においては、各幼稚園、保育所、認定こども園と情報を共有し、幼児期の終わりの姿を理解した上で、幼小接続の具体的な取り組みを進めていくことが求められます。

試験では、「幼児期の終わりまでに育ってほしい姿」(第1章p.41～43参照)の内容が問われていますが、表1の「ポイント」を考慮し、総合的な問題に取り組んでみましょう。また、5領域との関連もおさえておきましょう。

ここが問われた！
「幼児期の終わりまでに育ってほしい姿」について出題されました(31-前-14、令1-後-17、令4-前-7、令5-後-13)。

さらに深める
この「幼児期の終わりまでに育ってほしい姿」は保育所や幼稚園の保育の到達点ではなく、あくまでも「育ってほしい姿」の方向性にすぎません。

表1　幼児期の終わりまでに育ってほしい姿のポイント

項目	ポイント
1　健康な心と体	「健康」領域。保育士等は、子どもの主体的な活動を促す環境をつくり出すことが必要である。
2　自立心	「人間関係」領域。保育士等には、子ども一人一人が、自分で活動を選びながら保育所の生活を主体的に送ることができるように、視覚的に提示するなどの工夫が必要である。
3　協同性	「人間関係」領域。保育士等は、一人一人の自己発揮や友達との関わりの状況に応じて、適時に援助することが求められる。
4　道徳性・規範意識の芽生え	「人間関係」領域。保育士等はそれまでの子どもの経験を念頭に置き、その状況などをクラスの子どもにも伝えていくことが大切である。
5　社会生活との関わり	「人間関係」領域。保育士等は、子どもが相手や状況に応じて考えて行動しようとする姿などを捉え、そこでの体験が、保育所内において年下の子どもや保育所に在籍していない地域の子ども、保護者などとの関わりにもつながっていくことを念頭に置き、子どもの姿を細やかに捉えていくことが必要である。
6　思考力の芽生え	「環境」領域。保育士等は、子どもが不思議さや面白さを感じ、こうしてみたいという願いを持つことにより、新しい考えが生み出され、遊びが広がっていくことを踏まえる必要がある。
7　自然との関わり・生命尊重	「人間関係」領域。保育士等は、保育所内外の自然の状況を把握し、子どもが好奇心や探究心を持って見たり触れたりする姿を見守ることが大切である。

8　数量や図形、標識や文字などへの関心・感覚	「環境」領域。保育士等は、子どもたちの活動の広がりや深まりに応じて数量や文字などに親しめるよう、工夫しながら環境を整えることが大切である。
9　言葉による伝え合い	「言葉」領域。保育士等は、子どもの状況に応じて、言葉を付け加えるなどして、子ども同士の話が伝わり合うように援助をする必要がある。
10　豊かな感性と表現	「表現」領域。保育士等は、一人一人の子どもが様々に表現する楽しさを大切にするとともに、多様な素材や用具に触れながらイメージやアイデアが生まれるように、環境を整えていく。

3 小学校の教師との関係

小学校の教師と「幼児期の終わりまでに育ってほしい姿」を手がかりに子どもの姿を共有するなど、保育所保育と小学校教育の円滑な接続を図ることが大切です。その際、「幼児期の終わりまでに育ってほしい姿」は保育所の保育士等が適切に関わることで、特に保育所の生活の中で見られるようになる子どもの姿であることに留意が必要です。

保育所と小学校では子どもの生活や教育の方法が異なっているため、「幼児期の終わりまでに育ってほしい姿」からイメージする子どもの姿にも違いが生じることがありますが、保育士等と小学校教師が話し合いながら、子どもの姿を共有できるようにすることが大切です。

○×チェック問題

1　幼児期の発達の段階を踏まえれば、幼児期の教育において、学年ごとに到達すべき目標を一律に設定することは適切とはいえない。

2　「幼児期の終わりまでに育ってほしい姿」は、保育所保育だけに有効である。

3　「幼児期の終わりまでに育ってほしい姿」には数量や文字についての規定はない。

4　「幼児期の終わりまでに育ってほしい姿」の中で「保育所の生活において、保育士等との信頼関係を基盤に自己を発揮し、身近な環境に主体的に関わり自分の力で様々な活動に取り組む中で育まれる」は協同性についての記述である。

5 「友達と様々な体験を重ねる中で、してよいことや悪いことが分かり、自分の行動を振り返ったり、友達の気持ちに共感したりし、相手の立場に立って行動するようになる」は協同性についての記述である。

6 「保育士等や友達と心を通わせる中で、（中略）経験したことや考えたことなどを言葉で伝えたり、相手の話を注意して聞いたりし、言葉による伝え合いを楽しむようになる」は、言葉による伝え合いについての記述である。

7 「友達同士で表現する過程を楽しんだりし、表現する喜びを味わい、意欲をもつようになる」は思考力の芽生えの記述である。

8 「身近な動植物に心を動かされる中で、生命の不思議さや尊さに気付き、身近な動植物への接し方を考え、命あるものとしていたわり、大切にする気持ちをもって関わるようになる」は、自然との関わり・生命尊重についての記述である。

9 保育所保育指針によると、保育所保育において育まれた資質・能力を踏まえ、小学校教育が円滑に行われるよう、小学校教師との意見交換や合同の研究の機会などを設け、「幼児期の終わりまでに育って欲しい姿」を共有するなど連携を図り、保育所保育と小学校教育との円滑な接続を図るよう努める。

10 「幼児期の終わりまでに育ってほしい姿」は、就学をひかえた園児にとって最終目的として存在する。

答え

1 ○
2 ✕ 保育所、幼稚園、認定こども園いずれにも有効になるようなものとして設定されている。
3 ✕ 「数量・図形、文字等への関心・感覚」がある。
4 ✕ 「協同性」ではなく「自立心」
5 ✕ 「協同性」ではなく「道徳性・規範意識の芽生え」
6 ○
7 ✕ 「思考力の芽生え」ではなく「豊かな感性と表現」
8 ○
9 ○
10 ✕ あくまでも保育の留意点である。

<保育所保育等>
テーマ 3

保育所保育指針等にみる保育所運営

園長はじめ保育士が保育所を運営する上で基礎となるものが保育所保育指針(以下、指針)です。保育室や屋外で展開される日々の保育だけでなく、保育所の運営方針や危機管理等についても指針に則って展開することが求められます。保育士として知っておくべき内容です。

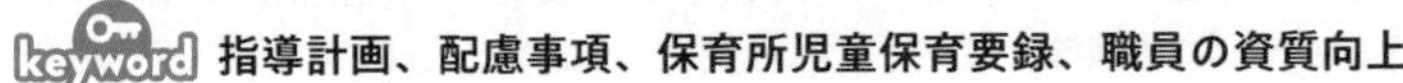
keyword **指導計画、配慮事項、保育所児童保育要録、職員の資質向上**

1 指導計画の作成

指導計画については、指針第１章「総則」３「保育の計画及び評価」⑵「指導計画の作成」で次のように計画作成の義務が規定されています。

> ⑵　指導計画の作成
> ア　保育所は、全体的な計画に基づき、具体的な保育が適切に展開されるよう、子どもの生活や発達を見通した長期的な指導計画と、それに関連しながら、より具体的な子どもの日々の生活に即した短期的な指導計画を作成しなければならない。

■保育の計画及び評価

①全体的な計画の作成、②指導計画の作成、③指導計画の展開という構成になっています(指針第１章３)。

この３点を踏まえて総合的に保育計画を立てていきます。その後、保育士等の自己評価と保育所の自己評価、第三者評価などの結果を踏まえることで、さらによい保育が展開できるようになります。

ここが問われた！
・指導計画を立案する際の留意点について(令4-後-15)
・実習での読み聞かせに関する指導計画の作成について(令5-後-16)

ここが問われた！
保育の計画を通しての自己評価における留意点について出題されました(令3-後-15)。

ここが問われた！
指針第１章「３　保育の計画及び評価」から、全体的な計画について出題されました(令3-後-16)。

○**全体的な計画の作成**

・保育の内容が組織的かつ計画的に構成され、保育所の生活の全体を通して、総合的に展開されるようにする。
・子どもや家庭の状況、地域の実態、保育時間などを考慮し、子どもの育ちに関する長期的見通しをもつ。
・保育所保育の全体像を包括的に示すものとし、各保育所が創意工夫して保育できるようにする。

○**指導計画の作成**

全体的な計画に基づき、具体的な保育が適切に展開されるよう、子どもの生活や発達を見通した長期的な指導計画と、それに関連しながら、より具体的な子どもの日々の生活に即した短期的な指導計画を作成する。

【3歳未満児】	【3歳以上児】
一人一人の子どもの生育歴、心身の発達、活動の実態等に即して、個別的な計画を作成する。	個の成長と、子ども相互の関係や協同的な活動が促されるよう配慮する。

【異年齢で構成される組やグループでの保育の場合】

一人一人の子どもの生活や経験、発達過程などを把握し、適切な援助や環境構成ができるよう配慮する。

【その他計画する上での配慮事項】

・生活の連続性、季節の変化などを考慮する。
・子どもの実態に即した具体的なねらい及び内容を設定する。
・子どもが主体的に活動できるようにする。
・活動と休息、緊張感と解放感等の調和を図る。
・午睡は安全な睡眠環境を確保し、睡眠時間は子どもの発達の状況や個人差があることから、一律とならないよう配慮する。
・長時間保育では、保育の内容や方法、職員の協力体制、家庭との連携などを位置づける。
・障害のある子どもの保育では、他の子どもとの生活を通して共に成長できるよう、家庭や関係機関と連携した支援のための計画を個別に計画するなどの対応を図る。

○**指導計画の展開**

・施設長、保育士など、全職員による適切な役割分担と協力体制を整える。
・子どもが行う具体的な活動は、生活の中で様々に変化することに留意して、子どもが望ましい方向に向かって自ら活動を展開できるよう必要な援助を行う。

指針における保育の計画の際の留意事項について出題されました（令2-後-18）。

指針に則った保育の計画の上での事故は「事故」として扱われますが、指針からかけ離れた保育計画の上での「事故」は「事件」として扱われる危険性があります。「事故」を「事件」にしないためにも、指針に則った計画が必須です。

指針第1章「総則」3(3)「指導計画の展開」について出題されました（令4-前-13、令5-前-16）。

・子どもの主体的な活動を促すために、子どもの情緒の安定や発達に必要な豊かな体験が得られるよう援助する。
・保育士等は、指導計画に基づく保育の内容の見直しを行い、改善を図る。

2 保育の実施に関して留意すべき事項

ここが問われた！
保育士の守秘義務について、事例問題が出題されました（指針第４章１関連）（令4-後-16）。

指針第２章４「保育の実施に関して留意すべき事項」では、保育全般に関わる配慮事項が示されています。そこでは、特に保育士の専門性が活かされるよう求められています（詳細はテーマ１**5** p.514を参照）。

保育所ではこの内容を十分に踏まえて、保育所内外において子どもが豊かな体験を得る機会を積極的に設けることが必要です。また、特に保育所外での活動においては、移動も含め安全に十分配慮し、子どもの発達やその時々の状態を丁寧に把握し、一人一人の子どもにとって無理なく充実した体験ができるよう指導計画に基づいて実施することが重要です。

3 保育所児童保育要録

ここが問われた！
保育所児童保育要録の取り扱いについて出題されました（令3-前-18）。

指針では、「子どもに関する情報共有に関して、保育所に入所している子どもの就学に際し、市町村の支援の下に、子どもの育ちを支えるための資料が保育所から小学校へ送付されるようにすること」（第２章４(2)小学校との連携のウ）と規定されており、この資料が「保育所児童保育要録」（以下、保育要録）です。この保育要録は、保育所や子どもの状況などに応じて柔軟に作成し、一人一人の子どものよさや全体像が伝わるよう工夫して記載します。また、子どもの最善の利益を考慮し、保育所から小学校へ子どもの可能性を受け渡していくものでもあります。

■保育要録の取扱い

・保育要録の送付については、入所時や懇談会などを通して、保護者に周知しておくことが望ましいとされています。
・保育要録の作成にあたっては、保護者との信頼関係を基盤として、保護者の思いを踏まえつつ最終年度の子どもについて、施設長の責任のもと、担当の保育士が記載します。
・子どもの就学に際して、作成した保育要録の抄本または写しを就学先の小学校の校長に送付します。
・保育所においては、作成した保育要録の原本等について、その子どもが小学校を卒業するまでの間保存することが望ましいとされています。

4 職員の資質向上

指針第５章「職員の資質向上」において、「保育所は、質の高い保育を展開するため、絶えず、一人一人の職員についての資質向上及び職員全体の専門性の向上を図るよう努めなければならない」と示されています。

また、同章の３「職員の研修等」において以下のように示されています。

> ⑴　職場における研修
> 　職員が日々の保育実践を通じて、必要な知識及び技術の修得、維持及び向上を図るとともに、保育の課題等への共通理解や協働性を高め、保育所全体としての保育の質の向上を図っていくためには、日常的に職員同士が主体的に学び合う姿勢と環境が重要であり、職場内での研修の充実が図られなければならない。

ここが問われた！
保育士の資質向上について、事例問題が出題されました(令4-前-17)。

職場内での研修は、職員が、日々の保育において子どもの育ちの喜びや保育の手応えを共有し合うことで、自分たちの保育に求められる知識や技能を、実践事例から、意識的かつ意図的に学ぶことでさらに向上に努める場でもあります。

> ⑵　外部研修の活用
> 　各保育所における保育の課題への的確な対応や、保育士等の専門性の向上を図るためには、（中略）必要に応じて、こうした外部研修への参加機会が確保されるよう努めなければならない。

外部研修を活用していくためには、施設長等が、研修に参加するための職員の勤務体制を調整工夫し、職員が研修の意義や必要性を理解して、相互に協力しながら取り組むことが必要です。また、外部研修に参加した職員が、そこで得た知識や技能を保育所内で共有し合っていくことが、学んできた内容の職場への定着や保育所全体における保育の質の向上の観点から求められます。

ここが問われた！
「全国保育士会倫理綱領」の内容について出題されました(令3-後-17)。

■ 全国保育士会倫理綱領(平成15年2月26日採択)

前文で「私たちは、子どもの育ちを支えます」「私たちは、保護者の子育てを支えます」「私たちは、子どもと子育てにやさしい社会をつくります」とうたわれ、それを受けた①子どもの最善の利益の尊重、②子どもの発達保障、③保護者との協力、④プライバシーの保護、⑤チームワークと自己評価、⑥利用者の代弁、⑦地域の子育て支援、⑧専門職としての責務の8つの項目が示されています。

この倫理綱領はあくまでも綱領(保育士の意識すべき主要な部分)であり、法的拘束力はありません。

ここが問われた！
実習生に求められる事項について出題されました(令2-後-19)。

5 保育実習者に求められるもの

保育所や児童福祉施設での実習の際に、実習生として求められる事項があります。

ここが問われた！
実習施設の運営指針について出題されました(31-前-19)。

■ 守秘義務

実習生であっても職員と同様に守秘義務は発生します。実習中に知り得た利用者の個人情報は実習が終わっても守秘義務があります。実習記録を書く際には、個人が特定されないように対象者の氏名をイニシャル等で書くなど、配慮します。

ここが問われた！
実習で学ぶべきことについて出題されました(令4-前-15)。

■ 法令遵守

一般には、コンプライアンスと呼ばれています。たとえば、未成年の利用児童の喫煙や飲酒は法令違反なので、実習中に見かけたら即刻喫煙や飲酒を制止し、職員へ報告します。

■ 実習施設についての事前学習の必要性

実習する施設についての事前学習は実習にとても有効です。特に、実施された行事等について理解していると、実習中に会話の材料になります。また、施設の規模や利用定員などの基礎データも調べておきましょう。

■障害児施設実習での留意点

障害児の施設では、安全のために利用児童の問題行動への制止が求められます。他の利用児童への安全確保と実習生自身がけがをしないような留意が必要です。「(児童たちに)けがをさせない、(実習生自身も)けがをしない」が重要です。

■実習中のトラブル

実習中には予期せぬことが発生します。その場合、危険性があれば避難や個別での支援を行います。また、利用者(園児)同士のトラブルを仲裁する場合は、その方法について、担当保育士に相談し、助言を得ましょう。また、園児からの暴言や軽い暴力などに対しては、その行動の背景を探るようにします。

■観察・記録・振り返り

保育実習における観察とは、園児の行動に加えて、遊具や設備についてや、また、園児を支援していく上での保育士同士の連携について観察することも含みます。

記録は、実習生には悩むところですが、実習内容(支援内容)を時系列で整理し、場面場面での気づきや、思い、考えなどを記録すると、最後のまとめの記録で役立ちます。

振り返りは、その日のうちに担当保育士と振り返ることで気づきがあり、それを翌日以降の保育実習に反映することが重要です。

また、子どもや利用者への対応で実習生がどのように支援、援助をすればよいか迷う部分も出てくると思います。そのような際は、指針の保育の内容を参考にしながら、子どもの育ちや様々なことが主体的に取り組めるよう考慮することが大切です。

? ここが問われた!

- 保育所での実習生の園児同士のトラブルへの対応について(令3-前-17)
- 児童養護施設実習での児童への対応について(令5-前-19)

? ここが問われた!

- 実習中のトラブルについて(令3-前-17)
- 実習担当保育士の実習生への対応について(令4-前-19)。

? ここが問われた!

- 児童養護施設での実習記録作成に関する留意点について(令3-後-19)
- 実習生の実習指導計画の「実習生の活動」に記載した内容について(令5-前-15)
- 実習中の観察、記録、振り返りについて(令5-前-18)
- 実習日誌の記載内容と取扱いについて(令6-前-17)

○×チェック問題

1　指針によると、保育の計画は一度立てたら途中で変更しないことが原則である。

2　指針によると、一人一人の子どもの生育歴、心身の発達、活動の実態等に即して、個別的な計画を作成するのは３歳以上児の場合である。

3　保育士は日々の保育が基本であるため、外部研修は極力控える。

4　園児が就学する小学校へ「保育所児童保育要録」の原本を送付する。

5　全国保育士会倫理綱領においては、利用者のニーズは基本的に本人に表明させるように指導している。

6　実習生であっても守秘義務は求められる事項の一つである。

答え

1 ×　必要に応じて見直し変更していく。

2 ×　３歳未満児の場合である。

3 ×　保育所保育指針では外部研修の活用がうたわれている。

4 ×　あくまでも保育所での記録であることから、抄本または写しを送付し原本は保育所で保存する。

5 ×　同綱領の６に「利用者の代弁」とあり、アドボカシー機能を示している。

6 ○

<保育所保育等>

テーマ4 自立支援計画

養育者は、子どもの行動上の問題やその対処方法に目がいきがちですが、児童相談所と養育者には子どもの「最善の利益」を追求していくことが求められます。その１つの方向性を決めるものとして自立支援計画が存在します。

アセスメント、自立して生活できる力、継続的な支援、個別の自立支援計画

1 養育の基本となる自立支援計画

自立支援計画は、子どもを取り巻く大人がその子に関する理解を共有し、連携して計画的に支援を行っていくためにつくられます。策定にあたっては、児童相談所の援助方針を踏まえながら、担当職員、家庭支援専門相談員、心理担当職員、基幹的職員、施設長等が多角的にその子どもの支援内容・方法を総合的に判断する必要があります。また、保護者や子どもの意向や希望を十分反映して立案されることが重要であり、策定された自立支援計画は職員会議等で周知され、共通認識のもと施設全体で子どもの支援を行うことが求められています。また、自立支援計画は子どもの変化や状況を関係各所と連携しながら定期的な見直しが求められます。

ここが問われた！
自立支援計画の支援方針や取り組み内容について出題されました(令1-後-19)。

さらに深める
厚生労働省は、2018(平成30)年に、子どもや家族への相談支援を行う人や施設で生活する子どもと関わる人が、子どもと家庭に対する的確なアセスメントをするために「子ども・若者ケアプラン(自立支援計画)ガイドライン」を作成しました。

2 児童相談所におけるアセスメント

アセスメントとは、ソーシャルワークにおいては「受理後の事例に対して情報を収集したうえで、その問題の所在を明らかにするプロセス」を指し、課題を明らかにすることです。

適切なアセスメントを行うためには、支援に必要な範囲において、当該児童や家族の状況に応じた体系的な情報収集による面接、観察、調査などの方法を用います。

用語解説

子ども家庭総合評価票
相談内容と子どもの年齢に応じた「養護・虐待・(非行)・育成相談」版と「障害・保健相談版」の２種類の評価票があり、１ケースごとに１種類を選び、直接記入していくシートです。

表１　児童相談所におけるアセスメント

初期におけるアセスメント(受理)	初期(受理)面接における初期アセスメントの目的は、フェースシート、主たる問題(主訴)、相談者の問題認識や援助ニーズなど概括的な把握に必要な基本的事項について、「子ども家庭総合評価票」の背景が黄色になっている項目などに関する情報を収集し、ケースの全体像を概観的に把握することにある。
援助ニーズ等を把握するためのアセスメント	継続した相談援助の過程において、面接・行動観察・心理検査などの方法による社会診断・心理診断・医学診断・行動診断及び子ども家庭総合評価票などを活用して、包括的かつ特長や問題点(問題の原因・背景などを含む)及び援助ニーズがあると推察できる部分に焦点を当てつつ、必要な情報の収集、調査及びその整理を体系的に行うなど、ケース全体について包括的かつ焦点化したアセスメントを行う。
総合診断(総合的なアセスメント)	最終的に、総合的な検討に基づき、その子どもの健全な発達にとっての最善の利益を図るため、そのケースに対する具体的な目標や課題などについて総合的な診断を行い、明らかにしていく。

資料：厚生労働省「子ども・若者ケアプラン(自立支援計画)ガイドライン」

3　児童養護施設等に入所している子どもに係る自立支援計画

ここが問われた！

児童養護施設で立てた自立支援計画と実際との差異が生じた場合の対応について出題されました(令3-前-19)。児童養護施設入所児童の進路指導について出題されました(令5-前-20)。

児童養護施設、乳児院、児童自立支援施設または児童心理治療施設において、子どもの自立支援の視点に立った指導の充実や、通学する学校、児童相談所等関係機関との連携を図りながら、個々の子どもの状況を十分に把握し、情報を共有化するためのケース概要をもとにケース検討会議等で十分に検討します。さらに、個別の子どもについて自立支援計画を策定し、これに基づいた支援が行われます。自立支援計画においては、実施状況の振り返りを行い、評価と計画を少なくとも半年ごとに見直しますが、その際、子どもとともに生活を振り返り、子どもの意思を確認し、併せて保護者の意向を踏まえて、それらを反映させつつ、子どもの最善の利益を考慮します。

4 母子生活支援施設の入所者に係る自立支援計画

母子生活支援施設では母親への支援と同時に、子ども一人一人への支援が求められます。子どもたちが安心して育っていける、安定した環境を母親とともに考え、つくり出していくことが必要であり、このような環境をつくり出し、維持し、やがては子どもの自立を促進していくことが母子生活支援施設の支援の重要な役割の１つです。

担当職員のみならず施設長をはじめとする職員が共同して、就労、家庭生活及び子どもの養育に関する相談及び助言等各援助領域を通じ、退所後についても継続的な支援を行うことが必要です。

母子家庭の自立支援の観点に立った支援の充実や、福祉事務所、母子自立支援員、児童家庭支援センター、母子福祉団体、公共職業安定所、子どもの通学する学校や児童相談所等関係機関との連携を推進する観点から、入所者個別の自立支援計画を策定します。

5 児童福祉施設の設備及び運営に関する基準

「児童福祉施設の設備及び運営に関する基準」は児童福祉施設を設置・運営していく上での最低基準であり、すべての児童福祉施設に適用されます。しかし、あくまでも設置・運営する上での数的基準が主であり、保育の質についての具体的な基準はありません。また同基準の第４条では「最低基準を超えて、常に、その設備及び運営を向上させなければならない」と最低基準以上のレベルを児童福祉施設に求めています。

表２に、保育所以外の児童福祉施設における基準を抜粋しました。「6　児童福祉施設における子どもの理解と対応」のそれぞれの施設についての内容(p.530～533)に照らし合わせてみると、理解が深まります。

ここが問われた！

児童福祉施設の設備及び運営に関する基準における各児童福祉施設の特徴について出題されました(令2-後-20)。

表2　施設別養護についての基準(抜粋)

施設名	基準
乳児院	乳児院における養育は、乳幼児の心身及び社会性の健全な発達を促進し、その人格の形成に資することとなるものでなければならない(第23条)。
児童養護施設	児童養護施設における養護は、(中略)児童の心身の健やかな成長とその自立を支援することを目的として行わなければならない(第44条)。
母子生活支援施設	母子生活支援施設における生活支援は、母子を共に入所させる特性を生かしつつ、(中略)その自立の促進を目的とし、かつ、その私生活を尊重して行わなければならない(第29条)。
児童心理治療施設	児童心理治療施設における心理療法及び生活指導は、児童の社会的適応能力の回復を図り、(中略)退所した後、健全な社会生活を営むことができるようにすることを目的として行わなければならない(第75条)。
児童自立支援施設	児童自立支援施設の学科指導に関する設備については、小学校、中学校又は特別支援学校の設備の設置基準に関する学校教育法の規定を準用する(以下略)(第79条)。

6　児童福祉施設における子どもの理解と対応

児童福祉施設での実習は、保育所での実習とは違う理解や対応が求められます。また、保育所や幼稚園等でも「福祉ニーズ」をもつ園児と向き合うことがあります。

乳児院での実習について○×問題が出題されました(令5-後-19)。

■乳児院(児童福祉法第37条)

乳児院に入院する子どもは、何かの疾患や障害をかかえている児童も多く、個別的な関わりに加えて医学的・治療的ケアが求められています。また、きょうだいで入所しているなど、家庭が課題をかかえているケースもあります。このような子どもの様子から発育発達の遅れからの回復に向けた保護者も含めた専門的な支援が行われています。退院後も、相談その他の援助を行うことを目的としています。

■児童養護施設(児童福祉法第41条)

児童養護施設に入所する子どもは、入所に至る理由が児童虐待をはじめとして複雑化・重層化しています。入所当初ではわからなかった課題が明らかになり、入所継続になることも増えています。学齢期の児童もいることから、学習支援や進路選択支援を並行して行うことで退所後の安定した生活に結びつける支援が中心です。

■母子生活支援施設(児童福祉法第38条)

この施設は母子(世帯)での入所が原則で父子世帯の入所を認めていません。

身体的不調、障害や疾病、外国籍の母子も増えています。入所対象年齢範囲の広さから心身の発達や成長体験がそれぞれ違うことを踏まえ、子どもの状態に合わせた支援が求められています。

■障害児入所施設(児童福祉法第42条)

障害児の入所施設には、福祉型と医療型があります。

・福祉型障害児入所施設

知的障害、自閉症スペクトラム症、盲、ろう、肢体不自由の子どもたちが入所・生活しています。食事、睡眠、排泄などの基本的生活習慣への支援や、コミュニケーションや社会参加への支援も行われます。

・医療型障害児入所施設

医療的支援の必要な自閉症スペクトラム症、肢体不自由、重症心身障害の子どもが入所・生活しています。保育士は看護師等と連携しながら、日常生活介護、保育技術を利用して子どもの情緒の安定を図り、ふさわしい生活維持について支援します。

■児童発達支援センター(児童福祉法第43条)

児童発達支援を行うほか、施設の有する専門性を活かし、地域の障害児やその家族への相談、障害児を預かる家族への援助・助言を合わせて行う地域の中核的な療育施設です。

子どもの個々のニーズに合った支援をするために支援計画を作成し、個々の障害や発達の特性を理解した専門性の高い助言や援助等の支援を行います。また、地域の児童発達支援の中核的な機関として、保育所等へ障害児相談支援などの対応もしています。

ここが問われた!

児童養護施設については頻繁に出題されています。

- 実習等の対応が問われました(令4-前-19、令4-後-19,20、令5-前-19,20、令6-前-19,20)。
- 「児童養護施設運営ハンドブック」(平成26年　厚生労働省)の内容より○×問題(令5-後-20)

ここが問われた!

母子生活支援施設での実習について選択問題が出題されました(令1-後-19)。

■ 児童心理治療施設（児童福祉法第43条の２）

心理的困難や苦しみを抱え、日常生活の多岐にわたって生きづらさを感じている子どもが対象であり、心理治療が必要です。日中は、一般家庭と同様に、登校します。下校後は、自由遊びやグループ活動など個々の子どもに応じた心理療法や医療機関への通院もあります。また、保護者とのグループ面接や保護者の養育スキルアップのためのプログラムも実施されています。

■ 児童自立支援施設（児童福祉法第44条）

非行に加えて、その非行に至る背景として、不適切な養育を受けて育ちトラウマを抱えている、乳幼児期に大人との基本的信頼関係が形成できなかったこともその要因となっています。また、メンタルヘルス上の問題を抱えている子どもも存在します。

基本的な日課として、日中は施設内設置の学校で学習し、下校後は余暇活動やグループ活動、作業などの支援があります。自傷・他傷行為の可能性のある児童には特別支援日課を設定しています。

■ 児童厚生施設（児童福祉法第40条）

屋外の「児童遊園」と屋内の「児童館」を主な施設としています。

児童遊園は、「標準的児童遊園設置運営要綱」により、敷地面積などが規定されています。また、「児童福祉施設の設備及び運営に関する基準」により「児童の遊びを指導する者」の配置が定められています。

児童館は「小型児童館」「児童センター」「大型児童館」と３種類ありますが、児童センターは小型児童館に加え体力増進に関する指導機能を持ちます。

■ 児童相談所（児童福祉法第12条）

児童相談所は、市町村と適切な協働・連携・役割分担を図りつつ、子どもに関する家庭その他からの相談に応じ、子どもが有する問題または子どもの真のニーズ、子どもの置かれた環境の状況等を的確に捉え、個々の子どもや家庭に適切な

ここが問われた！

ネグレクトが疑われる子どもへの児童相談所の当面の対応について出題されました（令3-後-20）。

援助を行い、子どもの福祉を図るとともに、その権利を擁護することを主たる目的としています。都道府県、指定都市及び政令で定める児童相談所設置市に設置されます。

　児童相談所における相談援助活動は、すべての子どもが心身ともに健やかに育ち、その持てる力を最大限に発揮することができるよう子ども及びその家庭等を援助することを目的とし、児童福祉の理念及び児童育成の責任の原理に基づき行われます。このため、常に子どもの最善の利益を考慮し、援助活動を展開していくことが必要です。

○×チェック問題

1 自立支援計画は、市区町村が社会診断・心理診断・医学診断（状況に応じて）をもとに専門的な視点から、子どもの養育をどのように考えていくのかを作成するものである。

2 自立支援計画は定期的な見直しは必要ない。

3 児童相談所における初期段階のアセスメントでは、ケースの全体像を概観的に把握する。

4 児童養護施設等の入所者に係る自立支援計画は、秘密保持の観点から通学する学校、児童相談所等関係機関との連携を図る必要はない。

5 母子生活支援施設では、保護者第一優先として支援が行われる。

6 児童養護施設入所児童の自立支援計画は子どもの最善の利益を考慮する。

7 福祉型児童発達支援センターは、精神に障害のある児童は対象外である。

8 児童自立支援施設は、通所施設であり、入所施設の設備は整っていない。

9 児童厚生施設には大きく分けて、児童館と児童遊園がある。

答え

1 × 「市区町村」ではなく「児童相談所」

2 × 連携しながら自立支援計画を見直すことが望まれる。

3 ○

4 × 連携を図る必要がある。その際、個人情報保護に配慮する必要がある。

5 × 保護者支援と同時に子ども一人一人への支援が求められる。

6 ○

7 × 「精神に障害のある児童（発達障害児を含む）」も対象としている。

8 × 児童自立支援施設は、入所でも通所でも受け入れている。

9 ○

<保育所保育等>

テーマ5 障害児への対応

障害児施設のみならず保育所にも、障害児保育が求められる時代になっています。現在の福祉行政は、障害を「身体障害」「知的障害」「精神障害」の3つに分け、発達障害を「精神障害」の中に含めています。昨今は、障害児と障害のない園児とを一緒に保育する「インクルーシブ保育」の実践も増えてきています。

keyword
障害児入所施設、児童発達支援センター、放課後等デイサービス

1 障害児施設と保育士の役割

障害児施設は、大きく通所型(児童発達支援、放課後等デイサービス、保育所等訪問支援など)と入所型(障害児入所施設)に分けられます。保育士は家庭に代わる施設で、子どもの心身のケアを行う役割があります。利用児童たち個々の欲求やニーズを満たしながら生活の伴走者として成長と発達を保障します。

各施設の特徴を押さえておこう

2 障害児入所施設

障害児入所施設とは、「障害のある児童を入所させて、保護、日常生活の指導及び自活に必要な知識や技能の付与を行う」施設です。福祉サービスを行う福祉型と、福祉サービスに併せて治療を行う医療型があります。

対象児童は表1の通りです(療育手帳の有無は問いません)。

表1　障害児入所施設の対象児童

身体に障害のある児童、知的障害のある児童、精神に障害のある児童(発達障害児を含む)、政令で定める程度の障害がある難病のある児童
医療型は、知的障害児(自閉症児)、肢体不自由児、重症心身障害児
児童相談所、市町村保健センター、医師等により療育の必要性が認められた児童

ここが問われた！

児童発達支援センターにおける事例問題が出題されました(31-前-20)。

ここをチェック！

児童福祉法改正により2024(令和6)年度から福祉型・医療型の類型がなくなりました。

3 児童発達支援センター

児童発達支援センターとは「地域の障害児を通わせて、高度の専門的な知識及び技術を必要とする児童発達支援を提供し、あわせて障害児の家族、事業者その他の関係者に対し、相談、専門的な助言等の援助を行う」施設です。

対象児童は表2の通りです(療育手帳の有無は問いません)。

表2　児童発達支援センターの対象児童

身体に障害のある児童、知的障害のある児童、精神に障害のある児童(発達障害児を含む)、政令で定める程度の障害がある難病のある児童
児童相談所、市町村保健センター、医師等により療育の必要性が認められた児童

4 放課後等デイサービス

近年、事業所数が増加しているよ

放課後等デイサービスでは、学校通学中(小学生～高校生)等の障害児に、放課後や夏休み等の長期休暇中において、生活能力向上のための支援等を継続的に提供します。学校教育と相まって障害児の自立を促進するとともに、放課後等の居場所づくりを行います。

生活能力の向上のために必要な支援、社会との交流の促進など多様なメニューを設け、本人の希望を踏まえたサービスを提供します。なお、利用にあたっては、療育手帳は必要ありませんが、「受給者証」が求められます。

表3　放課後等デイサービスの主なサービスメニュー

自立した日常生活を営むために必要な支援
創作的活動、作業活動
地域交流の機会の提供
余暇の提供

また、本人が混乱しないよう、学校と放課後等デイサービスのサービスの一貫性に配慮しながら学校との連携・協働による支援も行います。

児童発達支援または放課後等デイサービスと同様の支援を居宅において提供する「居宅訪問型児童発達支援」が2018(平成30)年に創設されました。

5　保育所等訪問支援

保育所等訪問支援とは、保育所等を現在利用中の障害児、または今後利用する予定の障害児が、保育所等における集団生活の適応のための専門的な支援を必要とする場合に、訪問支援を実施することにより、保育所等の安定した利用を促進することを目的としています。対象者は保育所、幼稚園、小学校などに在籍している障害のある児童であり、訪問担当者は、２週間に１回くらいの頻度で訪問し、障害児施設で障害児に対する指導経験のある児童指導員・保育士(障害の特性に応じ専門的な支援が必要な場合は、専門職)があたります。

6　事例問題について

事例問題は対象児童への保育士の対応についての出題が多くあります。利用児童との良好なコミュニケーションを問う内容が中心です。放課後等デイサービスなどの障害児支援事業に関し、厚生労働省から「ガイドライン」が公表されており、事例問題の学習に有効です。

ここが問われた！

障害児の支援に関する事例問題が出題されました(31-前-20)。

なお、児童養護施設入所児童等の「心身の状況」については、「該当あり」(何らかの障害がある)の割合が、里親では29.6％、児童養護施設では42.8％、児童心理治療施設では87.6％、児童自立支援施設では72.7％、乳児院では27.0％、母子生活支援施設では31.0％、ファミリーホームでは

51.2%、自立援助ホームでは50.8%となっています(児童養護施設入所児童等調査(令和5年2月1日現在))。特に、児童養護施設に入所している子どもの割合は2018(平成30)年の前回調査から増加傾向にあります。

○×チェック問題

1 障害児入所施設には「福祉型」「支援型」がある。
2 障害児入所施設を利用する際、療育手帳は必要ない。
3 障害児入所施設の対象児童には発達障害児が含まれる。
4 児童発達支援センターの利用には療育手帳が必要である。
5 放課後等デイサービスは、高校生の利用はできない。
6 放課後等デイサービスは、放課後や夏休み等の長期休暇中において、生活能力向上のための支援等を継続的に提供する施設である。
7 放課後等デイサービスの利用には療育手帳が必要である。
8 放課後等デイサービスは小学校との連携や協働は必要としない。
9 保育所等訪問支援の対象者は保育所に通園している園児に限定されている。
10 保育所等訪問支援での訪問担当者は1か月に1回程度の頻度で訪問する。

答え

1 × 「支援型」ではなく「医療型」
2 ○
3 ○
4 × 療育手帳の有無は問わない。
5 × 小学生～高校生等が対象。
6 ○
7 × 療育手帳は不要だが、「受給者証」は必要である。
8 × 学校と放課後等デイサービスとは一貫性に配慮する必要がある。
9 × 対象者は保育所、幼稚園、小学校などに在籍している障害のある児童。
10 × 2週間に1回くらいの頻度。

<音楽>
テーマ 1
基礎知識と楽語

歌を歌い、ピアノを弾くのに不可欠なのが楽譜です。楽譜には様々な決まりごとがあり、それを理解することでよりよい演奏ができます。楽譜や鍵盤の読み方、童謡、唱歌の知識も身につけましょう。

音名、階名、調号

1 音名と階名

音名は、一つ一つの音につけられた固有の名前です。絶対的な音の高さを表すものです。

イタリア語	ド	レ	ミ	ファ	ソ	ラ	シ
英語	C	D	E	F	G	A	B
日本語	ハ	ニ	ホ	ヘ	ト	イ	ロ

ハ長調音階で表すとドから始まりますが、音のスタートは『ラ』と覚えておきましょう。

シャープ(♯)は、半音上げる、日本音名・・・嬰(えい)
フラット(♭)は、半音下げる、日本音名・・・変(へん)
ナチュラル(♮)は、元に戻す

『ラ』からABC、イロハとなるよ

ここが問われた!

ニ長調の階名「ソ」は音名「イ」です(令4-後-6)。

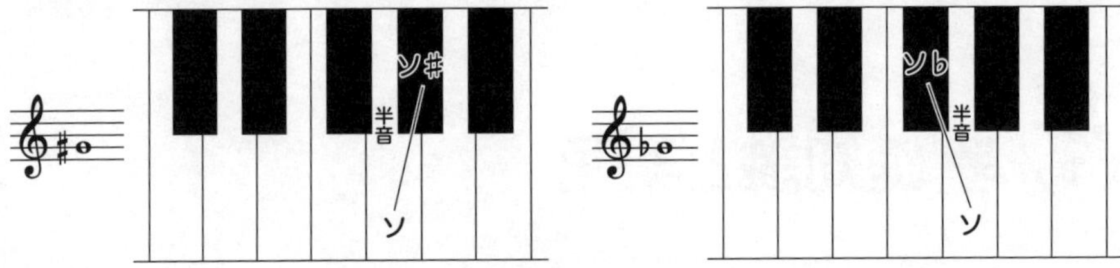

■階名は「音の順番の名前」

ドの示す音高が固定的に定まっているのではなく、調が変わるごとにドの位置が移動します。

2 調号と調性

調号とは、調性記号ともいわれます。これは、ト音記号などの右側についているシャープ(♯)やフラット(♭)の記号のことです。

ここでは長調のみ説明をします。長調には、♯系が7つ、♭系が7つ、調号なしのハ長調もあわせて、15の調性があります。その中でも、♯、♭3つまでの調性が最も重要です。

楽譜での記号	長調 英・和名
	Cメジャー ハ長調 主音 ド

楽譜での記号	長調 英・和名	楽譜での記号	長調 英・和名
	Gメジャー ト長調 主音 ソ		Fメジャー ヘ長調 主音 ファ

ここをチェック!

♯、♭3つまで調号を見ただけで「○調」と判断できるように、また、「○調のときはこの調号」とすぐに書くことができるようにしましょう。

用語解説

主音

この音があるから、他の音が存在するというレベルで音階を支配しています。また、曲の終わりなど、キリのよいタイミングで、この主音が鳴っていることは、ほぼ必須条件でもあります。音階の主役、始まりと終わりのその両方をつかさどる音です。そして、曲中でも、この音が鳴るところが正しいポジション、戻るべき場所、というような感覚です。

ここが問われた!

- 変ロ長調の調号は♭2つ(令1-後-6)
- イ長調の調号は♯3つ(令3-後-6)
- 変ホ長調の調号は♭3つ(令5-前-6)

	Dメジャー ニ長調 主音　レ		B♭メジャー 変ロ長調 主音　シ♭
	Aメジャー イ長調 主音　ラ		E♭メジャー 変ホ長調 主音　ミ♭

シャープ系の調号は、「ファ」にシャープがつき、それ以降は5度上の音にシャープがついていきます。シャープのつく順番は「ファ―ド―ソ……」、調名はシャープがついた音の次の音になっています。

フラット系の調号は最初に、「シ」にフラットがつき、それ以降は4度上の音にフラットがついていきます。フラットの付く順番は「シ―ミ―ラ……」、調名は「前にフラットがついた音」になっています。

3 音楽用語

楽譜には様々な言葉や記号が書かれています。書き込まれている言葉のすべてを楽語(音楽用語)といいます。作曲家が楽譜を書くに際して、音符や休符のみで表現しきれないことが多くあります。作曲家が演奏家にイメージを伝えるため、言葉(比較的短い単語)を用いますが、その言葉のことを楽語といいます。

速度、強弱、曲想などを表す標語や記号を押さえましょう(表1～表4)。

表1　速度標語

標語(読み方)	よく用いられる日本語訳	言葉の持つ意味	速さ
Largo(ラルゴ)	(幅広く)ゆるやかに	「幅のある」「広い」「ゆったりした」	遅い
Adagio(アダージョ)	ゆるやかに	「ゆっくりと」「静かに」	
Lento(レント)	遅く	「遅い」「のろい」「ゆるんだ」	

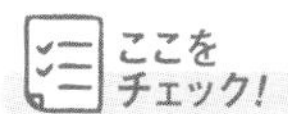

概ね遅い順番に並べてあります。遅い、中くらい、速いというグループで覚えましょう。

ここが問われた!

速度標語について出題されました（令2-後-2、令3-後-2、令4-前-2、令5-前-2、令6-前-2）。

Andante（アンダンテ）	歩くような速さで	「適度にゆるやかな」「平凡な」	中くらい
Moderato（モデラート）	中くらいの速さで	「ほどよい」「節度のある」	
Allegro（アレグロ）	速く	「陽気な」「快活な」	速い
Vivace（ヴィヴァーチェ）	活発に	「元気のよい」「快活な」	
Presto（プレスト）	きわめて速く、急速に	「すぐに」「急いで」	

ここが問われた!

・dim.の意味。省略形も覚えましょう（令2-後-2、令6-前-2）
・decresc.の意味。dim.と同じ意味で、どちらも重要です（令4-後-2）
・cresc.の意味。cresc.はクレシェンドの省略形（令5-後-2）
・mpの意味（令5-後-2）

表2　強弱に関する記号

記号	標語（読み方）	意味
pp	pianissimo（ピアニシモ）	きわめて弱く　弱 ↑
p	piano（ピアノ）	弱く
mp	mezzo piano（メゾ　ピアノ）	やや弱く
mf	mezzo forte（メゾ　フォルテ）	やや強く
f	forte（フォルテ）	強く
ff	fortissimo（フォルテシモ）	とても強く　↓ 強
<	crescendo (cresc.)（クレシェンド）	だんだん強く
>	decrescendo (decresc.)（デクレシェンド） diminuendo (dim.)（ディミニュエンド）	だんだん弱く

m（メゾ）は「やや」という意味だよ

表3　曲想標語

標語（読み方）	よく用いられる日本語訳
amabile（アマービレ）	愛らしく
animato（アニマート） con brio（コン　ブリオ）	活気を持って、生き生きと
vivo（ヴィヴォ）	活発に、生き生きと
con moto（コン　モート）	動きを持って、元気に

appassionato(アパッショナート) con fuoco(コン　フォーコ)	情熱的に
agitato(アジタート)	激して、興奮して
tranquillo(トランクイロ) calmando(カルマンド)	静かに、おだやかに
cantabile(カンタービレ)	歌うように
grazioso(グラツィオーソ)	優美に(優雅に、かわいらしく)
espressivo(エスプレッシーヴォ)	表情豊かに
brillante(ブリランテ)	華やかに
grave(グラーヴェ)	重々しく、荘重に、厳粛に
pesante(ペザンテ)	重々しく(重苦しく)
grandioso(グランディオーソ)	壮大に、堂々と、荘重に
maestoso(マエストーソ)	荘厳に、荘重に、堂々と
leggiero(レッジェーロ)	軽快に、軽く
pastorale(パストラーレ)	牧歌風に、田園風に
dolce(ドルチェ)	やさしく、甘く、柔らかく
sotto voce (ソット　ヴォーチェ)	和らげた声で
risoluto(リゾルート)	決然と
comodo(コモド)	気楽に(都合のよい速さで、心地よく)

ここが問われた!

cantabileの意味が問われました(令5-後-2)。

ここをチェック!

dolce(ドルチェ)は、イタリア語で「甘いお菓子、デザート」の意味です。

表4　その他の記号・標語

記号・標語	読み方	意味
poco a poco	ポコ ア ポコ	少しずつ、次第に
D.C.	ダ カーポ	はじめに戻る
ritardando (rit.) rallentando (rall.)	リタルダンド ラレンタンド	だんだん遅く
accelerando(accel.)	アッチェレランド	だんだん速く
a tempo	ア テンポ	もとの速さで
Tempo I (tempo primo)	テンポ プリモ	曲の初めの速さで

ここが問われた!

- poco a pocoの「poco」は「少し」の意味(31-前-2)
- accelerando(accel.)(アッチェレランド)はだんだん速くの意味で、英語読みすると「アクセル」(令4-後-2)
- ritardandoの意味(令5-前-2、令6-前-2)

記号	名称	意味
	タイ	隣り合った同じ高さの音を切らずに持続させて演奏する
	スラー	音を途切れさせずに滑らかに演奏する
	スタッカート	その音の約半分の長さで演奏する
	テヌート	その音の長さを充分保って演奏する
	フェルマータ	その音を２倍程度に伸ばして演奏する
8va	オクターブ オッターヴァ	上にある場合はその音の１オクターブ上を演奏する 下にある場合はその音の１オクターブ下を演奏する
𝒫𝑒𝒹. Ped.	ペダーレ	ペダルを踏む
✽	センツァ	ペダルを離す

ここをチェック！

記号で結んでいる２つの音が同じ音なら「タイ」、違う音なら「スラー」です。

ここをチェック！

複縦線（縦に２本引かれた小節線）の上の「フェルマータ」は「Fine」と同じ意味で「D. C.」「D. S.」で戻った後演奏を終了する位置を示します。

4 小節と演奏順序

■反復記号（repeat mark）

反復記号ではさまれた小節はもう一度繰り返して演奏します。曲頭に戻るときは、反復記号は省略されます。

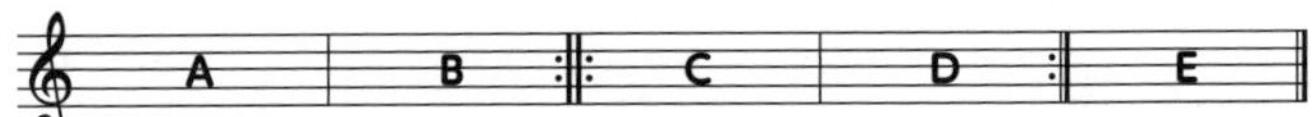

演奏順序＝**ＡＢＡＢＣＤＣＤＥ**　全部で９小節

■かっこ記号（volta mark）

反復するフレーズの終わりの部分だけが異なるときに用います。１番かっこ、２番かっこと呼び、１番かっこの終わりに反復記号を置きます。

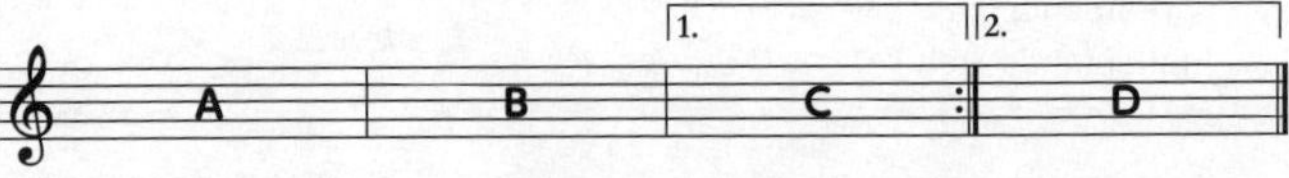

演奏順序＝**ＡＢＣＡＢＤ**　全部で６小節

用語解説

「フレーズ」とは音楽的要素の１つで、音楽的に区切りのよい、いくつかの小節を１つのかたまりにしたものです。

■ダ・カーポ(Da Capo：D. C.)とダル・セーニョ(Dal Segno：D. S.)

ダ・カーポは曲のはじめに戻り、ダル・セーニョは𝄋(セーニョマーク)に戻ります。

どちらも、終止記号のFine(フィーネ)や𝄐(フェルマータ)で終わります。

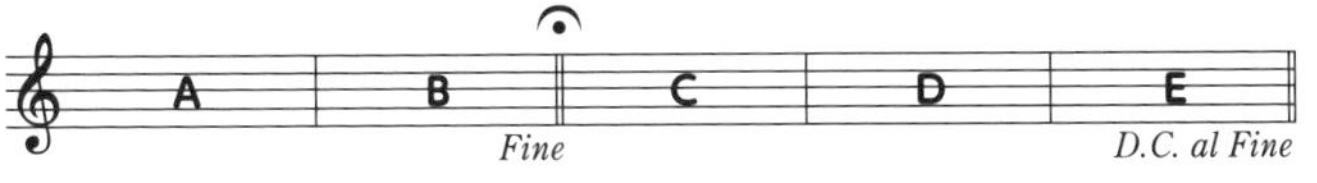

演奏順序＝**ＡＢＣＤＥＡＢ**　全部で７小節

演奏順序＝**ＡＢＣＤＥＢＣ**　全部で７小節

■コーダ(coda mark：𝄌、𝄌Coda)

D. C. やD. S. から指定の場所に戻って演奏した際、𝄌から𝄌Codaに飛びます。

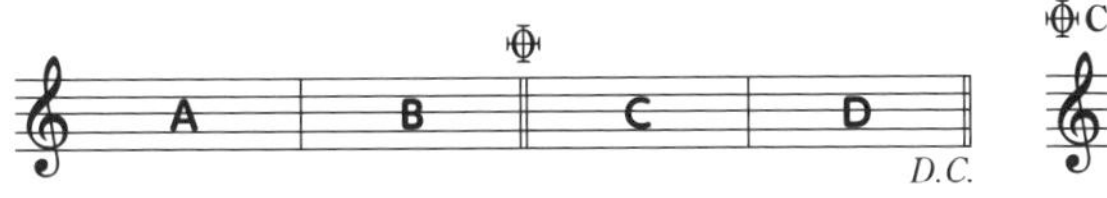

𝄌Coda
E

演奏順序＝**ＡＢＣＤＡＢＥ**　全部で７小節

・D.C.の意味(令5-前-2、令5-後-2)
・D.S.の意味(令6-前-2)

実際にいろいろな楽譜を見ながら覚えた知識を確認しよう

○×チェック問題

1 イ長調の階名「ミ」は音名「嬰ハ」である。
2 ニ長調の階名「ミ」は、音名「ヘ」である。
3 変ホ長調の調号は♭2つである。
4 Andanteの意味は「快速に」である。
5 poco a pocoの意味は「少しずつ」の意味である。
6 下の楽譜の演奏順序はＡＢＣＤＡＢＣである。

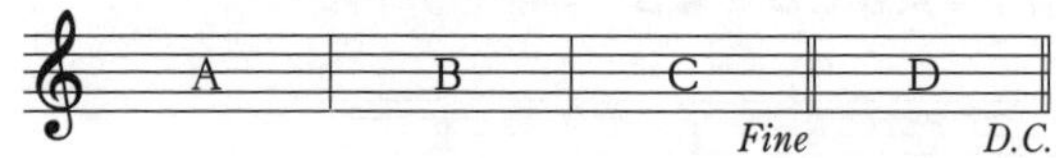

7 下の楽譜の演奏順序はＡＢＣＤＢＣである。

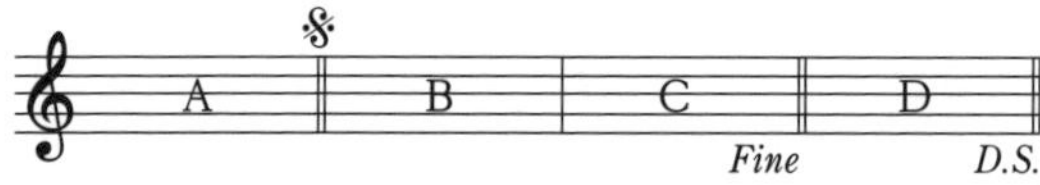

8 下の楽譜の演奏順序はＡＢＣＤＢＣである。

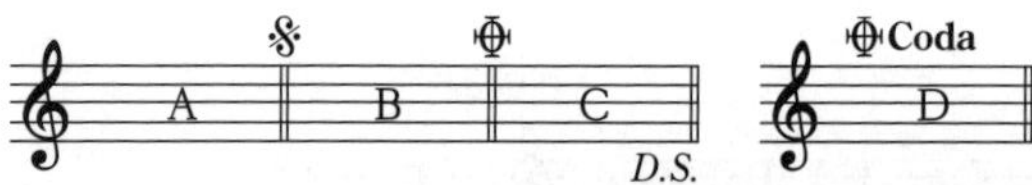

答え

1○
2× 階名「ミ」は主音（レ）から３番目の音。ニ長調はファとドに♯がつくので、正解は「嬰ヘ」。
3× 「♭2つ」ではなく「♭3つ」
4× Andanteの意味は「歩く速さで」。
5○
6○
7○
8× D. S. は𝄋に戻り、その後𝄌から𝄌Codaに飛ぶので、ＡＢＣＢＤとなる。

<音楽>
テーマ2

音程と移調

音程とは、２つの音の距離を表すものです。また、子どもの声の高さによって、音を上げたり下げたりして歌いやすいようにする場合などを、曲を移調するといいます。移調する場合、音程の仕組みが基礎となります。まず音程の知識をしっかり身につけることが大切です。音程を含めた問題は毎年必ず出題されています。

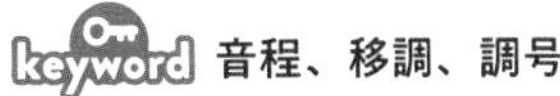

音程、移調、調号

1 音程

音程には「半音」「全音」があります。一番近い音（隣の音）を半音といい、半音２つ分を全音といいます。

鍵盤を１つずつ数えてみよう

音程の数え方は最初の音と、もう一方の音も数に入れて１度、２度……と数字で数えます。このとき、音符に音名を書き、間の音も声に出しながら数えます。

下の楽譜はわかりやすいようにドを基音にした幹音のみの音程です。

幹音
♯や♭がついていない音。ハ長調の音。ピアノの鍵盤の白鍵。

ここをチェック！
長2度、短2度、長3度、短3度音程はよく出題されるので、しっかり覚えましょう。

ここが問われた！
ある音を短2度上に移動した音について出題されました（令5-後-4）。

ここをチェック！
問題に取り組むときには、鍵盤の絵を描いて、鍵盤をなぞりながら音程を数えましょう。また、音符の隣にカナを書いて指を使って確実に数えましょう。

前記楽譜のドから上のその他の幹音（白鍵）までの音程は、「長」と「完全」のみです。

ドード・完全１度　　ドーレ・長２度
ドーミ・長３度　　ドーファ・完全４度
ドーソ・完全５度　　ドーラ・長６度
ドーシ・長７度　　ドード・完全８度

「長」「短」で表す音程	2度、3度、6度、7度
「完全」で表す音程	1度、4度、5度、8度

減〈半音狭い〉←短〈半音狭い〉←長→〈半音広い〉増
減〈半音狭い〉←完全→〈半音広い〉増

■例１

次の音程を見てみましょう。

・まず音符の上に音名を書きます。ラード。これを数えると３度です。
・さらに詳しく長短を調べます。前記楽譜からドーミが長３度で、半音の数を数えると半音４つ分です。
・ラードの半音の数は半音３つ分です。したがって、半音４つ分の長３度より半音分狭いので短３度となります。

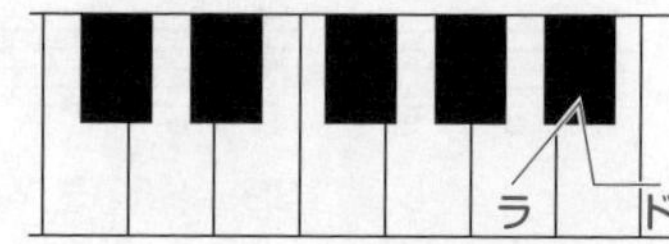

■例２

♭や♯がついたときの音程を見てみましょう。

・この２つの音名はミ♭ーソ。♭がついていても、まず音だけで度数を数えます。

・この場合、ミ(ファ)ソとなり、まず３度は確定です。そして、ミ♭ーソまでが、半音いくつ分か数えます。半音４つ分なので長３度となります。

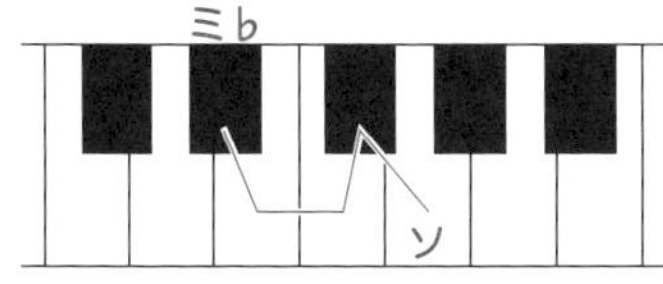

2 移調

楽曲全体を、必要に応じて他の調に音程関係を変えないで移すことを移調といいます。

移調をすると、曲全体の鍵盤の位置が同じ音程で移動します。メロディー自体は変わりません。カラオケでキーを上げる、下げるという操作がまさに移調です。

■ 例１

これはハ長調で書かれている曲です。この曲を長２度上げるとどんな楽譜になるのでしょうか。

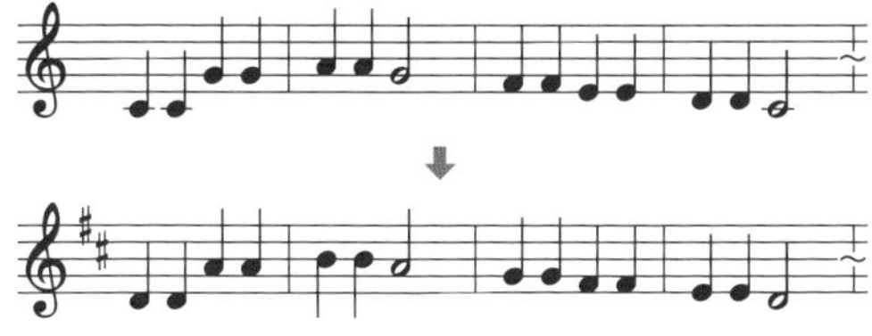

長２度は半音２つ分(全音)なので、すべての音を半音２つ分上に移動させます。ドレミファソラシドをそれぞれ半音２つ分上げると、ドはレ。レはミになりますが、ミはファ♯になり、同様に、シはド♯になります。

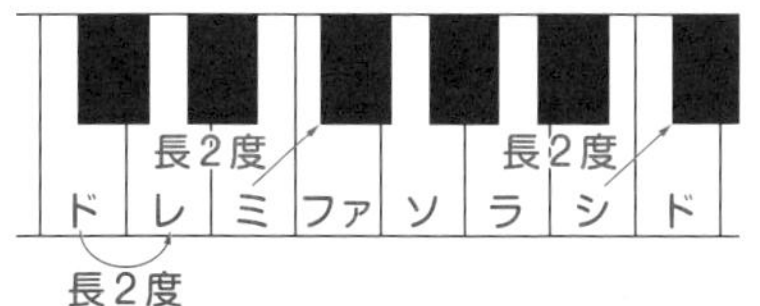

ここが問われた！

楽譜を移調した場合のコードネームについて出題されました(令2-後-4、令3-後-4、令4-前-4、令5-前-4、令6-前-4)。

ここをチェック！

移調後に変化した音の鍵盤の位置が出題されるので、鍵盤を見ながら音程をしっかり数えましょう。

ここをチェック！

移調したら、歌ってみて原譜と同じ響きになっているか確認しましょう。

この楽譜の移調後の調性は、もとの調の主音から計算します。もとの調がハ長調なので、主音がハです。長２度上に移調するのでハの長２度上の音を主音とする調になります。ハの長２度上はニなので、移調後はニを主音とするニ長調となります。

○×チェック問題

1　次の曲を長２度下の調に移調することにした。その場合A、B、Cの音と鍵盤の正しい組み合わせは、A⑦、B⑰、C⑨である。

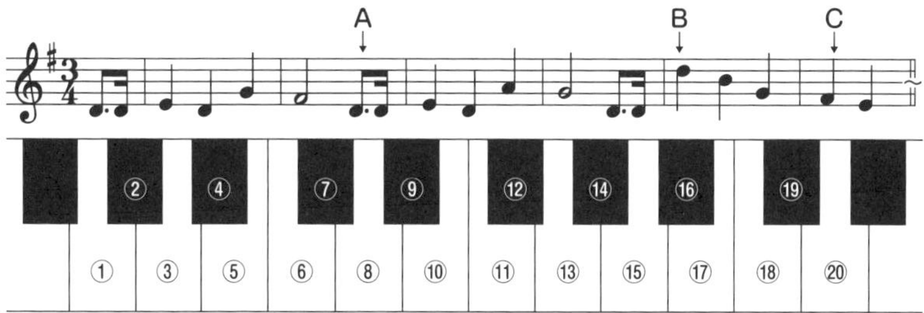

2　ヘ長調の楽譜を長２度下に移調すると、変ホ長調である。

3　長３度の鍵盤の幅は半音３つ分である。

4　次の曲を短２度上の調に移調することにした。その場合A、B、Cの音と鍵盤の正しい組み合わせは、A⑬、B⑰、C⑥である。

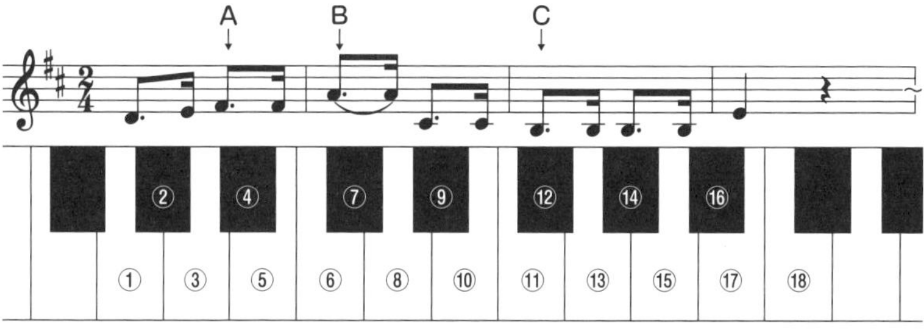

5　**4**の楽譜を長３度下に移調するとロ長調である。

答え

1 ×　長２度下げるとは、全音下げて移調すること。したがってAのレは⑥のドに移る。そこから考えると、Bは⑱のド、Cは⑩のミとなる。

2 ○

3 ×　半音４つ分である。

4 ×　短２度上げるとは、半音上げて移調すること。Aのファ#はソ⑬、Bのラはシ♭⑯、Cのシはド⑥となる。

5 ×　**4**の楽譜はニ長調であり、長３度下は半音４つ分下げるので、変ロ長調。

<音楽>
テーマ3

和音とコードネーム

和音(コード)は、伴奏づけをするのに便利でとても役立ちます。また、いろいろな形にしてアレンジをすることもできます。特に主要三和音とセブンスでだいたいの曲の簡易伴奏をつくることができます。コードの問題は毎回必ず出題されています。コードの仕組みを理解し、鍵盤上でコードの音を確認できるようにしましょう。

和音、主要三和音、セブンス、コードネーム

1 和音(コード)

和音とは、高さの違う音が2つ以上同時に響き、合成された音のことをいいます。ここでは三和音について解説していきます。

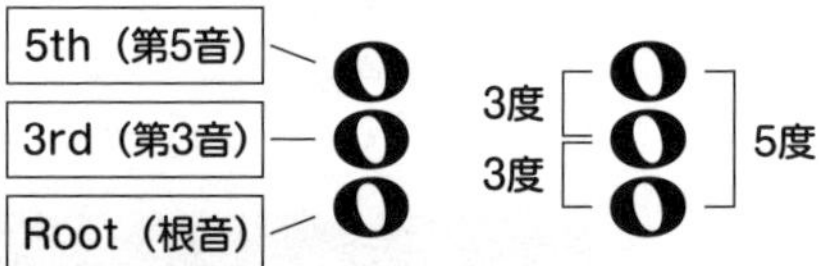

ハ長調の音階上につくられた、それぞれの三和音は、順にⅠの和音、Ⅱの和音、Ⅲの和音と呼びます。

三和音は構成音の関係によって以下の4種類に分類されます。

用語解説

三和音
高さの異なる3つの音でできています。ある音に3度上の音を重ね、またその上に3度上の音を重ねたものを三和音といいます。

ここが問われた!

コードネームから楽譜と鍵盤の位置を問われる問題が毎年のように出題されます(令2-後-3)。

音程の数え方は、最初の音が1度だよ

表1　三和音の種類

長三和音	短三和音
第5音 → 第3音 → 根　音 → ＞短3度 ＞長3度 ］完全5度	第5音 → 第3音 → 根　音 → ＞長3度 ＞短3度 ］完全5度
増三和音	**減三和音**
第5音 → 第3音 → 根　音 → ＞長3度 ＞長3度 ］増5度	第5音 → 第3音 → 根　音 → ＞短3度 ＞短3度 ］減5度

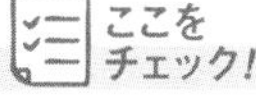

コードネームは、基本形根音の英語読み音名です。

根音をCとした場合の各種三和音は、次の通りです。

■ メジャーコードとマイナーコード

メジャーコードは明るい響き、マイナーコードは暗い響きがします。メジャーコードの第3音(和音の真ん中の音)を半音下げるとマイナーコードになります。

ここが問われた!

楽譜に書かれた和音の中でメジャーコードまたはマイナーコードを抽出する問題が出題されました(令3-前-3、令3-後-3、令4-前-3、令5-前-3、令5-後-3、令6-前-3)。

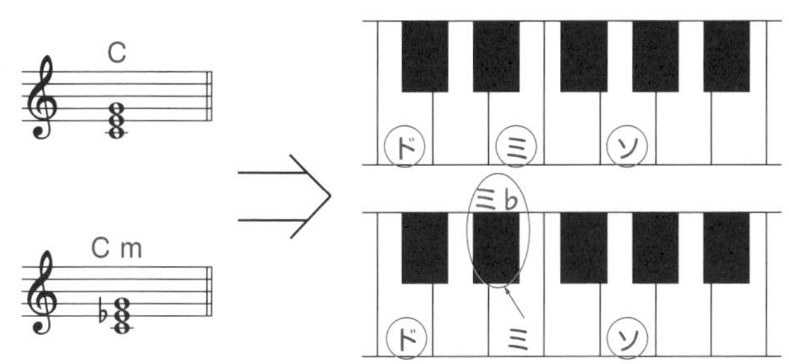

■ 調音階上にできる三和音の構成音と種類

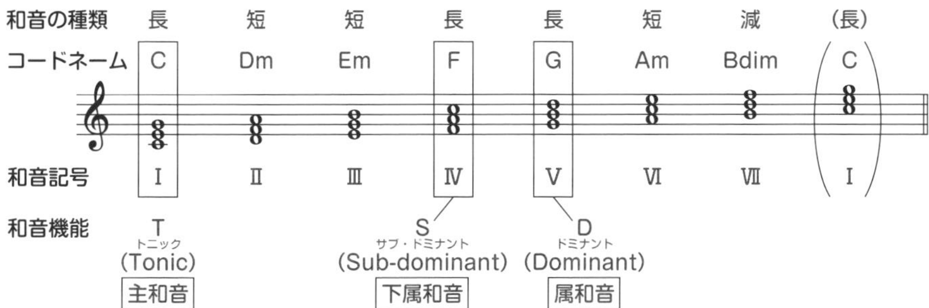

ここをチェック!

転回してもコードネームは変わりません。

ここをチェック!

コードネームを問われたときは、①転回形であればまず基本形に戻す、②根音を確認し、根音を英音名にする、③3つの音の音程をそれぞれ確認して、和音の種類を特定し、メジャーコード、マイナーコードなどを確定します。

ここが問われた!

コードの問題では、セブンスコードは1音省略されて三和音で出題されています。第5音(基本形の下から3番目)が省略されます。転回形になっている和音は基本形に直して各音の音程を確かめましょう(令4-後-3)。

ハ長調の音階上につくられた、それぞれの三和音は、順にⅠの和音、Ⅱの和音、Ⅲの和音と呼びます。□で囲んであるⅠ、Ⅳ、Ⅴの和音を主要三和音といいます。

■和音の転回

ルート(Root)を最低音とした三和音を基本形といいます。ルート以外の構成音を最低音とした和音を転回形といいます。

■四和音(七の和音、セブンスコード)

三和音の上にさらに3度の音を積んだ4つの音からなる和音です。4番目の音が根音から7度音程なので、七の和音(セブンスコード)と呼ばれています。

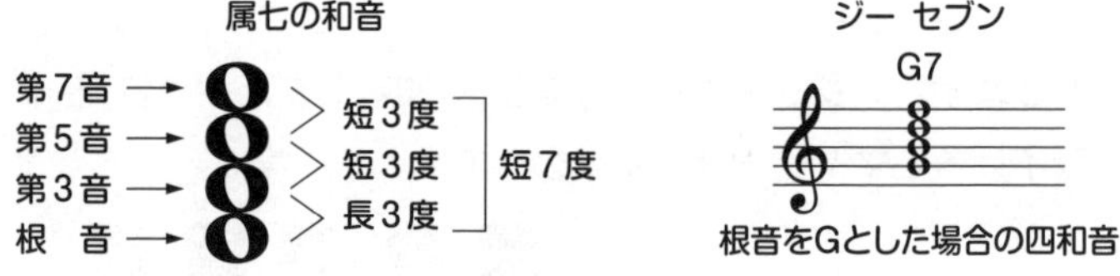

■楽譜について

ピアノ演奏といえば、右手を弾く上段がト音記号、左手を弾く下段がヘ音記号の2段譜が一般的な楽譜ですが、ピアノのための楽譜はそれ以外にも種類があります。右手のト音記号にはメロディーが書かれていますが、その1段の上にはアルファベット(コード)のみという楽譜も保育の歌ではよく見かけます。

2段譜だと書かれている通りに弾かなければいけませんが、コード譜であれば、右手のメロディー以外は自分で自由にアレンジして弾くことができます。簡単なコード伴奏にしてシンプルに、または難しくアレンジして華やかなバージョンにすることもでき、様々なシーンで対応できるようになります。

○×チェック問題

1 コードB♭の鍵盤の位置は、⑧⑪⑯である。

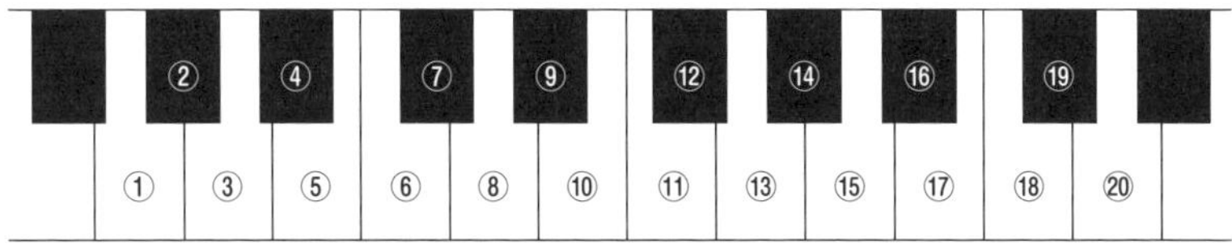

2 コードEは、上の鍵盤の位置⑤⑩⑬である。
3 コードAmは、上の鍵盤の位置⑥⑩⑮である。
4 コードDm7は、上の鍵盤の位置⑥⑧⑫である。
5 上の鍵盤の位置⑪⑬⑰のコードはG7である。
6 上の鍵盤の位置⑨⑫⑱のコードはCmである。
7 変ホ長調の主和音はミ♭・ソ・シ♭である。
8 ヘ長調の下属和音のコードはBである。
9 変ロ長調の属和音はド・ファ・ラである。
10 シ♭・ド・ミの和音はC7である。

答え

1 ○
2 × Eの構成音は「ミ・ソ#・シ」なので⑬ではなく⑭。
3 ○
4 × ⑥⑧⑫（ド・レ・ファ#）はD7。Dm7の構成音は（レ・ファ・ラ・ド）。セブンスコードは第5音が省略されるので（レ・ファ・ド）、鍵盤⑥⑧⑪が正解。
5 ○
6 × ⑨⑫⑱の音を基本形にするとド・ミ♭・ソ♭の減三和音になる。この構成音のコードはCdimとなる。
7 ○
8 × ヘ長調の下属和音はシ♭・レ・ファ。コードネームはB♭。
9 ○
10 ○

<音楽>
テーマ 4

伴奏和音と和音進行

楽曲のメロディーに伴奏をつけるにあたり、和音をつけるときの規則、方法を説明します。ここまで触れてきた、コード、調性の知識をしっかり踏まえて、実践に活かしていきます。伴奏の形によって、その曲の雰囲気をつくることができるので、伴奏和音が理解できると、曲想の幅が広がります。

主要三和音、トニック、ドミナント、サブドミナント

1 主要三和音（スリーコード）の特性

ここが問われた！
伴奏和音をあてはめる問題が出題されました（令2-後-1、令3-後-1、令5-後-1、令6-前-1）。

コードはその調の和音記号によって性格と役割があり、次に進むコードもある程度決められています。

Ⅰの和音（トニック：Tonic）…T
その調を代表する和音であり、安定感があります。ほとんどの曲は、この和音で終わっています。
Ⅴの和音（ドミナント：Dominant）…D
不安定でトニックに進んで落ち着きたくなります。Ⅴ→Ⅰの進行は安心感を与えます。
Ⅳの和音（サブドミナント：Sub dominant）…S
トニックにもドミナントにも進むことができます。開放的でふわふわした性格を持っています。

用語解説
終止形カデンツ
トニックから他の機能に進行し、またトニックに戻ってくるまでのひとまとまりのこと。

■主要三和音の進行形

コードからコードへ進むときに、どのコードへ進んでもいいわけではありません。主要三和音に限って道筋を示すと、ⅤからⅣへは進めません。

Ⅰ→Ⅳ　　Ⅳ→Ⅰ　　Ⅴ→Ⅰ

Ⅰ→Ⅴ　　　　Ⅳ→Ⅴ

■和音機能の終止形カデンツ

コード進行は一般的に、トニックから他の機能に進行し、またトニックに戻ってくるまでをひとまとまりにしています。これを終止形カデンツといいます。

⑴　T—D—T

⑵　T—S—D—T　　　T—S—T

T—D—Tは、あいさつ時の号令の時の和音です。

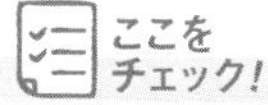

DからSへの進行は禁止。

ここを
チェック!

1拍目と3拍目をみて、その音を含んだ和音をつけます。

ここを
チェック!

前半：1拍目と2拍目の音を含む和音、または1拍目か2拍目のどちらかの音を含む和音

後半：3拍目と4拍目の音を含む和音、または3拍目か4拍目のどちらかの音を含む和音

2　和音のつけ方

①　その曲の調性を確認する。

②　その調の主要三和音を確認する。

Ⅰの和音、Ⅳの和音、Ⅴの和音をそれぞれ確かめます。

③　1小節に1つの和音をつける。

その小節がどの和音の音を多く含んでいるかを確認します。

④　1小節に2つの和音をつける。

その小節の前半と後半の旋律がどの和音の音を多く含んでいるかを確認します。

3　旋律のコードづけ

ここでは、次のような曲のそれぞれのフレーズに合う和音を見つけ、旋律に和音をあてはめていく作業についてみてみましょう。

調の特定

この曲は、調号が何も記されていませんので、「ハ調」かその平行調であることが予想されます。さらに、ド(ハ調の主音)で始まり、ド(ハ調の主音)で終わっていますので、「ハ長調」であるということがわかります。

主要三和音

長調の主要三和音は、それぞれ「主音(Ⅰ)」「下属音(Ⅳ)」「属音(Ⅴ)」の上に3度で重ねられた和音ですので、Ⅰの和音(主和音):ドミソ、Ⅳの和音(下属和音):ファラド、Ⅴの和音(属和音):ソシレであることは先にみた通りです。

1小節目

このフレーズは、「ド→ソ→ラ→ソ→ミ」という旋律です。下から「ド」「ミ」「ソ」「ラ」という4つの音で構成されていますが、3番目に出現する「ラ」の音は、2番目の「ソ」から4番目の「ソ」につなぐための飾りのような役目を持つ経過音とみることができます。

たとえばこの旋律を「ドーソラソミ」と歌わずに「ドーソミ」と歌っても旋律のイメージを損なうことはないことにお気づきでしょう。ということは、この旋律で支配的なのは「ドソミ」で、「ラ」の音はこのフレーズでは和声に大きな影響を持たない「非和声音」であるということができます。1小節目には「ドミソの和音(Ⅰの和音)」をあてはめてよさそうだという予想がつきます。

2小節目

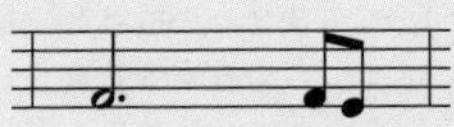

このフレーズは、「ファ→ファミ」という旋律ですが、最後の「ミ」の音は次の小節の始まりの音「レ」につなげるための経過音として働いているとみることができるでしょう。この小節で支配的なのは「ファ」の音と考えることができますので、「ファ」を含んだ和音「ファラドの和音(Ⅳの和音)」をあてはめればうまく響き合うことが予想されます。

3小節目

このフレーズは、「レーシラソレ」という旋律ですが、途中に出現する「ラ」の音も「シ」と「ソ」の間をつなぐ経過音とみることができます。この小節で大切な働きをしているのは、「レ→シ→ソ→レ」という4つの音の動きであることがわかります。その4つ(実際はレソシの3つ)の音が含まれている和音といえば「ソシレの和音(Ⅴの和音)」しかありませんので、この小節には「Ⅴの和音」があてはまりそうです。

4小節目

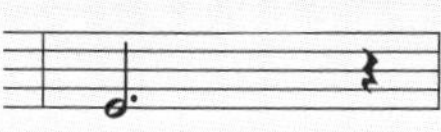

このフレーズは、「ミ」の音だけで構成されています。主要三和音の中で「ミ」の音が含まれているのは、「ドミソ」の和音だけですので、とりあえずここでは「ドミソの和音（Ⅰの和音）」を配置しておくことにしましょう。

5小節目

このフレーズは、「ファミファレラシラ」という旋律ですが、前半の２拍分と後半の２拍分に分けてとらえることができます。

前半で支配的なのは「ファ→ファ」の動きで、間に挟まれた「ミ」の音はそれを飾る動きとしてみることができますので、「ファ」の音に合う和音をあてはめればよいだろうと予想されます。そこで、この前半には「ファラドの和音（Ⅳの和音）」を配置してみましょう。さらに後半の旋律では、「レ→シ」が中心で裏打ちの拍に出現する「ラ」は、非和声音としてみることができますので、「レ・シ」を含む和音「ソシレの和音（Ⅴの和音）」をあてはめればうまく響きそうです。

6小節目

このフレーズは、「ソ→ド」という２つの音で成り立っています。「ソ」も「ド」も含まれる主要三和音は、「ドミソの和音（Ⅰの和音）」ですので、ここには「Ⅰの和音」を配置してみましょう。

7小節目

この小節は、第５小節目と同様に前半の２拍と後半の２拍に分けてとらえることができます。前半で支配的なのは、「ラ」ですし、後半で支配的なのは「ファ・レ」です。そこで、前半には「ファ」を含んだ「ファラドの和音（Ⅳの和音）」を、後半には「ファ・レ」を含んだ「ソ・シ・レ・ファ（Ⅴ７の和音）」を配置してみましょう。

8小節目

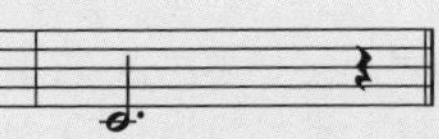

この最後の小節は、「ド」の音だけが使われています。「ド」の含まれた和音は「Ⅰの和音」と「Ⅳの和音」の２つですが、曲の最後は終止感を持って終わりたいものです。そこで、主要三和音の中で最も安定した和音、終止感の強い和音である「ドミソの和音（Ⅰの和音）」を使うことにしましょう。

聴いて確認する

ここまで配置してきた和音の流れをまとめて聴いて確かめてみます。

4 覚えておきたい長調の主要三和音（スリーコード）

○×チェック問題

1 主要三和音とは、その調のⅠ、Ⅳ、Ⅴの和音である。
2 コードの進行で、Ⅴ→Ⅳへ進める。
3 Ⅰの和音は主に曲の最初と最後に使われる。
4 ニ長調の主要三和音は、D、G、Aである。
5 変ロ長調のⅣの和音はEである。
6 ヘ長調のⅣの和音はBである。
7 Ⅳの和音はサブドミナントである。

答え

1○
2× ⅤからⅣへの進行は禁止である。Ⅴ（ドミナント）は不安定で、Ⅰ（トニック）に進みたくなる。
3○
4○
5× 変ロ長調は♭が2つつく長調なので（シ♭、ミ♭）、ⅣのコードはEではなくE♭。
6× ヘ長調は♭が1つつく長調なので（シ♭）、ⅣのコードはBではなくB♭。
7○

<造形>
テーマ 1

発達年齢と造形表現

造形表現に見られる特徴は、子どもの発達年齢に合わせて変化していきます。身体的特徴や心理的、知覚的特徴が影響するため、表現として現れる年齢区分には個人差がありますが、個人の成長に合わせて表現の変化が起こることは、目に見える表現に現れる内面的な変化の指標ともなり、とても重要なポイントといえます。出題されることの多い重要なテーマとなりますから、表現期の名称と造形的特徴の説明と図像としての特徴を理解しておきましょう。

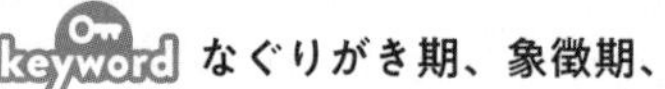

なぐりがき期、象徴期、前図式期、図式期

1 幼児期の造形表現の発達段階

ここをチェック！
子どもの成長過程での運動は、初めに肩から大きく動かし、次にひじ、手首、指の順に細かくなっていき、この動作の変化がそのまま描画表現の特徴として現れています。

ここが問われた！
子どもの成長とともに変化した絵の特徴について、表現の名称と発達段階の区分に関わる研究者についての知識が問われました（令3-後-8、令5-後-8）。

美術教育学者であるヴィクター・ローエンフェルドが研究した児童画の発達段階に基づき、日本の研究者によって造形表現の発達段階が４つに区分されています。

個人差があるため時期については誤差が生じますが、概ね年齢と表現の特徴が一致します。

現在の実践的な造形教育は、子どもの美術教育の先駆者であるフランツ・チゼックの影響を強く受けています。

表１　造形表現の発達段階

なぐりがき期	１歳～２歳半頃
象徴期	２歳～３歳半頃
前図式期	３歳～５歳頃
図式期	４歳～９歳頃

身体や心の発達に関係しているよ

2 なぐりがき期

1歳～2歳半頃の最初期の表現。錯画期、乱画期、スクリブル期とも呼ばれ、無意識な腕の運動に近い表現です。アメリカの心理学者であるケロッグは、この表現に着目し基本的なスクリブルを分類しました。叩きつける、回すなど、運動機能の発達により変化し、点、線、渦巻きなどが描かれます。

3 象徴期

なぐりがき期の次の段階で2歳～3歳半頃に見られる表現です。命名期、記号期、意味づけ期とも呼ばれ、とりとめのなかった図柄から意識した「閉じた円」を描けるようになり、描いたものには意味がつけられます。

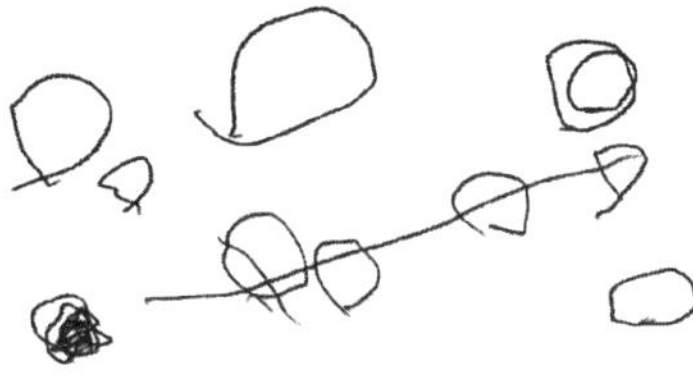

4 前図式期

3歳～5歳頃に見られる表現で、具体的な意識が図形的表現に変化したものとなります。頭と胴体が同一に描かれた「頭足人」や、同じものを羅列して描く「カタログ表現」などが見られ、カタログ期とも呼ばれます。

ここが問われた！

2歳児の描画について、手首ではなく腕を使った弓なりや上下の線描きが「なぐりがき」や「スクリブル」と呼ばれる描き方であることが出題されました(令4-後-8、令5-後-8)。

ここが問われた！

積み木遊びの発達に関わる特徴的な行動について出題されました(令5-前-8)。

さらに深める

「渦巻き」は図形的な定義では、線が回るにつれ中心から遠ざかっていき、互いに交差しない図形を表しますが、幼児の造形表現でいう場合は、何度もぐるぐると回した線を表しています。

用語解説

象徴期の別名である意味づけ期の由来は、描いたあとに意味づけするケースのほか、子どもがあらかじめ意味をもって描くケースもあります。いずれも本人のみが理解している図形で表現されます。

5 図式期

4歳～9歳頃の最後期に見られる表現で、目の前の観察から描くのではなく、知識や記憶しているものを描くため、知的リアリズム期とも呼ばれます。多くの特徴的な表現がありますので理解しておきましょう。

以下に基底線と並列表現、誇張表現(拡大表現)、多視点表現(視点移動表現)、レントゲン表現(透明画)、展開表現(転倒式描法)、つぎたし表現(時間差描法)、アニミズム表現(擬人化表現)、概念表現(概念画)の8つの表現について解説します。

■基底線と並列表現

地面を表す水平線(基底線)と、その上に並んで立っている状態(並列表現)が描かれます。紙に対して自由な空間で描かれていた前図式期までと比べ、地面や空などの空間認識が発達した表現です。

■誇張表現(拡大表現)

興味や関心のあるものが大きく描かれます。

ここが問われた！

幼児期の表現で強く見られる、知識や記憶を頼りに描く表現の特徴が、リュケによって「知的リアリズム」と名付けられたことが出題されました(令1-後-8)。

さらに深める

知っていることや感じたことを描く「知的リアリズム」に対して、対象を見たままに描くことを「視覚的リアリズム」と呼び、距離感を表現する遠近法や透視図的な表現が現れます。

ここをチェック！

幼児期の描画表現の発達は、日本だけでなく海外でも多くの共通性があります。文化・環境の違いというよりも個人差が大きく、該当年齢にその表現ができなければいけないというものでもないので、積極的な技術指導を行う必要はありません。

ここが問われた！

・基底線、レントゲン表現、展開表現、アニミズム表現の内容について(令2-後-8)
・前図式期、図式期の描画の特徴や、保育士のかかわり方、海外の幼児との共通性の有無について(令6-前-8)

■ 多視点表現（視点移動表現）

ものには認識しやすい方向があるため、上から見たものと横から見たものなどが１つの空間の中に混在して描かれる表現です。

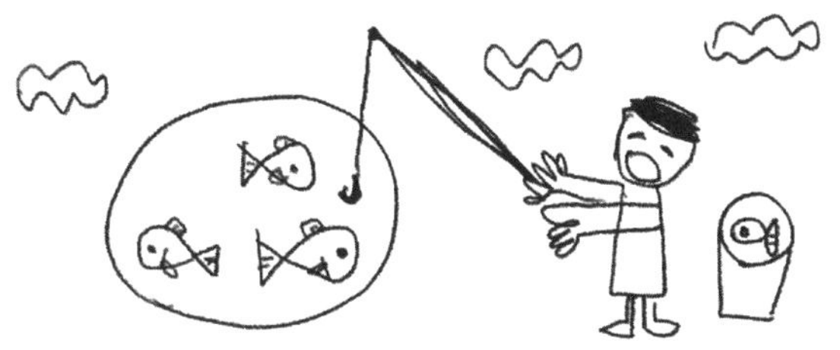

さらに深める

「多視点表現」は、画家のピカソらによって、人物の横顔と正面顔を同時に描いたキュビスムという表現で実践されました。

■ レントゲン表現（透明画）

外から見た家や乗り物などの内部が描かれ、壁が透明になっているように見える表現です。

ここをチェック！

図式期の表現の特徴の名称は、同じ名称でも「レントゲン画、レントゲン表現、レントゲン描法」など、出題年によって言い方が異なりますので惑わされないよう注意しましょう。

■ 展開表現（転倒式描法）

道路や道などの両側にある家や木などが倒れているように描かれた表現です。

さらに深める

展開表現は「展開図」（p.582参照）のような表現という名称ですが、上から見た図に横から見た図が倒れているように描かれているので、多視点表現の一種ともいえます。

用語解説

アニミズムはラテン語のアニマ(生命や魂のこと)が語源で、すべてのものに魂が宿るという考え方です。アニメーションの語源と同じです。

ここが問われた!

子どもが描いた顔のある太陽の表現について、アニミズム表現の名称や内容が出題されました(31-前-8)。

ここをチェック!

幼児期の発達段階と造形表現の特徴については、出題頻度の高いテーマです。運動機能との関係や意味づけの意識の段階、知的リアリズムなど、発達の順序も重要です。

■アニミズム表現(擬人化表現)

太陽や花など顔のないものに顔を描いたり、動物を人と同じように描いたりする表現です。

■つぎたし表現(時間差描法)

場所や時間の経過が1つの絵の中に連続して描かれる表現です。

■概念表現(概念画)

描き方がパターン化されたり、描くものが繰り返し固定化され安定する表現です。

○×チェック問題

1 日本における造形表現の発達年齢の4つの区分は、ケロッグの研究に基づく。
2 図式期に見られ、描き方がパターン化される表現をカタログ表現という。
3 頭と胴体が一体化して直接手足が出ているような表現を頭足人という。
4 図式期では知識や記憶ではなく、目の前の観察によってものを描く。
5 並列表現とは同じものをたくさん描くことである。
6 前図式期の表現のあとに象徴期の表現が現れる。
7 興味や関心のあるものが大きく描かれる表現を誇張表現という。
8 動物を人間のように描いたり、太陽や花などに顔を描く表現を多視点表現という。
9 場所や時間の経過を1つの場面として描く表現を展開表現という。
10 外からは見えない室内が描かれた表現をレントゲン表現という。

答え

1 × 発達年齢の区分は、ローエンフェルドの研究に基づいている。ケロッグはスクリブルを分類した。
2 × 概念表現のこと。カタログ表現は前図式期に見られる表現の1つ。
3 ○
4 × 知的リアリズム期とも呼ばれる図式期は、知識や記憶しているものを描く。
5 × 基底線の上に並べて描く空間認識のことで、同じものとは限らない。
6 × 順序が逆。なぐりがき期→象徴期→前図式期→図式期の順。
7 ○
8 × アニミズム表現のこと。多視点表現は上や横から見た形が混在する表現。
9 × つぎたし表現のこと。展開表現は展開図のように開いたような表現。
10 ○

<造形>
テーマ2 色彩の知識

五感による刺激が様々に絡み合う造形表現の中でも、視覚的な刺激は最も情報量が多いため、子どもの表現に様々な影響を与えます。特に色彩はものの見え方に大きく影響を与えます。

造形表現から子どもたちが受ける視覚的な刺激をより的確に狙うため、あるいは日常的な保育活動の中での視覚的な影響などのために、色彩の基本的な理論と配色における知識が求められます。

色の三属性、混色、色彩の効果、色相環

1 色の種類

すべての色は「白、黒、灰色」の無彩色と、それ以外の有彩色に分類されます。無彩色は明度のみ、有彩色は三属性すべてがあります。

ここが問われた！
・三属性に関して、無彩色は明度のみあるということについて(令3-前-9)
・有彩色と色相について(令4-後-10)

2 色の三属性

同じ「赤」でも明るい赤、鮮やかな赤、暗い赤、濁った赤、紫色っぽい赤など様々な赤があります。それらを分類するために3つの要素で表し、これを色の三属性といいます。

表1　色の三属性

色相	赤、青、黄、橙、緑などの色みの種類
明度	色の明るさの度合いを表す。明るい赤、暗い赤、黄は青より明るいなど。無彩色は明度のみ。最も明るい(高明度な)色は白、最も暗い(低明度な)色は黒。

さらに深める
各色相で一番彩度の高い色を純色といいます。赤の純色に白を混ぜるとピンクとなり、赤よりも明度は高く、彩度は低くなります。

彩度	色の鮮やかさ（高彩度）、にぶさ（低彩度）を表す度合い。橙の彩度が低くなると茶色になる。無彩色が多く混ざると彩度はより低くなる。有彩色どうしの混色でも彩度は低くなる。

3 色立体

三属性を地球儀のような三次元模型で表したもの。中心軸の上が白、下が黒になるように無彩色を配置し、赤道面にあたる部分に色相環を配置、各色相は上に行くほど明度が高く、下に行くほど明度が低く、中心に行くほど彩度が低くなる。

ここをチェック！
色立体については巻頭カラー頁を参照。

4 三原色

他の色を混ぜてもつくることができない色を原色といい、絵の具やインク、セロハン紙などの色料の原色と、スポットライトや照明、モニター画面などの色光の原色があります。

ここが問われた！
スポットライトの混色、並置混色（緞帳（どんちょう））、絵の具の混色など、日常的な混色の事例について出題されました（令4-前-8）。

表2　三原色

色料の三原色	赤、青、黄
色光の三原色	赤、緑、青

5 混色

色を混ぜ合わせることを混色（または混合）といい、色料と色光では、混色の結果が異なります。絵の具などの色料では混色でもとの色より暗くなるので減法混色（または減算混合）といい、色光では混色により光がより集まり明るくなるため加法混色（または加算混合）といいます。

ここが問われた！
・絵の具の「赤、青、黄」では厳密な色再現はできず、「緑みの青、赤紫、黄」の3色を用いると色再現がよく、この3色を色彩理論では「色料の三原色」ということ（31-前-9）
・無彩色の三属性や、絵の具の三原色と三原色の混色でできた色について（31-前-9）
・宮沢賢治の著書に出てくる色名や色に関わる現象について（令5-前-10）

表3　混色

色料	色を混ぜると暗くなる	三原色の混色は黒	減法混色（減算混合）
色光	色を混ぜると明るくなる	三原色の混色は白	加法混色（加算混合）

実際には混色されていなくても混ざっているように見える混色に、並置（併置）混色と回転混色があります。

表4　並置混色と回転混色

並置（併置）混色	タイル絵のように細かい色が高密度で並んだものを離れて見ると混色されたように見える。

ここをチェック！
色料の三原色、色光の三原色は巻頭カラー頁を参照。

回転混色	2色以上で塗り分けたコマなどを回転させることで混色されたように見える。

6 色相環

虹のような色相の移り変わりを色の変化で円形に並べたものを色相環といいます。色相環は12色で表せば12色相環、24色で表せば24色相環となります。円形に配置された位置関係で色彩の性質が異なります。

また、色相環上の三原色は、加法混色も減法混色も三角形の位置にあるので、補色を混色すると、三原色の混色に近い色彩になります。減法混色である絵の具の混色では、色相環で反対の色どうし(補色)を混色すると黒に近い濁った色になります。

表5　色のグループ

暖色	暖かく感じる色。赤、橙、黄など。
寒色	冷たく(寒く)感じる色。青系の色。
中性色	温度をあまり感じない色。緑系、紫系の色。
補色	色相環で180度の関係にある2色。赤と青緑、黄と青紫など。
同系色	同じ色相で明度や彩度が異なる色のグループ。
類似色	色相環で隣接する色のグループ。
反対色	色相環で反対に位置する色のグループ。補色より範囲が広い。

7 色の対比

複数の色が隣接、接近したとき、互いの三属性が強調され、実際の色とは異なって見える現象。

表6　色の対比

明度対比	明るい色はより明るく、暗い色はより暗く感じる。
色相対比	色相環上で離れる方向の色みを帯びて感じる。
彩度対比	鮮やかな色はより鮮やかに、にぶい色はよりにぶく感じる。
補色対比	色相の差が最も大きいため、互いの彩度がより強調されて色を強く感じる。

ここが問われた!

- 絵の具の色について、色相環での位置関係と補色の特徴について(令3-後-9)
- 保育室の壁面装飾について、同系色による調和や補色による元気で楽しい印象を与える配色、白の混色による彩度の低下の知識(令1-後-9)
- 色の三属性のうち、色みを表す色相という名称と、色相の変化を環状に表した色相環から得られる色の特徴について(令元-後-9、令3-後-9、令4-後-10)
- 色水の混色結果の事例から、類似色と補色による結果の違いについて(令6-前-9)

さらに深める

虹の色は一番上の赤から青紫まで変化します。虹の色に含まれない「赤紫」を加えることで、色相は丸い輪に変化する形で表現できます。

ここをチェック!

出題された色の例に惑わされず、色を形容する言葉に注目。明るさの変化なら「明度対比」、色の変化なら「色相対比」、「鮮やか、にぶい、くすんだ」などの言葉なら「彩度対比」となります。巻頭カラー頁を参照。

8 色の機能

明度の差や暖色、寒色などの違いは、実際の空間的な位置や大きさが異なって感じられます。

表7　色の機能

進出色	暖色系の色	近く浮き出るように感じる
後退色	寒色系の色	遠くへ沈みこむように感じる
膨張色	高明度の無彩色、高明度の暖色系	実際より大きく感じる
収縮色	低明度の無彩色、低明度の寒色系	実際より小さく感じる

9 配色

色を単色で見ることは実際にはとても少なく、多くの場合には複数の色を複合的に見ています。

強く鮮やかな彩度の高い色は、複数色組み合わせると互いに色が主張し合いますが、１色だけ高彩度にして他の色の彩度を低くすると、高彩度の色の印象を他の色が補う効果があります。彩度だけでなく、色相や明度を意識して複数の色を意図的に組み合わせることで、見た目の印象を演出できます。

表8　配色

色相を主とした配色	類似色どうしの配色	調和感があり馴染みやすい
	反対色の配色	派手で力強い印象を与える
彩度を主とした配色	高彩度どうしの配色	派手ではっきりした印象を与える
	低彩度どうしの配色	地味で落ち着いた印象を与える
	高彩度と低彩度の配色	協調し安定した印象を与える
明度を主とした配色	高明度どうしの配色	明るく軽やかだがぼやけた感じ
	低明度どうしの配色	暗く重い印象を与える
	高明度と低明度の配色	境界がはっきりして視認性が高い
	無彩色どうしの配色	落ち着いて知的な印象を与える

ここが問われた!

・視認性が地色と文字色の明度差に大きく関係している（令2-後-9）

・彩度を高くすることで目立つ配色となること、有彩色のみ彩度があること（令5-後-9）

道路標識や運動会で使用するゼッケンなどは、遠くからや移動しながら見たりする場合でも見えやすいよう、高明度と低明度の配色になっています。

○×チェック問題

1　橙色の彩度を低くしていくと、明るい茶色になる。

2　色立体では中心に行くほど彩度が低い色が並ぶ。

3　水色の色水をつくるには黄と青の色水を混ぜればよい。

4　絵の具の「黄みの橙」と「青」を混色すると「緑」になる。

5　赤に白を混色すると彩度が高くなる。

6　12色相環で緑と紫の関係を「補色」という。

7　赤い皿に盛ったバナナが緑みを帯びて見える現象を「色相対比」という。

8　遠くからよく見えるように赤いゼッケンの数字は黒を選んだ。

9　寒い季節になったので暖かみを感じるように保育室内の壁飾りを赤やオレンジで統一した。

10　同系色や類似色の配色は強く元気で楽しい印象を与える。

答え

1 ○

2 ○

3 ×　色水の混色は減法混色のため「黄」と「青」の混色は緑になる。水色の色水をつくるには「白」と「青」の色水を混ぜればよい。

4 ×　「黄みの橙」と「青」は補色の関係で、絵の具の混色では減法混色となるため、混色すると黒に近い濁った暗い色となる。

5 ×　彩度は低くなる。

6 ×　「緑」の補色は「赤紫」。「緑」と「紫」の関係は「反対色」という。

7 ○

8 ×　視認性を高くするためには明度差を大きくする必要があるので「黒」ではなく「白」などの明るい色を選ぶ。

9 ○

10 ×　調和のとれた統一感のある印象を与える。

<造形>
テーマ3

表現技法

保育所保育指針の５領域に定義されているように、「表現」とは「やり方」を学んで同じように表現するのではなく、「触れたり、感じたり」することで「工夫して楽しく遊ぶ」ことです。

でき上がるものが決まっていない「表現技法」は、様々な画材の特性を活かした「造形遊び」で、表現技法を体験することは、描き方やつくり方を学ぶことではなく、目の前で変化する色や材料で遊ぶことです。子どもたちは表現技法を通して美しさや楽しさを体験していきます。

技法あそび(モダンテクニック)、写す技法と版画技法

1 技法あそび(モダンテクニック)

描く、つくるという感覚ではなく、アクションで図柄や形態が生まれます。偶然性のある技法ですが、繰り返し行うことで、意図的に表現することもできるようになります。

表１　代表的な技法あそび(モダンテクニック)

バチック(はじき絵)	紙、クレヨン、絵の具	水と油が弾き合う性質を利用。クレヨンで描いた上から水で薄く溶いた絵の具で塗ると、クレヨンが浮かび上がるように見える。
スクラッチ(ひっかき絵、削り出し)	紙、絵の具、クレヨン	絵の具などで紙全体を着色したあと、クレヨンの黒で全体を塗りつぶし、割りばしなどで引っ掻いて現れる下地の色を楽しむ技法。
デカルコマニー(合わせ絵)	紙、絵の具	２つ折りして開いた紙の片側に絵の具を何色か厚く置き、紙を閉じて押さえつけることで絵の具が広がり混ざる効果を楽しむ技法。
マーブリング(墨流し)	紙、専用絵の具、水	バットなどに水を張り、水面に油性の絵の具やインクを浮かべ、紙に写し取る技法。模様がマーブル(大理石)に似る。

ここが問われた！

- 子どもがバチック技法で失敗した事例から、正しい制作ポイントについて(令4-前-9)
- 用具や技法、子どもたちが受ける印象などの記述から、技法の名称がスクラッチ技法であるということを導く問題(31-前-10)
- デカルコマニーの制作工程とできあがる図像の特徴について(令3-前-10)
- フロッタージュ技法の名称や適した用紙、具体的な技法や効果などについて(令2-後-10)

・スタンピング、ステンシル、マーブリングのそれぞれの技法について正しい説明を選択する問題（令1-後-10）
・レオ・レオニの絵本『スイミー』『フレデリック』『ひとあしひとあし』で用いられている技法について（令3-後-11）
・フィンガーペインティングの知識や画材、感触、応用した技法などについて（令5-後-11）

粘土の型や竹などで組んだ枠に紙を貼り付け、中空に造形した張り子も、モデリング技法です。また、モデリングやカービングを薄く表現したものはレリーフ（浮き彫り）と呼びます。

フロッタージュ（こすりだし）	薄い紙、鉛筆・クレヨンなど	薄手の紙を凹凸のあるものの上に置き、画材でこすると下の段差が濃淡で現れる技法。
ステンシル（型抜き版）	紙、絵の具、スポンジなど	紙をくり抜いた型の上から、スポンジなどに絵の具をつけて叩くと抜いた形だけに色がつく技法。
スタンピング（型押し絵）	絵の具、凹凸のあるもの	絵の具を凹凸のあるものに直接つけて、紙に押して色を写す技法。スタンプのこと。
モノタイプ（転写）	紙、絵の具やインク	絵の具やインクで絵や模様を描き、乾く前に別の紙に転写する技法。アクリルや塩化ビニールなどの樹脂板に原画を描いて転写すると、よりよく写し取ることができる。
コラージュ（貼り絵）	紙、のり、いろいろな素材	紙や様々な素材などを貼っていく技法。
にじみ絵	紙、絵の具やインク・墨など	湿らせた画用紙に多めの水で溶いた絵の具などで描き、滲んで広がる様子を楽しむ技法。
ドリッピング（たらし絵）	紙、絵の具	多めの水で溶いた絵の具を紙の上に滴り落としたり、吹き飛ばしたりする技法。
スパッタリング（ブラッシング）	紙、絵の具、網、ブラシ	網の上に絵の具をのせ、ブラシでこすることで、細かい絵の具の粒子を飛ばす技法。
フィンガーペインティング（指絵）	紙、絵の具	筆などの道具を使わず手や指で直接描く技法。絵の具に洗濯のりや小麦粉等を混ぜ、とろみをつけたり伸ばしやすくすることもある。
モデリング	粘土、紙など	粘土や紙などをつけたり取ったりして造形していくこと。
カービング	木、石、果物、石鹸など	塊を削って造形していくこと。

さらに
深める

『はらぺこあおむし』の作者エリック・カールは、ほとんどの作品を自作の色紙を用いてコラージュで制作しています。

2 技法あそびと絵本

スタンピング、ステンシル、デカルコマニー、マーブリング、フロッタージュ、モノタイプなどの「写す技法あそび」は、描く技術に頼らず容易に図像が現れるため、幼児期の造形活動で楽しく体験ができます。

また、写すことで意図しない「かすれ」「にじみ」「混色」などが深い表現となったり、コラージュを組み合わせることではっきりした輪郭やおおらかな形が表現でき、身近な絵本にも用いられています。『はらぺこあおむし』や『フレデリック』ではコラージュ、『スイミー』では小魚にスタンピング、水のゆらめきや水草にモノタイプ、『ひとあしひとあし』ではフロッタージュなど多くの技法が見られます。

3 版画技法

■凸版

版の凸部にインクをつけ、紙に転写する技法。制作、刷る技術ともに比較的容易。木版画、ゴム版画、紙版画、スチレン版画、印鑑、スタンプ、ローラー版画、フロッタージュなど。

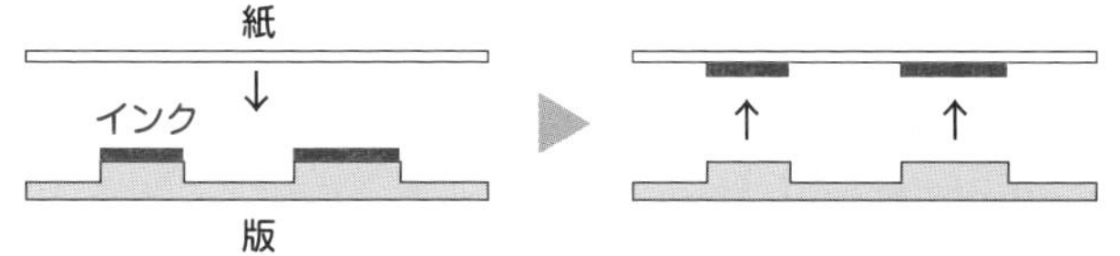

■凹版

版の凹部にインクを埋め、余分なインクを拭き取って紙に転写する技法。銅版画(エッチング、ドライポイント)など。

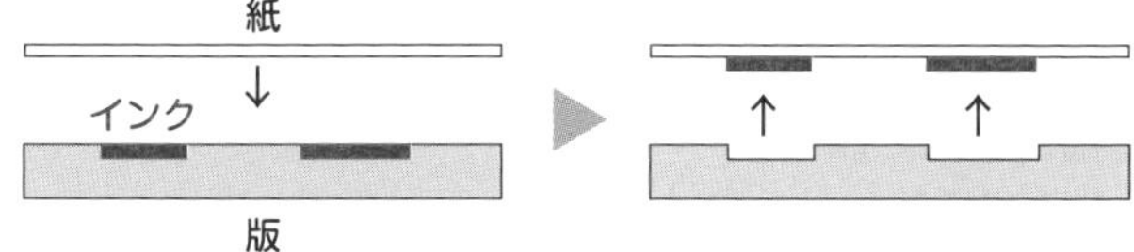

■平版

平面にインクがある部分とない部分をつくり、インクのみを紙に転写する技法。石版画(リトグラフ)、オフセット印刷、デカルコマニー、マーブリング、モノタイプなど。

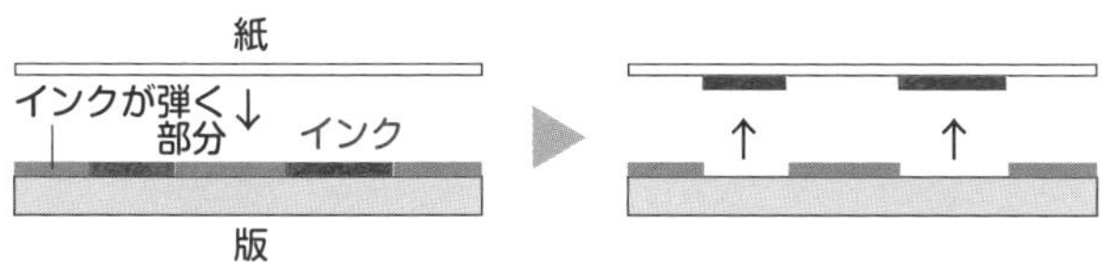

■孔版

穴状の部分からインクを通して下の紙に転写する技法。シルクスクリーン、ステンシルなど。

ここが問われた!

丸棒に巻き付けた紐に絵の具をつけて転がすローラー版画のパターンについて出題されました(令2-後-12)。

さらに深める

ほとんどの版画技法は、版と作品では向きが逆になりますが、孔版(シルクスクリーンやステンシル)では、もとの版と逆転しない正像のまま刷ることができます。

ここが問われた!

「描いた直後に画面に紙をのせて版画のように写しとる」というモノタイプの技法について出題されました(令5-後-11)。

さらに深める

モノタイプは版画技法の「平版」の一種ですが、「モノ」とは「ひとつの」という意味を持つ言葉で、描いた原画を直接転写するため版が残らず、1枚だけしか作品をつくることができない特殊な版画技法です。

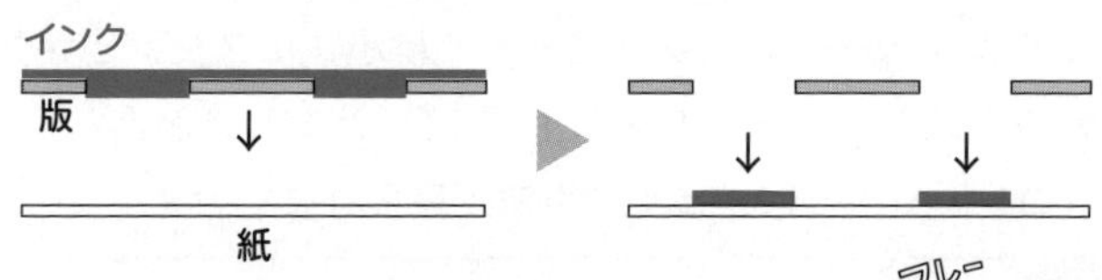

○×チェック問題

1　絵の具を筆で描くように、画材と別の道具を使わず、指で直接持って描けるクレヨンやパスで描くことをフィンガーペインティングという。

2　バチックでは水彩絵の具は流れないように水を少なめに濃く溶くとよい。

3　デカルコマニーはクレヨンが適している。

4　型抜きした紙の上からスポンジで絵の具をつけると型の形でたくさんの同じ模様が描ける。この技法をスタンピングという。

5　にじみ絵には硬いケント紙やボール紙が適している。

6　新聞紙を丸めてテープで貼りながら動物の形を作った。この技法をモデリングという。

7　フロッタージュは紙の下で見えないものの形を擦り出す技法のことである。

8　スタンピングにはクレヨンが適している。

9　エリック・カールの作品『パパ、お月さまとって！』では、流れるような筆のタッチの夜空に、くっきりとした月や星、家などが「スタンピング」技法で描かれている。

10　円筒に紐を巻いたものに絵の具をつけて紙の上を転がすと模様が描ける。この技法は平版である。

答え

1 ×　絵の具を指や手を使って描く技法。
2 ×　水を多めに溶いてクレヨンではじくようにする。
3 ×　水彩絵の具が適している。
4 ×　ステンシルのこと。
5 ×　画用紙や半紙、障子紙などの柔らかく染み込みのよい紙が適している。
6 ○
7 ○
8 ×　水彩絵の具が適している。
9 ×　自作の色紙を切って貼った「コラージュ」技法が用いられている。
10 ×　紐の出っ張りに絵の具がつくので凸版。

<造形>
テーマ4

表現活動の材料

細かい指先の運動能力が発達していない幼児期には、細い筆で絵の具を扱うことが難しいように、造形活動では子どもの発達年齢や経験に合わせた画材や用具の選択が重要なポイントとなります。

数多くの画材や用具について基本的な分類と特性を知ることで、表現の欲求に対してストレスを与えることが少なくなり、子どもたちは表現に集中できます。また、画材や用具によっては幼児期には危険なものも多くありますので、年齢に加えて環境にも配慮し、安心で安全な活動の機会を与えることが必要です。

描画材の種類と特徴、粘土の種類と特徴、紙の種類と特徴

1 描画材

描く色の成分である顔料(または染料)と定着させるためのバインダーからなり、バインダーの成分により水性、油性などに分類されます。

表1　さまざまな描画材

クレヨン	顔料、ロウなどの固形油脂	硬質なため線描きに適しているほか、伸びがあり、ガラスやプラスティックに描けるタイプもある。水分を含まないため乾かず、作品はいつまでも粘りがある。
オイルパステル(パス)	顔料、油脂	軟質で混色が容易。ぼかしなど表現が多彩。
パステル(ソフト・ハード)	顔料、水性糊	顔料の割合が多いため、粉っぽさがあり、指でぼかす表現が可能。固着力が低いため定着スプレーをかけるとよい。混色には限りがある。

用語解説

バインダー
バインダーは展色剤と呼ばれ、色の粉である絵の具に混ぜて練り合わせる糊のような役割を持っています。

ここが問われた!

パス、パステル、コンテ、クレヨンの描画材について出題されました(令1-後-11)。

ここが問われた!

鉛筆の硬さの表記の意味と、幼児が描く線の表情の変化に適した硬さが問われました。さらに応用として、ボールペンの機構の記述から「筆圧の変化に影響されにくく均一な線を描きやすい」という解答を導き出す問題が出題されました(31-前-11)。

鉛筆のHはHard(ハード:硬い)、BはBlack(ブラック:黒)を表し、数字が大きくなるとHはより硬く薄くなり、Bはより軟らかく黒く濃くなります。子どもの造形表現では、軟らかいBのほうが描きやすく適しています。

ポスターカラー、ガッシュ
不透明な水彩絵の具のことで、広い面積をムラなく塗ることに適しています。

陶芸の制作工程について出題されました(令3-後-10)。紙粘土の原料と特徴について出題されました(令4-前-10)。

土粘土を扱うときには木製の粘土板を用います。これは滑らないようにすることと、木材が粘土の水分を吸ってくれることで硬さが調節しやすくなるためです。

コンテ	顔料、水性糊	鉛筆とソフトパステルの中間程度の硬さで、指でぼかす表現が可能。固着力が低いため定着スプレーをかけるとよい。デッサンに用いられるため、白、黒、茶色のものが多い。
鉛筆	黒鉛、粘土	焼き固めた芯を保護用の木材で挟んだもの。粘土が多いと硬くなる。
色鉛筆	顔料、ワックス	芯を焼き固めていないため、鉛筆よりも強度的に弱い。
水彩絵の具	顔料、水性糊	糊の割合が多くなると透明性が高くなり、少ないと不透明になる。糊が油性なら油彩絵の具となる。
絵筆	線を描く丸筆、広い面を塗る平筆など用途によって使い分ける。	
マーカー、フェルトペン	フェルト製の先端部にインクが供給される仕組みの筆記具。顔料を用いた不透明マーカー、染料を用いた透明マーカーがある。	

顔料にアクリル樹脂を含んだ糊を用いたアクリル絵の具は、乾くと耐水性となるため、屋外に飾るものや水がかかるもの、手で持って遊ぶものなどの着色に適しています。

色紙にマーカーで描く際は、不透明マーカーはマーカーの色が再現され、透明マーカーでは、色紙の色とマーカーの色が混色されます。銀色の折り紙やアルミホイルに透明マーカーの黄色で着色すると金色になります。

2 粘土

力を加えると元に戻らず変形した状態を保つ可塑(かそ)性があり、子どもの造形活動に適した材料です。

表2 粘土の種類と特徴

土粘土	陶土に用いられる天然の素材。乾かすと固まり焼くと硬化する。水分量で硬さを調節できるが、長期保存は細かい管理が必要。多量に水分を加えることで泥あそびにも使用できる。
油粘土	天然土を油脂で練ったもの。乾燥しないため硬くなりにくく、繰り返し使用でき保管しやすい。
紙粘土	紙の原料であるパルプに石粉や糊を加えて粘土状にしたもの。絵の具を混ぜたり、乾燥後に着色したりできる。
小麦粉粘土(プレイドー)	小麦粉が主成分。食紅などで着色し安全性を高めている。粘りが弱い。保存性は低い。

樹脂粘土	体温程度で軟化し成形後オーブンで焼いて硬化させる。縮みがなくフィギュアやアクセサリーづくりに用いる。

土粘土は乾燥後700～800℃の低温で焼くことで素焼き状態となります。陶芸では、その後、絵付け、釉薬がけ、本焼きを行います。素焼きの状態をテラコッタと呼びます。

3 紙

紙は描く活動やつくる活動に最も用いられる素材。表現の内容により適した表面の質感や厚さなどを選びます。

表3 紙の種類と特徴

洋紙	画用紙	画材が定着しやすいように表面にやや凹凸があり、厚さがあるが、比較的やわらかい紙質。色つきのものもある。
	ケント紙	表面が滑らか。比較的硬いので工作にも適している。
	新聞紙	変形がしやすく丈夫なので工作に適している。一方向に裂きやすい。
	模造紙	大きく、掲示用にもよく用いられる薄くて丈夫な紙。
	折り紙用紙	白く薄い紙の片面に色が印刷され、正方形にカットされた特別な紙。
和紙	半紙	吸い込みがよく、墨やインクを使った表現に適している。薄いため破れやすい。
	障子紙	厚さもあり丈夫なため、折り染めなどに適している。
板紙	ボール紙	厚さや強度があり工作向き。白ボール、黄色ボール、方眼の工作用紙などの種類がある。
	ダンボール	波状の紙を平坦な紙で挟んで強度を増した軽量の紙。片面のものや厚さなどに種類がある。

4 その他の画材や用具

切ったり貼ったりしてつくる活動では、素材により専用の画材や用具が必要となりますが、危険を伴うものもあり、安全性と併せた理解が必要です。

表4 様々な画材や用具

はさみ	2枚の刃の摩擦でカットする機構。右手用、左手用で刃の合わせ方が異なる。刃先は細かい作業、刃元は厚い紙などに向く。

さらに深める

画材以外にも新聞紙やダンボールをはじめ、ペットボトル、食品トレイ、各種の紐や糸、牛乳パック、お菓子の箱、トイレットペーパーの芯などの身近なものが使用できます。コーティングの有無、カットや接着の方法などに注目すると表現が広がります。

ここが問われた！

- 代表的な洋紙や和紙の特徴(令3-前-11)
- 牛乳パックを材料とした紙の製作方法(令4-後-9)
- 合成繊維製のテープ紐の特性について(令5-前-9)
- はさみの右手用、左手用の区別や刃先と刃元の使い分け、切るときの工夫や安全への注意について(令5-後-10)

ここが問われた！

「土あそび」の可能性について応用的な問題が出題されました(令2-後-11)。

ここが問われた！
でんぷん糊の特徴や成分について問われました（令6-前-10）。

糊	でんぷん糊、液体糊、木工用ボンドなどの水性接着剤を用いる。強力なもの、万能なものは揮発性の有機溶剤などを含んだものが多く、子どもの造形表現活動には適さない。
テープ	透明テープ、両面テープなど、カットしたり剥離紙を剥がしたりする作業があるため、発達年齢も考慮して使用する。
のこぎり	木目に沿って切る縦挽きと木目を断つ横挽きで使い分ける。
金づち	げんのう（玄能）と呼ばれる。釘を打つ頭の面の形状が異なり、打ち始めと途中では平面を、最後の打ち込みでは、木に打ち痕が残りにくいように丸い面で打つ。
キリ	尖った針部分の断面が四角形や三角形で、木を削りながら穴をあける。

図1　用具の注意点

はさみ
左手用、右手用の刃の合わせ方に注意。

のこぎり
縦挽きと横挽きの違いに注意。

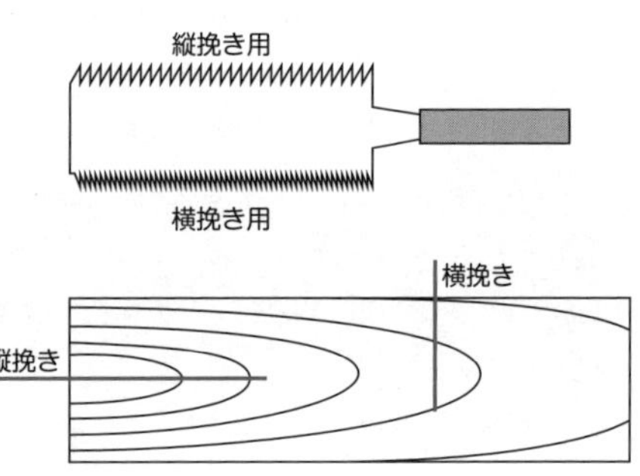

金づち（玄能）
平面と丸い面の使い分けに注意。

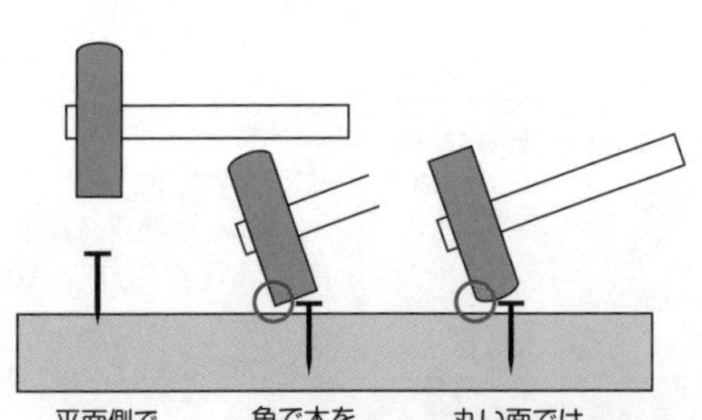

キリ

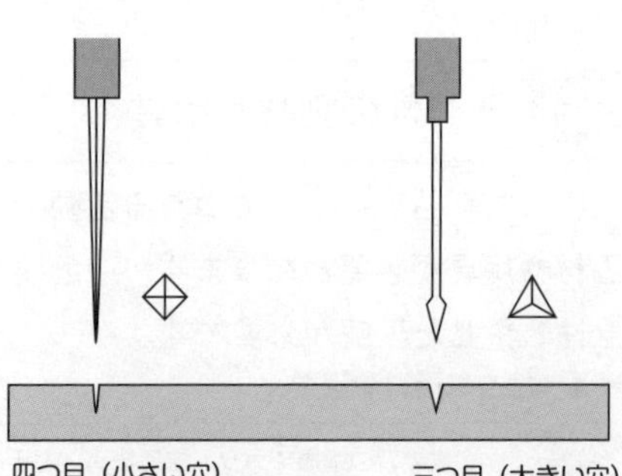

○×チェック問題

1　赤い紙に染料系マーカーの黄色で描くと黄色で描ける。
2　クレヨンは水分が含まれないのでほとんど乾くことがない。
3　幼児には4Hの鉛筆よりも4Bの鉛筆のほうが適している。
4　絵筆は数字が大きくなると太くなる。
5　土粘土は水を加えると柔らかくなるので、泥あそびにも使用できる。
6　土粘土は陶芸用の粘土なので、成形後すぐ焼成することができる。
7　はさみで細かく切るときは、刃元を使うとよい。
8　小麦粉粘土は自作することができる。
9　色画用紙と折り紙は厚さと形（大きさ）が違うだけで同じように使用できる。
10　セロハンテープで貼った上には、でんぷん糊は接着できない。

答え

1 ✕　染料系マーカーは透明なので赤と黄が混色されて橙色になる。
2 ○
3 ○
4 ○
5 ○
6 ✕　成形後、十分に乾燥させてから焼成する。
7 ✕　刃元より刃先を使うと細かく切りやすい。
8 ○
9 ✕　色画用紙の色は染色、折り紙の色は印刷なため、破ったりした際の紙の断面の色がまったく違うのでコラージュでの効果がまったく異なる。
10 ○

<造形>

テーマ5 形態と構成の理解

造形の美しさには、単独の色や形だけでなく、組み合わせによって生じる要素があります。色や形の組み合わせを構成と呼びます。

絵画などの平面的な表現だけでなく、工作などの立体的な表現では、一方向だけでなく、見る角度によって美しさも変化するため、立体の構成では空間的な想像力が求められます。

keyword 平面と立体、美術用語

さらに深める

サイコロの形(立方体)を紙で作成するときは、図のように正方形を6つ組み合わせます。このように立体を切り開いたような図を展開図と呼びます。

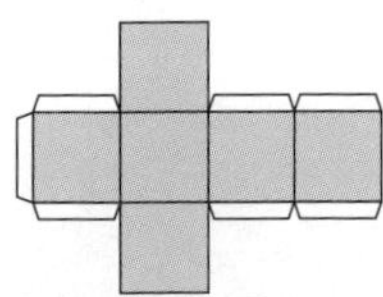

ここが問われた!

6つの正方形でできた展開図のうち、サイコロをつくることができないものを選ぶ問題が出題されました(令4-後-12)。

ここをチェック!

立体は見る角度によっ

1 基本的な形態

構成を理解するために、基本となる形態についての理解が必要です。

表1　平面と立体

平面	円、三角形、四角形、六角形、星型、ハート型など	厚さを持たない形態
立体	球体、角柱、円柱、角すい、円すい、直方体、立方体など	厚さや奥行きを持つ形態

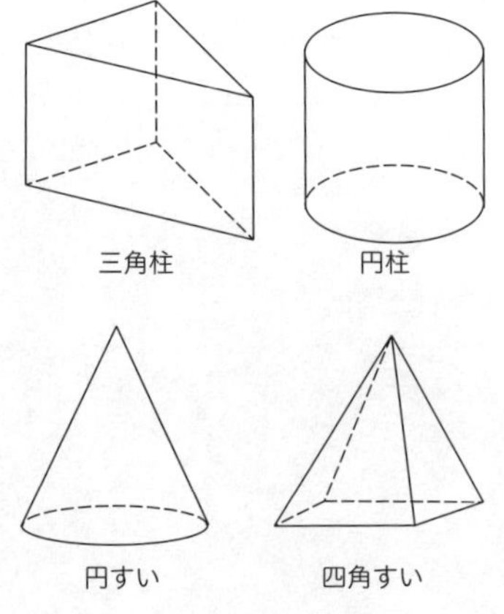

2 構成を表す美術用語

美しい構成を表現する美術用語を理解しておきましょう。

表２　代表的な美術用語

グラデーション	階調	色や形が一定の割合で変化していく構成。隣り合う色が同系色や類似色のため、まとまりがある。
アクセント	強調	同じ要素が並んだ場合などに、一部のみ変化をつけて全体を引き締める構成。
シンメトリー	相称・対称	水平や垂直などの基本軸に対して左右や上下が対称となる構成。統一感が感じられる。
コントラスト	対照	明度や色相、形態の違いなど、性質が大きく異なるものを組み合わせた構成。力強さが感じられる。
リズム	律動	色や形を規則的に繰り返すことで、動きを感じる構成となる。
ハーモニー	調和	類似した色や形を組み合わせた、安定した構成。
バランス	均衡	類似した色や形を組み合わせた、釣り合いの取れた構成。
リピテーション	繰り返し	同じ色や形を繰り返す構成。まとまりが感じられる。
プロポーション	比率	大きさや形、面積の割合を表す名称。
ムーブメント	動勢	流れや動きによって躍動感が感じられる構成。

3 立体造形の仕組み

造形あそびには、形の変化や動きが関係するものも少なくありません。折り紙をはじめ、やじろべえやコマのような釣り合いの仕組み、飛び出す絵本のような仕掛けなど、立体造形表現の知識と理解が必要です。

表３　様々な立体造形

折り紙	山折り、谷折りの図式のほか、折る前と折った後の形の変化を理解。折り線を中心に形がシンメトリーになることも多い。
釣り合い	やじろべえの足やコマの軸が支点となり、左右や中心からの等距離の重さで全体のバランスを保っている。
ハンペルマン	ひもを引くと手足が上下に動く人形で、シーソーのように支点の片方がひも、もう片方が手や足になっている。
クランク、カム	回転運動を上下運動（またはその逆）に変換する仕組み。

て形態が変わります。積み木など、身近な立体を組み合わせていろいろな角度から見える形態を観察しましょう。

プロポーションのうち、1：1.618の比率は黄金比と呼ばれ、美しい比率として特に西洋で好まれます。また日本では1：1.414の比率が比較的好まれ、白銀比と呼ばれています。コピー用紙の比率は白銀比で、長い辺を２等分してできた（短い辺を２倍してできた）長方形は、元の長方形と相似形です。

黄金比

白銀比

ここが問われた！

切り込みを入れた卵型の紙を折った後の形を選ぶ問題が出題されました（令1-後-12）。

ここが問われた！

郷土玩具の「赤べこ」の頭部が揺れる仕組みが釣り合いであることが出題されました（令4-前-12）。

ここが問われた！

・四つ折りにした紙を切り取った部分を開いたときにできる形について(令3-前-12、令6-前-12)
・竹とんぼの回転方向と羽根の形態について(令3-後-12)
・七夕の網飾りの切り込みの入れ方について(令5-前-12)
・切り紙による室内飾りについて、紙の折り方と完成の形から、切るときの方向や形を選ぶ問題(令5-後-12)

4 形態と構成の理解

頻繁に出題される立体造形の仕組みについての問題は、子どもたちが直接行う造形表現だけでなく、運動会のくす玉などイベントで使用する制作物や、ハンペルマン、クランクなど、保育士が手を掛けるものなど様々で、とても広範囲に及びます。これらは知識だけでなく経験から想像し応用する力が問われるため、とても難解に感じますが、専門的な知識がなくても解答を導き出せる、落としたくない問題です。

立体造形に対応できる想像力や応用力は、日常的なものの見方が大切で、折り紙を上からだけでなく横からや裏から見たり、折り進めるときの形の変化を観察したり、お菓子の箱を開いて見たりと、ものを一方向だけでなく違った角度から見ることが必要です。

図1　参考図版

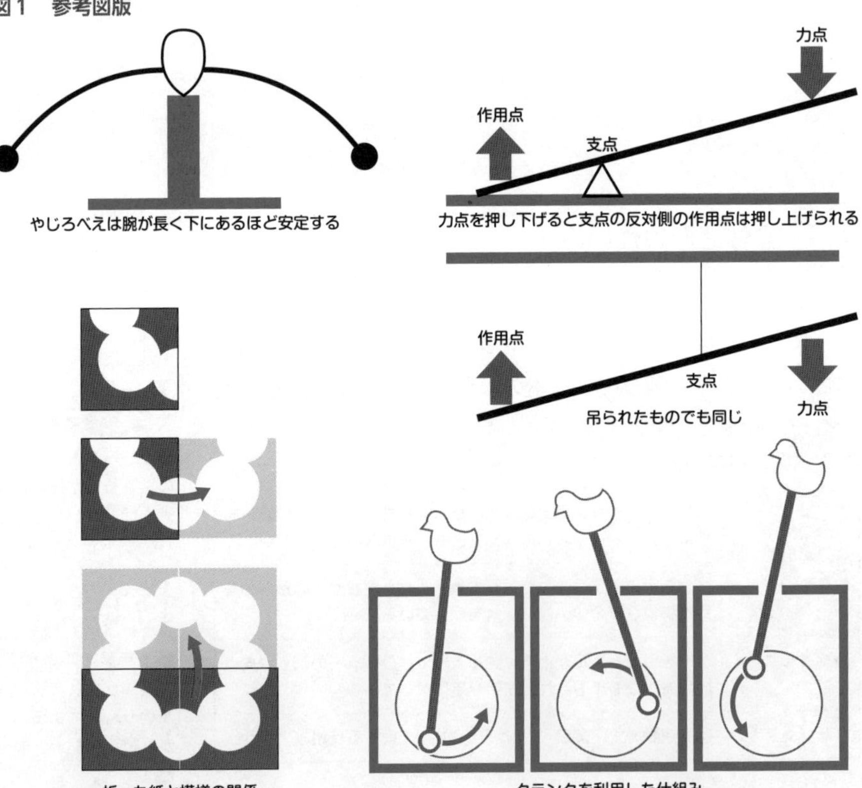

○×チェック問題

1 円柱は2つの円と長方形でつくることができる。
2 円すいは1つの円と三角形でつくることができる。
3 真上から見ると円に見える円柱を、真横からみると三角形に見える。
4 2色の布で旗をつくる際、地と図の大きさ関係をプロポーションと呼ぶ。
5 夏は日差しが強いので、影のコントラストが強くなる。
6 白銀比の長方形と黄金比の長方形では、黄金比のほうがより正方形に近い。
7 同じ要素が並んだときに一部だけ変化をつけて全体を引き締める効果をムーブメントという。
8 折り紙を二つ折りにしたまま一部を切り取って開いたとき、折り目に沿ってシンメトリーになっている。
9 工作の船を水に浮かべ、前に進む際、右に回るようにするには、水中の舵の後ろ側を左に曲げるとよい。
10 やじろべえの腕が水平で安定しないので、左右とも下方向に同じように曲げた。

答え

1 ○
2 × 三角形ではなく扇形と円でつくる。
3 × 三角形ではなく四角形に見える。
4 ○
5 ○
6 × 白銀比のほうが正方形に近い。
7 × アクセントのこと。ムーブメントは躍動感を表す言葉。
8 ○
9 × 前に進む際、水の抵抗が左右均一ならまっすぐに進み、左右のどちらかに抵抗があれば、ブレーキとなり抵抗がある側に回る。右に回るようにするには舵の後ろ側を右に曲げる。舵の後側が力点となり、船の先頭（進行先）が作用点となる。
10 ○

<言語>

テーマ1 幼児期の言語の特徴

日本人は『古事記』の時代から、気持ちをわかりやすく端的に伝えることができるオノマトペ(擬音語や擬態語)を使ってきた歴史があります。子どもが言葉を獲得していく上では重要な言語の特徴です。

動物の鳴き声、自然界の音

1 オノマトペの種類

オノマトペは、自然界の音や、人間を含めた生物の発した音声を直接的に表現した「擬音語」や、もともと音声を伴わない抽象的な状態を間接的に描写表現した「擬態語」の2種類に分かれます。

表1　擬音語のオノマトペ

種類	具体例
動物の鳴き声	ワンワン、ニャーニャー、ブウブウ、メーメー、など
自然界の音	ゴロゴロ(雷)、ジャージャー(雨)、ビュービュー(風)、など
日常社会生活の動作音	ガタンゴトン(電車)、チン(電子レンジ)、バタン(ドア)、など

表2　擬態語のオノマトペ

種類	具体例
人間に関するもの	テキパキ、デレデレ、ジーン、ほんわか、ぐずぐず、など
物に関するもの	ペラペラ、もくもく、など

2 オノマトペの効果

■五感を刺激する

子どもに限らず、普通に言葉で表現するよりオノマトペを使ったほうが人間の脳にはダイレクトに入ってきやすいといわれています。単純な言葉の繰り返しであるオノマトペは人の五感を刺激しながら、コミュニケーション能力の発達に役立つといわれています。

■豊かな感性を育む

オノマトペには、人間の感情を表すものが多くあり、「ニコニコ」「ぷんぷん」「しくしく」「いらいら」などの喜怒哀楽を表現できます。また、雨が降っている状況も、「ぽつぽつ」「しとしと」「ざーざー」とオノマトペを使うことで、より正確に表現でき、臨場感も出てきます。

これもオノマトペ
人間の感情を表す言葉としてショックを受けた時の「ガーン」、楽しい時の「ウキウキ」や「ワクワク」、静けさを表す「シーン」もオノマトペの仲間です。

表3　オノマトペが出てくる絵本・作者一覧
（すでに知っているものには✓を入れてみましょう）

✓	絵本名	作者
	もこ もこもこ	谷川俊太郎
	じゃあじゃあびりびり	まついのりこ
	りんごりんごりんごりんごりんごりんご	安西水丸
	わんわん わんわん	高畠 純
	んぐまーま	谷川俊太郎
	ぽぽぽぽぽ	五味太郎
	だっだぁー	ナムーラミチヨ
	カニツンツン	金関寿夫
	もけらもけら	山下洋輔
	ごぶごぶ ごぼごぼ	駒形克己
	おっぱいごりら	聞かせ屋。けいたろう
	ぶう ぶう ぶう	おーなり由子
	にゅるぺろりん	谷川俊太郎
	とこてく	谷川俊太郎

	くるくるくる	桑原伸之
	かたかた ぴょんぴょん	とよた かずひこ
	どんどこ ももんちゃん	とよた かずひこ
	ぷちぷち	ひろかわ さえこ
	ちもちも	ひろかわ さえこ
	んんんんん	五味太郎
	り・り・り・り・り	五味太郎
	さよならさんかく またきてしかく	松谷みよ子

ここが問われた！
回文を探して言葉遊びを楽しんだ事例について出題されました（令4-前-18）。

■回文の楽しさ

回文とは、上から読んでも下から読んでも同じ文句になる語句や文のことです。例として「新聞紙（しんぶんし）」「竹藪焼けた（たけやぶやけた）」などがあります。言葉遊びによく利用され、楽しみながら言葉の豊かさが養われます。

3 幼児音と幼児語

幼児が使う言葉や音には幼児期ならではの特徴があり、幼児が発する「幼児音」とコミュニケーションのための「幼児語」とに分けられています。

表4　幼児音と幼児語の例

幼児音	テレビ：テービ、レモン：デモン
幼児語	飯：まんま、犬：ワンワン、歩く：あんよ、寝る：ねんね

さらに深める
「読み聞かせ」では、読み手が絵本の文字を追うことで、子どもの反応を常に確認できませんが、「おはなし」では終始、子どもたちの反応を確かめることができます。

表5　幼児期の言語にみられる特徴

年齢区分	特　徴
6か月前後	あやされると声を出して笑う。
おおむね1歳まで	クーイングから喃語へ、1歳前あたりから指差し。
おおむね1歳	「わんわん」「まんま」などの一語文。オノマトペを好む。
おおむね2歳	「わんわん、ちた（来た）」などの二語文。
おおむね3歳	指示代名詞、形容詞、助詞、基本的文法が整う。
おおむね4歳	「きょう」「あした」などの時間の概念、「まえ」「うしろ」などの位置関係。

おおむね5歳から就学前	「大中小」や「高中低」などの三次元理解。 「しりとり」「さかさことば」などの知的な言葉。

4 保育所保育指針

保育所保育指針(以下、指針)の中の言語(言葉)に関する記述について、出題されることがあります。第1章「総則」や第2章「保育の内容」を中心に押さえておきましょう。

指針

第1章「総則」4「幼児教育を行う施設として共有すべき事項」(2)「幼児期の終わりまでに育ってほしい姿」より抜粋

ケ　言葉による伝え合い

保育士等や友達と心を通わせる中で、絵本や物語などに親しみながら、豊かな言葉や表現を身に付け、経験したことや考えたことなどを言葉で伝えたり、相手の話を注意して聞いたりし、言葉による伝え合いを楽しむようになる。

第2章「保育の内容」3「3歳以上児の保育に関するねらい及び内容」(2)「ねらい及び内容」エ「言葉」より抜粋

経験したことや考えたことなどを自分なりの言葉で表現し、相手の話す言葉を聞こうとする意欲や態度を育て、言葉に対する感覚や言葉で表現する力を養う。

ここが問われた!

第1章「総則」4「幼児教育を行う施設として共有すべき事項」(2)「幼児期の終わりまでに育ってほしい姿」ケ「言葉による伝え合い」の内容が問われました(31-前-14)。

ここが問われた!

第2章「保育の内容」3「3歳以上児の保育に関するねらい及び内容」(2)「ねらい及び内容」エ「言葉」の内容について問われました(令5-前-13)。

○×チェック問題

次の記述について、正しいものに○、誤ったものに×で答えなさい。

1　擬音語のオノマトペとは、動物の鳴き声や自然界の音に由来するものがある。

2　オノマトペには、人間の感情を表すものが多くあり、「ニコニコ」「ぷんぷん」「しくしく」「いらいら」などの喜怒哀楽を表現できる。

3　『もこ もこもこ』の筆者は五味太郎である。

4　テレビを「テービ」と言ったり、レモンを「デモン」と言ってしまうのは幼児語である。

5　「読み聞かせ」では、読み手が絵本の文字を追うことで、子どもの反応を常に確認できない。

6　『もこ もこもこ』『んぐまーま』『ぶう ぶう ぶう』はいずれも谷川俊太郎の作品である。

7　「まんま」「ワンワン」などを幼児音という。

8　日本語のオノマトペは、くり返し言葉（畳語）が多数ある。

9　１つのオノマトペは１つの意味しかない。

10　オノマトペは状態をより正確に伝えるという効果もある。

答え

1 ○

2 ○

3 ×　「五味太郎」ではなく「谷川俊太郎」

4 ×　選択肢は幼児音の説明。幼児語はご飯を「まんま」と言ったり、犬を「ワンワン」と言うこと。

5 ○

6 ×　『ぶう ぶう ぶう』はおーなり由子である。

7 ×　「幼児音」ではなく「幼児語」

8 ○

9 ×　「ごろごろ」はごろごろしている（寝ている）と（雷が）ごろごろとなっているのように複数の意味がある。

10 ○　痛さを表現するのに、「しくしく」「キリキリ」「ズキズキ」「ジンジン」などがある。

<言語>

テーマ2

絵本その他の技法

保育の定番の、絵本の読み聞かせ。同じ絵本でも聞かせる子どもの年齢や発達によって変化をつけて読むことができます。読み手は子どもたちの反応を見ながら読み方に工夫が求められます。読み終わった後もすぐに感想を聞くのではなく、余韻を楽しむ時間が必要です。

keyword 子ども読書年、ブックスタート運動

1 絵本を読む意義

絵本を読む意義は、「時間」「空間」「気持ち」の共有であるといわれています。保育者が園児たちに読むことは、読んでいる「時間」(同じ時間)とその場所「空間」(同じ場所)、そして主人公の「気持ち」(同じ内容)を共有することです。

読み手も聞き手もストーリーに引き込まれていくことが絵本を読む(聞く)意義でもあります。子どもたちがお話に集中できるように、子どもと視線を合わせたり、読むスピードを変えたりするとよいでしょう。

ここが問われた!

・絵本の読み聞かせの際の留意事項について(令3-前-14)
・読み聞かせの際の環境や留意点について(令4-後-17)

2 絵本の選び方と種類

2000(平成12)年が「子ども読書年」に制定され、2001(平成13)年より「ブックスタート運動」が始まりました。このことを契機に0～2歳向けの絵本が注目されるようになりました。

表1　絵本の種類

赤ちゃん絵本	認識絵本(ものの絵本)、いないいないばあ絵本、生活絵本／しつけ絵本
物語を素材とした絵本	物語絵本／民話絵本
知識絵本	科学絵本、図鑑絵本、数値絵本
言葉の絵本	「ことば」についての絵本、「ことば遊び」についての絵本
バリアフリー絵本	さわる絵本、点字絵本、大活字本、手話付き絵本、手話絵本、絵文字付き絵本
文字レスの絵本	イラストのみの絵本
しかけ絵本	飛び出す絵本、ホログラム、IC

3 紙芝居・ペープサート・パネルシアター等

ここが問われた！

・パネルシアター、ペープサート、エプロンシアターを演じる際の注意事項について（令3-後-14、令6-前-11）

・紙芝居を演じる際の留意点について（令6-前-18）

保育の定番である絵本以外の視覚的保育教材として、４つの教材があります。いずれも言語獲得の上で重要な材料です。絵本と組み合わせて展開していますが、それぞれの特長と展開する上でのポイントがあります。

表2　紙芝居

紙芝居とは	１つの物語の場面場面を描いた絵を引き抜きながら物語の内容を人の語りで展開するものであり、読み手と聞き手のコミュニケーションによって作品の世界を「共感」していける。
紙芝居のだいご味	読み手の人間性が現れる。 語りと絵でイメージを広げていく。 集団で同じ物語を見る共通体験。
紙芝居の選び方	対象となる聞き手の発達や人数に合わせたタイトルと内容を考えながら、まずは読み手がじっくり読みこんでから決定する。
紙芝居の読み方	物語の場面に合わせて引き抜く早さなど抜き方を工夫する。

表3　ペープサート

ペープサートの特長	絵を描いた棒を動かすだけで表現するので、子どもたちでもできる。 また、製作も比較的簡単にできる。 絵の表と裏を使って変化を楽しめる。
ペープサートの種類	ペープサートを使って、お話を単純に展開する。 なぞなぞやクイズ仕立てにする。

表4　パネルシアター

パネルシアターの特長	瞬間的に場面展開ができ、様々な仕掛けができる。(例)登場人物をひっくり返すと違う物になったり表情に変化をつけられる。 ブラックシアター…蛍光絵の具で着色し、ブラックライトを照らして絵を光らせる。通常のパネルシアターは、白いパネル布を使用するが、ブラックシアターでは黒いパネル布を使用する。
パネルシアターの仕掛け	園行事(誕生会やクリスマス会など)に加えて、子どもたちが落ち着かないとき、生活習慣を身につける題材としても利用できる。
パネルシアターの舞台	パネルシアター用のイーゼルや可動式のホワイトボードなど。
パネルシアターの演じ方	台詞につまるとお話の世界から現実世界へ引き戻される危険性があることに注意する。 ・演じ手も楽しく。 ・動作を大きく。 ・見ている人との言葉のやりとり。 ・子どものほうを見ながら。

表5　人形劇と人形遊び

人形劇	人形を操作して俳優に見立てて演ずる演劇方式であり、手遣い人形(パペット)・棒遣い人形・糸操り人形(マリオネット)などがある。
人形遊び	手に持った人形やドールハウスにいる人形を人間や特定のキャラクターにして遊ぶ。ごっこ遊びの一種とされている。

4 過去に出題された絵本

絵本については、年齢やねらい、目的に合わせた絵本の選択、絵本名と著者を結びつけるものが出題されています。

表6　過去に出題された絵本など(50音順)
(すでに知っているものには✓を入れてみましょう)

✓	書名	作・絵等	出題年
	アリとキリギリス	イソップ寓話	28
	いっぽんばしわたる	五味太郎	31
	いやいやえん	中川李枝子	28
	いろんなおとのあめ	岸田衿子	30
	エルマーのぼうけん	ルース・スタイルス・ガネット	28
	おおきなかぶ	ロシア民話(再話：A・トルストイ)	28

ここが問われた！
きょうだい関係によっておこる生活の変化や心の葛藤、またそれらを通して成長する子どもの姿を描いた絵本選びについて出題されました(令1-後-13)。

	おつきさまこんばんは	林明子	28・29
	おばけのてんぷら	せなけいこ	28
	かいじゅうたちのいるところ	モーリス・センダック	29
	がたん ごとん がたん ごとん	安西水丸	30
	からすのパンやさん	かこさとし	28
	きつねのよめいり	松谷みよ子、瀬川康男	30
	キャベツくん	長新太	28・令1
	きんぎょがにげた	五味太郎	28
	北風と太陽	イソップ寓話	28
	こだまでしょうか	金子みすゞ	30
	こんにちは！へんてこライオン	長新太	28
	三びきのやぎのがらがらどん	マーシャ・ブラウン	29
	じゃあじゃあびりびり	まついのりこ	30
	スーホの白い馬	大塚勇三	29
	だるまさんが	かがくいひろし	28
	ちいさいおうち	バージニア・リー・バートン	30
	ちいさいモモちゃん	松谷みよ子	28
	ちょっとだけ	瀧村有子、鈴木永子	令1
	ティッチ	パット・ハッチンス	令1
	てのひらをたいように	やなせたかし	30
	てぶくろ	ウクライナ民話	29
	ねずみくんのチョッキ	なかえよしを	29
	はけたよはけたよ	神沢利子、西巻茅子	31
	はらぺこあおむし	エリック・カール	28
	美女と野獣	フランス民話	28
	ヘンゼルとグレーテル	グリム童話	28
	ぼくのくれよん	長新太	29

	ぼくのだいじな あおいふね	ピーター・ジョーンズ、ディック・ブルーナ	31
	ぼちぼち いこか	マイク・セイラー、ロバート・グロスマン	令1
	ぽんたの じどうはんばいき	加藤ますみ、水野二郎	31
	もこ もこもこ	谷川俊太郎	29
	ロボット・カミイ	古田足日	28
	わたしのワンピース	にしまきかやこ	28

○×チェック問題

次の記述について、正しいものに○、誤ったものに×で答えなさい。

1 「読み聞かせ」では、子どもたちと、「読み終わるまできちんと座って聞く」ようあらかじめ約束をしておくとよい。
2 飛び出す絵本やホログラム、ICを使った絵本をバリアフリー絵本という。
3 2000（平成12）年が「子ども読書年」に制定され、2001（平成13）年より「ブックスタート運動」が始まった。
4 紙芝居では、紙を引き抜く際、できるだけ早く抜き次の場面にすることが大切である。
5 「演じ手との人間的つながり」「イメージを豊かに広げる」「内容がわかりやすくなる」などは紙芝居のだいご味である。
6 「てのひらをたいように」の著者は、やなせたかしである。
7 「おおきなかぶ」は日本の民話である。
8 「ヘンゼルとグレーテル」は、グリム童話である。
9 「はらぺこあおむし」の作者のエリック・カールはイギリスの絵本作家である。
10 パネルシアターは、イーゼルや可動式のホワイトボードが舞台である。
11 なぞなぞやクイズ仕立てはペープサートの特長である。

答え

1 × 子どもたちがお話に集中できるように、子どもと視線を合わせたり、読むスピードを変えたりするとよい。
2 × 「バリアフリー絵本」ではなく「しかけ絵本」
3 ○
4 × 場面に合わせて引き抜く早さなど抜き方を工夫する。
5 ○
6 ○
7 × ロシア民話である。
8 ○
9 × 「イギリス」ではなく「アメリカ」
10 ○
11 ○

索引

あ～お

か～こ

さ～そ

た～と

ま〜も

や〜よ

ら〜ろ

わ〜ん

アルファベット

著者紹介

編　集

中央法規保育士受験対策研究会

執筆代表

橋本圭介（はしもと けいすけ）

ヒューマンアカデミー通信講座・保育士講師（主任）、学校法人三幸学園大宮こども専門学校専任講師、豊岡短期大学こども学科非常勤講師、姫路大学教育学部非常勤講師、あさか保育人材養成学校主任講師、社会福祉法人友愛会川口アイ保育園理事長ほか

執筆者　五十音順

綾 牧子（あや まきこ）

学研アカデミー保育士養成コース専任講師、文教大学非常勤講師

大城玲子（おおしろ れいこ）

保育士、ヒューマンアカデミー通信講座・保育士講師

河合英子（かわい えいこ）

元 学校法人三幸学園大宮こども専門学校専任講師、元 小田原短期大学保育学科非常勤講師

喜多﨑薫（きたざき かおる）

総合学園ヒューマンアカデミーチャイルドケアカレッジ東京校非常勤講師、あさか保育人材養成学校講師

喜多野直子（きたの なおこ）

管理栄養士、保育士、学校法人三幸学園東京こども専門学校専任講師、東京医療秘書歯科衛生＆IT専門学校非常勤講師、小田原短期大学保育学科非常勤講師、栄養セントラル学院講師、あさか保育人材養成学校講師

児玉千佳（こだま ちか）

チェロ奏者、ヒューマンアカデミー通信講座・保育士講師、学校法人三幸学園大宮こども専門学校専任講師

佐藤賢一郎（さとう けんいちろう）

常磐大学人間科学部教育学科准教授

新川加奈子（しんかわ かなこ）

医学博士、精神保健福祉士、ヒューマンアカデミー通信講座・保育士講師

中山麻子（なかやま あさこ）

臨床心理士、公認心理師、小田原短期大学保育学科非常勤講師、あさか保育人材養成学校講師、学校法人三幸学園大宮こども専門学校・大宮医療秘書専門学校非常勤講師

■ 本書に関する訂正情報等について

本書に関する訂正情報等については、弊社ホームページにて随時お知らせいたします。下記URLでご確認ください。

https://www.chuohoki.co.jp/correction/

■ 本書へのご質問について

本書の内容に関するご質問については、下記URLから「お問い合わせフォーム」にご入力いただきますようお願いいたします。

https://www.chuohoki.co.jp/contact/

わかる！受かる！
保育士試験合格テキスト2025

2024年6月30日　発行

編　集　　中央法規保育士受験対策研究会
発行者　　荘村明彦
発行所　　中央法規出版株式会社
〒110-0016　東京都台東区台東3-29-1　中央法規ビル
Tel 03(6387)3196
https://www.chuohoki.co.jp/

印刷・製本　株式会社アルキャスト
装幀デザイン　株式会社ごぼうデザイン事務所
本文デザイン　株式会社エディポック
キャラクターデザイン　タナカユリ
本文イラスト　小牧良次(イオジン)

定価はカバーに表示してあります。
ISBN978-4-8243-0076-8

A076

スキマ時間を活用しよう！

保育士合格アプリ2024 一問一答＋穴埋め のご案内

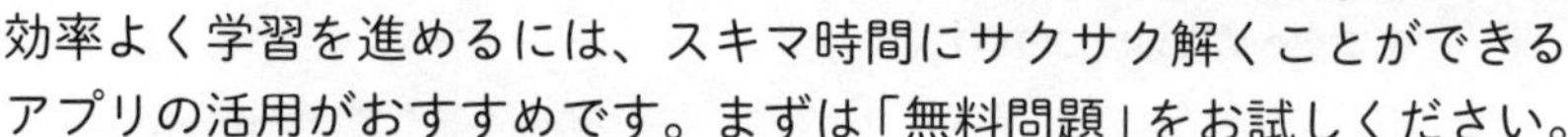

効率よく学習を進めるには、スキマ時間にサクサク解くことができるアプリの活用がおすすめです。まずは「無料問題」をお試しください。

「無料問題」お試しの手順

1 アプリのダウンロード

ご利用のスマートフォンに合わせて、以下のQRコードからアプリをダウンロードしてください。アプリのダウンロードは無料です。

iPhone

Android

2 トップ画面のダウンロードボタンを選択

トップ画面のダウンロードボタンを押して、ダウンロード画面を表示してください。

3 【一問一答】無料問題の「ダウンロード」ボタンを選択

ダウンロード画面のいちばん下の【一問一答】無料問題の「ダウンロード」ボタンを選択すると、無料問題30問が表示され、学習を開始できます。

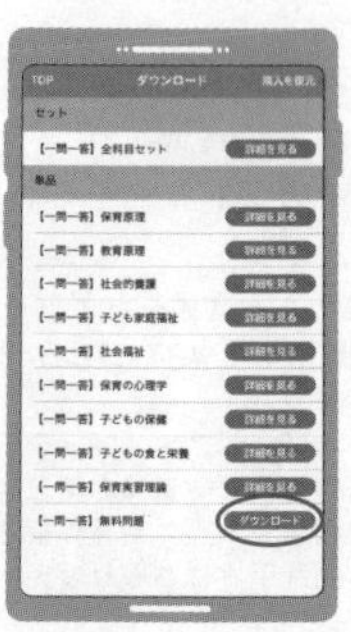

※「合格アプリ2025」は、2024年10月下旬リリース予定です。